法医学活体年龄研究前沿

王亚辉　万　雷　郭昱成　主编

科学出版社
北京

内容简介

法医学活体年龄评估是当前国内外法医人类学学者研究的难点和热点问题之一，也是我国法医临床学鉴定的重要内容之一。本书从纵、横结合角度详细介绍了法医学骨龄、法医学牙龄、分子生物学年龄以及基于同位素检测、骨密度检测、超声检测等多维度、多视角技术手段的法医学活体年龄研究前沿；全面阐述了法医学活体骨龄评估由传统人工方法迈向人工智能时代的最新研究动态及人工智能技术在法医学研究领域中的应用前景；高度展望了法医学活体年龄鉴定标准化建设的问题及对策。

本书可供法医临床学专业司法鉴定人、研究人员及该专业师生使用，亦可供法医人类学研究人员、刑事司法人员、体育卫生事业从业人员、律师与相关当事人参考。

图书在版编目(CIP)数据

法医学活体年龄研究前沿 / 王亚辉，万雷，郭昱成主编. —北京：科学出版社，2023.1

ISBN 978-7-03-072640-7

Ⅰ. ①法… Ⅱ. ①王… ②万… ③郭… Ⅲ. ①年龄鉴定—研究 Ⅳ. ①D919.4

中国版本图书馆 CIP 数据核字(2022)第 113313 号

责任编辑：谭宏宇/责任校对：郑金红
责任印制：黄晓鸣/封面设计：殷　靓

科学出版社 出版
北京东黄城根北街 16 号
邮政编码：100717
http：//www.sciencep.com

南京文脉图文设计制作有限公司
上海锦佳印刷有限公司
科学出版社发行　各地新华书店经销

*

2023 年 1 月第　一　版　　开本：787×1092　1/16
2023 年 1 月第一次印刷　　印张：23 3/4
字数：560 000

定价：190.00 元

（如有印装质量问题，我社负责调换）

《法医学活体年龄研究前沿》
编辑委员会

主　编　王亚辉　万　雷　郭昱成

主　审　陈　腾

副主编　邓振华　刘太昂

编　者　（以姓氏笔画为序）

万　雷　司法鉴定科学研究院

王　鹏　中国科学院上海高等研究院

王亚辉　司法鉴定科学研究院

邓振华　四川大学

刘太昂　上海真谱信息科技有限公司

刘希玲　司法鉴定科学研究院

李成涛　司法鉴定科学研究院

李　卓　四川华西法医学鉴定中心

何晓丹　司法鉴定科学研究院

应充亮　上海哲选健康管理咨询有限公司司法鉴定所

汪茂文　司法鉴定科学研究院

宋国庆　陕西省咸阳市公安局

陈　谨　上海大学

范利华　司法鉴定科学研究院

赵　虎　中山大学

夏文涛　司法鉴定科学研究院

郭昱成　西安交通大学口腔医院

黄　平　司法鉴定科学研究院

彭丽琴　湖南省常德市公安局刑事科学技术研究所

学术秘书　彭丽琴　宋国庆

主编简介

王亚辉，司法鉴定科学研究院（简称司鉴院）后勤保障处副处长，司鉴院法医临床学研究室司法鉴定人，副研究员、副主任法医师，西安交通大学在读博士，硕士研究生导师，主要从事法医临床学、法医人类学科学研究和司法鉴定工作。目前担任上海市司法鉴定协会法医临床专业委员会委员，长江经济带司法鉴定协会专家委员会委员，山东省、山西省司法鉴定专家委员会委员，《法医学杂志》、《中国司法鉴定》杂志、*Forensic Sciences Research* 的审稿人和专业编辑。工作14年来，主持并完成国家自然科学基金青年科学基金项目、面上项目各1项，主持上海市科学技术委员会技术标准项目1项，先后作为课题主要参与人参加国家自然科学基金委员会、科技部、财政部、中国合格评定国家认可委员会、上海市科学技术委员会资助的科研项目共9项，起草公共安全行业标准、司法行政行业标准、认证认可行业标准各1项，其中作为主要起草人参与研制的中华人民共和国公共安全行业标准《法庭科学 汉族青少年骨龄鉴定技术规程》（GA/T 1583—2019）是我国法医学领域首个骨龄鉴定标准，主编《中国青少年骨龄鉴定标准图谱法》学术专著1部，副主编《法医学年龄推断》学术专著1部，参编、参译国内外学术专著9部，累计发表科研学术论文51篇，其中SCI论文7篇。先后荣获上海市司法行政系统“新长征突击手”称号，“上海市司法鉴定协会法医临床司法鉴定技能比武大赛二等奖”，司鉴院“优秀科技工作者”称号，先后三次荣获“司鉴院科学技术进步奖二、三等奖”。

万雷，副主任法医师，副研究员，毕业于苏州大学法医学系，现就职于司鉴院，目前是复旦大学影像学专业在读博士；掌握医学影像学及法医学相关基础知识，并具有多年医学影像学及法医学实际工作经历，主要研究方向为法医影像学。目前，主持并完成中央级科研院所科研专项课题及国家自然科学基金青年科学基金项目各1项，参与完成多项上海市科学技术委员会重点项目及国家自然科学基金面上项目等课题研究；已自行设计出一套尸体血管造影装置，并获得国家专利1项。迄今，在国内外学术刊物上发表论文30余篇（其中SCI论文5篇），主编《中国青少年骨龄鉴定标准图谱法》专著1部，并参编专著4部。参与制定《法医临床影像学检验实施规范》《法医学虚拟解剖操作规程》《尸体多层螺旋计算机体层成像（MSCT）血管造影操作规程》等相关标准及技术规范。

郭昱成，医学博士，博士后，副研究员，博士研究生合作导师，西安交通大学口腔医院牙颌颜面发育管理中心副主任。中华口腔医学会正畸专委会青年委员，中华口腔医学会口腔医学计算机专委会青年委员，陕西省口腔医学会正畸专业委员会常务委员（兼秘书）。2014年9月~2015年10月受国家留学基金委资助赴德国明斯特大学法学院学习。于2015年5月和2019年3月两次受邀在柏林举办的第十八届和第二十二届国际年龄推断研究协会年会上做大会发言。长期从事法医齿科学和口腔正畸学研究，获西安市科技进步奖三等奖1项，授权国家发明专利1项。主持国家级项目2项，省部级项目3项，担任国际法医学期刊 *International Journal of Legal Medicine* 编委，以第一作者或通讯作者发表SCI收录论文27篇，核心期刊论文10余篇，参编法医齿科学论著1部。

序

活体年龄研究一直是法医人类学家关注的重要课题，骨龄（即生物学年龄）鉴定作为一种比较成熟的研究方法已广泛应用于未成年人的实际年龄（即生活年龄）评估，从而在打击犯罪、保护未成年人合法权益等方面发挥着重要的作用。

近年来，法医学活体年龄鉴定面临诸多新的挑战：一是未成年人骨发育易受遗传、营养、环境、活动强度、疾病等因素影响，骨龄鉴定意见与生活年龄还有一定的差异，且这种差异随着年龄的增长而加大，从而影响活体年龄评估的准确性。二是随着医学伦理学的发展，传统的X线影像学技术在骨龄鉴定中会受到越来越多的限制，需要寻求新的替代技术和方法。三是目前的骨龄鉴定技术不适用于成年人活体年龄鉴定，而后者是打击非法移民、保护移民合法权益所急需解决的新问题，也是法医人类学家面临的新挑战。而近年来不断发展的图像自动识别技术、人工智能计算技术、生物学及生物化学技术等为法医学活体年龄评估提供了新的思路和新的方法。

《法医学活体年龄研究前沿》一书全面、系统地回顾了法医学活体年龄研究历史和发展现状；作者结合多年来的研究实践，重点介绍了骨龄鉴定方面的新技术和新方法，特别是在图像自动识别、人工智能计算等方面取得的最新研究成果；并且站在当代活体年龄研究的前沿，详细介绍了生物学、生物化学及基于其他技术手段推断活体年龄研究的方向和发展前景；并且对活体年龄鉴定技术标准化建设提出了具体的建议和规划。所有这些，对于从事活体年龄鉴定研究的专家、学者等专业人员来说，都具有极高的参考价值和现实的指导意义。

鉴于此，我欣然接受作者的邀约为该书作序，在祝贺该书出版的同时也将它推荐给读者，希望该书对广大读者有所裨益。

朱广友

2022年3月于上海

前　言

法医学活体年龄评估是法医临床司法鉴定、科学研究的重点和难点问题之一，一直以来备受国内外学者的关注。在无可信年龄证明材料时，需要通过相关技术手段来推断个体年龄，法医学活体年龄鉴定在评估犯罪嫌疑人刑事责任能力、刑罚量刑、福利权利、非法移民等方面发挥着至关重要的作用。自20世纪中叶前后，活体年龄研究已深入涉及法医学、人类学、临床医学、运动医学、体育科学等研究领域，主要研究方法和内容包括法医学骨龄研究、法医学牙龄推断、分子生物学年龄以及基于个体外部软组织、化学方法、同位素检测、骨密度检测、超声检测等多种技术手段的活体年龄评估等。目前，国际上比较公认且使用较为广泛的法医学活体年龄评估方法仍然是骨龄鉴定，即利用骨骼解剖标志的影像学变化规律评定生物学年龄，它是反映个体骨发育成熟程度的最佳指标。法医学活体骨龄研究从20世纪的计数法、百分位计数法、G-P图谱法、计分法、CHN法，发展到21世纪的计测法、TW法、中国青少年儿童手腕骨成熟度和评价方法、多元回归法、计算机辅助评定骨龄法及中国青少年骨龄鉴定标准图谱法等。

2000年2月21日，最高人民检察院《关于"骨龄鉴定"能否作为确定刑事责任年龄证据使用的批复》中对于骨龄鉴定意见是否可以作为呈堂证供给出了肯定性的批复，确定了法医学骨龄鉴定的法定证据地位。2021年，《中华人民共和国刑法修正案(十一)》(以下简称《刑法》)将未成年人犯罪法定责任年龄由十四周岁下调至十二周岁。2021年，《中华人民共和国民法典》(后文简称《民法典》)将民事行为能力法定责任年龄下调至八周岁。由此可见，青少年活体年龄鉴定对打击犯罪、定罪量刑和保护未成年人合法权益至关重要，是法治中国建设的有力保障，是践行习近平法治思想的有力举措。法医学活体年龄鉴定为司法机关揭露犯罪、打击犯罪、严惩罪犯，为保护公民特别是未成年人合法权益提供新的侦查手段和定罪量刑的科学证据，促进司法公正和社会的和谐稳定。新版《刑法》、《民法典》的颁布实施，对活体年龄科研人员而言，既是新的挑战，也是新的机遇，这就要求我们科研人员不断地去探索、研究更为先进的技术手段，深入、有效地解决当前法律、法规所规定的关键法定责任年龄的鉴定问题。

2017 年 7 月 20 日，国务院发布了《新一代人工智能发展规划》(国发〔2017〕35 号)，该文件从顶层设计角度肯定了人工智能的重要性，作为国家战略的一部分，势必会引起“人工智能+其他专业”相结合的浪潮。人工智能技术的发展日新月异，引领着技术的变革，也改变着法医学的基础研究与实践应用。随着现代医学与计算机技术的飞速发展，在过去的十年里，王亚辉骨龄研究团队不断提高政治站位，深入践行习近平法治思想，积极服务“以审判为中心”诉讼制度改革，瞄准人工智能科技前沿，面向国家法治建设重大需求，先后承担了 2 项国家自然科学基金和 1 项司鉴院课题研究，主持 1 项上海市科学技术委员会标准项目，参与国家级、省部级科研项目共 9 项，在法医学骨龄评估研究领域另辟蹊径，将法医人类学、医学影像学与人工智能技术有机结合，在国内率先创新性地将模式识别技术、支持向量机、深度学习卷积神经网络、分割网络等世界先进的人工智能方法运用到法医学骨龄评估研究中，不断提高骨龄鉴定意见的准确性、科学性、客观性。2019 年 10 月 1 日，司鉴院、公安部物证鉴定中心联合发布实施了我国法医学领域首个骨龄鉴定行业标准——《法庭科学 汉族青少年骨龄鉴定技术规程》(GA/T 1583—2019)，标志着王亚辉骨龄研究团队科技成果的成功转化，客观上避免了人工评估方法的主观因素影响，实现了跨界学科间的融会贯通，开创了法医学骨龄评估人工智能时代。

本书共七章，详细梳理了法医学活体年龄评估研究进展、研究方法、研究内容、传统方法与人工智能技术方法的纵向比较以及标准化的研究与建设。第一章绪论，主要介绍法医学活体年龄推断研究进展、法医影像技术、活体年龄研究指标、年龄与法庭审判及影响骨发育的因素；第二章人工智能与法医学骨龄研究，主要介绍人工智能的缘起及研究前沿数据挖掘与模式识别、机器学习、深度学习、人工智能在法医学研究领域的应用；第三章法医学骨龄，重点介绍传统方法、人工智能技术及法医学骨龄鉴定；第四章法医学牙龄，着重介绍传统方法、人工智能方法、法医学牙龄鉴定；第五章分子生物学年龄，主要介绍多种分子生物学年龄研究前沿及展望；第六章，其他技术方法与骨龄评估，重点介绍基于化学方法、同位素检测、骨密度检测、超声检测的活体年龄评估研究前沿；第七章法医临床学(含法医人类学)鉴定标准化研究，主要展望了法医学活体年龄鉴定及标准化进程以及面临的问题和对策研究。

本书编者均为长期从事法医学活体年龄司法鉴定或科学研究的专家和一线工作者，他们在各自繁忙的工作中抽出宝贵的时间共同为本书出谋划策、倾心执笔，倾注了大量心血，在此我们表示诚挚的感谢和敬意！本书的出版得到了“十四五”国家重点研发计划项目(2022YFC3302000)、2019 年度上海市“科技创新行动计划”技术标准项目(19DZ2201300)、国家自然科学基金委员会(81571859、81102305、81401559、81701869)、上海市法医学重点实验室资助项目(21DZ2270800)、上海市司法鉴定专业技术服务平台资助项目(19DZ2292700)的大力支持，在此表示衷心的感谢！

由于编者的编写时间有限，书中难免存在不足，真诚地欢迎广大读者朋友们批评指正。

王亚辉　万　雷　郭昱成

2022 年 2 月于上海

目　录

第二章 人工智能与法医学骨龄研究 056

第一章

绪　论

第一节　法医学活体年龄推断研究进展

一、概述

1907 年，有关学者开始着手骨骼发育的研究。至 20 世纪 80~90 年代，骨骼发育标准的研究进一步深入，应用范围也越来越广泛。从 20 世纪末至今，计算机技术和网络信息技术的不断发展为骨骼年龄推断的方法研究和应用普及提供了必要条件。骨骼年龄（简称骨龄）是个体的基础生物学自然标记之一，在司法实践中，年龄信息既可以为办案机关提供未知个体的重要线索，也是决定案件性质和当事人是否需要承担刑事责任的关键标准。法医学活体年龄鉴定是司法鉴定的重点及难点问题之一。在无可信年龄证明材料时，需要通过相关技术手段来推断个体年龄，法医学活体年龄鉴定应用于评估犯罪嫌疑人刑事责任能力、刑罚量刑、福利权利、非法移民等方面。多年以来，法医学者一直致力于寻找适用范围更广、准确性更高的年龄推断方法，而大多数的活体年龄推断为年龄节点判断或个体发育情况分析，因此，本书涉及的法医学活体年龄推断主要为未成年人和成人早期的年龄推断。

二、研究方法与进展

法医学活体年龄鉴定是司法鉴定的重要内容之一，也是司法鉴定的难点之一。目前比较可靠的，尤其是在法医学活体年龄鉴定领域较为公认的仍然是骨龄鉴定方法，即利用骨骼发育程度与生活年龄之间的关系，推断活体年龄。正常人体骨骼发育过程中，骨骼的初级和次级骨化中心出现时间、骨化速度、骨骺与干骺端闭合时间及其形态变化都具有一定的规律性，通过测定骨骼的大小、形态、结构、相互关系的变化反映体格发育程度，并通过统计处理，以年龄的形式、以岁为单位表达的生物学年龄规律性称为骨骼年龄，简称骨龄（skeletal age，SA）。骨龄广泛应用于儿科临床疾病的预防、诊断，儿童体格潜能发育监测，青春期生长突增的开始和进程的判断，个体身高及女性月经初潮年龄预测等方面。而在司法鉴定实践中，对于青少年违法犯罪后隐瞒真实年龄而又无法查证本人户籍资料的，骨龄可作为其定罪量刑的参考证据。2000 年 2 月 21 日，最高人民检察院《关于“骨龄鉴定”能否作为确定刑事责任年龄证据使用的批复》给出了明确指示,从而确立了骨龄鉴定的合法地位和证据价值作用。

在青少年骨骼生长过程中,骨骺软骨板增生速度和成骨生长速度基本一致,因此,骨骺软骨板的厚度保持相对恒定,而骨干和骨髓腔不断延长。这一过程从出生一直延续到18~20岁,骨骺软骨板逐渐失去增殖能力,最后被完全钙化,骨骺与干骺端融为一体,长骨骨干至此不再增长,即个体身高将停止发育。X线摄影正是利用骨骼发育的动态特征,即以继发骨化中心从出现逐渐发育成骨骺,继而与干骺端逐渐闭合的过程来反映个体生物学年龄,以此来推断个体骨龄。以骨骼发育演化过程为依据来评估人体发育程度的实际年龄即为骨龄评估,它在法医学、临床医学、生物学、少儿卫生学及体育等方面均有很广泛的应用价值。骨化中心的出现及骨骺与干骺闭合恰好是骨骼生长起点和终点的最佳标志,可采用这个骨骼发育的重要特征进行骨龄研究。自1926年Todd首次提出利用骨骼重点标志观察并评定骨龄的方法后,国内外许多专家不懈地致力于活体骨龄推断的研究。随着骨龄研究进一步深入,骨龄鉴定的应用范围也越来越广泛。目前,常用于骨龄鉴定的主要研究方法有计数法、图谱法、计分法、计测法和计算机辅助评定骨龄法等。

(一)计数法

计数法是通过观察单部位或多部位继发骨化中心出现时间、数目、成熟度的年龄特征来衡量骨骼发育水平。通常以50%出现率所在的年龄为正常值的标准。1926年,Todd首先提出了仅适用于学龄前期和青春后期儿童计算骨化中心的方法,即儿童骨龄等于腕部骨化中心减1。Elgenmark骨化中心计数法是通过拍摄一侧躯体肩、肘、手腕、髋、膝、踝6个关节,计算骨化中心总数然后查表求得骨龄。1959年,Garn根据手腕部X线片列出了仅限于学龄前儿童骨化中心出现与年龄对应的图表。1950~1960年,刘惠芳、顾光宁等先后报道了我国儿童的骨化中心出现和干骺闭合年龄,并提出我国儿童骨龄计数法的标准。该方法由于误差较大,在国内外已经很少使用。

(二)图谱法

图谱法是将未知X线片与骨龄标准片进行比较得出骨龄。1898年,John Poland最早提出骨骼发育图谱;1937年,Todd制订了第一个较为完善的骨发育成熟图谱,开创了骨发育的系统研究。美国著名学者Greulich和Pyle在Todd出版的手腕部图谱基础上,于1950年发表了依据美国20世纪30年代中上社会阶层白种人儿童制订的G-P图谱,并于1959年对其进行了修订。之后,Pyle、Achesona和Hoerr分别制订了膝、髋和足踝部的骨成熟图谱,男性和女性各有一套标准。从全国高等医学院校统编教材《法医人类学》(第二版)以及贾静涛教授主编的《法医人类学》的内容来看,骨龄鉴定的主要方法是依据继发骨化中心出现及骨骺闭合的时间顺序来推断活体年龄,实际上类似于图谱法。但该方法存在的问题是,有关继发骨化中心出现及骨骺闭合的时间所依据的大多是20世纪50~60年代的研究资料,且有部分资料源自国外。大量的研究证明,随着人们生活水平的日益提高及卫生条件的不断改善,青少年骨骼发育程度已大大提前。而且不同种族、不同地区、不同气候条件下的青少年骨骼发育也存在明显的差异性。因此,利用这些资料来推断当代中国青少年的年龄,其方法的科学性与结果的可靠性受到了广泛质疑。

20世纪80年代,我国学者徐济达和刘宝林分别提出并制订了儿童手腕部骨龄图谱和婴幼儿、学龄儿童腕骨骨龄图谱。顾光宁根据20世纪60年代上海市区1 890名儿童发育情况制订了顾氏图谱，该图谱于1962年出版。20世纪90年代初期，顾光宁又对60年代的资料进行整理分析，摒弃了Todd曾经用过的中间数法，采用最多数法，即一组图片以相同骨化中心出现数目最多的一张为代表，并于1993年重新修订出版顾氏图谱专著。20世纪80年代中期，日本学者村田光范等以中日两国青少年为研究对象制订了标准图谱，其利用中日体育交流将两国青少年资料与欧洲儿童进行对照研究，发现青春期前亚洲儿童的骨发育滞后一些，而青春期后亚洲儿童骨龄反较欧洲儿童提前。

2019年10月1日，由司鉴院与公安部物证鉴定中心联合编写的我国法医学领域第一部骨龄鉴定标准——中华人民共和国公共安全行业标准《法庭科学 汉族青少年骨龄鉴定技术规程》(GA/T 1583—2019)发布实施，这一标准开辟了法医学青少年骨龄鉴定新纪元，也是我国法医学界第一部骨龄鉴定标准。该标准制订过程中采用的影像学资料样本是在我国东部、西部、中部、北部、南部地区多个省(市、区)三级甲等医院调取的11.0~20.0岁青少年胸锁关节、肩关节、肘关节、腕关节、髋关节、膝关节、踝关节24个骨骺的14 000多张数字X线摄影(digital radiography, DR)摄片，在此期间，司鉴院王亚辉团队运用国内权威骨科及影像学基础理论知识，结合我国现有的骨发育分级内容和目前国际上惯用的Tanner等骨发育分级方式，依据各关节骨骼发育过程中继发骨化中心出现及骨骺闭合X线影像形态学特征变化；以骨骺发育的组织学变化理论(骺软骨发育组织学分层)为支撑，以X线影像特征为基础；将骨骺发育划分成4个期，即继发骨化中心生发期、继发骨化中心增殖期、继发骨化中心塑形期和骨骺闭合期，并依据不同的继发骨化中心各期X线影像形态学细部变化将其分为若干个等级，最少的(髋臼骨骺)分为2级，最多的(髂嵴骨骺)分为8级，将"青少年骨发育X线分级方法"这一成果公开发表在《法医学杂志》，这也是日后研制本标准的最为关键的基础资料之一。之后，我们采用数理统计分析方法，制定了上述适合我国汉族青少年法医学骨龄鉴定技术标准。本标准的精髓依然沿用了图谱法，但与以往图谱法不同的是，本标准的图谱是涉及青少年躯体七大关节24个骨骺发育的每半岁组骨龄鉴定标准图谱，具有涉及关节骨骺更为全面、年龄分组更为细致等优点，解决了数十年来缺乏统一的法医学活体年龄鉴定标准的问题。

(三)计分法

计分法是将手腕骨骼的发育全过程划分为若干发育等级，然后确定各骨骼等级的得分，再将每块骨的得分相加得到手腕骨成熟度总分，最后依据各年龄组骨成熟度得分中位数曲线得出被评价儿童的骨龄。

1954年，Acheson提出第一个骨成熟度计分法。在此基础上英国人Tanner和Whitehouse于1962年研究并提出以两位学者姓名首字母命名的TW1骨龄评分法，该法以20世纪50年代2 700名(其中一次性横向观察2 200人，纵横结合500人)英国伦敦中产阶层儿童为研究对象，挑选尽可能代表个体发育信息多且较为鲜明又易于区分的左手腕骨拍摄正位X线片。依照能使每一个人20块骨的各期分值离均差平方和最小的思路，对各骨骼等级进行赋分，总分为1 000分，然后查骨龄得分表求得骨龄。1975年，第一次出版以两位学者姓名首字母命名的TW2骨龄评分法，1983年重新修订出版。TW2计分法根据骨化发育进程中生物学价值确定各骨权重，制订R、C、T 3个评分系统，将骨的形态特征转化为数字度量。采用 TW2 法评价得出的骨龄比 TW1 法晚 0.3 岁,但较《中国人手腕骨发育标准》(CHN 法)提前 0.5 岁左右。美国学者 Roche 等用 Fels 研究所的样本资料研究了膝关节的骨发育指征,并于 1975 年以 3 位教授名字的首字母组合在一起命名为 RWT 膝部骨龄评分法。他们认为,长骨关节与体格发育关系更为密切,更能反映骨发育程度。为适应欧美儿童的生长发育状况,1997 年 Tanner 等开始修订 TW2 法的评价标准,2001 年他采用手腕部及手掌 13 块管状骨作为研究对象将 TW2 法修改为 TW3 法,亦称 RUS(13 块手部管状骨)评估法,是目前国际上最新的评判标准之一。TW3 法将骨骼发育过程细致量化,废除 TW2 中将 RUS 分和 Carpal 评估 7 块腕骨分总和的情况,单独用 RUS 分来代替。同时,该标准受时代、人群等因素影响,取消 T 系列并重新制订 R 系列标准。经北美连续 9 年 3 000 名儿童纵向观察发现,TW3 法还可以应用于预测成人身高,而且不受种族和地区的限制。

我国学者李果珍发明的骨龄百分计数法原理同 TW2 法。它以 20 世纪 60 年代初期北京地区 1 938 例 0~18 岁青少年为研究对象,拍摄研究对象右手腕骨 X 线片,仅选取手腕部 10 个骨做一次性横向观察。然后采用 Tanner 评分法,将 10 个骨发育到成熟期所需要的平均年数的总和作为 100,计算各骨骼期相应百分数即为骨龄发育指数,最后将 10 个骨骼期骨龄发育指数相加后,从标准表或曲线图查出骨龄。该法首次以骨龄百分计数法制订了中国儿童骨发育标准,对于青春后期儿童较为适合。1995 年,张绍岩等以 20 世纪 80 年代我国南北方 11 个省市的 22 160 例 0~19 岁儿童、青少年为研究对象,选取左手腕部 14 个骨骼拍摄 X 线片,对 TW2 法进行修改,利用方差极小化和迭代法的数学方法,参考 G-P 图谱法重新确定骨发育分级及各级分值,提出中国人群骨发育等级标准。该方法舍去尺骨、三角骨、月骨、舟骨、大多角骨、小多角骨等权重指数接近 0 的 6 块骨,只对骨化中心出现早、生长发育期长、等级评定可靠性高的骨赋予较高权重。CHN 法判定 13~18 岁生长突增期男性青少年年龄较为准确,其使得手腕骨生长发育研究由定性达到了定量分析。

TW2 法不宜直接用于我国儿童的骨龄评估。1985 年,叶义言以 20 世纪 80 年代长沙市 2 122 例儿童为研究对象,对 TW2 法进行修正改良,实现骨发育分期系统的"中国化",并在 CHN 法 14 块骨的基础上增加尺骨和 5 块腕骨,评定范围更广。此法的骨龄评估基本思想和 TW2 法完全一致,被誉为中国版的 TW 法,该法于 1998 年研制成功,其由计算机辅助评定骨龄,已在我国各地临床应用。《中国青少年儿童手腕骨成熟度及评价方法》(TY/T 3001—2006)自 2006 年 7 月 1 日实施以来,《中国人手腕骨发育标准(CHN 法)》(TY/T 001—92)随之废止。《中国青少年儿童手腕骨成熟度及评价方法》(TY/T 3001—2006)以我国代表性城市中产家庭内年龄介于 0~20 岁的 17 401 名健康儿童为样本,通过拍摄左手腕后前位 X 线片,同时测量身高、体重,采用国际普遍应用的 TW3 计分法修订骨龄评价标准,利用 Tanner 等研究方法拟合骨成熟度得分曲线,制订骨发育生长评价图表。其同样适用于体育领域的 RUS-CHN 法。

Sauvegain 等在 1962 年提出一种通过肘部 X 线片测定骨龄的方法。该法选用肱骨外髁、肱骨滑车、尺骨鹰嘴和桡骨近端骨骺,将其人为地分成不同的发育等级,再对各骨骼等级赋予相应的分数,各项得分总计最高为 27 分,将累计分数相加得出总分,然后使用标准曲线图表确定骨龄。为测试该方法,3 位观察者分别利用 Sauvegain 法分析 60 名男孩和 60 名女孩左肘部前后位和侧位 X 线片进行骨龄评估,结果表明该法有较好的相关性和可重复性。通过与 G-P 图谱法比较发现,Sauvegain 法更为准确,因为它可以清楚地以半年为间隔来划分骨龄,从而弥补了 G-P 图谱不能将青春发育加速期内青少年骨龄评估到半岁以内的不足。然而,该法仅适用于青春期开始至最初两年的短时间范围(女孩 10~13 岁,男孩 12~15 岁),也就是生长发育加速及第二性征发育期。

(四)计测法

计测法是通过测定骨化中心面积、纵横轴之比,髓板及骨干的长度、面积、形状或计算它们之间的相对比例及测量骨化中心的最大径、骨松质长度与指数,将得到的数值作为参数,经统计分析处理后,确定活体骨龄的方法。1992 年,马钦华、陈志刚等对 1 719 例正常青少年右足跟骨侧位 X 线片进行了测量研究,发现跟骨的生长发育始终与体格发育相一致。1994 年,陈志刚等利用计算机计算了 1 607 例年龄在 0~17 岁青少年跖趾骨的长度和宽度的平均值,统计分析其与年龄之间的相关性,并建立了直线回归方程,其推断年龄误差为 1.5~3 岁。1995 年,黄幼才等利用手腕骨的长宽、周长、面积、形状及相互关系等信息判断骨龄,并建立相应的骨龄评定统计模型,认为其可替代 CHN 法。1999 年,任甫以 294 例 1~15 岁汉族儿童青少年为研究对象,拍摄左肩、肘、腕部 X 线片,测量骨化中心的最大径,结果表明,骨化中心的最大径与年龄增长呈正相关,但其研究范围较局限。

(五)计算机辅助评定骨龄法

随着骨骼 X 线图像数字化处理技术的发展,骨龄自动评估系统的研究近年来有了迅猛发展,尤其是近几年的欧美国家和地区开发出了大量的计算机辅助评估系统。该系统基于数字化信息技术和分类的统计方法,利用计算机数字影像技术和模式识别技术相结合,通过对骨图像的预处理、骨块分割、特征提取、信息处理实现骨图像自动识别并运算得出骨龄,以部分或完全替代人工的评定方法。

20 世纪 70 年代 TW2 法提出后,由于评定比较烦琐,遂利用计算机程序将人工读片的结果输入,从而计算相关数据及骨龄。RWT 膝部骨龄评分法也使用过类似的"单纯数据分析"程序。80 年代,有人应用计算机模拟技术对模拟骨块进行分析,称之为"专家评定系统",但实际效果并不理想,故而放弃。90 年代,随着计算机图像识别技术、数字化信息技术等的应用,计算机辅助骨龄评定系统也得到长足发展,如 TW2-计算机辅助骨龄评分(computer assisted skeletal age scores, CASAS)、TW3-CASAS。其基本原理为通过一维傅里叶变换,将 X 线片图像变换成数字图像,即通过傅里叶系数来表达数字图像的仿真性,利用各傅里叶系数数字图像像素的平均系数重建该类图的平均图像,以其作为模板图像(标准图像),再将数字化以后的待检片中各骨骼像素依次与各期模板图像中各像素平均图像比较,选择二者"对照结果"的标准差最小的期作为最接近的期,然后利用曲线拟合度确定个体各骨发育分期。对比研究表明,CASAS 读片较人工读片的分期结果可靠性和有效性好,其根据骨发育分期得出骨发育百分数及骨龄结果。

1995 年,黄幼才等根据判断骨块周长、面积和形状等信息来建立骨龄评定的统计模型,其中用手骨的几何信息代替了手腕骨发育的物理信息。同年,张大方等在 TW2 法基础上,探讨了一个基于模糊聚类分析法及句法结构识别法的骨龄自动识别系统,在提取手腕部骨图像时采用了数学形态校正法、区域凹向滤波法、非线性对比度补偿法,虽取得了良好的效果,但发现其尚需要改进。之后,相关人员开始了基于中国人群手腕部骨龄评定标准——CHN 法的计算机化研究,即根据 CHN 标准的规定预先设计出计算机内部的"CHN 指数",计算机将自动根据操作者所选择待检片的性别及骨发育分级,而查出相应的 CHN 骨发育等级得分,并累加各骨得分(即 CHN 指数)。然后,与计算机内部的 CHN 指数、骨龄表对照,计算出 CHN 骨龄。1998 年第四军医大学及 1999 年上海第二医科大学分别独立研制出自己的计算机辅助评价系统,但这个系统并非完全自动评价,仅仅是提供了自动查表和计算的功能。2000 年,第四军医大学在之前开发的辅助系统的基础上,进一步增强功能,先对某些不清晰的图像进行伪彩色增强,再对图像进行二值化,通过与知识库中的信息比较相似度得出骨块的发育等级,最后采用 CHN 法计算得到最终骨龄值,该系统的应用范围主要为 7 岁以下的儿童。1999 年,上海第二医科大学附属瑞金医院放射科把中国人手腕骨发育标准 CHN 骨龄评估法计算机化,并对 39 名 2~17 岁青少年的 546 块手腕骨 X 线片进行计算机辅助骨龄评估,直接将待检片扫描在计算机内,运用 Scan wizard 软件处理后再与已经存储的标准 X 线片对照,经人工识别 14 块骨确定分级后,计算机通过等级给分,并计算出总分从而得出骨龄。与人工评定骨龄值做秩和检验(资料为偏态分布,$R=0.9402$, $P>0.05$),说明两者间无显著差别。此骨龄评价系统较可靠、稳定性良好。随着计算机图像处理技术的进一步成熟,有研究者运用图像增强技术、三维模块方法(图像输入和处理、图形进行切分和数据处理)将 Tanner 法进行改进,推出儿童骨龄评测系统并将其应用于我国儿童、青少年,如复旦大学附属儿科医院、上海交通大学附属瑞金医院、上海交通大学附属新华医院等。2003 年,北京工业大学胡永利采用了 Cootes 等提出了一种用于图像中搜索某一特定类型对象的方法,即活动形状模型(active shape model, ASM),该模型可以检测骨骼边缘效果,通过考察一系列形状几何信息并结合灰度值信息,将 CHN 标准中相关的文字描述转化为数字特征,将多层次、分步骤的方法用于最终的骨龄自动评价。

2014 年,司鉴院王亚辉课题组开始致力于运用支持向量机(support vector machine, SVM)对华东地区青少年左侧腕关节的 X 线正位片进行训练,用留一交叉验证法(leave one out cross validation, LOOCV)和梯度方向直方图(histogram of oriented gradient, HOG)分别进行内、外部验证,建立了对尺桡骨远端骨骺的发育分级的自动化评估,大大提高了阅片者的阅片速率,但其仍需要相关专家进行最终的骨龄评估。

2019 年,四川大学邓振华团队采用 ImageNet 数据集预先训练的改良版 AlexNet 网络,对我国四川省 10.0~25.0 岁人群骨盆 X 线片进行骨龄评估。该研究采用的是微调版卷积神经网络,保留了原始 AlexNet 网络卷积层进行特征提取。该团队采用 Pearson 相关系数和 Bland-Altman 图来评估模型的准确性,结果显示,卷积神经网络模型的输出骨龄与参考骨龄显著相关($R=0.916$; $P<0.05$),且平均绝对误差和均方根误差分别为 0.91 岁和1.23 岁。

2020 年,司鉴院王亚辉课题组以我国五省市 962 例(男性 481 例,女性 481 例)11.0~21.0 周岁汉族青少年骨盆 DR 摄片图像为研究样本,基于骨盆 DR 摄片图像比较 VGG19、Inception-V3、Inception-ResNet-V2 三种深度学习网络模型的骨龄自动评估性能。结果显示,在对青少年骨盆的自动骨龄评估中,Inception-ResNet-V2 模型性能最优,Inception-V3 模型与 VGG19 模型性能相当。

近年来,随着计算机技术,尤其是机器学习和深度学习在诸多行业内的逐渐兴起,其已被广泛引入影像学、基因组学、肿瘤学、病理学及外科学等医学研究领域中,国内外法医学工作者已广泛致力于类似上述基于计算机技术的骨龄评估,使用较为广泛的是支持向量机和深度学习技术。骨龄评估之所以能与机器学习、深度学习紧密结合,主要是因为骨龄评估的研究对象属于计算机视觉范畴,而机器学习、深度学习对于计算机视觉研究有着得天独厚的优势,并在医学图像识别中取得突破性进展。

第二节 法医影像技术

一、X 线技术

虽然当前各种影像学仪器设备日新月异,技术手段越来越先进,但先进的技术几乎总和高昂的成本、苛刻的条件及烦琐的程序相伴随。相反,传统的常规 X 线检查以其经济、便利、快捷等优势仍然在临床医学中广为应用,特别是从宏观和整体角度来观察与了解骨骼病变的情况时,常规 X 线摄片仍具有独特的优势。

(一) X 射线的一般知识

X 射线是一种波长很短的电磁波,以光速沿着直线传播,其波长为 0.006~500 Å(1 Å=10^{-10} m)。现代医学诊断常用的 X 线波长为 0.08~0.31 Å(相当于 X 射线球管 40~150 kV所产生的 X 射线)。X 射线是在真空中以高速运动的电子撞击阳极靶面而产生的,其发生原理见图 1-1。X 射线有穿透性、荧光效应、感光效应、电离效应和生物效应,故 X 射线透过人体后,可使胶片感光或通过计算机处理(计算机 X 线摄影或 DR)而形成图像。

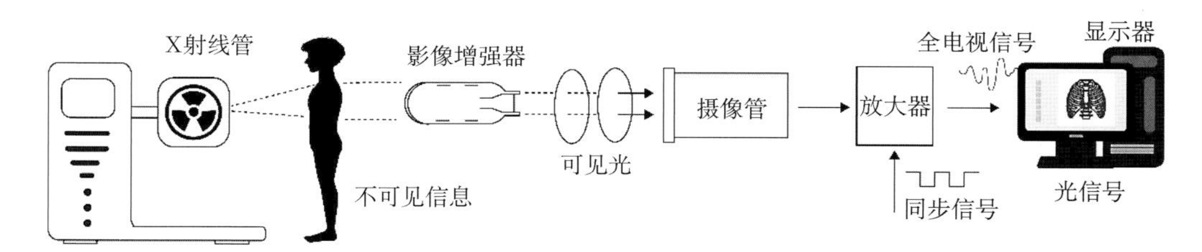

图 1-1 X 射线电视工作原理示意图

(二) 计算机 X 线摄影

随着计算机、半导体和数字图像处理技术的进步,医学影像领域实现了技术上的数字化。1983 年,日本富士公司推出存储荧光体数字化成像系统——计算机 X 线摄影(computer radiography,CR),率先达到了影像信息的数字化储存和传输的目的,成为全面进入数字化 X 线射影的先驱。20 世纪 90 年代末,富士公司又进一步拓宽了 CR 技术的应用范围,加强了影像的处理功能,如数据识别器的安装、动态压缩技术和减影技术的应用,使图像处理更快、更准确,从而很好地保证了影像的质量,并实现了影像加工的明室操作、光盘储存和图像信息在影像存储与传输系统上的传输。

1. CR 系统的组成

CR 系统使用成像板(imaging plate, IP)为探测器,利用现有 X 线设备进行 X 线影像信息的采集来实现图像的获取。CR 系统包括激光阅读器、图像处理工作站、图像储存系统和打印机。CR 系统根据工作原理及过程主要分为 4 个组成部分:信息采集、信息转换、信息处理和信息储存与输出。

(1) 信息采集(information acquisition):传统的 X 线摄影都是以普通的 X 射线胶片为探测器,接受一次性曝光后经冲洗来形成影像,所获得的图像始终是一种模拟信息,不能进行任何处理。而 CR 系统则实现了用成像板来接受 X 射线的模拟信息,然后经过模/数(A/D)转换来实现图像数字化,从而使传统的 X 线影像能够进入储存系统进行处理和传输。

(2) 信息转换(transformation of information):是指储存在 IP 上的 X 射线模拟信息转化为数字化信息的过程。CR 系统的信息转换部分主要由激光阅读器、光电倍增管和模/数转换器组成。IP 在 X 射线下受到第一次激发时,储存连续的模拟信息在激光阅读器中进行激光扫描时受到第二次激发而产生荧光(荧光的强弱与第一次激发时的能量储存呈线性正相关)。该荧光经高效光导器采集和导向,进入光电倍增管转换为相应强弱的电信号,然后进行增幅、模/数转换成为数字信号。

(3) 信息处理(processing of information):是指用不同的相关技术根据诊断的需要实施对图像的处理,从而达到图像质量的最佳化。CR 系统的常用处理技术包括调谐处理技术、空间频率处理技术和减影处理技术。

(4) 信息的储存与输出(archiving and output of information):在 CR 系统中,IP 被扫描后所获得的信息可以同时进行储存和打印。影像信息一般被储存在光盘中,随用随读。一盘储存量为 2 GB 的光盘(有 A、B 两面盘),在压缩比为 1∶20 的前提下,若每幅图像平均所占据的储存空间是 4 MB,那么每面盘可存图像 5 000 幅。光盘能够长久地作为网络资源保存,以供检索和查询,为医学诊断提供帮助。

CR 系统本身存在一个小网络,能够实现影像的储存和传输。信息的输出是指向其他的网络输送图像资料或是传送图像信息到打印机上进行打印输出。打印的方式主要是激光胶片、热敏胶片和热敏打印纸 3 种类型。

2. CR 系统的优缺点

(1) 优点:IP 替代胶片可重复使用;可与原有的 X 线摄影设备匹配工作,放射技师无须特殊训练即可操作;具有多种处理技术,如调谐处理、空间频率处理、时间减影、能量减影、体层伪影抑制和动态范围控制;具有多种后处理功能,如测量(大小、面积、密度)、局部放大、对比度转换、对比度反转、影像边缘增强和多幅显示;可数字化储存和并入网络系统,可节省部分胶片,也可节约胶片库占有的空间及经费;实现数据库管理,有利于查询和比较,实现资料共享。

(2) 缺点:CR 系统时间分辨力较差,不能满足动态器官和结构的显示要求。此外,在细微结构的显示上,与 X 线检查的增感屏/胶片系统相比,CR 系统的空间分辨力有时还稍显不足,但在很多情况下可通过直接放大摄影方式来弥补。

(三) 直接数字 X 线摄影

20 世纪 80 年代后期人们开始尝试直接将 X 射线携带的影像信息转换为数字图像信息。1995 年出现了使用直接 X 线摄影探测器(direct radio-graphy detector, DRD)的直接数字化 X 线成像系统(direct digitized radiography,DDR),1997 年又出现了使用平板探测器(flat panel detector,FPD)的直接数字化 X 线成像系统。

1. 直接 X 线摄影探测器

直接 X 线摄影探测器的外形类似于 X 线胶片暗盒的探测器,是一种电子暗盒,能把入射的 X 射线能量直接转换为数字信号。直接 X 线摄影探测器的基本原理是用非晶态硒(Se)涂覆在薄膜晶体管(thin film transistor,TFT)阵列上,入射的 X 射线光子在硒层中产生电子-空穴对,在外加偏压电场的作用下,电子和空穴分别向相反的方向移动形成电流,电流在 TFT 中的电容积分成为储存电荷。每一个 TFT 的储存电荷量与入射的 X 射线光子的能量与数量相对应,这样每个 TFT 就成了一个采集影像信息的最小单元,即像素(像素尺寸是 0.139 mm×0.139 mm)。每个像素内还有一个起"开关"作用的场效应管(feed effect transistor,FET),在扫描控制电路的触发下把每个像素的储存电荷按顺序逐一传送到外电路中去,这就是像素中影像信号的读出。像素信号经读出放大器放大后被同步转换成数字信号,经信号线传送到系统控制台,在那里完成数字图像信息的储存与处理,并在影像监视器上显示。上述过程完成后,扫描控制器自动对电子暗盒内的感应介质进行恢复。从外部看,直线 X 线摄影探测器接收 X 线影像(与普通增感屏/胶片方式摄影相同)而直接输出数字化影像信息。

2. 平板探测器

平板探测器的外形也类似于 X 线胶片暗盒。在 X 线摄影时,平板探测器接收 X 射线并直接输出数字化的影像信号。平板探测器是由探测器矩阵组成的,矩阵中的最小单元(像素)是由薄膜状非晶态氢化硅制成的光电二极管,在可见光的照射下能产生电流。光电二极管矩阵上覆盖着一层闪烁发光的晶体,其材料是掺铊的碘化铯。当 X 射线入射到闪烁发光晶体层时,X 射线光子能量转化为可见光,可见光激发光电二极管产生电流,电流就在光电二极管自身的电容上积分形成储存电荷,每个像素储存的电荷量和与之相对应范围内的入射 X 射线光子能量与数量成正比。平板探测器中的像素尺寸是 0.143 mm×0.143 mm,在 432 mm×432 mm 范围内像素数目是 3 120×3 120,平板探测器的探测器矩阵在行和列方向都与外电路相连并被编地址。在专门的控制电路作用下按一定规律将各个像素储存的电荷读出并形成数字信号输出,传送给处理计算机建立图像。所以从外部看,平板探测器也是接收与传统的增感屏/胶片方式相同的 X 线摄影,曝光后直接输出数字化影像信号。

3. DR 系统的主要特点

(1) DR 系统与传统的增感屏/胶片系统不同,其成像环节明显减少,在两个方面避免了图像信息的丢失:一是在增感屏/胶片系统中,X 射线照射使增感屏发出可见光后再使 X 射线胶片感光过程中的信息丢失;二是暗室化学处理过程中的信息丢失。

(2) DR 系统的图像具有较高分辨力,能够满足常规 X 线摄影诊断的需要。硒接受 X 射线照射后直接转换为电信号后传递给相应的储存电容并被扫描电路读取,可避免其他成像方式(如增感屏/胶片系统、CR 系统等)光照射荧光物质后散射引起的图像锐度降低,因此 DR 系统的图像可较其他成像方式更清晰。DR 系统对 X 射线敏感性高,硒物质经直接转换技术使 X 射线的吸收率高于间接转换技术 3~4 倍。由于采用 14 位图像数字化转换,图像灰阶精度大、层次丰富。

(3) DR 系统放射剂量小,曝光宽容度大,曝光条件易掌握。

(4) DR 系统可以根据临床需要进行各种图像后处理,如各种图像滤波、窗宽与窗位调谐、放大漫游、黑白转换、图像拼接、数字减影以及距离、面积和密度测量等丰富功能,为影像诊断中细节观察、前后对比、定量诊断及功能诊断提供技术支持。

4. DR 系统融合体层成像

DR 系统融合体层成像是 CT 技术的前身,基于大平板探测器的应用,一次曝光可以同时得到兴趣区多层面的图像。其成像时间短,通过监视器可立即观察到断层结果,还可随意做出任何层面调整,虽然密度分辨率不如螺旋 CT,但针对自身具有一定对比度的骨骼(如锁骨胸骨端)、肺部及使用对比剂的部位,DR 系统融合体层成像利用大平板具有分辨率高、边缘轮廓增强及高信噪比的特点,同样可以完成精确的诊断。

二、CT 技术

计算机体层摄影(computed tomography,CT)是在 1971 年由英国计算机工程师 G.N. Hounsfield 发明的。CT 自应用于临床以来,由于具有图像清晰、检查快捷、层次准确及安全无创性等优点,仅短短几年便得以迅速发展和普及,可以说 CT 的发明与应用从根本上改变了传统放射学的面貌。

CT 的发展过程大体上经过几个阶段,人们习惯用“代”(generation)来表示,主要是根据扫描方式及探测器(资料采集方法)数目进行分类,大体分为五代,这种分类方法适用于 CT 发展的早期阶段。至 20 世纪 80 年代后期,CT 技术已基本趋于成熟,第五代 CT 的探测器已增至千个以上,呈环周式设计,X 射线球管也由一个增至多个。在 20 世纪 90 年代初运用最多还是第三代产品及在第三代基础上发展起来的产品,如滑环技术螺旋 CT 扫描及双螺旋扫描。自从 1999 年 CT 设备出现了 4 层采集的换代性发展之后,CT 设备又进一步发展并体现了“CT 绿色革命”的概念,即在所有的技术改良中,要突出实现更低的 X 射线剂量、更快的采集与重建速度、更便捷和多样的重建处理、更短的患者等候时间及更好的患者舒适度。

继 1999 年的 4 层采集、2000 年的 8 层采集设备问世之后,2001 年又有 4 家公司推出 16 层采集的螺旋 CT,随后又推出 40 层、64 层螺旋 CT,至 2009 年底,4 家 CT 主要生产厂商分别推出新一代 CT,它们分别是 PHILIPS 公司推出的 256 层螺旋 CT、TOSHIBA 公司推出的 320 层螺旋 CT、GE 公司推出的“宝石”CT 和 SIEMENS 公司推出的二代双源 CT。这些新一代 CT 大大缩短了扫描时间,可以在短时间内获取大量数据信息,不但能提供高质量的任意方向的断面图像,而且能组成任意感兴趣区内的三维(3D)图像,使 CT 透视、心脏扫描与各种后处理功能不断完善,从而为临床诊断和治疗提供了更多更详尽的信息。

(一) CT 的成像方式和扫描模式

1. 数字成像(digital imaging)

所谓数字成像,实际上就是将模拟信号数字化,也就是把模拟的曲线变化给予相应的数字值,这些数字以行和列的排列形式组成数字矩阵,然后将数字矩阵转化为可视图像的像素矩阵,每个像素则根据数字矩阵中相应的数字以不同的亮度(即灰阶)表现出来。

常规 X 射线中的数字化透视(将荧光屏的图像数字化)、数字减影血管造影 CR 和 DR 是将直接获得的模拟信号数字化。CT 则不同,CT 需要经过大量的计算才能使断层内每个像素数字化,是个间接过程。

2. 断层扫描(tomography)

在准直器的作用下,CT 的 X 射线球管发出的 X 射线呈有一定厚度的笔形或扇形束穿过相同厚度的人体断层到达对面的检测器,将穿过人体不同组织后衰减的 X 射线的强度转换成不同电流强度的电信号通过输送电缆送入计算机。这个 X 射线束用不同的运动方式(直线或旋转)以脉冲形式或持续曝光依次从不同投射角度穿过人体的同一解剖断层,检测器将所得数据依次送入计算机,由计算机计算出这一断层矩阵中每一个像素的密度值(CT 值),然后组成数字矩阵,再以灰阶形式显示在监视器上。一个断层扫描完毕,扫描床移动使另一个断层对准 X 射线束再进行扫描。

断层扫描一般是行横断面扫描。在扫描前要先得到 CT 扫描定位像,使患者取仰卧双膝屈曲位,可摄正位或侧位像,并将扫描层次标在定位像上。X 射线束穿过人体的轴位断层到达对面的检测器 F,检测器将穿过人体不同组织后衰减了的 X 射线强度转换成不同电流强度的电信号送入计算机,由计算机计算出这一断层矩阵中每一个像素的密度值,组成数字矩阵再以灰阶形式显示在监视器上。一个断层扫描完毕,移动扫描床,使另一个断层层面对准 X 射线束再进行扫描。在进行横断面扫描时,可根据病情需要决定扫描层距、层厚及窗宽、窗位。

3. 螺旋扫描(helical scan)

螺旋扫描是在滑环技术应用的基础上发展起来的一项新的扫描方式。扫描过程中,X 射线球管围绕机架连续旋转曝光,曝光的同时检查床同步匀速移动,探测器同时采集数据,由于扫描轨迹呈螺旋线,故称螺旋扫描。这种采样完全不同于常规 CT 的一层采样后再进行下一层的采样,而是在整个扫描区域连续三维采样,故又称为容积或体积扫描。

螺旋扫描是基于滑环技术上的一种扫描方式,即球管连续旋转并曝光,扫描床载着被检查者匀速地通过扫描孔连续采样。螺旋扫描的优势不仅在于较常规扫描大大缩短了检查时间,避免了因呼吸不一致造成的重叠或遗漏,在信号处理上也有了更丰富的内容和更大的灵活性,可进行除常规轴位断层外的冠状位、矢状位及任意斜位或曲面断层,还可行各种骨与关节的三维立体重建及血管成像。

4. 增强扫描

正常组织与病变组织间、活体组织与坏死组织间、血管与非血管组织间对 X 射线的吸收系数没有差别或差别很小,致使在 CT 图像上难以分辨或显示不清。为加强其间的对比度,可经静脉给予水溶性碘造影剂做增强扫描,增大病变组织与其邻近正常组织间 X 射线吸收系数的差别,借以显示病灶的范围、血供及病变的内部结构,有利于了解病灶的性质。总之,增强扫描能够加强对病变的分辨力和提高病变的检出率,这种方法即为造影增强检查。

5. 特殊扫描

(1) *薄层扫描*:对于某些较小病灶或为了解某些病灶内部的细微结构,常需要采用薄层扫描,目前最薄层厚可达 1 mm。横断面扫描的冠状面和矢状面重建图像都必须用薄层扫描技术。

(2) *重叠扫描*:在依次进行横断面扫描时,层距间隔小于层厚时即重叠扫描。如层厚为 1 cm,层距为0.5 cm,则有部分层面互相重叠。这种方法可以减少部分容积效应的影响和降低小病灶漏诊的概率。

（二）与CT扫描技术有关的几个重要术语及其概念

1. 层厚(slice thickness)

层厚指CT断层图像所代表的实际解剖厚度，即在CT扫描中X射线束穿过人体的厚度。层厚越薄，空间分辨力越高，但如果其他扫描参数不变，层数越薄其密度分辨力就会越低；层厚加大，其密度分辨力增加，但其对于较小的病变容易发生部分容积效应。所以，对于不同的病变应有针对性地选择适当的层厚，以利于病灶的最佳显示。

2. 间距(span)

间距指在常规CT断层扫描中上一层面的上缘与下一层面的上缘的距离。间距等于层厚意味着扫描时相邻上下两层面间无间隔，称为连续扫描；间距大于层厚意味着扫描时相邻两层面间有一定的间隔；间距小于层厚意味着扫描时相邻两层面间有部分重叠透过X射线束，称为重叠扫描。在设置扫描参数时，要根据被扫描器官和病灶的大小范围来选择不同的扫描间距，以求省时且能清晰地显示病灶。

3. 螺距(pitch)

螺距指螺旋扫描中球管旋转1周的时间与准直器宽度以及扫描床移动速度的比，其公式为螺距=床移动速度(mm/s)/准直器宽度(mm)×球管旋转间期(s)。目前，球管旋转间期几乎都是1 s，所以实际上螺距取决于准直器宽度和床每秒的移动距离。如果准直器宽度等于床的移动速度，即螺距为1。螺距越大，单位时间扫描覆盖距离越长。例如，准直器宽度为10 mm，螺距为1时，10 s扫描距离为10 cm；螺距为1.5时，同样10 s扫描距离则增加到15 cm。这对于大范围扫描很有益处，因为只需要增加螺距即可在同一扫描时间内尽可能地多增加扫描范围。同样，相同的扫描范围，可以通过增大螺距来缩短扫描时间。例如，同样扫描范围15 cm，10 mm准直宽度(层厚)，旋转一周1 s，当螺距为1时，需要扫描15 s，螺距为1.5时，仅用扫描10 s。实际扫描中，要针对不同的要求选择适当的螺距。当扫描大血管时，主要是观察对比剂的充盈情况，这时就要在极短时间内(对比剂充盈良好时)完成扫描，血管的直径较大，可以用较大的螺距，牺牲的密度分辨力不会对大血管病变的诊断产生决定性的影响。观察颅内血管结构时，不仅要求高的空间分辨力，还要求高的密度分辨力，此时的螺距就应当小于1，以利细小血管的显示。

4. 分辨率(resolution)

分辨率是衡量CT图像质量的一项重要指标，还可以再进一步分为空间分辨率(或称高对比度分辨率)及密度分辨率(或称对比度分辨率)。

(1) 空间分辨率(spatial resolution)：表示在图像中可能被分辨出最小物体大小的能力，其影响因素有CT成像的数学模式、像素大小、探测器接收孔径大小及重建算法等。常以线对数/厘米(LP/cm)来表示，线对数多则分辨率高。CT空间分辨率与X射线束的几何图形有关，而探测器的孔径又不可能小于X射线胶片像素的颗粒，故其空间分辨率不会高于普通X线成像。

(2) 密度分辨率(density resolution)：表示图像中分辨最小密度差的能力，有时也称为CT值的敏感度，常以百分数(%/mm)表示。通用CT机的敏感度范围为0.25%/mm~0.5%/mm。其影响因素有层面厚度、X射线剂量(检测的光子量)及监视器的大小等，层面薄、X射线剂量高可提高密度分辨率。另外，CT成像中的固有噪声可以降低密度分辨率，若改善探测器功效、加大 X 射线剂量可以提高信噪比,从而提高密度分辨率。

5. CT 值

CT 值或称亨氏单位(Hounsfield unit,Hu),是 CT 图像专用的密度计量单位,用以区分组织间的密度差,表示每个单位容积的 X 射线吸收系数。CT 值并非一个绝对值,而是以水为标准与其他组织进行比较的相对值。其物理基础是以 X 射线穿透人体组织时不同物质对 X 射线吸收不(或 X 射线衰减值不同)为依据,以水的吸收系数为 0,其他组织与其对比各有不同的吸收系数。为了容易区分,Hounsfield 将骨和气体的差别扩大到 2 000 个等级,即+1 000~-1 000。

CT 的密度分辨力极高,通过测量各种组织的 CT 值有助于区别不同组织的特征,从而有利于病变的定性,这也是 CT 特有的优点之一。CT 值测量的准确性受 X 射线剂量、数据信噪比、像素大小等因素的影响,因此规定其准确性应在 5 个 CT 值单位的范围之内,并必须要有专门设备进行 CT 值的日常校正工作。

6. 窗技术(window technology)

窗技术是 CT 设备提供的一项重要软件功能,主要用来观察和测定感兴趣区 CT 值的改变。通常,观察图像密度差是通过其亮度(或称灰阶)来进行的,而人的视觉亮度差只有 16 个灰阶。CT 值的范围是通过计算机系统内的数/模转换器,以灰阶方式显示在监视器上。窗技术即是对某一感兴趣区在灰阶范围内观察所限定的范围,因此欲观察感兴趣区内组织结构的细节时,应以该组织的平均 CT 值作为中心进行观察,此即窗中心(window level,WL)(或称窗位);以其相近组织的上、下 CT 值范围作为宽度,即窗宽(window width,WW)。人体不同部位的组织,其结构成分也不同,因此便要设定不同的窗位和窗宽。在不同的窗宽范围内,其灰阶所代表的 CT 值是不同的,如 CT 值范围为-1 000~+1 000 Hu,肉眼能分辨的灰阶为 16,则 2 000/16=125 Hu。例如,椎间盘的窗宽一般 300,则 300/16=18.75 Hu。

窗位与窗宽是可以调节的,要观察某种组织就要选用相当于该组织 CT 值的中心位置作为窗位,以便用最好的灰阶显示该组织。人体组织的 CT 值虽有 2 000 个等级,但肉眼不能分辨如此微细的差别(通常肉眼只能分辨 16 个灰阶)。如观察椎间盘组织,其 CT 值差别在 18.75 Hu 以上即可分辨,差别小于 18.75 Hu 则不能分辨。

7. 像素(pixel)

CT 图像是由一定数量的从黑到白不同灰度的小方块按矩阵排列所构成,每个小方块就是组成图像的最小单位,称为像素。像素的大小和数目可因 CT 装置的不同而异,可反映相应单位容积的 X 射线吸收系数。像素的大小可以是 0.5 mm×0.5 mm 或 1.0 mm×1.0 mm;像素数目(矩阵)可为 256×256=65 536 或 512×512=262 144,还有 640×640、1 024×1 024 等。像素越小,像素数目越多,则构成的图像越细致、越清晰。CT 图像上的不同灰度:黑表示低吸收区,即低密度区;白表示高吸收区,即高密度区。这与 X 线片所显示的黑白影像是一致的。CT 具有很高的密度分辨率,在人体软组织中有的对 X 射线吸收系数只有 0.1%~0.5%的差异,因此可形成黑白不同灰度的影像。

(三)CT 图像的后处理

图像后处理技术是指在特定的工作站上应用计算机软件将螺旋扫描所获得的薄层图像

进行后处理,重组出直观二维或三维图像。目前,较为成熟和常用的图像后处理技术有4种:多层面重组(multi-plane reconstructions,MPR)、多层面容积重组(multi-plane volume reconstructions,MPVR)、表面阴影显示(surface shaded display,SSD)和容积再现技术(volume rendering technique,VRT)。其中,MPR属二维重组技术,其余均属三维重组技术的可能。

1. MPR

MPR是在横断面CT图像上按需要任意画线,然后沿该线将一系列横断层面重组,即可获得该画线平面的二维重建图像,包括冠状面、矢状面和任意角度斜位面图像。MPR应用的是容积数据,图像质量明显优于常规CT的重建图像,可较好地显示组织器官内复杂解剖关系,有利于病变的准确定位。

曲面重建(curved planar deconstruction,CPR)是指在容积数据的基础上,沿感兴趣器官画一条曲线,计算指定曲面的所有像素的CT值,并以二维图像的形式显示出来。曲面重建将扭曲重叠的血管、支气管、肋骨等结构伸展拉直显示在同一平面上,可以较好地显示其全貌,是MPR的延伸和发展。

2. MPVR

MPVR是将不同角度或某一平面选取的原始容积资料,采用最大、最小或平均密度投影法进行运算,得到重组二维图像的方法。这些二维图像可从不同角度观察和显示。

(1) 最大密度投影(maximum intensity projection,MIP):是通过计算机处理对被观察的CT扫描体积进行数学线束透视投影,每一线束所遇密度值高于所选阈值的像素被投影在与线束垂直的平面上重组成二维图像,其投影方向可任意选择。MIP常用于显示具有相对较高密度的组织结构,如注射对比剂后显影的血管、明显强化的软组织肿块等。当组织结构的密度差异较小时,MIP的效果不佳。

(2) 最小密度投影(minimum intensity projection,MinIP):是对每一线束所遇密度值低于所选阈值的像素投影重组二维图像,主要用于气道的显示。

(3) 平均密度投影(average intensity projection,AIP):其方法与MIP相似,是对每一线束所遇密度平均值像素重组的二维图像。此法组织密度分辨率较低,很少应用。

3. SSD

SSD是通过计算被观察物体的表面所有相关像素的最高和最低CT值,保留所选CT阈值范围内像素的影像,对超出限定CT阈值的像素被透明处理后重组成三维图像。此技术用于显示骨骼系统(颅面骨、骨盆、脊柱等)、空腔结构(支气管、血管、胆囊等)、腹腔脏器(肝、肾等)和肿瘤,其空间立体感强,解剖关系清晰,有利于病灶的定位和定性。由于受CT值阈值选择的影响较大,容积资料丢失较多,SSD常失去有利于定性诊断的CT密度,使细节显示不佳。阈值选择过高时易造成管腔狭窄的假象,分支结构显示少或不能显示;阈值选择过低则图像边缘模糊。

4. VRT

VRT是假定的投射线从给定的角度上穿过扫描容积,并将扫描容积内全部像素总和的投影以不同灰阶的形式显示,结合深度、遮盖表面显示技术及适当的密度切割技术,对不同结构的色彩编码和使用不同的透亮度,可同时显示表浅或深在结构的影像。VRT保留了全部原始的断层数据,使目标的三维现实层次更丰富,形态准确逼真。但是,也正是由于采用了全部数据，没有给特定目标确定表面界限，使得三维的距离、角度和容积的测量无法实现；同时，复杂结构的显示也增加了因不同组织或器官之间相互遮盖而产生错误判断。

（四）CT与普通X线摄影的比较

1. CT的优势

（1）克服了普通X线摄影中各种脏器和不同组织相互重叠的弊端。虽然普通X线摄影也可解决部分问题，但其密度分辨力远不及CT。

（2）CT值的测量解决了普通X线摄影做不到的定量分析。各种组织、器官在普通X线片上的密度正常与否及其改变程度，只能靠影像学医师的肉眼观察及积累的经验作为判断标准，难以量化。数字成像CT图像则不但弥补了这一缺憾，而且容易统一标准，避免了单凭经验而导致的误差。同时，CT值的测量还可协助判断疾病的性质，如鉴别水与软组织、出血与钙化及积气与脂肪组织等。另外，通过增强前后CT值的对比观察，还可以判定病变组织有无血供及其程度。

（3）对软组织的分辨力明显高于普通X线摄影。CT图像可以清楚地显示是单纯骨的改变还是单纯软组织的改变或两者兼有。如有软组织病变，对其有无坏死、血供如何，CT均可给予比较满意的解释。

（4）对椎间盘病变的显示明显优于普通X线摄影。普通X线摄影只能靠间接征象（如脊柱侧弯后突、椎间隙变窄、相邻椎体边缘硬化及骨赘形成等）对椎间盘的病变进行分析判断，而CT则可直接显示椎间盘组织，不但能观察到其突出的形态、大小、位置，而且能显示突出的椎间盘对神经根、硬膜囊的压迫情况及其造成椎管狭窄的程度。

（5）运用增强扫描可加大不同组织间、病变与正常组织间的对比，同时还可观察病变的血供情况，区分坏死组织与活体组织，这在普通X线摄影是难以做到的。

（6）应用窗口技术可使同一幅CT图像通过窗宽和窗位的调节，分别观察骨内部和软组织等不同组织的改变。同时，还可进行多帧图像的矢状重建、冠状重建和三维成像。这些都是普通X线做不到的。

2. CT的不足

（1）传统的CT机是横断扫描，对长管状骨及脊柱等无法进行直接长轴扫描，因而对于长骨和脊柱病变缺乏宏观观察；虽然可进行矢状面重建，但阶梯伪影较多，图像清晰度差，无法满足临床需要。目前的多层螺旋CT可任意层面重建及三维成像且图像清晰，可弥补这方面的不足。

（2）由于CT是旋转扫描，金属等高密度物质（如钢板、钢针、螺钉及某些高强度填充物）会在CT图像中产生放射状伪影而影响图像质量并干扰对周围组织的显示和观察。除金属伪影外还有一种是骨骼伪影，也称射线伪影（beam hardening artifact），是由于X射线在通过致密厚实的骨骼后其中的较软部分被吸收所造成的伪影。

（3）部分容积效应，图像中的像素代表的是一个体积，即像素面积X线层厚。该体积内可能含有多种组织成分，所以其中每一像素的CT值实际代表的是单位体积内各种组织的平均CT值。尤其当选择的层面较厚或病灶较小而又骑跨于扫描切层之间时，所测得CT值代表的组织密度实际上可能并不存在，这种现象即称为部分容积效应。因此，在判断较小病灶的性质时，务必要考虑到CT值的测量误差，以免导致判断错误。

三、磁共振成像技术

磁共振成像(magnetic resonance imaging,MRI)是利用原子核在磁场内接受射频脉冲的能量而发生共振,并在射频脉冲停止后将吸收的能量释放出来,通过电磁感应产生电信号,并进一步通过数/模转换、模/数转换等一系列计算机处理后产生信号图像的一种检查方法。核磁共振(nuclear magnetic resonance,NMR)亦称磁共振(magnetic resonance,MR),是一种物理现象,1946 年 Block 与 Purcell 报道了这种现象,并将其应用于波谱学。Lanterbur 于 1973 年开发了 MRI 技术,使 MR 应用于临床医学领域。

(一) MRI 基本原理

人体器官的组成中氢原子含量最大,其原子核中仅有 1 个质子而无中子;氢质子在自旋时,其能产生磁矩或磁场,如同一个小磁体,在外磁场的作用下最易发生 MR 现象。无外加磁场时,正常人体内的氢质子自旋轴的排列无一定规律性;人体进入外加均匀强磁场中时,其自旋轴将按磁场磁感应线的方向重新排列,具有规律性。人体内大量氢质子之和形成一个小磁场,致使整个人体处于轻度磁化状态,用特殊频率(与磁场中氢原子进动频率相同)的射频脉冲(radiofrequency,RF)进行激发,氢质子被激发后吸收一定量的能量从而被诱发产生共振。停止激发时,被激发的氢质子将吸收的能量逐渐释放出来,氢质子重新恢复到被激发前的相位和能级上,这一过程称弛豫过程,而恢复到原来平衡状态所用时间为弛豫时间。弛豫时间有 2 种:一种是自旋-晶格弛豫时间,又称纵向弛豫时间,反映自旋核把吸收的能量传给人体周围组织“晶格”(物质中的质点)中,重新返回原来的平衡状态所需要的时间,也是垂直射频脉冲氢质子由纵向磁化转到横向磁化之后,再恢复到纵向磁化激发前状态所需的时间,称 T_1。另一种是自旋-自旋弛豫时间,又称横向弛豫时间,是同类受激核与未受激核自旋之间的能量交换,反映横向磁化衰减、丧失的过程,即是横向磁化所维持的时间,称 T_2。T_2 是由共振质子之间相互磁化作用引起的,与 T_1 不同,可引起共振质子的相位变化。人体不同器官的正常组织与病理组织的 T_1 是相对固定的且其间有一定差异,T_2 也是如此。这种组织间弛豫时间上的差异是 MRI 的成像基础。在此基础上自体内对外界射频产生的射频信号,用接收器收集,经数字化后输入计算机,获得 T_1 值或 T_2 值,进行空间编码。用转换器将每个 T 值转为模拟灰度,而重建图像即 MR 图像。

(二) MRI 序列

1. 自旋回波序列(spin echo,SE)

自旋回波序列是通过给予纵向磁化的质子一个 90°射频脉冲,使共振质子吸收能量,将顺静磁场排列的质子的磁化矢量拉向 *X-Y* 平面,质子则由低能状态跃到高能状态位置。经过 10~100 ms 的时间间隔,当质子的凝聚相位完全消失时,其在 *X-Y* 平面的磁化矢量全部抵消,即失相位。这个时间即为横向弛豫时间。再发射一个 180°射频脉冲,使 *X-Y* 平面所有进动的质子进行一个 180°翻转,使失相位的质子按原来自己的速度向凝聚的方向靠拢,达到“重聚集”,此时释放出的 MR 信号会明显增强。

自旋回波序列的回波时间常设在 20~120 ms,射频脉冲重复时间常设在 300~3 000 ms。当重复时间较长时,可采用多回波技术(应用多个回波时间),但信号强度会逐渐减弱。改变重复时间和回波时间,可改变自旋回波脉冲序列的效果。

2. 饱和脉冲序列(saturation recovery,SR)

在每个90°射频脉冲给出后即开始采集信号,从而形成多次重复的自由衰减信号。饱和脉冲序列信号强度主要取决于组织的 T_1 值和PD值,重复时间短时偏重 T_1 像,重复时间长时偏重质子密度像。增加90°射频脉冲的次数可改善信噪比,但延长了扫描时间。第二个90°射频脉冲形成的 *X-Y* 平面内的质子的横向磁化矢量的大小,正比于在 *Z* 轴弛豫的饱和与否。图像特点改变重复时间会出现不同的饱和率,从而改变各组织间的对比度,如大脑和脑脊液的对比度随重复时间的增加而下降。

3. 反转恢复(inversion recovery,IR)脉冲序列

反转恢复脉冲序列包括一个180°反转脉冲、一个90°脉冲和一个180°复相脉冲。先施加180°射频脉冲,使质子的磁化矢量反转180°朝向负 *Z* 轴方向(此时无信号发出)。给予180°射频脉冲后,负 *Z* 轴质子的磁化矢量以组织的 T_1 弛豫时间沿 *Z* 轴向正方向增长,经过一段时间(约500 ms)达到正 *Z* 轴方向。此时长 T_1 和短 T_1 的组织在纵向上的恢复已拉开了距离。给予90°射频脉冲使质子的磁化矢量倒向 *X-Y* 平面,并产生自由感应信号。给予一个180°射频脉冲使质子的相位反转180°,达到"重聚焦"的目的,然后接收信号。

由于质子在反向获得的射频脉冲能量亦扩散至晶格,横向弛豫时间短,故反转恢复序列从扫描信号中删去 T_2 信号成分,更有利于突出 T_1,可以显示更细致的解剖结构。反转恢复序列使两种不同组织间的信号对比度发生变化,并随着90°射频脉冲插入间隔时间的改变而改变,反转恢复序列图像如果有轻度 T_2 作用的介入甚至可引起对比度逆转。反转恢复脉冲信号的情况比较复杂,时间参数调整是产生对比度好的图像的关键。

4. 短时反转恢复(short time inversion recovery,STIR)序列

STIR序列利用反转恢复序列的成像原理,通过缩短180°射频脉冲至90°射频脉冲的时间(一般100~110 ms)使脂肪组织在 *Z* 轴的恢复接近0,再给予180°复位脉冲,这样感应信号中脂肪组织的信号成分已基本被消除。短时反转恢复序列是较常用的脂肪抑制序列,特别对关节疾病的检查很有帮助。

脂肪的 T_1 值一般在200ms左右,为体内 T_1 值最短的组织。缩短180°射频脉冲至90°射频脉冲的时间可基本消除脂肪成分对信号的影响,从而达到脂肪抑制的目的。其他 T_1 值类似脂肪的组织亦可被抑制,尤其是被二乙烯五胺乙酸钆(Gd-DTPA)增强的组织结构,因而可造成假象。在应用该序列时要有针对性地选择应用。

5. 扰相梯度回波(spoiled gradient echo,SPGR)序列

扰相梯度回波序列是梯度回波脉冲序列中较常用的一种。通过对受检组织进行小角度激发(<90°),以得到磁化矢量的部分横向分量。应用相位重聚梯度,使相位相干状态保留至下一周期,从而产生"零相位"。

扰相梯度回波序列采用较短的重复时间和回波时间,较易得到 T_1 加权像。采用较短的回波时间和<30°的射频脉冲即可消除 T_1 对比的影响,得到准确的 T_2 加权像。由于观测时间内进入成像层面的不饱和自旋质子数增多,血流一般为较强信号。该序列对水和脂肪组织均比较敏感。该序列还常被用来进行动态研究,如关节活动功能研究、造影剂动态观察及血管造影等。

6. MR 水成像(magnetic resonance hydrography,MRH)

MR 水成像是近年开发的 MR 扫描新技术,其成像原理是根据人体内液体具有长 T_2 弛豫值的特性综合应用 MR 扫描序列和参数,主要是选择采用快速采集弛豫增强序列获得重 T_2 加权像,使含水器官显影,达到水造影的目的;再通过图像叠加、重建等处理,获得含水管腔的图像。目前,应用较多的有胰胆管水成像、尿路水成像及椎管水成像等。对于诊断这些器官的病变,MR 水成像是一种新的、安全无创的检查方法。

7. MRI 增强(MRI expansion)

对比剂 Gd-DTPA 在正常情况下不能通过血脑屏障,所以脊髓在增强前后其信号可相仿。但当血脑屏障异常时则可进入,并明显缩短病变组织的 T_1 弛豫时间,以致在 T_1 加权像上病变组织信号增强。

(三) MRI 的特点

MRI 是利用人体内氢原子核中质子在磁场中的固有特性,经射频脉冲激发、位能变迁、梯度磁场标记、电磁感应和一系列计算机图像重建,获取的是人体组织层面的化学信息影像,以信号强度方式表达。所以与 X 射线和 CT 相比,MRI 有许多优点,当然亦有不足之处。

1. MRI 的优点

MRI 的优点在于它不使用任何射线,避免了对人体的辐射损伤。可以多方位成像,直观显示解剖结构。因为 MRI 不是透射方法成像,所以不会产生如骨骼、气体等造成的伪影,同时提高了对骨骼、椎管、颅底等病变的观察和认识,无需造影剂即可显示三维血管影像。在组织分辨率方面,对软组织有高超的显示能力,层次丰富,分辨率高。而对脂肪、水的显示敏感性高,可以发现早期病变,特别对骨髓、关节等病变的诊断有独到之处。

2. MRI 的缺点

MRI 的缺点首先在于设备贵、检查费用高。其次其空间分辨率不如 CT,不能对组织及病变进行定量分析。此外,图像极易受其他因素影响,信噪比不稳定,扫描时间长,患者不易配合并可产生幽闭感。不能检查装有心脏起搏器和有铁磁性物质(如节育环、异物、钢板)的部位。应用的技术复杂,需要选择合理的参数和序列,诊断医师需要有全面的影像学知识。

四、超声技术

超声成像是利用超声波的物理特性和人体组织声学参数进行的成像技术,并以此进行疾病诊断。医学超声影像学是临床医学、声学和计算机科学相结合的学科。随着计算机技术的发展,超声成像技术发展迅速,彩色多普勒超声、三维超声、声学造影、弹性成像、介入超声及治疗超声等多种技术的进步,拓展了医学超声影像学的临床应用范围。医学超声以无创、便捷和高效等优点在临床诊断、治疗中已被广泛应用。

(一) 基本原理

超声检查(ultrasound examination)是根据声像图特征对疾病做出诊断。超声波为一种机械波,具有反射、散射、衰减及多普勒效应等物理特性,通过各种类型的超声诊断仪,将超声发射到人体内,在传播过程中遇到不同组织或器官的分界面时,将发生反射或散射形成回声,这些携带信息的回声信号经过接收、放大和处理后,以不同形式将图像显示于荧光屏上,即为声像图(ultrasonogram 或 echogram),观察分析声像图并结合临床表现可对疾病做出诊断。

（二）相关概念

1. 超声波

超声波是指频率超过人耳听觉范围，即大于20 000 Hz的声波。能传播声波的物质为介质。临床上常用的超声频率为2～10 MHz。超声波是机械振动波，超声图像可反映介质中声学参数的差异，对人体组织有良好的分辨能力，有利于识别组织的细微变化。

超声波的主要用途有：

（1）形态学检测：可得到组织、器官的断层图像，进行定位、定性判断。

（2）功能学检测：可根据正常和异常组织、器官的形态学改变，通过M型、二维、多普勒超声等方法，反映其功能变化。

（3）组织特性检测：通过超声组织定征射频法、视频法、组织弹性成像、声衰减、声阻抗、经验判断等方法，可行组织特性分析。

（4）介入超声检测：在超声引导下进行诊断和治疗。

（5）医学超声治疗：包括传统的超声理疗及高强度聚焦超声治疗疾病等。

2. 反射与折射

声波在人体组织内按一定方向传播的过程中遇到不同声阻抗的分界面，即产生反射与折射，可利用超声波的这一特性来显示不同组织界面、轮廓，分辨其相对密度。

3. 分辨力与穿透力

超声波具有纵向和横向分辨力，纵向分辨力与超声频率有关，频率越高，纵向分辨力越高；横向分辨力与声束的宽窄有关，声束变窄，可提高横向分辨力。

4. 多普勒效应

多普勒效应是指发射声源与接收器之间存在相对运动时，接收器收到的频率因运动而发生变化的物理现象。发射频率与接收频率之间的差值称为频移，与运动速度成正比。根据这一原理，多普勒技术可用于测量血流速度、血流方向及血流的性质（层流或湍流）。多普勒超声即根据这一效应研制，分为频谱多普勒和彩色多普勒成像两大类。

（三）图像特点

1. 回声强度

通常把人体组织反射回声强度分为四级，即高回声、中等回声、低回声、无回声。后方伴有声影的高回声又称强回声。

（1）强回声：骨骼、钙化、结石和含气的肺在超声图像上形成非常明亮的点状或团块状回声，后方伴声影，但小结石、小钙化点可无声影。

（2）高回声：血管壁、脏器包膜、瓣膜、肌腱、组织纤维化等表现为高回声，高回声与强回声的差别是高回声不伴后方声影。

（3）中等回声：肝、脾、胰腺等实质器官表现为中等强度的点状或团块状回声。

（4）低回声：又称弱回声，为暗淡的点状或团块状回声，典型低回声为脂肪组织。

（5）无回声：病灶或正常组织内不产生回声的区域，典型者为尿液、胆汁、囊肿液和胸腹腔漏出液。

（6）暗区：超声图像上无回声或仅有低回声的区域，称为暗区，又可分为实性暗区和液性暗区。

(7) 声影:由于障碍物的反射或折射,声波不能到达的区域,即强回声后方的无回声区,称为声影,见于结石、钙化及致密软组织回声之后。

在二维声像图上,根据组织内部声阻抗及声阻抗差的大小,将人体组织器官分为4种声学类型,见表1-1。

表1-1 人体组织器官声学类型

反射类型	二维超声	图像表现	组织器官
无反射型	液性暗区	无回声	尿、胆汁、囊液、血液等液体物质
少反射型	低亮度	低回声	心、肝、胰、脾等实质器官
多反射型	高亮度	高回声	血管壁、心瓣膜、脏器包膜、组织纤维化
全反射型	极高亮度	强回声,后方有声影	骨骼、钙斑、结石、含气肺、含气肠管

2. 超声图像的分析与诊断

观察分析声像图时,应注意以下内容:

(1) 定位:超声检查中为明确脏器或病变的方位,通常以体表解剖标志或体内重要脏器为标志标明方位,定位观察还应包括病变位于某脏器或脏器的某一部位。

(2) 大小:脏器及病变组织的大小测量,通常测三维径线的最大值即前后径、上下径及左右径,亦可测面积和周径。

(3) 外形:脏器的形态轮廓是否正常、有无肿大或缩小;如为占位性病变,其外形是圆形、椭圆形、分叶形或不规则形。

(4) 边缘轮廓:脏器或肿块有无边界回声、是否光滑完整、有无模糊中断以及边缘回声强度如何,对病变性质的鉴别及了解肿瘤的生物学活性等均有一定意义。

(5) 内部结构特征:应注意观察内部回声的强度大小、分布是否均匀、回声形态及结构是否清晰。

(6) 后壁及后方回声:根据不同的后壁及后方回声,可对病变性质做进一步鉴别。

(7) 周围回声及毗邻关系:根据局部解剖判断病变与周围结构的关系,有无压迫移位、粘连或浸润,周围结构内有无异常回声,有无局部淋巴结肿大和继发性管道扩张。

(8) 位置及活动度:脏器位置是否偏移,固有的活动规律是否存在。病变的确切位置,是否随体位变动或呼吸运动而移动。

(9) 量化分析:包括对脏器或病变进行径线、面积、体积等测量,以及应用多普勒超声观察病变或脏器内部的血流分布、走行及形态,对有关血流动力学参数进行测量。

(四) 主要应用

1. 超声解剖学和病变的形态学研究

超声检查可获得各脏器的断面声像图,显示器官或病变的形态及组织学改变,对病变做出定位、定量及定性诊断。

2. 功能性检查

通过检测某些脏器、组织的生理功能的声像图变化或超声多普勒图上的变化做出功能性诊断,如用超声心动图和多普勒超声检测心脏的收缩及舒张功能;用实时超声观察胆囊的收缩和胃的排空功能。多普勒超声技术的发展使超声从形态学检查上升至形态-血流动力学联合检查，使检查水平进一步提高。

3. 器官声学造影的研究

声学造影即将某种物质引入“靶”器官或病灶内，以提高图像信息量的方法。此技术在心脏疾病的诊断方面已经取得良好效果，能够观察心腔分流、室壁运动和心肌灌注情况，测定心肌缺血区或心肌梗死范围及冠状动脉血流储备。目前，此技术已推广至腹部及小器官的检查。

4. 介入性超声的应用

介入性超声（interventional ultrasound）包括内镜超声、术中超声和超声引导下进行经皮穿刺、引流等介入治疗。高能聚焦超声还可用来治疗肿瘤等病变。

（五）超声成像新技术

超声成像新技术包括以下几种：

1. 超声造影（ultrasound contrast）

超声造影的原理是人为地向血液内注入与血液声阻抗值截然不同的介质（微气泡），致血液的散射增强，呈云雾状回声，从而为疾病的超声诊断提供新的信息。

2. 声学定量（acoustic quantification，AQ）

声学定量可实时自动检测血液与组织界面，主要用于心功能评估；应用 AQ 原理还可获得不同时相心内膜运动不同色彩的编码图，即彩色室壁动态分析图，用于检测室壁运动异常。

3. 三维超声（three-dimension ultrasonography）

三维超声分为静态和动态三维超声，均为利用二维图像数据经软件处理重建的三维图像，能够立体显示脏器空间位置关系、心内缺损大小等。

（六）优点和限制

1. 优点

（1）无放射性损伤，属无创性检查技术，具有很高的安全性。然而，超声波属于机械波，可产生机械效应、热效应和空化效应，尤其对于胎儿和眼球等敏感组织，使用不当时，可造成损伤。

（2）能实时动态显示器官运动功能和血流动力学状况及其异常改变，且可实时进行身体各部位任意方位的断面成像，因而能够同时获取功能和形态学方面的信息，有利于病变的检出和诊断。

（3）能及时得到检查结果，并可反复多次重复观察。

（4）超声检查便捷，易于操作，不但能对危急症患者行床边检查，而且可用于术中检查。检查费用也相对低廉，可在短期内对病变进行反复多次检查。

2. 限制

（1）超声检查时，由于骨骼和肺、胃肠道内气体对入射超声波的全反射，影响了成像效果，限制了这些部位超声检查的应用范围。

（2）声像图表现的是器官和组织的声阻抗差改变，缺乏特异性，对病变的定性诊断需要综合分析并与其他影像学表现和临床资料相结合。

（3）超声检查显示的是局部断面图像，一幅声像图上难以显示较大脏器和病变的整体的空间位置和构型。三维超声技术可部分解决此问题。

（4）病变过小或声阻抗差不大，不引起反射，则难以在声像图上显示。

（5）超声检查结果的准确性与超声设备的性能及检查人员的操作技术和经验有很大关系，为操作人员依赖性技术。

五、骨密度技术

骨密度（bone mineral density，BMD）是指单位体积（体积密度）或单位面积（面积密度）所含的骨量。常见骨及骨矿含量测量方法包括 X 线摄影、双能 X 线吸收法、定量 CT 和定量超声。

（一）X 线摄影（radiography）

由于出现阳性骨质疏松 X 线征象时，其骨矿含量的丢失也已达 30%以上，因此，X 线检查不适用于早期骨质疏松症的诊断。另外，骨量的变化也不能及早地通过 X 线片加以反映，故 X 线检查也不适用于随访骨质疏松症治疗过程中骨矿含量的变化。

X 线检查是脊柱椎体压缩性骨折诊断的客观依据，有助于椎体骨折的鉴别诊断，也有助于发现导致继发性骨质疏松症的疾病。

脊柱椎体压缩骨折的 X 线判定方法如下：

1. 胸腰椎侧位像

（1）范围：T4～L4 椎体。

（2）摄片：分为胸椎侧位片、腰椎侧位片，两张侧位片均应包括 T12 以便椎体序数定位。

2. 判定标准

Genant 目测半定量法：椎体骨折判定的标准是以椎体压缩最明显处的上下高度与同一椎体后高之比，若全椎体压缩时，则以压缩最明显处的上下高度与其邻近的上一椎体后高之比。其分度为① Ⅰ 度或轻度：压缩程度为 20%～25%；② Ⅱ 度或中度：压缩程度为 25%～40%；③Ⅲ度或重度：压缩程度为 40%以上。

其他如股骨、跟骨指数等目前很少应用。

（二）双能 X 线吸收法（dual X-ray absorptiometry，DXA）

DXA 是以高、低两种能量 X 射线对骨骼和软组织进行测量和计算，是临床和科研工作中最常用的骨密度测量方法，可满足骨质疏松症的诊断、骨质疏松性骨折风险性评估和药物疗效的监测需要，其测试结果是骨质疏松症诊断的依据。

DXA 测量要点如下：

（1）测量结构：测量结果是感兴趣区内皮质骨和松质骨总和。

（2）常规测量部位：腰椎（L4 或 L2～L4）、股骨近端（股骨颈、全髋）和前臂桡骨远端 1/3。

（3）骨密度测量单位：克/厘米^2（g/cm^2，面积密度）。

（4）胸、腰椎侧位椎体形态评估：部分厂家 DXA 可提供此测量分析软件，该软件可在测量骨密度的同时评估胸、腰椎侧位椎体形态和椎体压缩骨折的程度，并可代替射线剂量相对较大的胸、腰椎侧位 X 线影像评估。

（5）局限性：主要是腰椎正位测量结果受腰椎退行性改变（如椎体和椎小关节的骨质增生硬化等）和腹主动脉钙化影响，侧位腰椎骨密度测量一定程度上可消除此影响，但侧位腰椎测量精确性较差，故侧位未常规用于临床测量。

（三）定量 CT（quantitative computed tomography，QCT）

QCT 是在 CT 设备上，应用已知密度的体模（phantom）和相应的测量分析软件测量骨密度的方法。测量结果可反映骨代谢转换较敏感的骨结构(如松质骨)变化情况。与 DXA 相比,QCT 测量的是体积骨密度,不受椎体大小的影响;而 DXA 测量的是面积密度,与椎体大小有关。DXA 是平面投影的二维图像,QCT 可进行三维图像重建,并可通过旋转图像来纠正脊柱侧弯和骨质增生等改变对骨密度测量的影响。

(1) 测量结构:可分别测量皮质骨和松质骨。

(2) 常规测量部位:腰椎椎体中部和(或)股骨近端的松质骨。

(3) 单位:毫克/厘米^3(mg/cm^3,体积密度)。

(4) 优缺点:主要是测量的辐射剂量较其他的方法高,并依赖于较大的 CT 设备。QCT 的辐射剂量相对 DXA 辐射剂量高,但明显低于临床其他常规部位 CT 扫描的辐射剂量。另外,腰椎 QCT 还可以和临床腰椎常规 CT 扫描同时完成,可以同时满足腰椎影像评估和骨密度测量的需要,避免不必要的双重检查所接受的辐射。

(四) 定量超声(quantitative ultrasound,QUS)

QUS 主要用于骨质疏松风险人群的普查及骨质疏松性骨折风险的评估。QUS 测量主要是感兴趣区(包含软组织、骨组织和骨髓组织)结构对声波的反射和吸收所造成超声信号的衰竭结果。骨 QUS 测量不是测量骨密度,其结果与骨密度测量结果相关,可提供骨密度测量结果所不能反映的骨强度信息。

(1) 测量部位:跟骨最常用。

(2) 测量结果:声速(speed of sound,SOS),单位为米/秒(m/s);宽带超声衰减(broadband ultrasound attenuation,BUA),单位为分贝/兆赫兹(dB/MHz)。

(3) 优越性:主要是无放射性、可提供有关骨量以外骨结构信息,价格低廉,易于携带。

(4) 局限性:主要是不能用于骨质疏松症的诊断和治疗后的随访观察。

骨密度的高低与骨折发生的风险性密切相关,骨质疏松症的诊断基于脆性骨折和(或)骨密度低下。

1. 脆性骨折

脆性骨折是指轻微外力作用下发生的骨折。常见的有椎体骨折、髋部骨折和前臂远端骨折。不论骨密度是否足够低,出现脆性骨折即可诊断为骨质疏松症。

2. 基于骨密度测量诊断

DXA 测量的结果是公认的骨质疏松症诊断标准,诊断指标是以腰椎或股骨近端 DXA 测量的 T-值(T-Score)表示,T-值=(实测骨密度值-正常青年人骨密度峰值均值)/正常青年人骨密度峰值 SD,见图 1-2。

3. 诊断标准

参照 1994 年世界卫生组织(World Health Organization,WHO)建议的白种人妇女骨质疏松症诊断标准,即:

(1) 骨量正常:T-值大于或等于同性别、同种族健康成人的骨峰值-1 个标准差。

(2) 低骨量:T-值介于同性别、同种族健康成人的骨峰值-(1~2.5)个标准差。

(3) 骨质疏松:T-值等于或低于同性别、同种族健康成人的骨临床骨密度测量应用手册峰值-2.5 个标准差。

(4) 严重骨质疏松:T-值降低程度符合骨质疏松症的诊断标准,同时伴有一处或多处

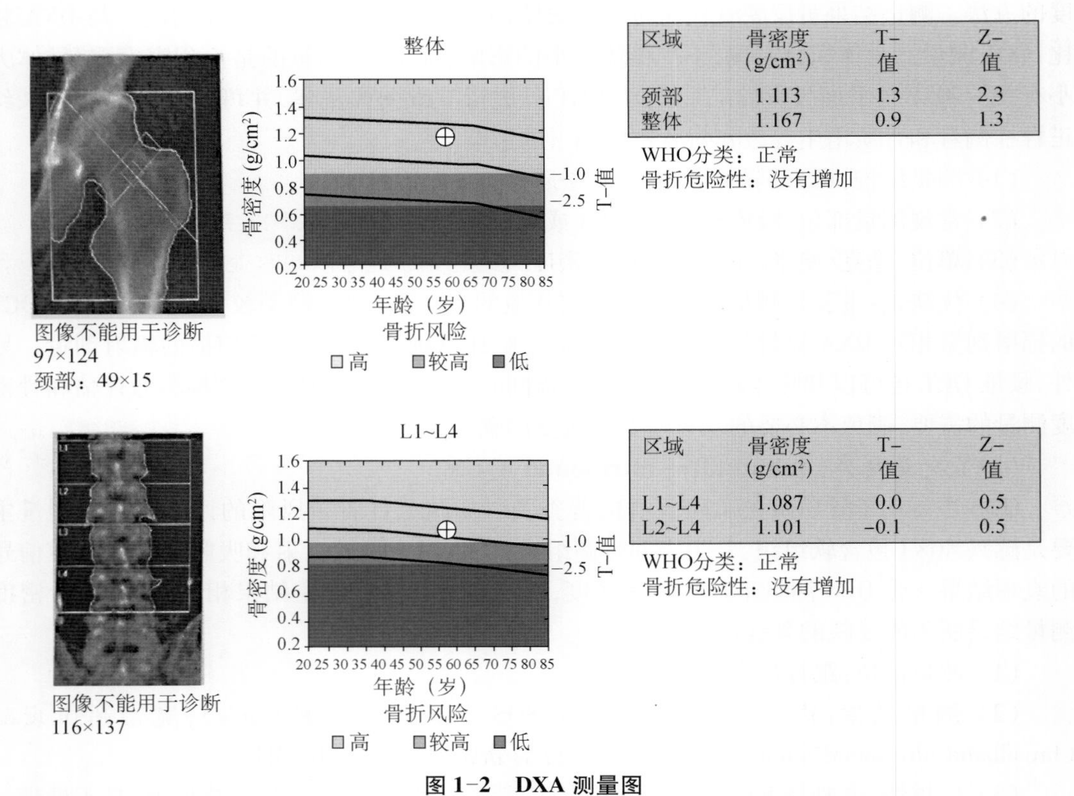

图 1-2 DXA 测量图

骨量正常：T-值大于或等于同性别、同种族健康成人的骨峰值-1 个标准差

脆性骨折。

上述标准可简述为 T-值≥- 1.0 为骨量正常,- 2.5<T-值<- 1.0 为低骨量,T-值≤- 2.5 为骨质疏松,T-值≤- 2.5 同时伴有一处或多处脆性骨折为严重骨质疏松。

六、放射性核素显像技术

放射性核素显像技术是临床核医学中的主要内容,包括骨骼、脑、心、肺、肝、脾、胰腺、肾上腺、甲状腺、睾丸和肿瘤显像等。核医学成像设备与技术主要包括单光子发射计算机体层显像(single photon emission computed tomography,SPECT)和正电子发射体层显像(positron emission tomography,PET),可局部和全身显像。核医学影像与 X 线、CT、MRI 和超声检查等同属影像医学技术,在临床诊断和研究中具有重要作用。放射性核素显像技术具有灵敏度高、可定量等优点,在分子影像学研究领域中占据极其重要的地位。随着融合成像技术的发展,以核医学成像技术为代表的功能和代谢成像和以 CT 与 MRI 为代表的解剖成像的结合,成为医学影像学发展的重要趋势,SPECT/CT、PET/CT 和 PET/MRI 是目前用于临床的最为成熟的分子影像技术。

放射性药物引入体内后,与脏器或组织相互作用,参与体内的代谢过程,被脏器或组织吸收、分布、浓聚和排泄。脏器或组织摄取显像剂的机制很多,主要包括:①合成代谢,如^{131}I 甲状腺显像等;②细胞吞噬,如肝胶体显像或淋巴显像;③循环通道,如心血管动态显像、脑脊液显像等；④选择性浓聚，如亲肿瘤显像或放射免疫显像；⑤选择性排泄，如肾动态显像等；⑥通透弥散，如肺通气/灌注显像（V/Q 显像）；⑦细胞拦截，如热变形红细胞脾脏显像；⑧化学吸附，如骨骼显像；⑨特异性结合，如放免显像、受体显像等。放射性核素在自发衰变过程中能够发射出射线，如 γ 射线，射线能够被 γ 照相机等显像仪器定量检测到并形成图像，从而获得核素或核素标志物在脏器和组织中的分布代谢规律，从而达到诊断疾病的目的。

放射性核素显像的原理是建立在器官组织血流、功能和代谢变化的基础之上，不仅能够显示脏器和病变的位置、形态、大小等解剖结构，更重要的是可以同时提供有关脏器、组织和病变的血流、功能、代谢和排泄等方面的信息，甚至是分子水平的代谢和生化信息，对于异常病变探测的灵敏度很高，可以在疾病的早期尚未发生形态结构改变时诊断疾病。

放射性核素骨显影（radionuclide bone imaging）不仅能显示骨骼的形态，还能反映骨骼和病变的局部血流、代谢情况，因此，在疾病的早期诊断方面具有很高的灵敏性和独特的优势，如对恶性肿瘤骨转移的检测，通常能比 X 线平片和 CT 早 3~6 个月发现异常。放射性核素骨显像的另一特点是可一次进行全身扫描而不增加额外的辐射剂量，克服了其他影像检查只能对某一部位或区域成像的局限性，因此更加经济实用，观察范围更大，避免了漏诊或误诊。近年来，SPECT/CT、PET/CT 等图像融合技术的发展和应用，对提高核素骨显影的特异性、灵敏度，加速其发展、扩大临床适应证等起到了巨大的推动作用。

放射性核素骨显影对 X 线检查难以发现的一些细小骨折和部位比较隐蔽的骨折进行诊断，如发生在肋骨、胸骨、腕骨、跗骨、肩胛骨、骶骨等特殊部位的骨折，这些部位骨折 X 线诊断常有困难，而放射性核素骨显影则可显示骨折部位有异常放射浓聚（图 1-3）。

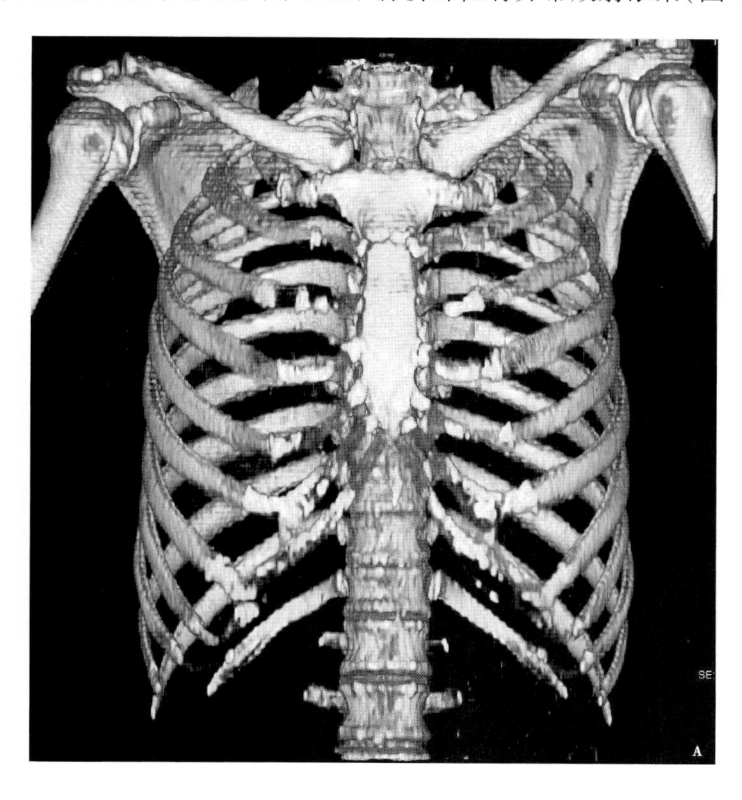

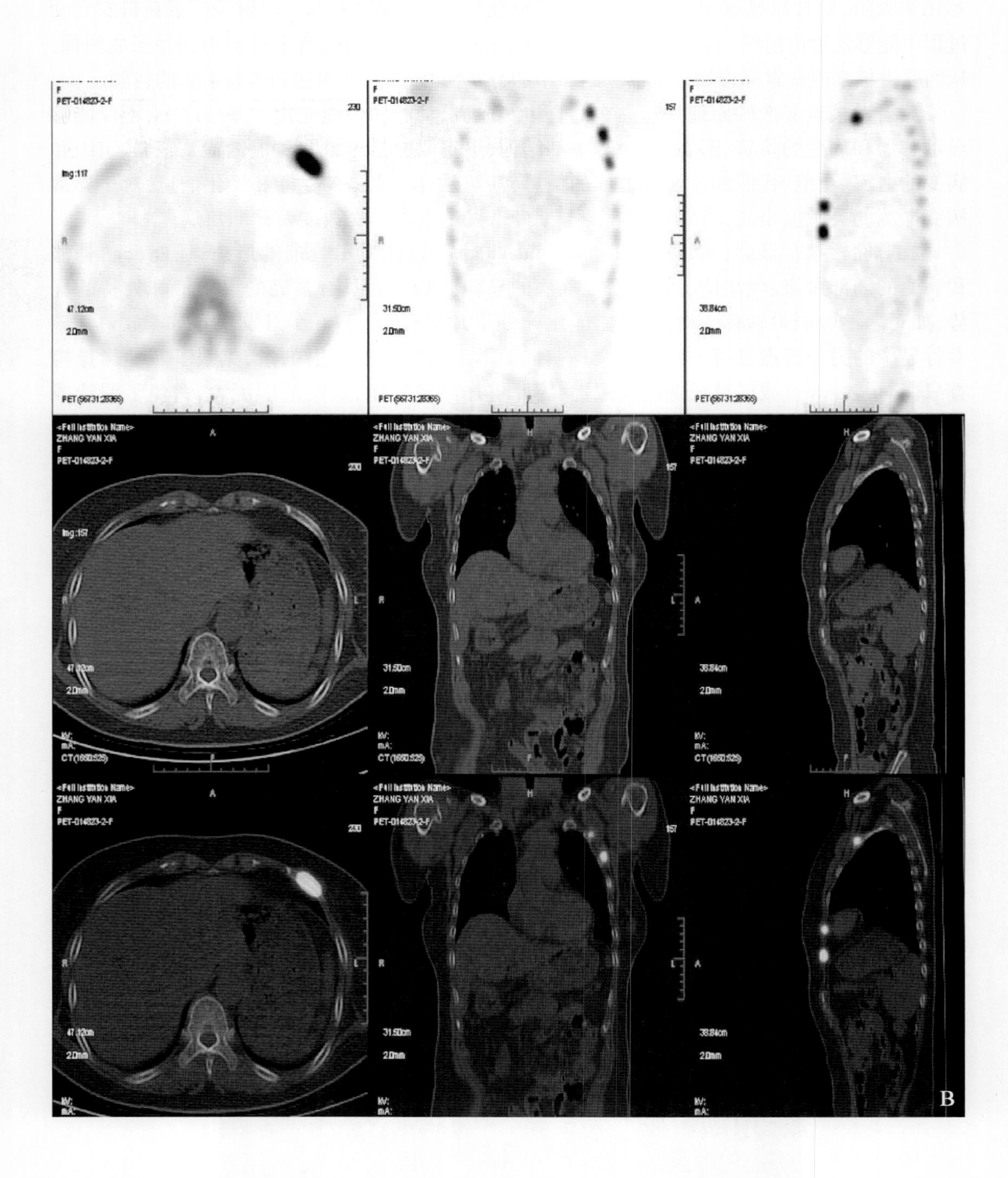
PET-014823-2-F
PET(56731:28365)
<Full Institution Name>
ZHANG YAN XIA
F
47.12cm
31.50cm
38.84cm
2.0mm
kV:
mA:
CT(1650:525)
B

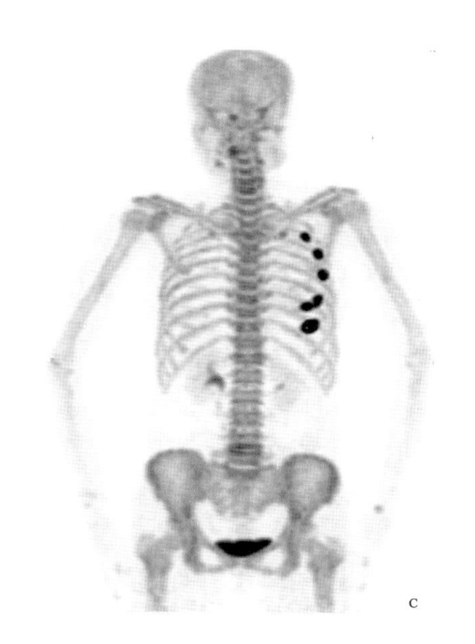

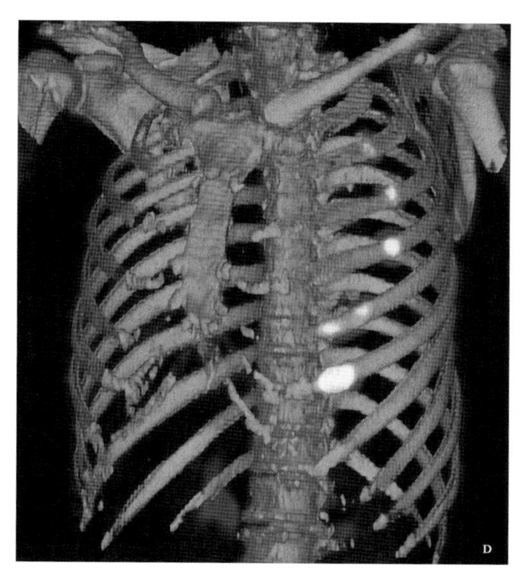

图 1-3
彩图

图 1-3　女，56 岁，车祸伤致左侧胸部疼痛 4 天，示肋骨隐性骨折

A. CT 扫描肋骨 3D 重建仅显示左第 2、3 前肋骨折；B. SPECT/CT 的融合图像还可显示左第 4、5、6 前肋隐性骨折；C. SPECT 的骨扫描平面图像显示左第 2、3、4、5、6 肋骨骨折且呈线性排列；D. SPECT/CT 融合 3D 肋骨重建融合图像，3D 功能融合图像直观全面显示左第 2、3、4、5、6 肋骨骨折（非常感谢西南医科大学附属医院核医学科陈跃教授提供 SPECT/CT 融合 3D 图像）

第三节　活体年龄研究指标

一、骨的形态变化

骨骼的形态一生都在随着年龄、身体状况和生活条件改变而不停地变化。在儿童、青少年时期，骨组织中有机成分较多，约占 1/2，故骨骼弹性及可塑性较大，硬度较小；成年时期，骨组织中有机成分与无机成分之比为 1∶2，使得骨骼坚硬；老年时期，骨质增生及吸收使骨组织退行性变、骨质疏松，致使骨的形态发生变化。

（一）骨骼发育过程

骨发育包括骨化与生长。骨化有两种形式：一种是膜内化骨，一种是软骨内化骨。前者如颅盖骨和面骨，后者如四肢、躯干诸骨。推断骨龄的骨骼基本上属于软骨内化骨。软骨内化骨共分 4 个阶段。

第一阶段：软骨雏形形成。胚胎第 5 周左右，首先由间充质分化成形状与未来骨相似的软骨雏形，表面覆有软骨膜。

第二阶段：原始骨化中心出现。在软骨雏形中部的软骨细胞增生，并在软骨基质内出现钙盐沉积。软骨中的这一变化称为原始骨化中心，又称第一骨化中心。与此同时，软骨膜内层以膜内成骨方式形成一层包绕原始骨化中心的骨质，称为骨环带或骨领。骨领增厚、软骨膜便发育成骨外膜。

第三阶段:骨干的生长和形成。

(1) 骨髓腔形成:在原始骨化中心,通过成骨与破骨的不断重建,逐渐形成原始骨髓腔,腔内逐渐形成并充满血管和由间充质细胞分化而来的红骨髓,成为成熟骨髓腔。

(2) 骨干增粗:骨髓腔不断扩大的同时,骨膜内层以膜内成骨的方式,形成新的骨质,附加在深面原有骨质的骨环带上,使骨不断增粗。因此,长骨成骨过程中不仅有软骨内化骨,也有膜内化骨,而长骨的增粗主要依靠膜内化骨。

(3) 骨干增长:骨干增粗的同时,原始骨化中心不断向两端延伸使骨干增长。

第四阶段:骨骺成骨过程。

(1) 次级(二次)骨化中心的出现:出生后的几年间,骨干两端的骨开始出现新的骨化中心,因出现时间较晚,称为次级(二次)骨化中心。软骨的骨化过程与骨干相似,二次骨化中心向四周发展,不断生成小梁,成为骨松质的骨骺。

(2) 骺板形成:在与软骨之间保留的一层软骨,称为骺板。在成年以前,骺板的软骨细胞不断增殖,与骨干骨组织的形成保持平衡,使骨不断加长。到青春期末,骺板失去增殖能力,而全部被骨组织代替,长骨因骺板闭合而停止生长(图 1-4)。

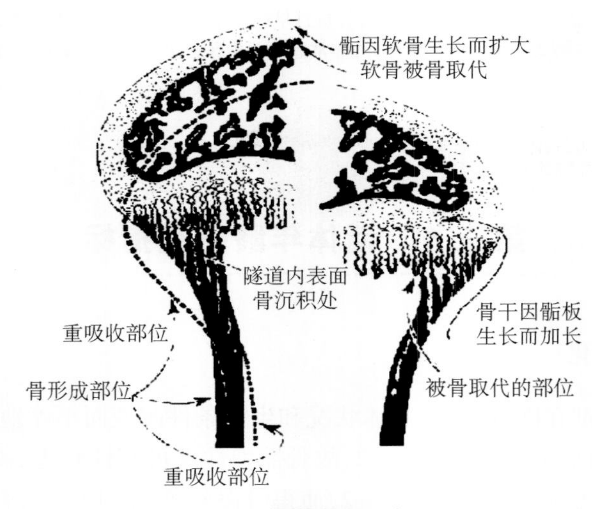

图 1-4 骨骺发育示意图

朱广友,王亚辉,万雷, 2016.中国青少年骨龄鉴定标准图谱法.上海:上海科学技术文献出版社

(二) 骺软骨发育组织学分层(区)

生长期的骺软骨纵切面在显微镜下分为三层(五区)平行排列的带状结构,从骨骺侧到干骺端侧依次为:

1. 生长层(又分为静止区和增殖区)

(1) 静止区:幼稚软骨细胞外形扁平、分散、活性较低、无定向分布,细胞生长缓慢,与储备软骨细胞相邻。

(2) 增殖区:软骨细胞纵径与横径均变大并开始间接分裂增殖,沿骨干长轴排列呈柱状生长,外形呈扁盘状,柱状细胞占据骺软骨板厚度的一半。

2. 成熟层(又分为肥大区和钙化区)

(1)肥大区:软骨细胞也呈柱状排列,但体积大,且多呈圆形。其下半部分为退化区。

(2)钙化区:软骨细胞肥大失去增殖能力,本层的细胞基质变薄;软骨基质发生钙化。钙化开始很小,逐渐成簇,且增大,在干骺面形成晶体块。

3. 软骨细胞转化层(骨化区)

骺板的最后一个区,与干骺端相连。该8层细胞变为成骨细胞并包绕在残留的钙化软骨基质周围,不断地产生类骨质并随即钙化为骨质,形成骨小梁。

骺软骨具有这些组织学分层(图1-5),因此骨骺在很长一段时间内仍能保持活跃的增殖能力,使软骨不断增生、骨化,不但使骺板保持相应厚度,而且促进骨化过程使骨不断增长。骨骺骨化扩大到一定程度时,在骨骺干侧软骨内成骨逐渐停止,形成一薄层骨组织称为骨骺终板,而骺侧表面始终保留薄层软骨逐渐演化为关节软骨。继而骨骺终板逐渐变薄、变平、退化,先期钙化带逐渐模糊。此时,骨骺与干骺端之间有骨小梁通过,出现骨性联合。最后先期钙化带残留或完全消失,表明骨发育终止。

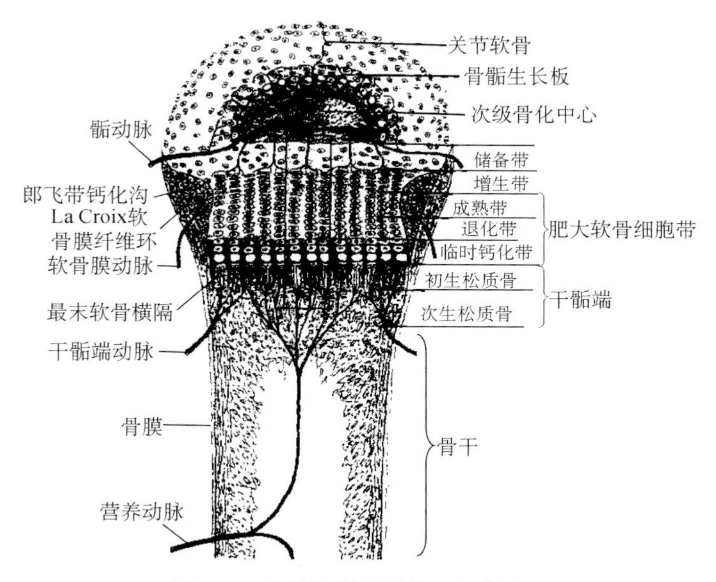

图1-5 生长期骺软骨的组织学分层

朱广友,王亚辉,万雷,2016.中国青少年骨龄鉴定标准图谱法.上海:上海科学技术文献出版社

(三)骨发育X线征象特征

(1)生发期:是指继发骨化中心开始萌出发育的阶段。在骺软骨内出现骨化中心即为继发骨化中心,常为单个。

(2)增殖期:是指随着年龄的增长,继发骨化中心不断骨化、增大。此期主要观察继发骨化中心体积、形状变化。例如,内外侧缘厚度比例关系、骨骺最大横径与干骺端最大横径之间的比例关系、手腕部掌关节面和背关节面分化表现、某些部位骨突起形成以及干骺间骺软骨间隙变化。

(3)塑形期:承受压力和拉力部位的骨骺外形轮廓变化细微,趋向于完成正常解剖形态的塑形。此期骨骺干侧面即骺软骨板呈现低密度线条状影,且出现闭合表现。

(4)闭合期:骨骺干侧面骨小梁开始贯穿至全部达干骺端。此期根据不同部位骨骺闭合程度分为开始、部分、大部分至全部闭合。

二、骨的组织学变化

随着机体的成熟、衰老,骨组织的成骨、改建和破骨及骨单位都发生变化。这些变化有助于推断骨龄,特别是对破碎严重的骨片更为适用。除此以外,测定骨骼中无机盐的含量也可以帮助确定大致年龄。

(一)骨的组织学

1. 骨细胞

按照骨组织内细胞的形态,可以将骨细胞分为三大类型,即骨细胞、成骨细胞和破骨细胞。这些细胞起源相同,在不同条件下可以互相转化,共同完成吸收旧骨质和生成新骨质的作用。

2. 骨纤维

骨纤维是细胞间质中的有机成分,大都属于胶原纤维。在结缔组织中,胶原纤维主要为Ⅰ、Ⅲ型胶原纤维。在软骨中,胶原纤维主要为Ⅱ型胶原分子。在骨中,胶原纤维则主要为Ⅰ型胶原纤维。此外,Ⅴ、Ⅺ型胶原纤维也可在骨组织中检测到。纤维包埋在含有钙盐的基质中,显得隐蔽。骨胶原纤维与结缔组织中的胶原纤维相同,也具有等间距横纹的特点。胶原纤维大都组成较致密的纤维束,呈规则的分层排列。骨细胞被夹在骨板之间。在密质骨中的骨板大都呈分层的同心圆排列,组成骨单位。

3. 骨基质

骨基质由无机盐和有机物组成。有机物是指骨胶原纤维以外的黏多糖蛋白,这些大分子含有一个中心轴蛋白、不同数目的硫酸糖胺聚糖侧链及短的低聚糖。而集结素又是透明软骨的一个主要蛋白聚糖,由于有硫酸糖胺聚糖侧链的巨大透压,蛋白聚糖可使关节软骨具有韧性和低摩擦系数。蛋白聚糖的另一个亚族是同胶原纤维结合在一起的小蛋白聚糖,其只有2个侧链(PG-S1)或1个侧链(PG-S2),小蛋白聚糖普遍存在于结缔组织中。其他蛋白聚糖对细胞与细胞外基质的黏附起一定作用,同时也作为生长因子(如TGF-3)受体及其基底膜的成分。此外,骨基质的有机成分还包括骨粘连蛋白、骨钙素、磷蛋白及血小板敏感蛋白等。骨基质中的无机盐类通常称为骨盐,占成人骨干重的65%左右。骨盐的化学成分主要是羟基磷灰石,由钙离子、磷酸根离子和羟基等组成。

(二)骨的组织学随年龄变化

目前,对于究竟哪项组织形态学变化与年龄的关系最密切,各学者的看法并不统一。Thompson曾提到,在股骨中,骨单位面积是判定年龄的最准确的指标;另外,Thompson和Galvin后来又指出,在胫骨中骨单位数目与年龄的相关性最高;Kerley的研究则表明,在股骨中骨单位数目与年龄的相关性最高,在胫骨和腓骨中则是间骨板数与年龄的相关性最高;而Yoshino对肱骨的研究结果则表明,间骨板数与年龄的相关性最高;Currey的研究证明,骨单位数量和间骨板数量随年龄的增长而增加,骨单位直径变小;Dobriak的研究指出,骨密质厚度随年龄的增长而变薄;Baker的研究证明,骨密质的无机盐含量比骨松质的无机盐含量高，而且无论是疏松骨还是致密骨，成人骨的无机盐含量都高于婴幼儿骨无机盐的含量。

三、骨骺发育指标

骨龄测定的常用部位包括锁骨胸骨端、肩关节、肘关节、手腕部、骨盆部、髋关节、膝关节及踝关节等。

（一）锁骨胸骨端骨骺

锁骨为上肢带骨，位于颈根部水平处，其皮质厚实、坚硬。锁骨分一体两端，胸骨端呈钝三角形，与胸骨柄相关节，构成胸锁关节，肩峰端变平，以卵圆形关节面与肩峰相关节，其胸骨端和肩峰端年龄变化明显。锁骨胸骨端骨化中心是人体较晚发育的骨化中心之一。青春期时，次级骨化中心在锁骨胸骨端出现并于骺端相闭合，是16.0及18.0岁骨龄推断研究的重要指标之一（具体内容将在第三章第一节讨论）。

（二）肩关节骨骺

肩关节骨骺包括锁骨肩峰端、肱骨近端、肩胛骨肩峰端、肩胛骨喙突端骨骺等。有研究表明，男性肱骨近端骨骺闭合时间为18.0~20.0岁，男性肩胛骨肩峰端骨骺及肩胛骨喙突端骨骺闭合时间为18.0~21.0岁，在女性中上述指标闭合年龄约提前1.0岁（具体内容将在第三章第一节讨论）。

（三）肘关节骨骺

肘关节骨骺包括肱骨内上髁、肱骨外上髁、肱骨滑车、肱骨小头及桡骨小头骨骺等。与上肢骨骼相比，肘关节骨骺发育周期相对较短，在15.0岁左右，肘关节骨骺已趋于闭合。因此，对这一时期的骨骺年龄判定，用肘关节部骨骺可能比手腕部更为准确（具体内容将在第三章第一节讨论）。

（四）手腕部骨骺

手腕部因其敏感及摄片方便而最为常用，手腕部特点包括以下几点。

（1）骨骼数目较多，其中有腕骨8块、掌骨5块、指骨14块，加上尺、桡骨共有29块，另外，拇指内侧籽骨也是骨骼发育的重要指标。

（2）各继发骨化中心的出现、闭合各有不同时间，便于区别。

（3）易于摄片。

（4）易于防护。

手腕部骨骺一般为18.0岁以下儿童、青少年骨龄推断研究的重要指标（具体内容将在第三章第一节讨论）。

（五）骨盆部骨骺

骨盆部骨骺的发育过程相对较长，对于18.0~21.0岁青少年而言，仍具有重要的骨龄研究价值，尤其是髂嵴、坐骨结节骨骺。成人年龄推断中常用骨盆的耻骨联合部和耳状面。髂嵴位于髂骨翼的上缘，呈弧形结构。耻骨上、下支相互移行处内侧的椭圆形粗糙面即为耻骨联合面，两侧联合面借软骨相连，构成耻骨联合。坐骨体与坐骨支移行处的后部粗糙的隆起，为坐骨结节。耳状面位于髂骨翼后下方，与骶骨相关节的关节面（具体内容将在第三章第一节讨论）。

（六）髋关节骨骺

髋关节骨骺包括髋臼、股骨头、大转子骨骺等。髋臼是由髂骨、坐骨和耻骨软骨闭合而成，男性闭合年龄一般在12.0~14.0岁，女性则略有提前。股骨头骨骺骨化中心在两性中出现于4.0~6.0个月，14.0岁左右闭合；大转子骨骺骨化中心在两性中出现于4.0岁，一般在16.0岁闭合（具体内容将在第三章第一节讨论）。

（七）膝关节骨骺

膝关节骨骺包括股骨远端、胫骨近端及腓骨近端骨骺。有研究表明，女性膝关节各骨骺闭合时间无明显先后差异，均为16.0~18.0岁，比男性提前闭合1.0岁（具体内容将在第三章第一节讨论）。

（八）踝关节骨骺

踝关节骨骺包括胫骨远端、腓骨远端骨骺。有研究表明，女性踝关节骨骺闭合时间亦完全一致，为15.0~17.0岁，比男性提前闭合1.0岁（具体内容将在第三章第一节讨论）。

四、牙齿指标

牙齿是人体最坚硬的器官之一，其抗腐蚀能力强，多项形态特征具有增龄性变化，因此利用牙齿推断年龄在法医学中得到广泛应用。由于牙齿的生理性变化的复杂性及环境因素的影响，不同牙齿推断年龄的方法具有不同的应用价值，同时其也存在一定的局限性，法医工作者需要依据具体情况选择适合的方法并加以综合运用，以提高年龄推断的准确性。

（一）根据乳、恒牙替换及其萌出时间推断年龄

婴幼儿至14.0岁的儿童，可根据乳牙和恒牙的萌出、替换等大致推断个体年龄。大量研究认为，牙齿钙化包括牙冠和牙根的形成，比牙齿萌出与年龄的相关性更大，是推断未成年人年龄最好的指标。因此，可根据牙根的发育情况准确地判断未成年人年龄。

（二）根据牙齿发育过程中的特征推断年龄

在牙齿的发育过程中，一般需要经历初始矿化、牙冠发育完成、牙冠萌出和牙根发育完成4个阶段。目前，利用牙齿过程中的特征推断年龄最普遍的方法是由Demirjan等在1973年最早提出的；他研究了2.0~20.0岁法裔加拿大儿童、青少年的口腔曲面断层X线片，将左侧下颌恒牙（7颗）的牙冠及牙根发育过程的影像学表现分为A~H 8个级别，并对其影像学形态进行量化、赋分，建立牙齿成熟度与年龄的对应表（具体内容将在第四章讨论）。

（三）根据牙齿的磨耗程度推断年龄

牙齿的磨耗与年龄的关系是法医人类学中最常用于年龄推断的方法之一。牙齿磨耗推断年龄的方法主要包括分级法和数量化法两种。分级法是指根据牙齿磨耗程度，建立牙齿磨耗分级标准，再计算出不同分级内的平均年龄、有效年龄等，作为该分级的年龄范围；在推断过程中，先确定牙齿磨耗的分级，根据所确定分级中牙齿磨耗的轻重程度，再在所在年龄范围内选择合适的年龄作为推断年龄。数量化法是指先对牙齿磨耗程度进行分级，再通过数量化方法计算出每个牙位磨耗等级的赋值及年龄常数值；在推断年龄时，先将每个牙齿磨耗等级的赋值相加，再加上年龄常数，即得到推断年龄（具体内容将在第四章讨论）。

（四）根据第三磨牙推断年龄

在18.0岁左右，除了第三磨牙，其他牙齿的牙根都已发育完成，因此，第三磨牙就成为

推断 14.0~22.0 岁人群年龄的重要依据之一。Mincer 等于 1993 年就根据第三磨牙的发育情况来推断年龄，他研究了 823 例 14.1~24.9 岁美国人的牙齿 X 线片（74%为曲面断层片，26%为根尖片）中第三磨牙的形态，将其发育过程分为 8 个等级，并对其进行量化、赋分，建立推断公式，认为第三磨牙虽然发育的个体差异较大，但仍可作为 16.0~22.0 岁年龄推断的重要指标。Mesotten 等于 2002 年通过研究 1175 例 16.0~22.0 岁高加索人牙齿曲面断层 X 线片中第三磨牙的形态，其推断年龄的标准差为 1.52 岁，证明利用第三磨牙特征是推断年龄的有效方法（具体内容将在第四章讨论）。

（五）根据牙髓腔变化推断年龄

Kvaal 等于 1995 年首次使用牙髓腔的变化来推断年龄。其原理是随着年龄的增长，继发性牙本质逐渐增加，牙髓腔体积缩小。他通过测量 100 颗单根牙（上颌中切牙、侧切牙及第二前磨牙；下颌侧切牙、尖牙及第一前磨牙）牙髓/牙根、牙髓/牙体、牙体/牙根长度比及在 3 个水平上牙髓/牙根的宽度比，根据相关数据建立与牙龄的函数关系，结果发现，除牙体/牙根长度比以外，其他比值均与牙龄存在相关性。将该方法用于埃及及高加索人群的调查，均得出相似结论。而将此方法用于土耳其和印度人群的年龄推断则出现较大误差，但研究者认为这种误差可能是由观察、测量方法及人种的不同所致。近年来，随着牙齿锥形束计算机断层扫描（cone beam computed tomography，CBCT）在口腔领域的应用，为牙齿三维影像的获得提供了新的途径。Yang 等从 19 名个体（23.0~70.0 岁）中选择了 28 个 CBCT 的牙齿影像（包括 15 个中切牙、12 个尖牙和 1 个前磨牙），测量牙髓/牙体的容积比，结果显示牙髓/牙体容积比与个体年龄有相关性，可以用来推断年龄（具体内容将在第四章讨论）。

（六）利用牙质中氨基酸的外消旋性推断年龄

氨基酸的外消旋性测定最早应用于地球化学和考古学。人体合成的氨基酸都是 *L* 型光学异构体，而随着时间的推移，逐渐向 *D* 型光学异构体转化，即外消旋化。1975 年，Helfman 等首次发现牙釉质中氨基酸的外消旋性与牙龄之间的相关性。而牙本质中氨基酸的外消旋性相比牙釉质与年龄的相关性更高、稳定性更好。2010 年，Ohtani 等使用低速切片锯将离体牙齿的牙冠沿唇舌向切成 1 mm 厚的剖面，将牙本质层切片分别在 0.2 mol/L 盐酸、蒸馏水、乙醇和乙醚中浸泡 5 min，收集牙本质粉末，使用气相色谱法检测牙齿的氨基酸外消旋性，并评价其与年龄的关系；用该方法对 5 名个体进行研究，结果推测年龄的误差在±3.0 岁以内，证实该方法具有较好的准确性。Griffin 等通过测定 31 颗健康牙齿牙釉质中的天冬氨酸外消旋性来推测青少年的年龄，其误差为±6.2 岁，略低于对成人的推测（±8.7 岁）；其研究结果还显示，牙齿龋坏对年龄推断的准确性无影响（具体内容将在第四章讨论）。

（七）根据牙骨质环推断年龄

牙齿随着年龄增长，牙骨质会不断增厚，并形成形状似树年轮的明暗相隔的环状牙骨质，称为牙骨质环。Douglas 等于 1986 年通过研究 42 对下颌尖牙和第一前磨牙，提出了牙骨质环的增加与年龄的相关性。Renz 等于 2006 年研究发现，同一颗牙齿不同位置、不同层面的牙骨质环数量均不相同。Kasetty 等于 2010 年通过研究 200 颗牙齿的牙骨质环来推断年龄，误差为±12.0 岁，仅有 1.5%的牙骨质环与实际年龄有相关性。而 Kegerer 等研究了 80 颗牙齿的牙骨质环，推断年龄的误差为 0.0~6.0 岁。Ursula 等测量 363 颗牙齿，得出的年龄误差不超过±2.5 岁。以上研究结果差异性较大，因此，牙骨质环与人的年龄是否有相关性及存在何种关系,仍需要进一步研究证实。

（八）根据牙齿组成的化学成分改变推断年龄

能量分散 X 射线分析显示,牙本质的磷酸钙是球状结构,据此 Atsu 等的实验证明了个体年龄与各层牙本质的钙化融合结构具有相关性,此联系可通过在不同时期测定牙本质结构中的钙化磷酸钙来推断个体年龄。李洪文和皮昕应用扫描电镜和能谱仪测量牙组织不同部位的钙磷比(钙/磷)来推断年龄,结果表明根尖部管周牙本质钙磷比随年龄增大而显著下降,与年龄之间相关系数为 0.929 6,标准估计误差为 7.6 岁(具体内容将在第四章讨论)。

五、分子生物学指标

发育和衰老的自然过程会导致组织和器官的一系列改变,这些改变会在生命进程中不断积累。随着人们对发育和衰老过程认识的深入,一系列发育和衰老相关的变化在分子水平上被检测到,并被尝试作为法医学年龄推断的候选标记,其中主要包括端粒的缩短、线粒体 DNA4977 bp 的缺失、DNA 甲基化和晚期糖基化终末产物的积累,以及生命进程中由于胸腺退化而导致的信号接合 T 细胞受体删除环(sj TREC)分子拷贝数减少等。

（一）端粒 DNA 长度

1. 原理

生物体的细胞在正常情况下能够自我分裂繁殖,并自我更新,从而维持生命延续。端粒是染色体末端的一种核酸-蛋白复合体结构,由高度重复的互补的两条 DNA 单链和端粒结合蛋白组成 t 环,具有稳定和保护染色体的作用。真核生物 DNA 的复制是沿着 5′到 3′方向进行的,并需要一个小片段 RNA 作为引物,这一引物在新的 DNA 链形成后被删除。因此,每复制一次,DNA 新链便缩短数百个碱基,端粒长度随细胞分裂而缩短。

2. 研究现状

1990 年,Harley 等分析了 0.0~91.0 岁不同供体成纤维细胞端粒长度发现,供体年龄与端粒 DNA 长度及总量呈明显负相关,细胞每分裂一次,端粒约缩短 50 bp。Hastie 等发现,不同年龄供体血细胞和结肠黏膜细胞端粒长度随年龄增加而缩短,血细胞平均每年约丢失 33 bp 重复序列。Iwama 等测定正常人外周血细胞端粒长度,端粒限制性片段长度分布在 6.2~18.9 kb,并随着年龄增大而逐渐缩短,且端粒限制性片段长度随年龄而缩短的关系是非线性的。葛璐璐等将年龄组划分为 0.0~14.0 岁、15.0~64.0 岁及≥65.0 岁 3 个档,对其白细胞端粒 DNA 长度的变化进行了研究,结果表明这 3 组之间端粒限制性片段的平均长度有显著差异且变化速率不同。但是,对于不同血样、组织的不同年龄段个体之间端粒 DNA 具体的变化规律及其在法医学实践中的应用价值仍然有待深入的研究。

（二）线粒体 DNA4977 bp

1. 原理

线粒体 DNA(mtDNA)为环状双链,人体几乎所有细胞中都存在线粒体 DNA。近年有人发现,年龄超过 20.0 岁的人类个体,其体细胞中线粒体 DNA 存在一段 4977 bp 的缺失,这段缺失包括了两个编码 ATP 酶的基因。因此,此片段缺失会导致细胞能量供应不足而走向衰老。

2. 研究现状

1988 年,Holt 等在 *Nature* 杂志上首次报道了线粒体疾病患者在 8 482~13 459 nt 区段存在着一个大的 4977 bp 的缺失(这种缺失被命名为 mtDNA4977deletion);1989 年,Schon 等在 *Science* 杂志上也报道了类似的发现。这一现象引起了人们的注意和兴趣,随后,Linnanne 等相继发现了在正常人中也存在着 4977 bp 的缺失,由于氧化作用,人线粒体 DNA4977 bp 会随着年龄的增大而逐渐缺失,且年龄越大,缺失越明显。于是,线粒体 DNA4977 bp 缺失程度与年龄的研究得到了开展。Lai 等对 88 例不同年龄(20.0~70.0 岁)个体心肌纤维 mtDNA 的研究发现,老年组 4977 bp 缺失率达 70%,而青少年组缺失率几乎为 0,具有明显的年龄相关性($R=0.29$)。Meissner 等通过对 50 例不同年龄段(24.0~97.0 岁)个体骨骼肌 mtDNA 的研究发现,4977 bp 的缺失率范围为 0.000 49%~0.14%,其中 21.0~30.0 岁的平均缺失率为 0.003%,70.0 岁以上的平均缺失率为 0.09%,其与年龄相关系数为 0.83,并得出年龄推断的计算公式:年龄 = 27.717(±2.662)×log($d$mtDNA%)+103.10(±4.798)($d$mtDNA% 为 mtDNA 缺失率)。

(三) DNA 甲基化

1. 原理

在 DNA 甲基化酶(DNA methyltransferase,DNMT)的作用下,DNA 的 C 和 G 两个嘧啶被选择性地添加由 *S*-腺苷-*L*-甲硫氨酸提供的甲基基团,形成 5-甲基胞嘧啶,这个过程称为 DNA 甲基化。在真核生物基因组中,基因仅占一小部分,作为可遗传的修饰方式,DNA 甲基化为非编码 DNA 提供了有效的抑制剂,在 DNA 复制起始、错配修复和转座子的失活等过程中对维持遗传稳定性发挥重要作用。随着真核生物衰老,DNA 甲基转移酶活性下降,甲基化水平随之降低。因此,检测 DNA 甲基化水平可体现真核生物衰老程度。

2. 研究现状

有研究发现,多个 CpG 位点的甲基化修饰程度与衰老过程线性相关,它们的甲基化水平会随年龄的增长而升高或降低。2011 年,Bocklandt 等使用 Illumina Human Methylation 27 芯片对 34 对同卵双胞胎的唾液样本(21.0~55.0 岁)进行全基因组甲基化分析,新发现了 88 个与年龄高度相关的基因座,建立了基于 *NPTX2*、*EDARADD* 和 *TOM1L1* 三个基因 CpG 位点甲基化的回归模型,该模型预测个体年龄的平均精度为 5.2 岁。Koch 和 Wagner 发现了 431 个与年龄相关的高甲基化位点和 25 个与年龄相关的低甲基化位点,并且建立了基于 *TRIM58*、*KCNQ1DN*、*NPTX2*、*GRIA2* 和 *BIRC4BP* 五个基因 CpG 位点的预测方法,其平均精度为±9.3 岁。Weidner 等报道的基于 *ITGA2B*、*ASPA* 和 *PDE4C* 基因甲基化状态的年龄推断模型,推断精度在 5.0 岁以内。Hannum 等报道的基于 *ELOVL2* 基因甲基化状态的年龄推断模型,误差为 3.9 岁,推断年龄与实际年龄相关度达到 96%。Zbiec-Piekarska 等建立的基于 *ELOVL2* 基因甲基化的年龄推断模型的可靠率为 68.5%,误差为 7.0 岁。易少华等在中国人群中发现了 3 个与年龄高度相关的片段,并建立了平均误差为 4 岁的预测模型。黄云等建立了基于 ASPA_1、ITGA2B_1、ITGA2B_2、NPTX2_3 和 NPTX2_4 甲基化位点的线性回归模型(平均绝对偏差为 7.870 岁),并且验证了其在血液和血痕检材中的适应性。

(四) 晚期糖基化终末产物

1. 原理

生物体内的非酶促糖基化反应,又称 Maillard 反应,是葡萄糖等还原糖的醛基与蛋白质、脂类和核酸大分子中的游离氨基发生的加成反应,其早期产物是不稳定的 Schiff 碱,再经重组形成相对稳定的氨基酮(Amadori 产物)。这种早期糖基化产物经缓慢脱水、环化、氧化及化学重排最终形成带荧光的棕色化合物,即晚期糖基化终末产物(advanced glycation end product,AGE)。AGE 的形成是一个不可逆的过程,因此在由半衰期长的蛋白质(如晶体蛋白和胶原蛋白)构成的组织中含量较高。在正常人体内,AGE 的水平随年龄的增加不断升高。

2. 研究现状

目前,研究最多的 AGE 是戊糖素和羧甲基赖氨酸。Verzijl 等研究发现,<20.0 岁的人(软骨未发育完全),其关节软骨胶原中的 AGE 水平很低;而>20.0 岁的人,其软骨胶原中羧甲基赖氨酸、羧乙基赖氨酸和戊糖素随年龄的增加分别增加了 27 倍、6 倍、33 倍。Sato 等对 31 例尸体海马组织锥体神经元的 AGE 与年龄的相关性进行了定量研究,并建立了直线回归方程:非焚烧尸体为 $Y = 198.5X - 200.7$($R = 0.91$),焚烧尸体为 $Y = 67.1X - 37.7$($R = 0.72$),其中 X 为平均染色密度,Y 为年龄。

(五) sj TREC 分子拷贝数减少

1. 原理

sj TREC 是一种初生 T 细胞的特异性标记。在 T 细胞发育早期,未成熟的 T 细胞需要 T 细胞受体-α(T cell receptor-α,TCR-α)进行基因重排时,这种重排会产生游离的环状 DNA 分子,即 sj TREC。sj TREC 作为游离基因稳定存在于外周组织细胞中,不参与 DNA 复制,且随细胞分裂增殖逐代被稀释,因此其在人体外周血的水平随着年龄的增长而降低。

2. 研究现状

对人外周血中 sj TREC 进行定量分析来关联年龄的研究已在多处报道,但不同检测方法的数据差异很大。不同的研究方法与检测指标影响了研究结果之间的横向比较。Lorenzi 团队报道了一种实时定量 PCR 技术分析方法,此种方法敏感、准确,极大地减少了检测技术对 sj TREC 定量产生的误差。

第四节　年龄与法庭审判

人的智力和社会知识、阅历达到具有法律意义上的辨认和控制自己行为能力,要靠人的生理和心理发展至成熟及个体对社会知识的学习和积累。人的生理、心理的发育成熟需要经历较长的时间,人对社会知识的学习、积累达到民事、刑事责任能力所要求的程度,也需要以一定的生理、心理条件为基础并经过一定的时间,即从新生儿生长发育至青少年,逐渐达到心智成熟的阶段。因而,人是否达到一定年龄阶段,就是他是否具备刑事责任、民事行为能力的基本标志之一。

准确可靠的年龄鉴定是保障司法公正、社会和谐稳定的基础。目前,年龄鉴定涵盖了儿童、青少年、成年早期及成年,8~18 周岁是刑事侦查、司法审判、竞技体育、民事事件、临床生长发育评估中的重点关注年龄段,年龄鉴定包含对多个重要年龄节点的鉴定,如犯罪嫌疑人刑事责任能力和定罪量刑的法律年龄节点为 12、14、16、18 周岁,竞技体育不同赛事参赛资格的年龄节点为13~20周岁，民事事件中工作、驾照、结婚等的年龄节点为16、18、20、22周岁等。

一、相关法律法规

（一）国内涉及年龄的法律法规

《中华人民共和国宪法》（后文称《宪法》）第三十四条："中华人民共和国年满十八周岁的公民，不分民族、种族、性别、职业、家庭出身、宗教信仰、教育程度、财产状况、居住年限，都有选举权和被选举权。"

《中华人民共和国民法通则》（2009修正）（后文称《民法通则》）第十一条："十八周岁以上的公民是成年人，具有完全民事行为能力，可以独立进行民事活动，是完全民事行为能力人。十六周岁以上不满十八周岁的公民，以自己的劳动收入为主要生活来源的，视为完全民事行为能力人。"第十二条："十周岁以上的未成年人是限制民事行为能力人，可以进行与他的年龄、智力相适应的民事活动；其他民事活动由他的法定代理人代理，或者征得他的法定代理人的同意。不满十周岁的未成年人是无民事行为能力人，由他的法定代理人代理民事活动。"

《中华人民共和国民法典（草案）》[后文称《民法典（草案）》]第十七条："十八周岁以上的自然人为成年人。不满十八周岁的自然人为未成年人。"第十八条："成年人为完全民事行为能力人，可以独立实施民事法律行为。十六周岁以上的未成年人，以自己的劳动收入为主要生活来源的，视为完全民事行为能力人。"第十九条："八周岁以上的未成年人为限制民事行为能力人，实施民事法律行为由其法定代理人代理或者经其法定代理人同意、追认；但是，可以独立实施纯获利益的民事法律行为或者与其年龄、智力相适应的民事法律行为。"第二十条："不满八周岁的未成年人为无民事行为能力人，由其法定代理人代理实施民事法律行为。"

《中华人民共和国未成年人保护法》（后文称《未成年人保护法》）第六十一条："任何组织或者个人不得招用未满十六周岁未成年人，国家另有规定的除外。招用已满十六周岁未成年人的单位和个人应当执行国家在工种、劳动时间、劳动强度和保护措施等方面的规定，不得安排其从事过重、有毒、有害等危害未成年人身心健康的劳动或者危险作业。"第一百一十三条："对违法犯罪的未成年人，实行教育、感化、挽救的方针，坚持教育为主、惩罚为辅的原则。对违法犯罪的未成年人依法处罚后，在升学、就业等方面不得歧视。"

《中华人民共和国劳动法》（2018修正）（后文称《劳动法》）第十五条："禁止用人单位招用未满十六周岁的未成年人。文艺、体育和特种工艺单位招用未满十六周岁的未成年人，必须遵守国家有关规定，并保障其接受义务教育的权利。"第五十八条第二款："未成年工是指年满十六周岁未满十八周岁的劳动者。"第六十四条："不得安排未成年工从事矿山井下、有毒有害、国家规定的第四级体力劳动强度的劳动和其他禁忌从事的劳动。"第九十四条："用人单位非法招用未满十六周岁的未成年人的，由劳动部门责令改正，处以罚款；情节严重的，由市场监督管理部门吊销营业执照。"

《中华人民共和国刑法修正案（十一）》[后文称《刑法修正案（十一）》]第十七条："已满十六周岁的人犯罪，应当负刑事责任。已满十四周岁不满十六周岁的人，犯故意杀人、故意伤害致人重伤或者死亡、强奸、抢劫、贩卖毒品、放火、爆炸、投放危险物质罪的，应当负刑事责任。已满十二周岁不满十四周岁的人，犯故意杀人、故意伤害罪，致人死亡或者以特别残忍手段致人重伤造成严重残疾，情节恶劣，经最高人民检察院核准追诉的，应当负刑事责任。对依照前三款规定追究刑事责任的不满十八周岁的人，应当从轻或者减轻处罚。因不满十六周岁不予刑事处罚的，责令其父母或者其他监护人加以管教；在必要的时候，依法进行专门矫治教育。”第二十九条：“教唆他人犯罪的，应当按照他在共同犯罪中所起的作用处罚。教唆不满十八周岁的人犯罪的，应当从重处罚。”第四十九条：“犯罪的时候不满十八周岁的人和审判的时候怀孕的妇女，不适用死刑。审判的时候已满七十五周岁的人，不适用死刑，但以特别残忍手段致人死亡的除外。”第六十五条：“被判处有期徒刑以上刑罚的犯罪分子，刑罚执行完毕或者赦免以后，在五年以内再犯应当判处有期徒刑以上刑罚之罪的，是累犯，应当从重处罚，但是过失犯罪和不满十八周岁的人犯罪的除外。”第七十二条：“对于被判处拘役、三年以下有期徒刑的犯罪分子，同时符合下列条件的，可以宣告缓刑，对其中不满十八周岁的人、怀孕的妇女和已满七十五周岁的人，应当宣告缓刑：（一）犯罪情节较轻；（二）有悔罪表现；（三）没有再犯罪的危险；（四）宣告缓刑对所居住社区没有重大不良影响。”第一百条：“依法受过刑事处罚的人，在入伍、就业的时候，应当如实向有关单位报告自己曾受过刑事处罚，不得隐瞒。犯罪的时候不满十八周岁被判处五年有期徒刑以下刑罚的人，免除前款规定的报告义务。”第二百三十六条第二款：“奸淫不满十四周岁的幼女的，以强奸论，从重处罚。”第二百四十四条之一：“违反劳动管理法规，雇用未满十六周岁的未成年人从事超强度体力劳动的，或者从事高空、井下作业的，或者在爆炸性、易燃性、放射性、毒害性等危险环境下从事劳动，情节严重的，对直接责任人员，处三年以下有期徒刑或者拘役，并处罚金；情节特别严重的，处三年以上七年以下有期徒刑，并处罚金。”第二百六十二条：“拐骗不满十四周岁的未成年人，脱离家庭或者监护人的，处五年以下有期徒刑或者拘役。”第三百五十九条：“引诱不满十四周岁的幼女卖淫的，处五年以上有期徒刑，并处罚金。”第三百六十四条：“向不满十八周岁的未成年人传播淫秽物品的，从重处罚。”

《中华人民共和国刑事诉讼法》（后文称《刑事诉讼法》）第二百七十七条至第二百八十七条对未成年人刑事案件的诉讼程序进行了特别规定。

2002 年 12 月 1 日起施行的《禁止使用童工规定》（中华人民共和国国务院令第 364 号）第二条：“国家机关、社会团体、企业事业单位、民办非企业单位或者个体工商户（以下统称用人单位）均不得招用不满 16 周岁的未成年人（招用不满 16 周岁的未成年人，以下统称使用童工）。禁止任何单位或者个人为不满 16 周岁的未成年人介绍就业。禁止不满 16 周岁的未成年人开业从事个体经营活动。”第三条：“不满 16 周岁的未成年人的父母或者其他监护人应当保护其身心健康，保障其接受义务教育的权利，不得允许其被用人单位非法招用。不满 16 周岁的未成年人的父母或者其他监护人允许其被用人单位非法招用的，所在地的乡（镇）人民政府、城市街道办事处以及村民委员会、居民委员会应当给予批评教育。”第四条：“用人单位招用人员时，必须核查被招用人员的身份证；对不满 16 周岁的未成年人，一律不得录用。用人单位录用人员的录用登记、核查材料应当妥善保管。”第十一条：“拐骗童工，强迫童工劳动，使用童工从事高空、井下、放射性、高毒、易燃易爆以及国家规定的第四级体力劳动强度的劳动，使用不满 14 周岁的童工，或者造成童工死亡或者严重伤残的，依照刑法关于拐卖儿童罪、强迫劳动罪或者其他罪的规定,依法追究刑事责任。”

早在 2002 年,最高人民检察院《关于“骨龄鉴定”能否作为确定刑事责任年龄证据使用的批复》中已经明确了骨龄鉴定的现实意义。如果鉴定意见不能准确确定犯罪嫌疑人实施犯罪行为时的年龄,而且鉴定意见又表明犯罪嫌疑人年龄在刑法规定的应负刑事责任年龄上下的,应当依法慎重处理。

(二)国外涉及年龄的法律规定

世界各国的法律均在年龄方面有一些特别规定,但这些规定相互之间又存在一定差异。众所周知,世界各地评价未成年人的刑事责任年龄的标准和方式差别很大。一般来说,受英国普通法影响的国家,如澳大利亚、印度、马来西亚、新西兰、新加坡和南非,与受大陆法系传统影响的国家相比,倾向于较低的刑事责任年龄标准。然而,因为处理方式的差异,不同法系的国家可能很难对其刑事责任年龄进行比较。例如,某些国家只有一个最低刑事责任年龄,年龄更小的未成年人永远不能被起诉,有些国家虽然设置一般的最低刑事责任年龄,但允许就特定的罪行起诉低于该年龄的未成年人。其他地区有一个最低的刑事责任年龄,还有一个更高的附条件的年龄,即起诉取决于对未成年人刑事能力的评价。但也存在不设定任何年龄下限,只设定附条件的年龄,刑事起诉始终取决于对这个年龄段未成年人的刑事责任能力的评估。

英国的刑事责任年龄划分与我国不同,我国已满 12 周岁不满 14 周岁的未成年人犯罪应遵循“慎刑恤罚”的理念,14~16 周岁部分犯罪负刑事责任,16 周岁以上负刑事责任,但是已满 14 周岁不满 18 周岁的人犯罪,应当从轻或者减轻处罚。英国则不然。目前,英国法律规定的未成年人刑事责任年龄,大致可以分为 3 个阶段。①未满 10 岁的儿童,认定为无实施犯罪行为的能力,所以绝对不负刑事责任。②英国对 10 岁以上不满 14 岁的儿童被推定为无实施犯罪行为的能力。但是与不满 10 岁不同,对已满 10 岁不满 14 岁的儿童推定为无实施犯罪行为能力,这一推定不是绝对的,可以用证据进行反驳。③14 岁以上,应负刑事责任。所以在英国实施犯罪,已满 14 岁、未满 18 岁的人,负刑事责任。而 10 岁以上不满 14 岁的实行无责任能力推定,如果有相反证据能够证明行为人具有实施犯罪行为能力的,应认定负刑事责任。不满 10 岁,不负刑责。

美国由于各州法律的独立系统,刑事责任年龄的确立各州之间也不尽相同。例如,北卡罗来纳州将 16 岁定为未成年人的最低刑事责任年龄;2017 年 4 月 10 日,美国纽约州出台了《提高刑事责任年龄法》,将纽约州的刑事责任年龄提高到 18 岁。除此之外,美国还有多个州至今不设最低刑事责任年龄,15 个州的最低刑事责任年龄低于 10 岁。

《德国刑法典》第 19 条规定,行为人行为时未满 14 岁者无责任能力。

《日本刑法典》第 41 条规定,不满 14 岁的人的行为,不处罚。日本原来的《少年法》对未成年人处死刑规定了例外,但是现行的《少年法》第 51 条规定,对于不满 18 岁的少年不能判处死刑,相当于死刑的,判处无期徒刑。而《日本改正刑法草案》第 50 条更将此规定为,当死刑减轻时,减为无期徒刑或者 10 年以上 20 年以下的惩役或者禁锢。

《韩国刑法》第 9 条规定,未满 14 岁人之行为,不罚。

《意大利刑法》第 97 条规定,行为时未满 14 岁的未成年人,无责任能力。第 98 条规定,行为时已满 14 岁,尚未满 18 岁而有辨别意思之能力者,为有责任能力人,但应减轻其刑责。

《巴西刑法典》在总则第3编第23条刑事责任中规定,凡是不满18岁的行为人不负刑事责任,可按特别法规定处理。

《印度刑法典》在第四章一般例外第83条规定,7岁以上满12岁的儿童,在不具有判断所实施的行为的性质和后果的能力的情况下实施的行为,不构成犯罪。

除上述外,加拿大刑法规定相对负刑事责任年龄为12周岁。芬兰、冰岛、挪威的起刑年龄刑法规定为15岁。西班牙的起刑年龄刑法规定为16岁。比利时、卢森堡的起刑年龄刑法规定为18岁。葡萄牙刑法将起刑年龄规定为16岁,而刑事成年的年龄定为21岁。可以看出,各国由于政治、文化、经济、地理环境等诸多因素的差异,对刑事责任年龄的规定表现出不一致,体现了刑事责任年龄规定的多样化。

二、未成年人刑事责任能力

(一)刑事责任年龄的划分

在我国,按照《未成年人保护法》的规定,"未成年人"即未满18周岁的公民。

确定未成年人的刑事责任能力,是当未成年人作为危害行为的主体时,即在未成年人刑事案件中,通过确定其年龄及行为的性质从而确定其刑事责任的有无及其大小。未成年人的范围较为广泛,从刚出生的婴儿到即将年满18周岁的青少年都属未成年人。各国刑法一般都会认定处于特定年龄以下的未成年人尚不具有辨认和控制能力,即完全不具备刑事责任能力,故这部分未成年人不可能成为犯罪主体。还有一部分国家刑法规定,处于一定年龄阶段的未成年人仅对特定的行为具有辨认和控制能力,即其刑事责任能力是不完备的,进而只能构成特定的犯罪。

2006年1月1日最高人民法院《关于审理未成年人刑事案件具体应用法律若干问题的解释》第1条规定:"未成年人刑事案件,是指被告人实施被指控的犯罪时已满十四周岁不满十八周岁的案件。"第2条规定:"刑法第十七条规定的'周岁',按照公历的年、月、日计算,从周岁生日的第二天起算。"计算行为人年龄的终点应当为行为人的行为之时,即行为人的刑事责任年龄应当以事实行为之时为标准。

未成年人的刑事责任能力之所以有别于成年人,其根本原因在于其对自身行为的辨认和控制能力相对弱于成人,故而法律推定其刑事责任能力相对较弱,对自己所实施的危害行为无须承担刑事责任或者承担相对较轻的刑事责任。

未成年人这一群体包含婴幼儿、儿童、少年、青年等,处于不同时期的未成年人的心智状况亦存在差别。不同年龄阶段的未成年人具有不同程度的辨别和控制能力,所以《刑法》规定的刑事责任年龄也相应地划分为几个不同的时期。

《刑法》对刑事责任年龄划分采用四分法:凡年满18周岁、精神状态和生理功能正常的成年人都属于完全刑事责任能力之人,即年满18周岁的人属刑事成年人;未满18周岁的未成年人按照其年龄分别属于完全无刑事责任能力、相对无刑事责任能力和减轻刑事责任能力之人。未成年人刑事责任能力的程度具体分为以下三种情况:

第一,完全无刑事责任能力。根据《刑法》规定,已满12周岁不满14周岁的未成年人犯罪应遵循"慎刑恤罚"的理念阶段。不满12周岁的人,实施了《刑法》所规定的任何犯罪行为,其也不构成犯罪,不能对其追究刑事责任。这一方面源于不满12周岁的人尚处于幼年时期，其身心发育尚不成熟，对自己行为的社会意义及法律后果缺乏明确认识，并很难在此基础上控制自己的行为；另一方面则基于保护未成年人的刑事政策，体现了国家对越轨未成年人“教育为主，惩罚为辅”的刑事政策。

第二，相对无刑事责任能力（或称相对有刑事责任能力）。《刑法》第十七条规定：“已满十六周岁的人犯罪，应当负刑事责任。已满十四周岁不满十六周岁的人，犯故意杀人、故意伤害致人重伤或者死亡、强奸、抢劫、贩卖毒品、放火、爆炸、投放危险物质罪的，应当负刑事责任。已满十二周岁不满十四周岁的人，犯故意杀人、故意伤害罪，致人死亡或者以特别残忍手段致人重伤造成严重残疾，情节恶劣，经最高人民检察院核准追诉的，应当负刑事责任。”已满 12 周岁不满 16 周岁的人，其对于某些严重危害社会的行为具有一定的辨认和控制能力，法律仅要求他们对自己实施的部分犯罪行为承担刑事责任。这些犯罪行为就是该款所列故意杀人、强奸、抢劫等八类犯罪，对于这 8 类之外的其他犯罪行为，此年龄阶段的人则无须承担刑事责任。

第三，减轻刑事责任能力。《刑法》第十七条的规定，已满 16 周岁的人犯罪，应当负刑事责任。但不满 18 周岁的未成年人的刑事责任能力仍然弱于成年人，应当从轻或者减轻处罚。已满 12 周岁不满 18 周岁的未成年人为减轻刑事责任能力之人。通常来讲，年满 16 周岁的人，其身心和智力发展比较成熟，受到一定教育，能够比较清晰地认识自己行为的社会意义和法律性质，也能够控制自己是否实施相应的犯罪行为。因此，年满 16 周岁的人通常具有完全刑事责任能力，对于自己实施的任何犯罪都需要承担刑事责任。

（二）涉及年龄的相关规定

1. 刑事责任年龄的规定

刑事责任年龄是指《刑法》规定的，行为人对其所实施的危害社会的行为负刑事责任所必须达到的年龄。按《刑法》的规定，不是任何人都要对自己的危害行为负刑事责任，有年龄的限制，如果年龄没有达到《刑法》规定的标准，行为人即使造成了严重的危害也不负任何刑事责任。《刑法》对刑事责任年龄作了以下规定。

“已满十六周岁的人犯罪，应当负刑事责任。”这一年龄段称为完全负刑事责任时期。凡在这一年龄段内犯罪的都应当负刑事责任，而不论犯罪的性质、罪行的轻重如何。这一年龄段跨度最大，就某一个人而言，从满 16 周岁开始一直到死亡前，都是应当负刑事责任的。

“已满十四周岁不满十六周岁的人，犯故意杀人、故意伤害致人重伤或者死亡、强奸、抢劫、贩卖毒品、放火、爆炸、投毒罪的，应当负刑事责任。”这一年龄段称为相对负刑事责任时期。这一年龄段的人由于生理和心理发育尚未完全成熟，对事物的分辨能力和对行为的控制能力还不很健全，因此《刑法》规定他们只对 8 类最为严重的犯罪负刑事责任，对其他的犯罪则不负刑事责任。

“已满十四周岁不满十八周岁的人犯罪，应当从轻或者减轻处罚。”这一年龄段称为减轻刑事责任时期。这一规定主要考虑到青少年身心发育尚未成熟的特点对他们从宽处理，也充分体现了国家对青少年的关怀和特别保护。

不满 12 周岁的人，一律不负刑事责任。这一年龄段称为绝对无刑事责任时期。这一年龄段的人之所以不负刑事责任，是因为不满 12 周岁的人身心发育一般都未成熟，缺乏正常的分辨和控制能力，不能正确认识自己行为的性质、意义、作用、后果并加以控制。同时《刑法》还明文规定:“因不满十六周岁不予刑事处罚的,责令其父母或者其他监护人加以管教;在必要的时候,依法进行专门矫治教育。”

2. 民事行为能力年龄的规定

公民的民事行为能力是指能够通过自己的行为取得民事权利和民事义务的资格。我国《民法典》以公民的认识能力和判断能力为依据,以年龄、智力和精神健康状态为条件,把公民的民事行为能力分为三大类:

第一,完全民事行为能力人。年满 18 周岁的公民是成年人,具有完全民事行为能力,可以自主地进行民事活动,独立取得民事权利和承担民事义务。16 周岁以上不满 18 周岁的公民,以自己的劳动收入作为主要生活来源的视完全民事行为能力人。

第二,限制民事行为能力人。它包括 8 周岁以上不满 18 周岁的未成年人和不能完全辨认自己行为的精神病患者。8 周岁以上 18 周岁以下的未成年人,实施民事法律行为由其法定代理人代理或者经其法定代理人同意、追认;但是,可以独立实施纯获利益的民事法律行为或者与其年龄、智力相适应的民事法律行为。

第三,无民事行为能力人。它包括不满 10 周岁的未成年人和不能辨认自己行为的精神病患者(包括痴呆人)。他们均由其法定代理人代理民事活动。

3. 违反治安管理的法定责任年龄的规定

根据《中华人民共和国治安管理处罚条例》(后文称《治安管理处罚条例》)的规定,违反治安管理人的法定责任年龄分为 3 种情况:一是已满 18 周岁的人违反治安管理的,应予处罚。二是已满 14 周岁不满 18 周岁的人违反治安管理的,从轻处罚。三是不满 14 周岁的人违反治安管理的,免予处罚。但法律规定,对他们可以予以训诫,并责令他的监护人严加管教。

4. 国外刑事责任年龄的规定

纵观世界立法趋势,不但未将年龄降低,反而出现了提高的倾向。例如,在英美法系中,根据《习惯法》,不满 7 岁的人为无责任能力者,7~14 岁的人为推定无责任能力者。而在英国,根据《儿童少年法》(1933 年)和《刑事审判法》(1948 年)的规定,无责任能力者的年龄提高到 8 岁,不满 14 岁的人其责任能力有所限制,14 岁以上的人虽然认定其具有完全责任,但对于不满 21 岁的青少年,原则上不科以拘禁刑,即便是犯罪情节严重的人,也不采用刑罚,而是采取与一般成人不同的特别处置方式。在美国,各州有不同的规定,但大多数州都把不满 19 岁的人作为少年法院受理的对象,采取不同于成人的特殊处置方式,也有个别州把对象扩大至 21 岁以下的。在德国,刑事责任年龄被定为 14 岁,根据 1953 年的《少年法》规定,14~18 岁的少年为少年法院受理的对象,在特殊情况下 18~21 岁青少年也作为少年法院受理对象,受特别处置。在法国,根据 1945 年颁布的关于犯罪少年的命令规定,作为刑事诉讼法的特别法,其对象为不满 18 岁的犯罪少年,可以作为例外刑事处分的,只限于 13 岁以上的人。

在其他国家,除了刑事责任年龄以外,作为少年法院或少年保护委员会受理对象的年龄,大多规定在 18~21 岁。因此,从当前世界性的发展趋势来看,虽各国对刑事责任年龄都有规定,但实际上都在通过修改法律来逐渐提高年龄界限。例如,1950 年《捷克斯洛伐克刑法典》第 10 条规定,犯罪人实施犯罪行为时,未满 15 岁之人不负刑事责任。该法第 56 条还规定，犯罪人于实施犯罪行为时已满15岁，但尚未逾18岁者，法院在处刑时应考虑人民民主共和国对于青年所给予的特别关怀。1971年《加拿大刑法》第12条和第13条规定，未满7岁人之行为或不行为，不受有罪之判决，7岁以上未满14岁之人，除能谅解其行为之性质及结果，并知其为错误外，不因其行为或不行为而受有罪之判决。

三、成年人刑事责任能力

刑事责任能力即行为人辨认和控制自己行为的能力，是构成犯罪主体的必备要件，即某人的行为构成犯罪要求该行为人具备刑事责任能力，如果该行为人无刑事责任能力，则不构成犯罪主体，该行为则不构成犯罪。

完全刑事责任能力是指行为人达到法定刑事责任年龄并且精神正常而具有辨认和控制自己行为的能力。具有完全刑事责任能力人，应当对自己的犯罪行为负刑事责任。一般来说，在我国具有辨认能力和控制能力的正常成年人具有完全刑事责任能力。

《刑法》第十七条第一款规定："已满十六周岁的人犯罪，应当负刑事责任。"对于一般公民来说，只要达到一定的年龄，生理和智力发育正常，就具有了相应的辨认和控制自己行为的能力，从而具有完全刑事责任能力。但是，在出现疾病的情况下，辨认自己行为的性质、后果的能力与自我控制的能力也可能分离。只有辨认和控制自己行为的能力都具备，才属于有刑事责任能力。可见，也并不是所有达到法定刑事责任年龄的人，都具有完全刑事责任能力。在我国年满16周岁并且具有辨认能力和控制能力的人，是具有完全刑事责任能力的人。

完全刑事责任能力人具备的条件有以下两点。

第一，必须达到法定的刑事责任年龄。《刑法》第十七条规定，年满16周岁的人犯罪，应负刑事责任。这里应负担的刑事责任，指的就是完全的刑事责任。

第二，必须具备完全的辨认和控制能力。这里的"完全"指的是精神和生理功能健全且智力与知识发展正常的人。例如，有间歇性精神病的行为人就不具备完全的辨认和控制能力，也就不能成为完全刑事责任能力人。首先，在一般意义上，年龄的大小反映了其体力和智力的成熟程度，也反映了其是否具有相当的社会知识、经验以及守法意识。所以，是否达到刑事责任年龄是判断行为人是否能成为完全刑事责任能力人的必要条件。根据《刑法》规定，对于一般犯罪，必须年满16周岁才能成为完全刑事责任能力人，而对于故意杀人、故意伤害致人重伤或者死亡、强奸、抢劫、贩卖毒品、放火、爆炸、投毒罪等，只要年满14周岁即可认为是完全刑事责任能力人，应负完全刑事责任。其次，一个人的精神状态对刑事责任能力也有重要影响。例如，精神病患者在不能控制和辨认自己的行为的时候，即便其已经达到刑事责任年龄，也不可以认为其是完全刑事责任能力人。在确定精神病患者有无责任能力时，需要经法定程序鉴定确认，才能最终判定该行为人是否具备完全刑事责任能力。

一般来说，根据《刑法》规定，成年人刑事责任能力一般可以划分为以下几类。

第一，完全刑事责任能力，简称刑事责任能力或责任能力。其概念和内容在各国刑事立法中一般未予规定，而是由刑法理论和司法实践结合《刑法》中关于责任能力和限定责任能力的规定来加以明确和确认的。从外延看，凡不属《刑法》规定的无责任能力人及限定责任能力的人，皆属完全刑事责任能力人。例如，在《刑法》看来，凡年满18周岁、精神和生理功能健全而智力与知识发展正常的人,都是完全刑事责任能力人。完全责任能力人实施了犯罪行为的,应当依法负全部的刑事责任,不能因其责任能力因素而不负刑事责任或者减轻刑事责任。

第二,完全无刑事责任能力,简称完全无责任能力或无责任能力,指行为人没有刑法意义上的辨认或者控制自己行为的能力。根据现代刑事立法的规定,完全无刑事责任能力人一般指两类人,一是未达责任年龄的幼年人;二是因为精神疾病而没有《刑法》所要求的辨认或控制自己行为能力的人。例如,按照《刑法》第十七条、第十八条的规定,完全无责任能力人,为不满 12 周岁的人和行为时因精神疾病而不能辨认或者不能控制自己行为的人。在成人一般表现为患有精神疾病而不能辨认或者不能控制自己行为的人。但《刑法》第十八条规定,若因醉酒导致丧失辨认或者控制自己行为能力的人犯罪,应当负刑事责任。

第三,减轻刑事责任能力,又称限定刑事责任能力、限制刑事责任能力、部分刑事责任能力,是完全刑事责任能力和完全无刑事责任能力的中间状态,指年龄、精神状况、生理功能缺陷等原因使行为人实施《刑法》所禁止的危害行为时,虽然具有责任能力,但其辨认或者控制自己行为的能力较完全责任能力有一定程度的减弱、降低的情况。《刑法》明文规定的具有限制责任能力的成年人主要有 3 种情况:①又聋又哑的人;②盲人;③尚未完全丧失辨认或者控制自己行为能力的精神病患者。

四、老年人刑事责任能力

1980 年 WHO 提出,发达国家 65 岁以上、发展中国家 60 岁以上的人群称为老年人。在我国,1964 年第一届老年学与医学学术研讨会上,建议以 60 岁作为老年人的界定标准,并且《中华人民共和国老年人权益保障法》(后文称《老年人权益保障法》),第二条规定:“本法所称老年人是指六十周岁以上的公民。”

老年人的刑事责任能力是由该群体的生理及心理状况决定。在进入老年期后,人的中枢神经系统、循环系统、呼吸系统、消化系统、排泄系统、生殖系统和内分泌系统功能均会有不同程度的减弱,当然并非所有生理上的变化都会影响到刑事责任能力,当老年人大脑的生理功能衰退到足以影响其心智的水平,才能认为这一群体的刑事责任能力相应地随之减弱。

过去,《刑法》中针对老年人刑事责任的特别规定仅限于已满 75 周岁的老年人。但对 60 周岁以上的老年人犯罪减轻犯罪人的刑事责任的做法不仅在刑法理论上广泛认可,而且在实践中也认为已满 60 周岁不满 75 周岁的主体特征属于一种酌定量刑情节。但在《刑法修正案(十一)》取消了老年人刑事责任年龄的规定,划分为未成年人刑事责任年龄和成年人刑事责任年龄。

第五节　影响骨发育的因素

影响骨生长发育的因素很多,如神经、内分泌、营养、疾病和其他物理因素、化学因素、社会因素等,且与自然环境、生活习惯、居住条件、医药卫生、营养状况、遗传、种族、地区等都有关系。不同种族之间或同一种族不同地区,也存在骨发育迟早等差别。另外,加强锻炼也可影响骨的形态结构,使骨骼得到正常发育。

一、自然地理环境因素

自然地理环境因素是一切非人类创造的直接和间接影响到人类生活和生产环境的自然界中各个独立的、性质不同而又有总体演化规律的基本物质组分,其对儿童、青少年的生长发育具有明显的影响,主要由以下指标反映:日照时间、平均温度、气温年均差、平均地表温度、年降水量、平均相对湿度、海拔高度、大气压、平均水气压等。有研究表明,日照时间越长、气温年均差越大的地区,群体身高等体格发育水平越高;相反,生活在湿热、潮湿、降水量大的地区的群体,体格发育水平相对较低。需要注意的是,不同地域人群体格发育水平的差异,不全是自然地理环境因素作用的结果,还与各群体的起源发展、生活水平、饮食习惯及社会经济状况密切相关。

1988 年,湖北省体科所杜忠林等利用自制的“HB14-91 骨龄评定标准”对湖北与山东青少年骨发育差异性进行研究,样本量共 1 259 例,男性为 6.0~18.0 岁,女性为 6.0~17.0 岁;研究结果发现男性 6.0~12.0 岁湖北青少年骨龄比山东提前,13.0~16.0 岁无差异,16.0~18.0 岁湖北青少年骨龄比山东滞后;女性无显著性差异。1996 年,海南省公安厅邓浩等对海南男性青少年骨骺闭合年龄进行了研究,样本量为 331 例,年龄范围为 12.0~20.0 岁;研究结果与国外及国内北方研究结果比较后发现,海南青少年的骨骺闭合迟于欧洲白种人,也迟于中国北方男性青少年。2010 年,万雷等对我国东部、中部及西部 12.0~19.0 岁汉族青少年躯体七大关节骨骼进行摄片,通过对七大关节 24 个骨骼发育指标比较分析,明确了不同地区间骨发育差异性。研究结果显示,男性在 12.0~13.0 岁时,西部地区青少年骨骼发育较中部、东部呈提前趋势,大约提前 1.0 岁。女性在 14.0~15.0 岁时,中部地区较东部地区提前 4 个月左右。

二、种族因素

大量研究表明,不同种族在身高、坐高、骨龄、齿龄、初潮年龄等方面存在显著差异。个体外貌特征、体型、月经初潮年龄、生长发育水平等与种族遗传有关。骨龄研究证实,手腕部继发性骨化中心出现的中位数年龄,黑种人自出生后 1.0~2.0 年起就比其他种族领先;黑种人儿童的恒牙萌出时间平均比白种人早 1.0 年。东亚各国(中国、日本、韩国等)儿童的共同特点是,自婴幼儿开始骨龄一直落后于非裔和欧裔美国儿童,但青春期阶段骨骺闭合速度却显著超过后两者。这种青春期骨龄成熟的加快现象,被认为是亚洲儿童成年身高矮于白种人的主要原因。

1952 年,Mackay 利用计数法研究了 1 360 例 0.0~18.0 岁东非黑种人儿童、青少年骨发育情况,与同期文献报道的美国白种人儿童、青少年骨发育情况进行了比较,发现前者比后者骨发育平均滞后 1.0~1.5 岁。1957 年,Greulich 比较了美国的日本后裔和日本青少年骨骼发育状况,研究发现,骨骼发育受营养、环境和种族等因素影响。1991 年,Thiemann 利用 G-P 图谱法对 5 200 例 0.0~18.0 岁德国儿童、青少年骨发育进行评估,研究认为德国比美国的儿童、青少年骨发育平均滞后 1.5 岁。2001 年,Stefano 利用 G-P 图谱法对 534 例 0.0~

19.0 岁非洲和欧洲儿童、青少年骨发育进行评估，研究发现儿童、青少年骨发育前者比后者平均滞后 3.0 个月。2005 年，李春山利用 CHN 法对青少年骨骼发育情况进行研究，研究发现，拉萨藏族青少年骨发育普遍较同年龄汉族青少年呈现出骨骼发育滞后的现象。次年，李长勇等的研究结果与李春山的相比，具有高度一致性。

三、遗传因素

遗传是指形态结构、生理功能及身心发育等性状在亲代与子代之间的相似性和连续性。在胚胎发育过程中，受精卵中父母双方各种基因的不同组合及其表达，决定了子代个体的各种遗传性状，使其可显现亲代的形态、功能、形状和心理素质等特征，形成每个儿童、青少年各自的生长发育潜力。生长发育的各项指标，如身高、体重、皮下脂肪、血压等都有不同程度的遗传倾向性，其中尤以身高（主要由骨骼发育决定）的遗传倾向更为明显。但这些潜力能否充分发挥，即有关基因型的外显程度，受环境和社会决定因素的制约及其与遗传因素的交互作用。有研究表明，个体的成年身高与父母的平均身高间遗传度为 0.75，即身高的 75% 取决于遗传，只有 25%取决于营养、锻炼及环境因素等。

家族研究和孪生子研究均发现骨量获得和骨量丢失在很大程度上取决于遗传因素，遗传因素在骨量变异中起 75%～85%的作用。自 1992 年 Morrison 等第一次发现维生素 D 受体（*VDR*）基因多态性与骨密度的关系以来，对与骨密度有关的候选基因研究取得了一定的进展，但大多数基因研究结果尚不一致，表现为在一种人群中某基因与骨密度有关，但在另一人群中却不能得到证实。这些候选基因大致可以分为如下 5 类。

（1）钙的动态平衡相关基因，如降钙素受体（*CTR*）基因、*VDR* 基因、甲状旁腺素（*PTH*）基因等。

（2）激素紊乱相关基因，如雌激素受体（*ER*）基因。

（3）成骨细胞和破骨细胞发育调节相关基因，如骨钙素（*BGP*）基因、钙感应性受体（*CASR*）基因、转化生长因子（*TGF-β1*）基因等。

（4）软骨、基质代谢相关基因，如胰岛素样生长因子 1（*IGF-1*）基因、Ⅰ型胶原 a1（*COL1A1*）基因等。

（5）脂蛋白代谢相关基因，如*leptin* 基因、低密度脂蛋白受体相关蛋白 5（*LRP5*）基因等。

实际上，候选基因还可以按其影响骨量获得和骨量丢失的不同分为 3 类：第一类是影响骨量获得的基因，如*BGP* 基因、*IGF-1* 基因、*CASR* 基因等；第二类是影响骨量丢失的基因，如*ER* 基因、*CTR* 基因、*IL-6* 基因、*LRP5* 基因等；第三类是既可能影响骨量获得，又可能影响骨量丢失的基因，如*COL1A1* 基因、*VDR* 基因、*TGF-β1* 基因等。在青春期前后，骨骼发育主要表现为骨量获得，在该时期起作用的遗传因素主要是那些影响骨量获得的基因。目前，对青春期少年骨发育与基因关系的研究不多，关注较多的基因主要有*VDR* 基因、*IGF-1* 基因、*CASR* 基因、*COL1A1* 基因等。

（一）*VDR* 基因

维生素 D 是影响骨代谢的重要物质之一，通过与其受体结合而发挥生理功能。*VDR* 基因位于染色体 12q12-q14 上，由 9 个外显子和 8 个内含子构成。有研究发现，*VDR* 基因有

4 个位点多态性与骨代谢密切相关,即位于第 8 内含子上的 *Bsm* Ⅰ和 *Apa* Ⅱ 酶切位点,第 9 外显子的 *Taq* Ⅰ 和 *Fok* Ⅰ 酶切位点。一项在 162 名美国 8.0~13.0 岁白种人女孩中进行的研究发现,*VDR* 基因 *Bsm* Ⅰ 酶切等位基因型为 BB 基因型的女孩其骨密度要低于 Bb、bb 基因型的女孩。而 Ferrai 等在研究 128 名平均年龄为 8.0 岁的女孩的 *VDR* 基因 *Bsm* Ⅰ 酶切等位基因型后发现,*VDR* 等位基因型为 BB、Bb 的女孩通过补充钙而获得的骨量要远远大于 *VDR* 等位基因型为 bb 的女孩。Sainz 等也报道了 100 名美国墨西哥裔女孩 *VDR* 基因 *Apa* Ⅱ 酶切位点多态性与骨密度的关系,bb 和 aa 基因型女孩的腰椎骨密度比 BB、AA 基因型的女孩高 8%~10%,股骨骨密度高 2%~3%。但有研究认为,限制性内切酶 *Bsm* Ⅰ 作用于 *VDR* 基因产生的位点多态性与青春前期少年桡骨及腰椎骨密度、钙代谢参数、骨转化等均无关联。

(二) *IGF-1* 基因

胰岛素样生长因子(insulin-like growth factor-1,IGF-1)可由成骨细胞产生,并以自分泌的方式刺激成骨细胞的复制和骨基质的形成,*IGF-1* 基因最近被认为与骨密度有关。*IGF-1* 基因由于在转录起始点 1kb 上游处的启动部位 CA 重复序列的多少不同而呈现多态性。Rosen 等研究发现,具有*IGF-1* 基因微卫星(192 192)纯合子的白种人男性特发性骨质疏松(idiopathic osteoporosis for male,IOM)患者,血清 IGF-1 较低。而一项在 85 名青春期少年中进行的研究发现,这种基因型与低血清 *IGF-1* 水平、低骨密度有关。但本结果与另一项包含 256 名 20.0 岁以下青少年的研究结果并不一致。

(三) *CASR* 基因

钙感应性受体(calcium sensing receptor,CASR)是一种对钙敏感的调节细胞外钙离子浓度的细胞表面受体。能感应细胞外高钙浓度和介导甲状旁腺激素分泌及改变肾脏对钙的重吸收,以保持血清钙在一个较窄的生理浓度范围内。*CASR* 基因在人群中主要为 3′端的非保守序列缺失,表现为 A986S 和 R990G。一项在 97 名(16.9±1.2)岁美国白种人青少年中进行的研究发现,青少年中 *CASR* 基因有 S 等位基因与无 S 等位基因相比,股骨颈骨密度低 4.5%,腰椎骨密度低 2.7%,全身骨密度低 5.3%。多元回归分析发现,*CASR* 基因是骨密度的预测变量。实际上,*CASR* 基因与骨密度之间关系的研究尚处于起步阶段,其与骨密度的真实关系有待进一步研究探讨。

四、营养因素

(一) 钙

钙是组成骨骼矿物质的主要元素,也是维护骨骼健康的重要营养素。Martin 等研究发现,骨增长最快的年龄为 12.0~14.5 岁,女孩每年可获得 240~250 g 的骨量,也就是每天获得 670 mg 的骨量,在这段时间内,每天约有 265 mg 的钙要被吸收。有很多研究表明,生命前期(儿童期、青春期和成年早期)摄入足量的钙能够获得最佳的峰值骨量,可以降低生命后期患骨质疏松的危险。然而由于各研究者所观察的骨骼部位不同和研究对象的年龄不同,有关骨密度与钙摄入量关系的研究结果存在相互矛盾。

有研究表明,在青春期前后的青少年补充充足的钙可使骨密度显著升高。Rennera 等给 129 名骨密度低于平均水平的 15.0~16.0 岁儿童增加奶及奶制品的摄入量,使其每天钙摄入量达到 1 200 mg,结果干预组儿童骨密度与对照组相比提高了约 50%,而且 16.0 岁组骨密度的增加率低于15.0岁组,提示骨密度低于平均水平者应该在15岁以前通过奶及奶制品补充足够的钙,以达到最优的峰值骨量。该结果被智利的一项干预研究证实,后者给25名14.0岁女童补充500 mg的钙剂10个月后,女孩前臂骨密度高于同年龄对照组。不仅如此,有研究者对青春期少年停止补充钙剂3年后继续追踪研究后发现,补钙组的骨密度仍然明显高于对照组。

然而,也有不少研究证明,骨密度与青春期钙摄入现况之间并无相关性。在荷兰进行的一项定群研究中,连续观测15年直到实验对象达到27.0岁,没有发现膳食钙与骨密度存在相关性。Johnston等对孪生子的研究表明,补钙对儿童骨密度增加有明显的作用,而在青春期补钙的效果不明显,这与Dorothy等的研究结果正好相反。也有研究报道,青春期通过补钙获得的骨量增加在成年早期后消失。不同部位骨密度与钙摄入量的关系表现为不同的结果,有研究者认为只有骨转换快的小梁骨骨密度的增加才依赖于钙的平衡。迄今,仍缺乏强有力的证据证明在青春期补充钙剂可以增加骨量并在成年早期持续增长达到遗传因素决定的峰值骨量。

尽管如此,大多数研究者认为青少年期低钙摄入对峰值骨量的影响是一个不可逆的、有害的过程,低钙摄入不仅妨碍和延迟骨的纵向生长,而且此后再增加钙摄入量也不能改变胫骨远端和干骺端区域的骨量。钙摄入量与不同部位(皮质骨和小梁骨)骨密度的关系及钙对峰值骨量形成阈值的影响仍非常值得研究。

(二)其他营养因素

有研究认为,提高锌、钾、镁、碘、维生素D的摄入,减少钠、磷等的摄入对骨密度增加有促进作用。例如,Gunnes等报道,除钙以外,膳食饱和脂肪酸、纤维素、维生素C摄入量与青少年前臂骨密度呈正相关关系,对预测青少年骨密度有显著意义。Neville等也报道了青春期女性膳食维生素D摄入量影响血清甲状旁腺激素水平,与腰椎、股骨颈骨密度呈显著正相关,而且膳食维生素D摄入量与股骨颈骨密度的正相关关系一直持续到成年早期。Grame等发现,尿钾水平与股骨颈、腰椎、全身骨密度呈正相关,而且尿钾水平与蔬菜、水果摄入量相关,多摄入蔬菜、水果有益于骨量增加。另外有研究证实,成年早期水果摄入较少的妇女的骨密度显著低于水果摄入量高的妇女。不少研究报道了牛奶及奶制品的摄入对骨量的影响,实际上,牛奶中除了充足的钙外,优质的蛋白质也是骨骼发育的重要因素,而且有研究发现饮用牛奶还可以提高体内IGF-1的水平,后者被认为对骨量的获得非常重要;然而,膳食中过多的蛋白质摄入会加速尿中钙的排出,从而减少钙储留,影响钙的生物利用率。

五、常见疾病因素

(一)佝偻病

佝偻病(rickets)是由维生素D缺乏引起人体以钙、磷代谢障碍,使骨生长中的骨样组织缺乏钙盐所致,是全身性骨骼疾病。其结果是使非矿化的骨样组织(类骨质)堆积,骨质软化,而产生骨痛、骨畸形、骨折等一系列临床症状和体征。该病的病因多种多样,主要分为4类:①维生素D缺乏;②维生素D的代谢活性缺陷;③骨矿化部位的矿物质缺乏;④骨细胞、骨基质紊乱。在青春期前,即为长骨生长板闭合前到闭合期发生的损害。在成人,即为骨生长板闭合后形成佝偻病。X线征象变化也主要在生长最快的干骺端,如股骨远端、骨近端、骨和尺骨远端。早期变化是临时钙化带模糊、变薄、不规则乃至消失,干骺端先是膨大、增宽,外形不规则呈毛刷状,而后中心凹陷呈杯状。骨骺线增宽可至正常儿童的2~5倍。骨发育出现迟缓,干骺端外形小、边缘模糊。骨畸形可见膝内翻、膝外翻等,10.0岁以后膝部较腕部改变更明显。

(二) 地方性氟中毒

饮高氟水及在煤烟污染氟区生长的儿童,骨发育和骨结构均有异常X线表现,称为小儿氟骨症。但不少儿童长大成年后,原有的骨结构异常X线表现可以消失,故亦可不称为小儿氟骨症,而命名为氟病区儿童骨发育异常。氟病区儿童骨发育异常的X线表现以骨疏松为主的混合型占多数,骨发育中生长障碍线较明显,但可能小儿年长或成年后吸收消失。一般无骨周、肌腱、韧带的钙化或骨化。小儿干骺端多有改变,无关节损害。动态观察改变明显,有的可逆转为正常骨结构。

(三) 性激素减少

性激素对骨生长和成熟起着重要作用。在青春期,骨进入新的发育阶段,新的骨化中心相继出现,各部分骨不仅发育旺盛,并在骨量比例上得到进一步协调。性激素也是使骨发育过程在时间上有性别差异和同一性别存在个体差异的原因。成熟期女性骨发育比男性较早。一般在性腺发育早熟的情况下,骨成熟加速,骨提前闭合。在摘除睾丸的实验中得出,摘除睾丸后软骨获得长期的保留,长骨加长的发育延迟。性功能减低,骨骼成熟则延迟,骨骺板成熟亦延迟。青春期性激素水平的改变对骨量增长起非常重要的作用。男性睾丸在青春期发育成熟,分泌大量雄激素;女性青春期生长突增则主要依靠肾上腺皮质分泌的雄激素。雄激素既能通过促进蛋白质合成增加骨基质,也能因可利用的骨基质增加而使矿物质的沉积增多。雌激素与青春期生长突增、骨骺闭合和骨量增长也有密切关系。Mckay等研究结果表明,骨矿物质含量增长速度高峰的年龄与月经初潮年龄相近(分别为12.5岁和12.7岁),且均发生于身高速度高峰(peak of height velocity,PHV)后1年。故女性月经初潮和男性的首次遗精可作为骨量快速积累的特征性生理标志。

(四) 甲状腺功能减退

地方性甲状腺功能减退见于缺碘地区,散发性者见于甲状腺先天不发育或发育不良、手术切除后。甲状腺激素分泌减少,导致患儿生长发育矮小、智力差,并伴有骨骼发育异常等一系列表现,称为呆小病。X线片上主要表现为次级骨化中心出现延迟,骨骺破碎,呈不规则或颗粒状。骨骺软骨板与干骺端闭合也延迟。

(五) 肾性骨营养不良症

肾性骨营养不良症指慢性肾衰竭性骨质与矿物质代谢障碍性疾病,又称尿毒症性骨病或肾性佝偻病、肾性骨软化症等,简称肾性骨病。本病常发生酸碱平衡失调,钙、磷、镁等矿物质与微量元素减少,活性维生素D代谢异常或降低,以及继发性甲状旁腺功能亢进等。X线片上主要表现为骨质疏松、骨软化、纤维囊性骨炎、骨硬化或转化性钙化等。

(六) 肾上腺皮质功能亢进

肾上腺皮质功能亢进由肾上腺皮质分泌类固醇激素过多所致,成人约75%为增生性肾上腺皮质;在儿童,23%为皮质肿瘤。增生性肾上腺皮质与皮质肿瘤均可导致类固醇激素分泌过多。类固醇激素分泌过多亦可见于过多使用类固醇激素治疗的患者。X线片示患儿骨骼成熟延迟，骨质疏松。成人临床表现与其他原因造成的骨质疏松表现相似，可有骨痛甚至发生病理性骨折。

（七）肾上腺-性腺综合征

肾上腺-性腺综合征一般为肾上腺增生或肿瘤所致，引起促肾上腺皮质激素升高引发的组织学变化和由于缺乏皮质醇产物引发的全身性改变。骨骼的变化是成熟提前，骨骺提前闭合，因而患者矮小如侏儒，出牙提前，肋软骨和喉软骨的钙化较正常人显著提前。

（八）维生素A和维生素C缺乏

维生素A对成骨细胞和破骨细胞的功能具有协调平衡作用，在骨的生长发育过程中保持成骨和改建的正常进行。例如，严重缺乏维生素A时，可使这种正常过程失调，如骨骼不能适应大脑的发育，椎孔过小而影响脊髓生长，造成中枢神经系统的损害等。又如，影响骺软骨细胞发育，骨生长迟缓，出现某些骨骼孔变窄或出现压迫神经等症状。反之，如维生素A过量时，破骨细胞活动增强，使骺软骨的破坏过程加快，从而导致骨骺骺板提早消失，骨骼生长停顿，并可使骨骼变脆、易折。维生素C对成纤维细胞、成骨细胞和软骨细胞生成有机的细胞间质具有重要作用。严重缺乏维生素C时，骨的胶质纤维和基质生成障碍，导致骨的生长停滞，骨折时也不易愈合。

（九）糖尿病

糖尿病是以高血糖为特征的全身代谢性疾病，常伴有骨代谢及钙、磷、镁代谢紊乱。临床表现为骨质疏松和骨关节疾病，甚至发生骨折。X线片上主要表现为次级骨化中心出现延迟，骨骺闭合延迟。

（十）巨人症与肢端肥大症

巨人症与肢端肥大症常由于脑垂体嗜酸性细胞腺瘤，生长激素瘤细胞突变，致使分泌生长激素过多。儿童时期与青春发育期患病时生长激素分泌过多，可导致骨骺闭合延迟，长骨生长加速而发生巨人症。成年期生长激素过多，骨骺软骨板已闭合，只能促进骨宽度增加，临床上表现为肢端肥大症，多伴有骨刺、外生性骨疣、椎体变形增大和增厚、骨质疏松、钙和磷变异、软组织和内脏增生肥厚以及糖代谢与内分泌代谢紊乱等变化。

（十一）骨折

膜内成骨的骨骼发生骨折后，在骨折处一般有骨痂形成。骨折愈合的初期，骨折处不规则；经过一定时期以后，骨质不足处由新骨质填补，多余的骨质则被吸收；最后，可以基本恢复该骨原有的形态结构。骨折如发生在骨骺板处，常引起局部骨骺过早闭合。

（十二）感染

儿童期的骨关节感染，包括化脓性感染、结核性感染等，会影响骨骺发育。在病变修复期，感染可使局部骨骺过早闭合。

（十三）体质性骨病

体质性骨病为骨的先天性系统性疾病，以影响骨的生长、发育和骨骼外形、结构为特点的原发骨疾病。体质性骨病的临床症状、体征形式多种多样。我国现有体质性骨病患病人数超过3 000万。人群中遗传性疾病的患病率为1%～3%，新生儿中占7%～8%，已是涉及临床各个学科的常见病和多发病。

六、体育运动因素

青春期体育锻炼对峰值骨量形成和对生命后期骨量丢失的影响已成为研究的热点问题。尽管有些研究发现体育锻炼对峰值骨量形成和骨量的维持没有明显的作用，但大多数研究认为体育锻炼尤其是负重运动如体操、跑步、球类、柔道等对骨量增加非常有益。Fernanda 等把 45 名参加体育锻炼的 12.0～18.0 岁青少年按照他们参加的项目不同分为无氧运动（如球类、体操）和有氧运动（如跑步、游泳）两个组，结果发现，前者股骨颈、全身、腰椎的骨密度显著高于不参加体育锻炼的同年龄组对照青少年；后者骨密度显著低于前组，而且与对照组无差异，作者因此认为具有爆发力的体操、球类等运动比单纯跑步和游泳更能促进骨密度的增加，尤其是能增加股骨颈等下肢骨的骨密度。Kara 等通过让 25 名（14.0±0.5）岁的女孩每天进行 30～45 min、持续 9 个月的跳绳练习后，发现在观察期内女孩股骨颈、腰椎、股骨干的骨量增加高于对照组，提示在青春期负重（跳跃）锻炼可以提高峰值骨量。但有研究者提出，体育锻炼最好在青春期前进行，尤其是对于女孩，一旦青春期开始，体育锻炼对骨密度就几乎没有影响了。Lhetonen 等进行的研究认为，具有爆发力的跳跃等体操运动，比单纯的跑步运动更能促进骨密度的增加，尤其增加股骨颈等下肢骨密度。体力活动可促进钙保留，使处于生长发育阶段的个体达到最大峰值骨量。儿童期和青春期体育活动量都会对骨矿化产生长远影响。建议从儿童期起，个体应加强中等强度的运动，促进达到最佳骨质含量值以预防、延缓成人期骨质疏松及骨折。

主要参考文献

邓振华，2018.法医影像学[M].北京：人民卫生出版社.

冯红梅，洪居陆，何耀强，等，2015.骨龄评价方法 TW3-RUS、TW3-Ccarpal、RUS-CHN 对比及可重复性分析[J].现代医用影像学，24(1)：35-37.

高林林，李佑英，严江伟，等，2011. RNA 在法医学领域中的应用及研究进展[J].法医学杂志，27(6)：455-459.

高越，廖建军，徐佩如，2015.几种主要骨龄测定方法在我国的应用进展[J].新疆医学，45(10)：1530-1533.

葛璐璐，刘超，陶黎阳，等，2003.不同年龄组白细胞端粒 DNA 长度变化研究[J].法医学杂志，19(4)：201-203.

郭启勇，2014.实用放射学[M].3 版.北京：人民卫生出版社.

胡婷鸿，火忠，刘太昂，等，2018.基于深度学习实现维吾尔族青少年左手腕关节骨龄自动化评估[J].法医学杂志，34(1)：27-32.

胡婷鸿，万雷，刘太昂，等，2017.深度学习在图像识别及骨龄评估中的优势及应用前景[J].法医学杂志，33(6)：629-634，639.

姜玉新，冉海涛，2018.医学超声影像学[M].北京：人民卫生出版社.

焦俊，2009.X 线骨龄测评[M].贵阳：贵州科技出版社.

金鑫，2018.刑事责任年龄与未成年人权益保护研究[J].预防青少年犯罪研究，328(4)：39-43.

金征宇,冯敢生,冯晓源,2005.医学影像学[M].北京：人民卫生出版社.
雷义洋,申玉姝,王亚辉,等,2019.基于主成分分析和支持向量机实现膝关节骨龄评估回归算法[J].法医学杂志,35(2)：194-199.
李长勇,任甫,李春山,等,2006.拉萨藏族青少年手腕部骨龄的Fels法评价[J].中国临床康复,10(24)：36-38.
李春山,李长勇,席焕久,等,2005.拉萨藏族青少年手腕部骨龄发育评价[J].中国临床康复,9(23)：36-38.
李果珍,2005.临床CT诊断学[M].北京：中国科学技术出版社.
李媛,赵欢,梁伟波,等,2021.计算机辅助法医影像学骨骼个体识别的研究进展[J].法医学杂志,37(2)：239-247.
马钦华,陈琦,芦爱萍,等,2003.距骨形态发育X线研究[J].实用放射学杂志,19(2)：141-143.
孟航,马开军,董利民,等,2019.基于DNA甲基化推断年龄的研究进展[J].法医学杂志,35(5)：537-544.
彭丽琴,万雷,汪茂文,等,2020.机器学习在骨龄评估中的研究进展及展望[J].法医学杂志,36(1)：91-98.
彭丽琴,万雷,汪茂文,等,2020.运用3种卷积神经网络模型对青少年骨盆骨龄评估的比较[J].法医学杂志,36(5)：622-630.
皮昕,2012.口腔解剖生理学[M].7版.北京：人民卫生出版社.
陶芳标,2018.儿童少年卫生学[M].8版.北京：人民卫生出版社.
托马斯·克罗夫茨,赵增田,金泽刚,2019.澳大利亚少年犯罪的刑事责任年龄[J].青少年犯罪问题,(5)：113-120.
王鹏,朱广友,王亚辉,等,2008.中国男性青少年骨龄鉴定方法[J].法医学杂志,(4)：252-255.
王荣福,安锐,2019.核医学[M].北京：人民卫生出版社.
王亚辉,王子慎,魏华,等,2014.基于支持向量机实现骨骺发育分级的自动化评估[J].法医学杂志,30(6)：422-426.
王亚辉,朱广友,乔可,等,2007. X线骨龄评估方法研究进展与展望[J].法医学杂志,(5)：365-369.
胥少汀,葛宝丰,徐印坎,2015.实用骨科学[M].4版.北京：人民军医出版社.
徐克,龚启勇,韩萍,2019.医学影像学[M].北京：人民卫生出版社.
余卫,夏维波,程晓光,2018.临床骨密度测量应用手册[M].北京：中国协和医科大学出版社.
张继宗,2016.法医人类学[M].3版.北京：人民卫生出版社.
张金山,刘丰春,2009.临沂市青少年膝、踝关节长骨干骺融合情况调查[J].社区医学杂志,7(15)：1-3.
张绍岩,2015.中国人手腕部骨龄标准——中华05及其应用[M].北京：科学出版社.
张泽传,2014.老年人犯罪的刑事责任问题研究[D].沈阳：辽宁大学硕士学位论文.
周纯武,2012.放射科诊疗常规[M].北京：中国医药科技出版社.
朱广友,范利华,张国桢,等,2008.青少年骨发育X线分级方法[J].法医学杂志,24(1)：18-24.
朱广友,王亚辉,万雷,2016.中国青少年骨龄鉴定标准图谱法[M].上海：上海科学技术文献出版社.
Aliferi A, Ballard D, Gallidabino M D, et al., 2018. DNA methylation-based age prediction using massively parallel sequencing data and multiple machine learning models[J]. Forensic Sci Int Genet, 37: 215-226.
Bocklandt S, Lin W, Sehl M E, et al., 2011. Epigenetic predictor of age[J]. PLo S ONE, 6(6): e14821.
Boeyer M E, Ousley S D, 2017. Skeletal assessment and secular changes in knee development: a radiographic approach[J]. Am J Phys Anthropol, 162(2): 229-240.
Bonjour J P, Chevalley T, Ammann P, et al., 2001. Gain in bone mineral mass in prepubertal girls 3.5 years after discontinuation of calcium supplementation: a follow-up study[J]. The Lancet, 358(9289): 1208-1212.
Carruth B R, Skinner J D, Houck K S, et al., 2000. Addition of supplementary foods and infant growth (2 to 24 months)[J]. Journal of the American College of Nutrition, 19(3): 405-412.

Christensen B C, Houseman E A, Marsit C J, et al., 2009. Aging and environmental exposures alter tissue-specific DNA methylation dependent upon CpG island context[J]. PLo S Genet, 5(8): e1000602.

Chu G, Wang Y H, Li M J, et al., 2018. Third molar maturity index (I3M) for assessing age of majority in northern Chinese population[J]. Int J Legal Med, 132(6): 1759-1768.

Dobberstein R C, Huppertz J, von Wurmb-Schwark N, et al., 2008. Degradation of biomolecules in artificially and naturally aged teeth: implications for age estimation based on aspartic acid racemization and DNA analysis[J]. Forensic Sci Int, 179(2-3): 181-191.

Effenberger M, Zoller H, Tilg H, 2001. Bone mineral density is inversely related to parathyroid hormone in adolescent girls[J]. Hormone & Metabolic Research, 33(3): 170-174.

Fan Y, Reinhilde J, Guy W, et al., 2006. Dental age estimation through volume matching of teeth imaged by conebeam CT[J]. Forensic Sci Int, 159: S78-S83.

Florath I, Butterbach K, Müller H, et al., 2014. Cross-sectional and longitudinal changes in DNA methylation with age: an epigenome-wide analysis revealing over 60 novel age-associated CpG sites[J]. Hum Mol Genet, 23(5): 1186-1201.

Gafni R I, Mccarthy E F, Hatcher T, et al., 2002. Recovery from osteoporosis through skeletal growth: early bone mass acquisition has little effect on adult bone density[J]. FASEB J, 16(7): 736-738.

Garagnani P, Bacalini M G, Pirazzini C, et al., 2012. Methylation of ELOVL2 gene as a new epigenetic marker of age[J]. Aging Cell, 11(6): 1132-1134.

Gaya D C M, Poppelaars F, van Kooten C, et al., 2018. Age and sex-associated changes of complement activity and complement levels in a healthy caucasian population[J]. Front Immunol, 9: 2664.

Grame J, Malcolm R, Susan W, 2001. Association between urinary potassium, urinary sodium, current diet, and bone density in prepubertal children [J]. Am J ClinNutr, 73(4): 839-844.

Griffin R C, Moody H, Penkman K E H, et al., 2008. The application of amino acid racemization in the acid soluble fraction of enamel to the estimation of the age of human teeth[J]. Forensic Sci Int, 175(1): 11-16.

Guo B, Xu Y, Gong J, et al., 2013. Age trends of bone mineral density and percentile curves in healthy Chinese children and adolescents[J]. J Bone Miner Metab, 31(3): 304-314.

Hannum G, Guinney J, Zhao L, et al., 2013. Genome-wide methylation profiles reveal quantitative views of human aging rates[J]. Mol Cell, 49(2): 359-367.

Humeyra O E, Murat O, Serdar U, et al., 2012. Application of Kvaal et al.'s age estimation method to panoramic radiographs from Turkish individuals[J]. Forensic Sci Int, 219: 141-146.

Jaklin F Z, Irene A F, Sahar R H, et al., 2011. Age estimation from pulp/tooth area ratio in maxillary incisors among Egyptians using dental radiographic image[J]. J ForensicLeg Med, 18: 62-65.

Johansson A, Enroth S, Gyllensten U, 2013. Continuous aging of the human DNA methylome throughout the human lifespan[J]. PLo S ONE, 8(6): e67378.

Jung S E, Lim S M, Hong S R, et al., 2019. DNA methylation of the ELOVL2, FHL2, KLF14, C1orf132/MIR29B2C, and TRIM59 genes for age prediction from blood, saliva, and buccal swab samples[J]. Forensic Sci Int Genet, 38: 1-8.

Kasetty S, Rammanohar M, Raju R T, 2010. Dental cementum in age estimation: a polarized light and stereomicroscopic study[J]. J Forensic Sci, 55(3): 779-783.

Koch C M, Wagner W, 2011. Epigenetic-aging-signature to determine age in different tissues[J]. Aging(Albany NY), 3(10): 1018-1027.

Kwok J, Cheung S, Ho J, et al., 2020. Establishing simultaneous T cell receptor excision circles (TREC) and K-deleting recombination excision circles (KREC) quantification assays and laboratory reference intervals in healthy individuals of different age groups in Hong Kong[J]. Front Immunol, 11: 1411.

Lai L P, Tsai C C, Su M J, et al., 2003. Atrial fibrillation is as-sociated with accumulation of aging-related common type mitochondrial DNA deletion mutation in human atrial tissue[J]. Chest, 123(2): 539-544.

Lehtonen V M, Mottonen T, Irjal K, et al., 2000. A 1-year prospeetlve study on the relationship between physical activity, markers of bone metabolism and bone acquisition in peripubertal girls[J]. J clin Endocrinol Metab, 85 (10): 3726-3732.

Liu F J, Wen T, Liu L, 2012. MicroRNAs as a novel cellular senescence regulator[J]. Ageing Res Rev, 11(1): 41-50.

Liu J, Jing Q, Zhao L, et al., 2008. Automatic bone age assessment based on intelligent algorithms and comparison with TW3 method[J]. Computerized Medical Imaging & Graphics, 32(8): 678-684.

Lloyd T, Beck T J, Lin H M, et al., 2002. Modifiable determinants of bone status in young women[J]. Bone, 30 (2): 416-421.

Mohamed S A, Wesch D, Blumenthal A, et al., 2004. Detection of the 4977bp deletion of mitochondrial DNA in different human blood cells[J]. Exp Gerontol, 39(2): 181-188.

Mora S, Boechat M I, Pietka E, et al., 2001. Skeletal age determination in children of European and African descent: applicability of the Greulich and Pyle standards[J]. International Pediatric Research Found, 50(5): 624-628.

Neville C E, Robson P J, Murray L J, et al., 2002. The effect of nutrient intake on bone mineral status in young adults: the Northern Ireland young hearts project[J]. Calcif Tissue Int, 70(2): 89-98.

Niu T, Xu X, 2001. Candidate genes for osteoporosis: therapeutic implications[J]. Am J Pharmacogenomics, 1 (1): 11-19.

Paewinsky E, Pfeiffer H, Brinkmann B, 2005. Quantification of secondary dentine formation from orthopantomograms-acontribution to forensic age estimation methods in adults[J]. Int J Legal Med, 119: 27-30.

Peter K, Gisela G, 2001. Age at-death diagnosis and determination of life history parameters by incremental lines in human dental cementum as an identification aid[J]. Forensic Sci Int, 118(8): 75-82.

Preeti K T, Ashith B A, Venkatesh G N, et al., 2012. Anassessment of the versatility of Kvaal's method of adult dental age estimation in Indians[J]. Arch Oral Biol, 57: 277-284.

Ramasamy R, Vannucci S J, Yan S S, et al., 2005. Advanced glycation end products and RAGE: a common thread in aging, diabetes, neurodegeneration, and inflammation[J]. Glycobiology, 15(7): 16R-28R.

Renz H, Radlanski R J, 2006. Incremental lines in root cementum of human teeth — a reliable age marker[J]. Homo, 57(1): 29-50.

Sato Y, Kondo T, Ohshima T, 2001. Estimation of age of human cadavers by immunohistochemical assessment of advanced glycation end products in the hippocampus[J]. Histopathology, 38(3): 217-220.

Schmeling A, Dettmeyer R, Rudolf E, et al., 2016. Forensic age estimation[J]. Dtsch Arztebl Int, 113(4): 44-50.

Schmeling A, Grundmann C, Fuhrmann A, et al, 2008. Criteria for age estimation in living individuals[J]. Int J Legal Med, 122(6): 457-460.

Suri S, Prasad C, Tompson B, et al., 2013. Longitudinal comparison of skeletal age determined by the Greulich and Pyle method and chronologic age in normally growing children, and clinical interpretations for orthodontics[J]. Am J Orthod Dentofacial Orthop, 143(1): 50-60.

Susumu O, Toshiharu Y, 2010. Age estimation by amino acid racemization in human teeth[J]. J Forensic Sci, 55(6): 1-4.

Teschendorff A E, Menon U, Gentry-Maharaj A, et al., 2010. Age-dependent DNA methylation of genes that are suppressed in stem cells is a hallmark of cancer[J]. Genome Res, (20): 440-446.

Thiemann H H, Nitz I, Schmeling A, 2006. Röntgenatlas der normalen hand im Kindesalter[M]. Stuttgart Georg Thieme Verlag, 126-128.

Tsuji A, Ishiko A, Takasaki T, et al., 2002. Estimating age of humans based on telomere shortening[J]. Forensic Sci Int, 126(3): 197-199.

Verzijl N, DeGroot J, Oldehinkel E, et al., 2000. Age-related accumulation of Maillard reaction products in human articular cartilage collagen[J]. Biochem J, 350: 381-387.

Vidaki A, Daniel B, Court D S, 2013. Forensic DNA methylation profiling—potential opportunities and challenges[J]. Forensic Sci Int Genet, 7(5): 499-507.

Wang Y H, Liu T A Wei H, et al., 2016. Automated classification of epiphyses in the distal radius and ulna using a support vector machine [J]. J Forensic Sci, 61(2): 409-414.

Wang Y, Ying C, Wan L, et al., 2012. Long-term trend of bone development in the contemporary teenagers of Chinese Han nationality[J]. Fa Yi Xue Za Zhi, 28(4): 269-274.

Weidner C I, Lin Q, Koch C M, et al., 2014. Aging of blood can be tracked by DNA methylation changes at just three CpG sites[J]. Genome Biol, 15(2): R24.

Yi S H, Jia Y S, Mei K, et al., 2015. Age-related DNA methylation changes for forensic age-prediction[J]. Int J Legal Med, 129(2): 237-244.

Yi S H, Xu L C, Mei K, et al., 2014. Isolation and identification of age-related DNA methylation markers for forensic age-prediction[J]. Forensic Sci Int Genet, 11: 117-125.

Zamora S A, Belli D C, Rizzoli R, et al., 2001. Lower femoral neck bone mineral density in prepubertal former preterm girls[J]. Bone, 29(5): 424-427.

Zbiec'-Piekarska R, Spólnicka M, Kupiec T, et al., 2015. Examination of DNA methylation status of the ELOVL2 marker may be useful for human age prediction in forensic science[J]. Forensic Sci Int Genet, 14: 161-167.

Zubakov D, Liu F, van Zelm M C, et al., 2010. Estimating human age from T-cell DNA rearrangements[J]. Curr Biol, 20(22): R970-R971.

第二章

人工智能与法医学骨龄研究

第一节　人工智能的缘起及研究前沿

一、概述

人工智能(artificial intelligence,AI)亦称机器智能,广义上指由人类制造机器所表现出的智能,狭义上则指通过普通计算机程序来模拟呈现人类智能的技术。人工智能的定义可分为两部分,即人工和智能。人工意为由人类设计创造,但智能的定义则较有争议性,因其涉及意识、自我、心灵和精神等问题。人类最了解的智能是人类本身的智能,而且对自身智能的理解非常有限,对构成智能的必要元素也不甚了解,所以很难定义什么是人工制造的"智能"了。目前,研究者们比较认可的是欧洲高等商学院教授 Andreas Kaplan 和 Michael Haenlein 对人工智能的定义,"系统正确解释外部数据并从外部数据中学习,同时利用学习结果不断灵活调整以适应特定目标,实现完成任务的能力"。

二、人工智能的发展历程

人工智能的发展历史源远流长。早期人工智能主要表现在神话传说、寓言故事及机器人偶制作的实践之中。在希腊神话中,技艺高超的工匠可以制作人造人,并为其赋予智能或意识,如赫淮斯托斯的黄金机器人和皮格马利翁的伽拉忒亚。中国西周时的偃师、古希腊的希罗、阿拉伯的加扎利等都是可以创造自动人偶的杰出工匠。中国、印度和希腊哲学家在公元前提出形式推理的结构化方法,即机械化推理,其基本假设是人类思考可以机械化,通过机械手段用简单的逻辑操作进行组合,以生成所有可能的结论。这些哲学家已经开始明确提出形式符号系统的假设,而这一假设将成为人工智能研究的指导思想。之后著名的邱奇-图灵论题(Church-Turing Thesis)提出,一台仅能处理 0 和 1 简单二元符号的机械设备(图灵机)能够模拟任意数学推理过程,这一看似简单的理论构造抓住了抽象符号处理的本质,激发科学家们研究让机器思考的可能。随后,基于图灵和约翰·冯·诺伊曼理论基础的现代计算机在第二次世界大战期间被研制并作为军事通信密码的译码机。

1950 年,图灵发表了一篇划时代的论文,文中预言了创造出具有真正智能的机器的可能性。他注意到“智能”这一概念难以确切定义，所以提出著名的图灵测试：如果一台机器能够与人类展开对话（通过电传设备）而不能被辨别出其机器身份，那么称这台机器具有智能。1956年，在达特茅斯学院举行的会议上人工智能的名称和任务得以确定，同时出现了最初的成就和最早的一批研究者，因此这一事件被广泛承认为人工智能诞生的标志。随后从20世纪50年代后期到60年代涌现了大批成功的人工智能程序和新的研究方向，如搜索式推理中迷宫路线的推理、计算机使用自然语言与人类进行“交流”等。

20世纪70年代初，人工智能遭遇瓶颈，研究者们之前对人工智能课题过于乐观，但人工智能的研究进展远远未达到学术界的期望，随后，人工智能的研究被批判，并遇到资金上的困难。70年代中期，人工智能尽管遭受了公众的误解，但在逻辑编程、常识推理等一些领域还是有所进展。在80年代，各个国家大力投资人工智能研究，一类名为专家系统的人工智能程序应运而生，而知识处理成为研究的焦点。专家系统是一类具有专门知识和经验的计算机智能程序系统，由知识库和推理机组成，一般采用知识表示和知识推理技术来模拟由专家才能解决的复杂问题。专家系统发展至今已经成为人类生产生活的重要组成部分，其中比较著名的有ExSys（第一个商用专家系统），Mycin（诊断系统，误诊率达到专家级水平），Siri（苹果公司辨识语音作业的专家系统）等。80年代，商业机构对人工智能的追捧与当时的经济泡沫是分不开的，而后经济泡沫的破裂也导致人工智能的财政经费削减，学术界对其研究兴趣也都大幅下降，研究者称这段时期为人工智能之冬。

20世纪90年代初开始，计算性能上的基础性障碍已被逐渐克服，英特尔（Intel）创始人之一戈登·摩尔（Gordon Moore）提出著名的摩尔定律，即计算速度和内存容量每18个月翻一倍。得益于计算机性能的提升，人工智能开始被成功应用于工程技术领域。人工智能研究者们开发的算法解决了产业界大量的难题，解决方案如数据挖掘、工业机器人、物流、语音识别、银行业软件、医疗诊断和搜索引擎等在行业内发挥了不可替代的作用。

进入21世纪，大数据和计算机技术的快速发展，使得许多先进的机器学习技术成功应用于经济和社会中的各个方面。到2016年，人工智能相关产品、硬件、软件等的市场规模已经超过80亿美元。大数据应用也开始逐渐渗透到其他领域，如生态学模型训练、经济领域中各种应用、医学研究中疾病预测及新药研发等。深度学习（特别是深度卷积神经网络和循环网络）更是极大地推动了图像和视频处理、文本分析、语音识别等问题的研究进程。深度学习是机器学习的分支，是一种以人工神经网络为架构，对资料进行表征学习的算法。通过一个多层处理单元的深层网络对数据中的高级抽象进行建模。

三、人工智能的应用

人工智能的核心问题就是构建跟人类相似甚至更卓越的推理、规划、学习、交流、感知、操控等能力。除了现在的基础科研，还将科研成果不断付诸实践，人工智能的应用已经有初步成果，在影像识别、语言分析、数据统计预测等方面的能力远超人类水平。目前，已经有许多领域应用人工智能，其中包括智能搜索和数学优化、逻辑推演，而基于仿生学、认知心理学以及概率论和经济学的算法等也在逐步探索当中。人工智能技术的应用结合其实际应用环境，可以更好地发挥技术体系自身优势，从而打造更加完善的行业发展平台。也就是说，借助人工智能技术能实现合理化的数据分析,以数据结果为依托对人类行为进行猜测,然后效仿人类行为开展相应的工作。

人工智能不仅能提升工作的效率,也能更好地创造较高的价值,优化相应行业的综合水平,其核心技术主要应用于以下几个方面。

(1) 计算机视觉应用:不仅涉及无人驾驶、平安城市及智慧金融等高技术产业,在安防领域的应用也十分广泛。通过视频内容自动识别个体和车辆及其他信息,为治安防控提供技术支持,为公安机关抓捕提供可靠线索。

(2) 机器学习应用:机器学习与自动驾驶、金融及零售等行业紧密结合,不断提升行业的发展潜力。在自动驾驶领域运用机器学习的技术,通过强化学习不断提升路测能力;零售行业运用机器学习的技术分析用户的喜好,针对性推送顾客偏爱的物品,提升零售的成功率;在金融领域通过机器学习整合多元的资料,预测金融风险和股市走向,构建科学合理的风险管控体系。

(3) 自然语言处理应用:通过语言识别对文档进行自动分类,为企业办公自动化提供了技术支持;根据书籍内容进行自动分类,为用户查找书籍提供便捷手段;自动翻译可以即时翻译出绝大部分文本;人工智能客服机器人采用语义识别分析技术,提高了问题解决效率和用户体验。

(4) 语音识别应用:通过语音识别技术可以将语音直接转化为相应的文本,让即时翻译不再困难;智能家居中应用语音识别技术,通过解析人的语言命令,让家居设备执行相应程序,甚至做出简单回应,提升居住体验。

目前,人工智能依然无法在思维、精神和情绪方面与人脑媲美,但随着人工研究发展和技术积累,人工智能在人类的日常工作、学习、医疗、安全和可持续发展等领域,都将会提供更智能化和人性化的技术服务,为人类生存与发展做出巨大贡献。

第二节　数据挖掘与模式识别

一、数据挖掘基本概念及发展史

随着信息技术的高速发展,各行各业积累的数据与日俱增,海量数据以前所未有的速度聚集于计算机中,仅城市管理就能由人们的日常出行记录、医疗保健记录、商品购买记录等产生大量数据;每天几十亿次的搜索,要处理数万兆的字节数据;社交平台每天都有数不胜数的图像、影像、音频上传,这些纷繁的数据都可供人们分析和研究。但由于存储在数据库中的数据只能进行存储、查询等简单的处理,要从海量数据中提取出隐藏着的可供人们使用的信息来进行更全面、更深层次的分析并不是一件易事。因此,人们需要解决的不是没有足够的信息来源,而是如何从海量数据中提取有效的知识和信息并加以利用,也就是所谓的数据爆炸,知识匮乏。于是,数据挖掘就应运而生了。

数据挖掘的诞生可以说是信息技术发展自然进化的结果。早期人们数据收集和数据库创建机制的开发已经为后续的数据管理打好了基础,有数据且数据有地方存放才能进行查询、存储、检索等一系列管理操作。再后来,这些数据库管理系统早已司空见惯,分析数据,进行数据挖掘自然而然就成为下一步。

数据挖掘(data mining,DM),顾名思义就是从海量数据中挖掘有价值、有意义的信息和知识。一般对其定义为数据挖掘,即从大量的、不完全的、模糊的、随机的实际应用数据中提取隐含在其中的、人们事先不知道的,但又潜在有用的信息和知识的过程。数据挖掘是一个多学科领域,融合了数据库、人工智能、机器学习、统计学、模式识别、信息检索、神经网络等领域的研究成果,它可以在任何类型的存储信息上进行,其应用也非常广泛,在市场管理、医疗诊断、生物化学工程、鉴定、金融等领域都能起到很大作用。随着现代医学与计算机技术的飞速发展,为满足社会生活的迫切需要,许多学者都在致力于如何将计算机视觉技术与人体骨龄评价相结合,并实现骨龄评价过程的自动化,使评价的过程与结果更加客观、真实,效率更高。骨龄自动评价系统是一种基于对 DR 射线图像进行处理,并自动给出阅片结果的系统。

从数据中手动提取有效信息已经有几百年的历史了,从 18 世纪开始人们就会使用贝叶斯定理和回归分析挖掘数据。在学术界,直到 1995 年在加拿大蒙特利尔召开的首届数据挖掘与知识发现国际会议上,“数据挖掘”这一概念才被正式提出,并将其分为科研领域上的知识发现(knowledge discovery in databases,KDD)与工程领域上的数据挖掘。如今由于技术的发展和深入,知识发现和数据挖掘这两个概念间的边界渐渐模糊,这里的知识指代的范围越来越广,可以说数据挖掘就是发现知识的过程。而随着计算机技术的发展和普及,软硬件水平不断提升,数据收集、处理、操控的能力得到了极大提升的同时,数据集的规模和复杂度也与日俱增,早期的一些数据处理方法已经跟不上时代的节奏。借助计算机科学领域,尤其是在机器学习领域的一些发现,提供了自动化且间接的数据处理方法,如聚类分析、遗传算法、决策树和支持向量机等,其在数据挖掘上的应用日益广泛。有了这些智能算法的帮助,数据挖掘的发展可谓是如虎添翼,在传统的统计分析技术的基础上进行了扩展和延伸,在数据预测的准确度和数据处理的广度深度上得到显著提升。

二、数据挖掘的流程与任务

(一)流程

数据挖掘的流程如图 2-1 所示,通常分为以下几个步骤。

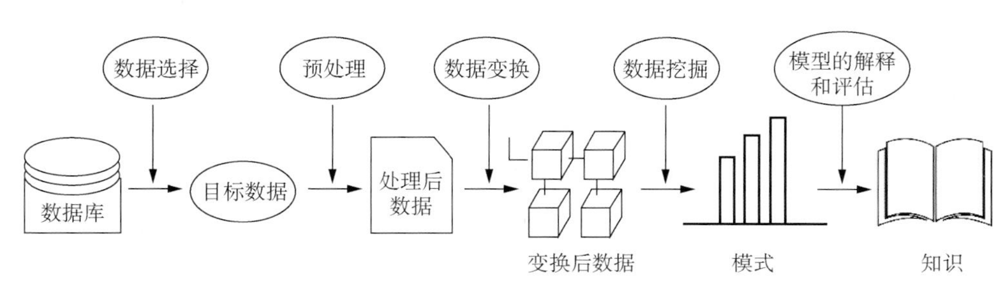

图 2-1　数据挖掘流程图

(1) 数据选择:从数据库中找到与分析对象有关的所有信息,并从中选择出适用于数据挖掘应用的数据。

(2) 预处理:对目标数据进行清理、集成等预处理,为进一步处理做准备。

(3) 数据变换:将数据变换成适合挖掘的数据模型,具体形式需要根据挖掘算法而确定。

(4) 数据挖掘:基本步骤,对变换后的数据通过选定的算法进行挖掘,将其转化为一定模式。

(5) 模式的解释和评估:对得到的模式进行解释和评估,从而将模式优化,最终用自然语言将其表达出来,形成知识。

(二) 任务

数据挖掘按照任务分类,有 5 种常见的任务类别。

1. 异常检测(anomaly detection)

在数据挖掘中,异常检测指的是通过数据挖掘的手段识别数据中的异常点,常见使用领域包括风控领域(如识别信用卡诈骗)、通信领域(发现异常信息流)、医学影像图片中无关区域及机械加工领域(识别未达标的产品)等。数据挖掘预处理过程的异常检测一般可分成三大类:无监督异常检测、有监督异常检测、半监督异常检测。①无监督异常检测假定了数据集中的大多数数据都是正常的情况,通过寻找与其余数据集最不匹配的实例或数据点来检测未标记测试数据集中的异常。②有监督异常检测需要一个已标记好"正常"和"异常"的数据集或图片,从中训练一个分类器,用来测试新数据集的异常点。③半监督异常检测其实就是有监督与无监督异常检测的结合,通过部分标记好的训练集训练出模型,再通过未标记好的训练集改进优化其模型。异常检测的算法已经相对成熟,比较流行的是基于密度的算法(如 k-最近邻算法、LOF 算法、孤立森林算法等)、支持向量机、贝叶斯网络、隐马尔科夫模型等。这些方法各不相同,它们的性能在很大程度上取决于数据集和参数选择,因此这些方法相对于另一种方法几乎没有绝对的优势,都是有利有弊。

2. 关联规则挖掘(association rule mining)

关联规则挖掘旨在挖掘和发现数据中潜藏的一些关联规则。关联规则可以反映一个事物与其他事物的依存性和关联性,经常用于实体商店和网络电商的推荐系统:通过对顾客的购买记录数据库进行关联检测挖掘,最终目的是发现顾客群体的内在购买习惯共性。例如,购买商品 A 的同时也很可能连带购买商品 B,根据挖掘结果调整推荐布局、促销组合方案,能有效实现销量的提升。关联规则挖掘有 3 个关键指标:支持度(support)、置信度(confidence)与提升度(lift),下面以关于关联规则挖掘的一个经典事例——啤酒和纸尿裤做一个简单介绍。

啤酒和纸尿裤的故事讲的是某超市在对消费者购买记录进行行为分析后发现,男性顾客在购买婴儿纸尿裤时,常常会顺便搭配几瓶啤酒来犒劳自己,于是尝试着推出了将啤酒和纸尿裤摆在一起的促销手段。意想不到的是这一举措使得啤酒和纸尿裤的销量均大幅增加。

3. 回归任务(regression task)

回归任务的主要目的是发现两个或多个变量间是否相关以及相关方向和强度，并建立因变量和自变量之间关系的模型或函数便于后续的数据预测。回归任务最早出现于19世纪初，Gauss和Legendre都将最小二乘法应用于天文观测，计算恒星绕太阳的轨道。最小二乘法也是回归分析的最早形式，直到今天依然适用。一般来说，大多数回归模型可以表示为

$$Y_i = f(X_i, \beta) + e_i$$

式中，X_i为在数据中观察到的独立变量（i表示某一行的数据）；Y_i为在数据中观察到的因变量；函数f为预先指定的一个函数，在进行回归分析时必须先指定一个函数f，函数f的形式一般建立在对自变量X和因变量Y的知识上，而不是建立在数据的基础上；如果没有这种已知的知识，那应该选择一个尽量灵活和便于回归的函数形式；β为函数f内部的一个未知参数，可以为标量也可以为矢量；e_i为误差项，代表随机影响因素或噪声扰动。确定了模型之后，要利用不同的算法工具估算出参数β，从而确定出函数f的具体形式。例如，最小二乘法就是通过最小化误差平方和$\sum_i [Y_i - f(X_i, \beta)]^2$来确定参数$\beta$。

矩估计和最大似然估计同样也是常用的参数估计方法。面对不同的数据类型和分布，回归模型种类各不相同，从自变量个数来说，可以分成处理单一变量的简单线性回归模型和应对多个变量的多变量回归；从因变量角度来说，因变量为定类时可以使用Logistic回归模型。估算出模型后，比较重要的一步是评估模型的拟合优度和估计参数的统计意义，这关系到模型的优劣和适用性。常用的拟合优度检测包括R、残差分析和假设检验，统计显著性可以从整体上通过F检验，再利用各个参数的t检验来评估。骨龄评估属于数据挖掘任务的回归问题，即通过躯体各大骨关节骨骺发育动态变化，反映个体骨龄，这也是基于计算机技术的数据挖掘应用于骨龄评估的价值所在。

4. 分类任务(classification task)

分类任务的目的其实与聚类任务有些类似，只不过聚类任务不会事先告知最终的类别，需要计算机自己分类。而分类任务则会事先告知类别，然后将数据分别存放进不同的类别，完成分类，如将大量的电子邮件数据分为垃圾邮件和非垃圾邮件。因此，其实可以将聚类任务和分类任务分别视作无监督学习和有监督学习的任务。解决分类任务的关键就是要找到适合某组数据的分类器，分类器有自己特定的动态规则，但是没有单一的分类器适合所有数据集，因此已经开发出了大型的分类算法工具包，比较常用的包括线性分类器、支持向量机、二次分类器、决策树、神经网络等。不论是采用计分法还是图谱法评估青少年骨龄，首先需要对各大关节骨骺发育程度进行分级，这一步骤属于数据挖掘任务汇总的分类问题，即把不同骨骺发育程度分为1、2、3等若干等级，每一个等级即是一类问题，代表该等级骨骺发育的共性问题。

5. 聚类任务(clustering task)

聚类任务的目的是把一组数据分为多个由类似的数据对象构成的类，这些类别是事先没有定义好的，也就是说需要计算机自动地将一组数据分成不同的类别，并把数据分别放到各个类别中。聚类作为数据挖掘中的一个主要任务和常用技术，已经确定的算法近百种，如果按照算法思路来分的话，可以分成以下几类。

(1) 基于连接的聚类:又称分层聚类,是一种自下而上或是自顶向下的算法,图 2-2 是自下而上的算法,核心思路为将每个数据对象看作一个小类,然后找到距离最小的小类与之合并,不断重复此过程直到达到预期或是满足终止条件,分为最终的大类,是一个凝聚的过程;而自顶向下则正好相反,是分裂的过程,核心思路为将所有数据对象看作是一个类,然后找出类中距离最远的小类进行分裂,不断重复此过程直到达到预期或是满足终止条件。基于连接的方法是聚类分析中的基础方法,用今天的眼光看可能有些过时,但不可否认的是它为后来的其他方法提供了部分灵感。

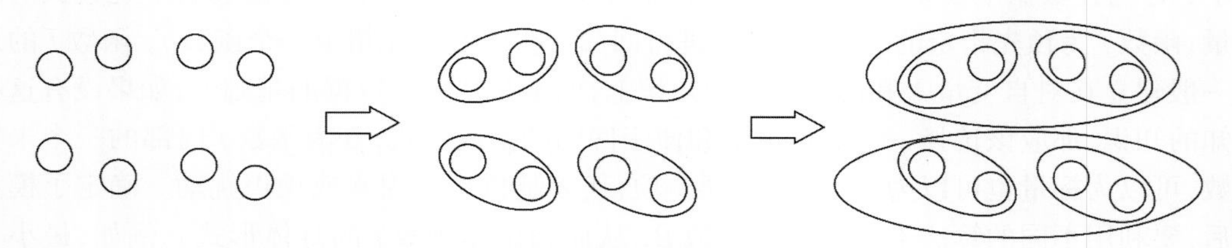

图 2-2 自下而上的分层聚类算法

(2) 基于中心的聚类:最经典的算法就是 k-均值聚类,具体流程见图 2-3:

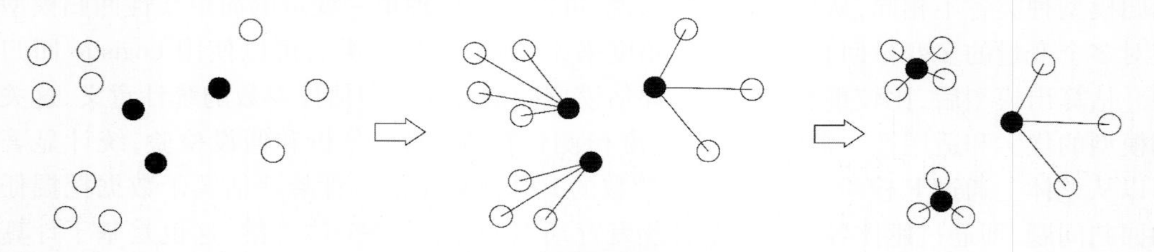

图 2-3 k-均值聚类算法流程

当类的数量固定为 k 时,随机挑选 k 个数据点作为一类的中心,然后计算每个数据对象与 k 个数据点的距离,把每个数据对象分配到距离最近的聚类中心中。每次有新对象进入某一聚类时,聚类的中心又会被重新计算,直到中心不再变化或是所有数据对象均被分配或是误差达到最小才终止。这类算法虽然简单且容易操作,但是获得的结果往往是局部最优解,而且还得知道初始的 k 值,有部分局限性。

(3) 基于分布的聚类:这类聚类方法基于概率分布模型,可以轻松地将一堆数据集定义为最有可能属于同一概率分布的对象。尽管看起来十分便利,但实际上述过程很容易出现过拟合的情况。比较常用的模型是高斯混合模型,使用期望最大化算法,数据集这里为了防止过拟合,通常使用固定数量的高斯分布来建立模型,这些分布是随机初始化的,通过迭代计算它们的参数将会收敛到局部最优值。

三、数据挖掘的研究热点及发展趋势

根据国内 CNKI 数据库,如图 2-4 所示,在 2006~2016 年,有关数据挖掘的文献发表数量都在 2 000 篇以上;并且从 2012 年开始,数据挖掘相关文献的发表数量一直呈逐年上升趋势,在 2016 年更是超过了 4 000 篇。

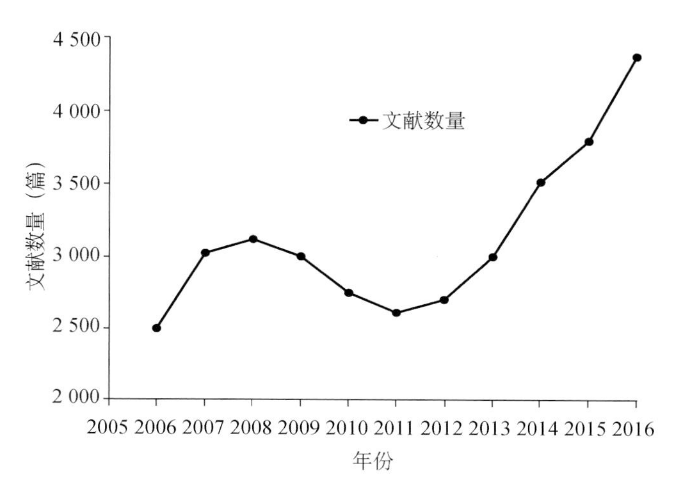

图 2-4 2006～2016 年有关数据挖掘文献发表数量比对

以医疗行业为例，数据挖掘的兴起使得对海量数据的分析、自动诊断疾病的种类和传统遗传病的预测成为可能。在某种程度上讲，只要数据量足够大，并且设计出合理的网络算法，就可以通过计算总结出不亚于人类的经验，从而实现医疗诊断的自动化。目前，一些科研人员在一部分疾病的诊断上设计的算法已经在一定程度上超越了人类的诊断能力。例如，国际商用机器公司的研究人员利用数据挖掘和机器学习算法构建了识别大脑与精神分裂症的数学模型，用于分析功能性 MRI，该模型对精神分裂症诊断的准确率达到 74%。我国的阿里云医疗大脑，通过分析大量人类甲状腺区的片源，对大量病灶特征和正常特征的医疗影像进行区分，已经具有非常强大的甲状腺病灶的诊断能力，其对甲状腺疾病诊断的准确率高达 85%，而人类在这一领域的识别准确率仅为 70%。另外，针对家族遗传病，阿里云医疗大脑可以构建知识图谱，分析家族遗传病的基因和形成原因，帮助预测并减少遗传病发生的可能性，这些方法对于某些遗传病的治愈是举足轻重的。在外科手术中，可根据数据库中现有的数据，对手术区域进行分析，为医生提供准确的手术建议。可见，基于数据驱动的精确医疗诊断系统可以帮助诊断疾病，在众多医疗方向上都可以起到辅佐诊断作用。

四、模式识别和模式的概念

我们在日常生活中，其实时时刻刻都在进行着模式识别。不妨环顾四周，我们能认出周围的物体是桌子、电脑、鼠标和键盘，能认出对面的人是张三、李四；听到声音，我们能区分出是汽车驶过还是玻璃碎裂，是狗叫还是人语，说的是什么内容；闻到气味，我们能知道是烤肉还是臭豆腐。我们所具备的这些模式识别的能力看起来极为平常，谁也不会对此感到惊讶，就连宠物猫狗都能识别出它们的主人，哪怕是更低等的生物都能利用本能区分什么是敌人什么是食物。正是因为这种稀松平常，过去很多年来许多科学家都没有意识到模式识别是一个值得探讨的问题，只将其当作是太阳从东边升起西边落下这样的自然事件。当计算机出现之后，人们渐渐发现可以使用计算机自动便捷地解决一些问题，而当人们试图用计算机来模拟实现人或动物具备的这种模式识别能力时，它的难度才逐渐为人所知。

在了解什么是模式识别之前，我们得先知道什么是模式。存在于时间和空间中可以观测到的事物，如果这些事物具有可区别性，那么都可以称之为模式。但模式指的并不是这个事物本身，而是事物中蕴含的信息，是一种世界的规律或是人为的设计或是抽象的概念。因此，任何感官其实都可以观察到模式。例如，衣服上的图案花纹，如果它的排列、形状足够规则的话，人们自然可以看出其中的模式；又如，影像学资料中的骨骼图像，同样可以辨认出哪些是骨骼哪些是软组织。相反，科学、数学或是语言中的抽象的模式只有通过分析才能观察到。信息在进入计算机之前，都要进行一个数据化的处理。例如，麦克风接收信息并将其导入计算机，就是靠把声音的振动转换为二进制数据再存放到计算机内。时间和空间上的信息基本都可以转换到计算机中，存放进向量或数组里，模式识别所要做的，就是对这些数据中的模式，或者说是规则进行一个自动识别。模式识别的作用和目的就在于面对某一具体的客观事物时，将其正确地归入某一类别，可以看作是将客观事物的信息映射到不同的类别当中。例如，对于一个字“模”，不同的字体有不同的写法，甚至是每个人的写法都不尽相同，但它们写出来都属于同一类，都是“模”，模式识别的意义就在于，哪怕我们没有见过这种写法的“模”，也能准确无误地将其分到“模”这一类。因此，模式识别的重心就在于对数据特征的提取。特征是决定数据相似性和分类的关键，当识别的目的确定之后，如何找到合适的特征就成为解决问题的核心问题。提取特征的一般思路基于仿生学中生物的信息处理，分析动物对感觉信息处理的过程可以知道，大脑中存在着对特定特征起反应的神经元，而且形成由简单到复杂逐层递进的结构。因此，面对一般的复杂问题，往往希望将其分成若干层次的简单问题。例如，我们识别“模”这个字，如果将其分解成识别偏旁“木”和“莫”，问题就会简单一些，如果将偏旁“木”再分成一横一竖一撇一捺，那问题将会更加简单。于是，这个相对困难的问题就被拆解成了若干简单的小问题，在这些小问题上提取特征相对容易，但提取到的往往也是低层次的特征。但是，低层次特征如果足够丰富，通过选择和运算就可以提升到高一层次的特征，最终整体的特征也就被提取出来了。

时至今日，模式识别已经取得了巨大的成功，成为计算机科学和人工智能的重要组成部分，并且广泛运用到日常生活中，包括文字识别、语音识别、指纹识别、人脸识别或是医学诊断等。

五、数据挖掘与模式识别间的联系

从概念上来看，数据挖掘指的是从大量的数据中挖掘知识，模式识别指的是从信息中提取特征，识别出相应的模式。可以看出，数据挖掘注重的是发现知识，模式识别注重的则是识别事物，两者都是对数据进行一定探索性挖掘和开发，可以说是紧密相连的，并且随着人工智能的发展，数据挖掘和模式识别的界限其实越来越模糊，模式识别把自然信息处理成计算机可识别的数据后提取特征对数据聚类、分类，其实就是在做数据挖掘的工作；数据挖掘中的主要任务聚类和分类，其实也就是找到数据中内在的联系从而进行聚类和分类，和模式识别的目的大同小异，而且两者的方法大多都受机器学习的启发，可以说是从机器学习中汲取了许多。数据挖掘、模式识别、机器学习三者的关系可以说是环环相扣，一脉相承。机器学习提供方法，数据挖掘与模式识别拿去进行研究和应用，同时也为机器学习的算法提供灵感思路和需求。

随着现代医学与计算机技术的飞速发展，王亚辉课题组于2013年研发了一套利用11～20岁男、女性青少年躯体七大关节（胸锁关节、肩关节、肘关节、腕关节、髋关节、膝关节、踝关节）骨骺发育程度与计算机技术相结合的计算机自动识别骨龄评估系统。王亚辉课题组根据人工计算过程和自动计算的难点分析，将计算机自动识别系统分成以下5个步骤：

（1）DR摄片数字化：以现有的DR摄片为基础，通过扫描仪完成图像的数字化过程。这种方法与现有方法相适应，通过误差修正可以达到理想的效果，并且造价远低于数字化摄像机的成本。

（2）DR摄片预处理：为了提高图像特征识别的精度，必须对数值图片进行边缘滤波处理、数据压缩、清晰度修正和对比度调节等。边缘滤波处理是去除图像四边由于光线散射形成的高亮度区域噪声的方法，它是利用基于边界保持的有色噪声自适应卡尔曼滤波方法。数据压缩是在保留骨龄计算依据特征的矩阵减肥，一般保持图像宽度为512像素。清晰度的修正是以灰度方差为参数的相似变换完成的。对比度的修正是通过以灰度均值为信息的灰度自适应调整完成的。

（3）骨骼定位与特征识别：根据24个骨骺的轮廓和大小，将整个DR摄片骨骼位置分成若干区域，区域位置的确定是用与骨骼中最高亮度骨骼坐标的相对坐标方法确定的。以手腕骨为例，手腕中最高亮度像素点位于桡骨骨干的顶端，所以以这一点为标准，利用骨骼位置之间的关系就可以确定每块特征区域的大致位置。然后，在每个区域确定一个生长点。以低灰度变化、骨骼灰度值模糊分布特征和骨骼各自的发育规律为条件，确定骨骼的大小及形状。最后，根据骨骼形状和灰度分布进行一级特征识别，将骨骺分成3类。按照预定顺序对每块骨骼的特征进行二级识别。根据骨化中心的形状或根据骨骺与干骺端闭合程度分别确定等级。最后，完成每一块骨骺的等级标定。

（4）骨龄自动求值：完成DR摄片图像识别后，再运用MATLAB软件将已有的研究成果“青少年骨发育DR摄片分级方法”“11～20岁男、女性青少年骨龄标准图谱”“多元回归数学模型和Fish’s两类判别分析数学模型等”计算机化处理，将模式识别后的图像导入计算机化的骨龄标准图谱及数学模型程序中，自动查出骨龄值。

（5）档案管理：将识别结果归入用户档案，比较计算骨龄值与被测者实际年龄的差异。差异大于2岁时，提出用户档案的详细资料和显示骨骼图像及其识别结果，为今后制订法医学骨龄鉴定标准提供重要依据。

综上所述，“模式识别技术”为此发展提供了新的途径，它是骨龄计算机系统不可或缺的关键技术。采用计算机进行图像自动分析能够达到准确、高速的效果，同时能克服读片过程中带来的个体差异。在过去的数十年里，模式识别技术随着医学影像技术的迅速发展，结合图像处理、图像理解、图像识别、计算机视觉和计算机图形学等学科的相关知识得以快速发展。因此，骨龄识别的主要目的就在于通过骨骼发育特征识别这一手段获得对人体发育程度的定量性评价。运用图像处理、图像识别及计算机视觉等学科知识，开发出法医学骨龄鉴定计算机系统对实际鉴定工作有很大的应用价值及指导意义。

第三节　机 器 学 习

一、基本概念和发展史

（一）基本概念

机器学习(machine learning)，实际上就是研究让机器像人一样学习的学科。1995 年，Vapnik 等首次提出了支持向量机(support vector machine，SVM)，它是一种基于统计学习理论的模式识别方法，主要应用于图像的模式识别领域，是一种可靠的图像分类系统，该算法已成功应用于图像识别的研究。支持向量机从严格的数学理论出发，论证和实现了在小样本情况下最大限度地提高图像识别可靠性的方法。

支持向量机理论是一种新的前馈型神经网络学说，它是一种新颖的小样本学习方法，在解决小样本、非线性、高维模式识别、局部极小值等模式识别问题中表现出许多特有的优势，可以根据有限的样本信息在模型的复杂性和学习能力之间寻求最佳平衡点。对于图像识别而言，它主要是针对黑色、白色、灰色图像的色阶特点，通过对不同色阶的图像进行预处理，然后再进行图像分割及图像特征提取，继而对分割及提取的图像进行模式识别，最后总结出不同类别图像的信息，得出图像的分类。因此，支持向量机特别适合仅有数十个图像的小训练集样本的图像识别，可以得到准确性及可靠性很高的预测结果，它在人脸识别、文字识别、药物设计、组合化学及时间序列预测等研究领域得到广泛应用，已被证明是有效的图像分类方法。其原理也从线性可分说起，然后扩展到线性不可分的情况。甚至扩展到使用非线性函数中去，是一种新型的基于统计学习理论的学习机器。其对于解决小样本、非线性数据具有特有的优势。其主要思想是在一个 n 维的空间中寻找一个能将不同类别的样本点分开的 $n-1$ 维超平面，对其超平面的要求为将不同的两类样本点分开，并且两个不同类的边界上的样本点即支持向量对于分类超平面的间距最大(图 2-5)。此外，其还有使用到核函数这一计算方法——将对那些利用低维度无法分开的数据通过核函数投影到高维度平面使之线性可分，与通过加入惩戒函数后，对建立模型的样本产生误差问题得到良好修正，从而增高模型的稳定性及准确率。其实际是解带限制条件的优化问题，通过拉格朗日乘子法进行计算，通过约束条件可以将原问题转化为一个凸二次规划的对偶问题。

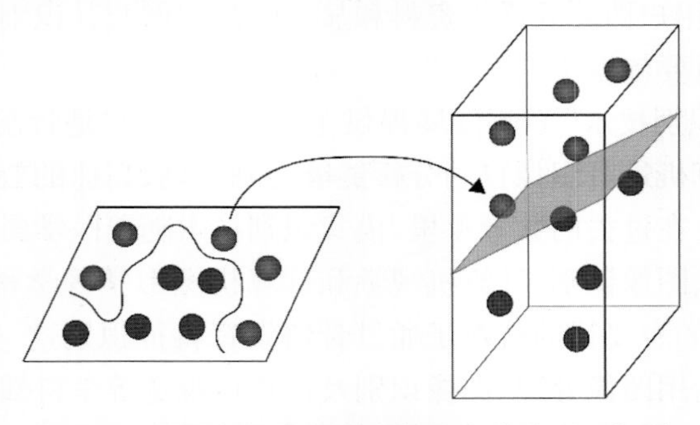

图 2-5　原始数据使用核函数向高维度平面投影

（二）发展历程

机器学习已经有近几十年的历史,但要说其存在了几个世纪也没有什么问题。早在17世纪,贝叶斯定理和一些统计学基础就为后来的机器学习奠定了基础及提供了工具。如果我们从1950年图灵提议建立一个学习机器开始算起,机器学习大致可以分为4个阶段,每个时期的研究途径和目的并不相同。

第一阶段是20世纪50年代中叶到60年代中叶,这一时期可以称为“推理期”,因为当时的研究方向是赋予计算机推理的能力,人们认为只要能赋予机器逻辑推理能力,机器就具有智能。这一时期主要是通过对机器的环境及其相应性能参数的改变来检测系统所反馈的数据,最具代表性的研究就是在1959年首次提出机器学习定义,被誉为机器学习之父的Arthur Samuel的西洋跳棋程序。这一程序通过模拟,自己跟自己下了上万盘棋,然后通过观察哪种布局(棋盘位置)会赢,哪种布局会输,久而久之,这个西洋跳棋程序便知道了什么是好的局部,什么是坏的布局。

同时,20世纪50年代末60年代初,连接主义(connectionism),尤其以感知机(perceptron)为代表的脑模型研究出现热潮。连接主义学派认为,人工智能源于仿生学,重心在对人脑模型的研究,起源于1943年生理学家McCulloch和数理逻辑学家Pitts提出的人工神经网络的概念和人工神经元的数学模型。到了1958年,美国神经学家Frank Rosenblatt提出并发明了可以模拟人类感知能力的机器——感知机,该机器设计用于图像识别,由400个光电管排列组成,随机连接到神经元,模拟人脑进行识别,引起了连接主义的热潮。尽管感知机最初被认为有着良好的发展潜能,用现在的眼光看,它仍然是神经网络和支持向量机的基础,但很快被证明无法接受训练来处理许多模式识别问题。

到20世纪60年代中后期,符号主义(symbolism)开始蓬勃发展。符号主义学派认为,人工智能源于数理逻辑,早在1957年,Newell和Simon发明的逻辑理论家(logic theorist)以及后来的通用问题求解(general problem solving),在数学定理的证明能力方面,与人工方法相比,成就更卓越,两位学者也因此获得了1975年的图灵奖。在60年代中后期,更是因为Patrick和Winston的结构学习系统,Rszard S. Michalski的基于逻辑的归纳学习系统及Earl. B. Hunt的概念学习系统等得到了蓬勃发展。然而,随着机器学习领域的向前发展,人们渐渐意识到机器仅仅具有逻辑推理能力还不足以实现人工智能,Edward Feigenbaum等认为,要想使机器具有智能,就得想办法让机器拥有知识,Feigenbaum说过:“知识是人工智能的力量”。在他们的倡导下,机器学习迎来了它的第二阶段——知识期。

第二阶段(知识期)在20世纪70~80年代。在这一时期,人们试图将知识传输给计算机。程序系统在Feigenbaum的带领下,专家系统诞生了,专家系统作为早期人工智能的重要分支,是一种在特定领域内具有专家水平解决问题能力的程序系统。专家系统一般由知识库和推理引擎组成,根据一个或多个专家提供的知识和经验,通过模拟专家的思维过程,进行推理和判断。第一个成功的专家系统DENDARL在1968年问世,这样把知识融合在机器中,让机器能利用专家知识解决问题的方式在1977年被Feigenbaum命名为知识工程。Feigenbaum身为“知识工程之父”在1994年获得图灵奖。

同一时期,以决策理论为基础的学习技术及强化学习技术等也得到了发展,代表工作有N. Nilson的学习机器等;后来红极一时的统计学习理论的一些奠基性结果也是在这一时期取得的。但是,人们逐渐意识到,专家系统面临着知识工程瓶颈,知识获取难、表达难,人们难以自己把知识总结出来输送给计算机,因此,人们想到能不能让计算机自己总结知识?于是,机器学习的第三阶段——学习期于20世纪80年代来临了。

第三阶段(学习期)机器学习渐渐成为一个独立的学科领域,各种机器学习技术百花初绽。1980年,美国卡耐基梅隆大学举行了第一届机器学习研讨会;同年,《策略分析与信息系统》连续出了三期机器学习专辑。1983年,Michalski、Carbonell和Mitchell主编的《机器学习:一种人工智能途径》出版,对当时的机器学习研究工作进行了总结。书中Michalski等将机器学习研究划分为"从样例中学习""在问题求解和规划中学习""通过观察和发现学习""从指令中学习"等种类;Feigenbaum等在《人工智能手册》(第三卷)中,则把机器学习划分为"机械学习""示教学习""类比学习""归纳学习"。其中,"归纳学习"相当于Michalski等所说的"从样例中学习",即从训练样例中归纳出学习结果,是20世纪80年代以来研究最多、应用最广的一部分。

这一时期,"从样例中学习"的一大主流就是符号主义学习,其中最具代表性的就是决策树和基于逻辑的学习。决策树学习以信息论为基础,以信息熵的最小化为目标,直接模拟了人类对概念进行判定的树形流程,由于决策树简单且便于使用,直到今天依然在使用。

20世纪90年代,连接主义学习的缺陷渐渐凸显,人们渐渐把视线聚焦到以统计理论作为基础的机器学习技术上。统计学习(statistical learning)横空出世并以迅猛的速度登上主流舞台。早在1963年,Vladimir N. Vapnik和Alexey Ya. Chervonenkis就研究出了VC理论,试图从统计角度解释学习过程,这也是最原始的支持向量算法。同时,1964年,核感知机(kernel perceptron)被发明出来,它采用核函数计算训练样本和验证样本的相似性,是第一个非线性内核分类学习机。但直到90年代初期,Bernhard E.Boser、Isabelle M.Guyon和Vladimir N.Vapnik提出了一种将核技巧应用于最大边距超平面的方法来创建非线性分类器,将核方法和支持向量机两者统一起来,形成了高效的支持向量算法,在20世纪90年代中期的文本分类应用中表现出色。再加上人们意识到连接主义学习的局限性,统计学习理论成为当时的主流。但实际上,连接主义学习和统计学习依旧息息相关,放眼今天,在机器学习的每一处都能窥探到支持向量机、核方法的"身影",连接主义学习和统计学习都成为机器学习基本内容的一部分。

21世纪,人类迈入了大数据时代,存储与计算设备都得到了空前绝后的增强,就单内存来说,20世纪60年代国际商用机器公司推出的1301HDD,其体型巨大像个微波炉,但硬盘容量仅仅只有28 MB,反观现在,巴掌大的硬盘就可以容纳几百GB甚至是几TB的内存,再加上现在图形处理器的飞速发展,计算能力突飞猛进。因此,连接主义学习再次掀起了热潮,这次热潮名为"深度学习"。深度学习,简单地说就是很多层的神经网络,在图像等复杂对象的应用中表现优异。相较于以往机器学习技术对使用者的高要求,深度学习技术虽然原理复杂,也正因其模型复杂,只需要选择合理的参数,就能取得优异的效果,因此对使用者的技术门槛要求没有那么高,只需要进行一定程度上的调参就好了,为机器学习技术走向各行各业、各个领域提供了便利。

(三)应用现状

1. 机器学习在医学图像中的应用现状

机器学习因为在计算机辅助诊断和决策支持系统中表现的优越性和潜能,使人们对其在医学领域中的应用产生了巨大兴趣并付诸应用，以期获得更好的疗效和更高的效率，目前已经在药物研发、远程患者监测、医疗诊断和成像、风险管理、虚拟助理等领域有所应用。尤其是在医学影像学领域的应用较为广泛。与传统的人工视觉评估方法相比，机器学习擅长识别成像数据中的复杂模式和人工无法检测到的图像信息，并能提供自动化的定量评估。此外，机器学习还可以将多个数据流汇聚到强大的综合诊断系统中，包括影像学、基因组学、肿瘤学、病理学及外科学等，进而补充临床决策。例如，机器学习在鼻咽癌、脑肿瘤、结直肠癌等医学领域也均有所发展。2010 年，Summers 等通过计算机搜索结肠壁以寻找息肉样的突出物，并向临床医生提供可疑区域的列表以做进一步分析。10 年来，计算机辅助息肉检测在实验室环境中得到了迅速的发展，其灵敏度可与专家相媲美。与有经验的阅片者相比，计算机辅助息肉检测更倾向于帮助没有经验的阅片者，而且可以提高结肠镜检查的准确率。2017 年，Zhang B 等基于图像模式和基于机器学习的分类器对鼻咽癌影像学图片构建计算机辅助设计系统，从而建立一个更客观、更高效的鼻咽癌分类系统。2018 年，Zhou M 等描述了从脑肿瘤放射图像中提取定量特征的一套广泛的机器学习方法，这些影像特征可用于肿瘤的影像学诊断、预后和治疗反应。

除了肿瘤以外，机器学习在医学的其他领域也应用甚广。2018 年，Chen 等利用卷积神经模型通过胸部 CT 医学影像报告单对肺栓塞进行诊断，发现此模型精度为 99%，曲线下面积为 0.97。优于传统的自然语言处理模型。此外，对于神经退行性疾病如阿尔茨海默病（Alzheimer's disease，AD），机器学习算法也发挥着自己的优势，通过对头部数字 PET 片和相关生物标志物的智能分析，大大提高对早期阿尔茨海默病的诊断率。并且，机器学习能在 PET-CT 的图像重建和衰减校正方面发挥重要作用，从而获得更高分辨率和更精确的图像，为相关疾病提供更好的诊断依据。

2. 机器学习在法医人类学骨龄中的应用现状

无论是过去的骨龄百分位计数法、图谱法，还是近年来使用的计分法、数学模型法，对于骨骺发育分级的判定，是实现骨龄评估的首要步骤。法医学骨龄鉴定意见的准确与否，与骨骺发育分级的判读结果直接相关。因此，骨骺分级的判定是骨龄评估结果最为关键的一个环节，骨骺 DR 摄片的自动识别是实现骨龄评估计算机化的关键所在。人体骨关节在 DR 摄片的成像与人脸识别相类似，支持向量机均可以对图像中的黑色、白色和灰色像素运用数据挖掘方法实现图像特征提取，因此，支持向量机可应用于躯体各大关节骨骺发育分级的确定。骨关节图像模式识别的研究，是在数字化采集数据的基础上，对骨关节图像的采样方案进行了拟定，识别对象选取了某一发育阶段的骨骼，当然，对于其他发育阶段的骨骼来说，识别方法也是一样的，只不过需要将模板容量扩展到各个发育阶段。因此，对骨关节进行图像及其特征点抽取并经预处理后，就可以运用模式识别技术自动识别被提取的目标图像，建立骨龄评估统计模型来评定骨龄。支持向量机可以实现骨骺发育分级自动化判定的过程，有助于完成计算机化骨龄评估系统的研究，其独特优势主要体现在：①支持向量机可以对骨骼图像中的黑色、白色和灰色像素运用数据挖掘方法实现图像特征提取，可以较为准确地进行骨骺发育分级的判读；②骨骺发育分级与年龄并非完全线性相关，支持向量机尤其适用于这种非线性相关的图像识别；③支持向量机可在一定程度上避免人工读片的骨骺分级误差，该方法更具有科学性、客观性。

（1）机器学习在手腕部摄片的骨龄评估：手腕部骨骼一直是骨龄研究学者们最感兴趣的区域之一，因为该解剖区域骨骼形态不一，可以反映躯体长管状骨、短管状骨、不规则骨等的发育程度。2014 年，司鉴院王亚辉团队将支持向量机运用于手腕部尺、桡骨远端骨骺发育分级的自动化评估中。研究者选用已知骨骺发育分级的 140 例（1、2、3、4、5 等级各 28 例）尺、桡骨远端 DR 摄片作为训练样本，运用支持向量机分别对尺骨和桡骨远端各个分级进行建模，计算得出两者训练集模型准确率均为 100%，之后通过留一法交叉验证进行模型内部验证，得到训练集的模型准确率分别是 80.0%（112/140）和 78.6%（110/140），之后随机选取 35 例测试样本通过梯度方向直方图对模型进行外部检验，得到的测试集模型准确率分别是 88.6%和 82.9%，从而极大地提高了阅片者的阅片速率，但仍需要相关专家进行最终的骨龄评估。此外，中指区域特征点的表现要优于其他手腕区域。中指、示指、环指的组合产生的效果最优。该方法鲁棒性强、易实现。相比于 Pietka 等的方法，其不需要语义特征和地图册的标注。以上均是基于机器学习领域浅层学习方法而进行的骨龄评估。2018 年，Koitka 团队以来自北美放射学会儿科骨龄挑战赛的 240 张微调过的人工注释手部 X 线片作为训练集，另外 89 张作为验证集，以各掌、指骨骨骼生长区为特征提取点，分别提取感兴趣特征，使用 Inception-ResNet-V2 作为底层特征提取器，Faster-RCNN 模型来运行。最后得到的结果精度为（92.92±1.93）%。2019 年，Štern 团队分别使用深度卷积神经网络和射频脉冲网络对 328 名白种人男性的手部三维 MRI 图谱进行训练并在二维 X 线片中进行验证，结果显示，对于 13～18 岁的青年，深度卷积神经模型的绝对偏差为（0.37±0.51）岁，射频脉冲模型的绝对偏差为（0.48±0.56）岁，均显著优于放射学家预测的年龄。

（2）机器学习在膝关节摄片的骨龄评估：O'Connor 等提出的膝关节骨骼成熟度量表，该量表涉及骨骺形态变化及骨骺闭合程度等 10 个指标，新版量表将其指标缩略至 7 个。但以上均是基于阅片者的定性比较。2019 年，王亚辉等采集了 500 例 12～19 岁我国维吾尔族青少年的膝关节 DR 摄片，采用支持向量回归（support vector regression，SVR）构建骨龄评估算法模型。就骨龄评估的准确率而言，误差范围为±0.8 岁及±1.0 岁更适用于支持向量机回归法评价小样本青少年骨龄。

近年来，万雷等将膝关节 MRI 图像结合支持向量机、卷积神经网络方法进行骨龄评估，准确率在 80%左右。该模型类似用于 U-NET 的编码器解码器模型。此外，该模型对训练集的噪声具有鲁棒性。

综上，目前基于机器学习的骨龄评估，主要集中于青少年，所选用的骨骼指标主要为腕关节、膝关节、骨盆等部位，并且，髂嵴以上腹部器官叠加产生的伪影也可能会影响结果的准确性。这可能是导致精度不足的原因之一。

随着机器学习的迅速发展，在骨龄评估领域的应用也日趋成熟，机器学习所使用的影像图片从最开始的 DR 摄片到 CT 片，再到 MRI 片甚至是三维重组 MRI 片。使用的人工智能技术网络算法从最开始的浅层算法如支持向量机、随机森林主成分分析到现在广泛应用的深度学习。当前，机器学习网络模型、算法日新月异。在今后在未成年人、成年人骨龄研究中，可以寻求与人体不同骨骼指标相适应的机器学习网络模型、算法，以期进一步提高骨龄评估的精度和准确性。同时，可以综合不同关节骨骺指标，利用某一类网络结构、算法，采用优势互补原则、算法组合原则，充分体现机器学习在骨龄评估中的实用价值。

二、策略与架构

机器学习的方法虽然多种多样,但是其核心基本上都由数据、模型、算法 3 个要素组成。如果用一句话概括这 3 个要素间的关系,那么可以是算法通过在数据上运算产生模型。这也阐述了机器学习的一个基本流程。

(一)数据(data)

数据在机器学习中决定了学习结果的上限,相对而言算法只能是尽可能地逼近这个上限。平时我们所说的数据,一般指的都是原始数据(raw data),原始数据的形式可以是文字、图片、视频或是音频。但是,计算功能处理的只是数值,其他形式的数据是无法直接进行计算的。因此,我们需要构建一个向量空间模型(vector space model,VSM),将不同形式的原始数据转换成数字向量的形式。在原始数据通过向量空间模型被转换为向量后,我们就得到了机器学习需要的数据集(data set),并且一般数据集会被划分为 3 类:训练集、验证集、测试集。

训练集(training set)是用于训练模型时的数据样本,拟合的是模型的内部参数。训练集一般由输入向量和对应的输出向量组成,通过将每个输入向量带入模型生成结果,并将结果与相应的输出向量进行比较,根据比较结果和算法对模型的参数进行调整。

测试集(validation set)是独立于训练集的数据集,最好遵循与训练集相同概率分布,用于对最终生成的模型进行性能评估。为了避免模型的过度拟合,除了调整必要的参数外,我们还需要一个验证集。

验证集(test set),有时也称开发集,同样需要遵循与训练集的概率分布相同,并且往往会将训练数据直接分成训练集和验证集两块,可以用于对模型的拟合能力进行一个初步评估,即在使用训练集训练候选算法时,使用验证集来比较其算法性能,从而选择合适的算法,最后再用测试集来测试效果。同时,验证集也可以用于调整模型的超参数。超参数指的是在模型开始学习之前就已经设置好的参数,就拿人工神经网络举例,神经网络的层数就是超参数,两个神经元间的权重系数为模型内部参数,在训练时不会对超参数进行调整,只会训练模型内部参数,因此需要通过验证集来训练超参数,以减小泛化误差。同时,我们也常常使用交叉验证(cross validation)的方法,将训练数据重复地划分为不同的数据集和验证集,或者说是在训练数据中重复选取一个随机子集作为验证集,然后用这些不同的划分对模型进行训练及验证,其目的不是选择具体模型的具体参数,而是为了选择不同的模型类型。

(二)模型(model)

模型是指描述客观世界的数学模型,是从数据中抽象出来的一种规律,是机器学习的结果和目的。模型可以是一个条件概率分布,也可以是一个决策函数。

(三)算法(algorithm)

算法在机器学习中起到至关重要的作用,而算法根据它在机器学习中的目的大致可以分为 3 类:表示(representation)、评估(evaluation)、优化(optimization)。

机器学习中用于表示的算法有支持向量机等,为机器学习选择一个用于表示的算法意味着选择一种特定的分类器集合,机器学习产生的模型结果只能在这个集合里,这一集合也被称为该机器学习的假设空间(hypothesis space)。例如,对于鸢尾花数据集,如果我们选择决策树算法作为我们的表示算法,那么我们最终生成的模型就只可能是决策树分类器。用于评估的算法往往是一个评价函数,用于对机器学习训练时的结果进行打分判断优劣。最后,我们需要一个在假设空间中找到使得评价函数打分最高的模型参数,因此我们需要有一个用于优化的算法对这样的模型参数进行搜索,这一算法的选择决定了机器学习优化的效率,常用的优化算法有最小二乘法、梯度下降法等。

(四)流程架构

机器学习是一个流程性很强的工作,虽然机器学习中的算法或技巧很多,但是流程往往万变不离其宗,如图 2-6 所示,一个完整的机器学习流程大致可以分为以下几步:

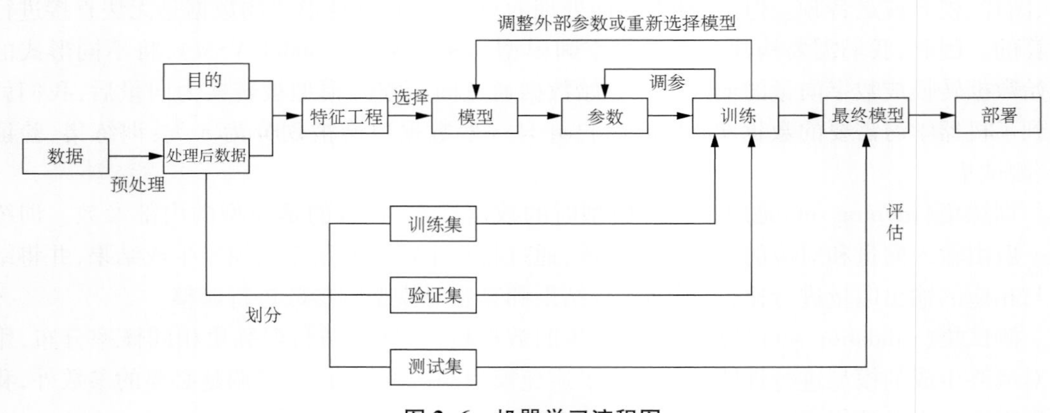

图 2-6 机器学习流程图

1. 数据预处理 数据作为机器学习的一大重要组成部分,首先要对数据(如影像学图片)进行预处理,我们手头的原始数据往往会出现异常、缺失、分布不均匀等情况,因此需要我们对数据进行清洗、采样等的预处理工作。例如,我们要进行以青少年骨龄评估为目的的机器学习,我们采集到的数据应该是青少年个体的骨骼影像学资料,数据中如果出现了不符合拍摄要求的图片,我们就应该将其视作是异常点删除,以免影响后续的训练过程。而如果我们遇到了某一个年龄段影响学资料缺失或是各年龄段骨关节 DR 摄片数量分布不均匀、不平衡的情况,我们训练的分类器将在这些少数情况上表现欠佳。因此,我们常常会采用过采样、欠采样或是加权采样等方法,对缺失或缺少的数据进行补充。所谓欠采样,简单地说就是在占比相对较多的数据中采样,使得这部分数据的样本数量与占比较少的数据样本数量一致,然后再进行训练;过采样则恰恰相反,是把占比少的数据扩增到占比多的数据样本数量。但这两种方法都有相应的问题,当欠采样采集某类型数据的少部分数据时,可能会导致那一类型数据在训练过程的信息缺失;同样地,当使用过采样对某一类型数据的数据进行补充时,可能会导致模型训练结果过拟合的情况。如果我们对两种方法进行一个折中,对较少的数据类型进行补充,对较多的数据类型进行采样,这就是我们所谓的加权采样,加权采样是一种较为稳妥的采样方法。

2. 特征工程 在进行简单的数据预处理过后,数据的规范性得到了一定的提升,可以进行接下来的初步的特征工程。特征工程主要内容大致可以分为两部分:

(1) 特征构造:对于一些数据集,可能刚开始我们无法通过肉眼观测到特征或是特征不明显,那么可以通过特征构造的方法,对数据进行一定的加工处理,使原本的特征放大或使之产生新的特征。对于不同类型的数据,特征构造会有不同的处理方法,如果将数据分为连续型和离散型,那么对于连续型数值数据,我们会经常进行归一化(normalization)和标准化(standardization)的处理。所谓归一化,就是把数据全都放缩到[0, 1],对于数据集 X, 经过归一化处理的新数据集 $X' = \frac{X_i - X_{\min}}{X_{\max} - X_{\min}}$, 同样地,经过标准化处理的新数据集 $X'' = \frac{X_i - \mu}{\sigma}$, 其中 μ 和 σ 代表原数据集的平均值和标准差。可以发现,归一化是将数据缩放到[0, 1],而标准化虽然也是缩放,但是由于缩放的标准取决于数据的均值和标准差,结果不仅限于[0, 1],更加富有“弹性”。归一化和标准化本质上都是一种线性变换,通过对数值型的数据进行一定缩放和平移,使得特征更加明显,同时也能使数据变得更加平缓,从而使得训练时寻找最优函数的收敛过程变得更加迅速,找到的最优解更加精确。

有时我们也会进行连续数据离散化的操作,本质就是对连续数据进行一个划分,将其划分成一块一块的离散数据。例如,我们采集到的青少年个体骨关节 DR 摄片年龄在 11.0~20.0 岁,此时可以将图像根据年龄以每 1 岁为区间划分为 11.0 岁、12.0 岁、13.0 岁……共 10 个类别,每类分别对应 1 岁年龄区间,把落在相应区域内的数据赋上该区域对应的值,就完成了离散化的工作。常用的连续数据离散化的方法有二值化处理(设定一个划分的阈值,将大于该值的数据赋值 1,小于该值的数据赋值 0),分箱法(通过考虑一个数据相邻的数据的值来进行划分,有等宽分箱法、等频分箱法、卡方分箱等形式),聚类算法(通过聚类算法把数据聚成几类,每一类都是一个划分)。这样离散化的好处是可以使原本相对复杂的连续型数据复杂度降低,同时等于构造出了特征,消除了数据多余的部分。

而对于离散型的数据,这里特指非数值型的类别型数据,如黄色、红色等,我们需要将它们重新编码成模型可以识别的数值型数据。最简单的,如果我们的类别之间有大小之分,可以用数字进行编号,如成绩数据分为优、良、中、差,可以编号为 1、2、3、4。如果类型之间不能相互区分大小,我们可以采用 one-hot 编码的方法,将数据特征用向量表示。例如,对于某物体,它上面可能有黄色、红色、绿色。我们将有黄色的物体记作(1,0,0);有红色的物体记作(0,1,0);有绿色的物体记作(0,0,1);那么既有黄色又有红色的物体记作(1,1,0),3 种颜色同时存在的物体记作(1,1,1),以此类推,这样一来所有数据都能用这种编码形式表示。

(2)特征选择:当特征被构造出来后,我们需要从中选择部分特征或是对特征进行降维操作使得机器学习训练的难度降低。一般来说,特征选择的依据有两点:一个是特征的离散程度,如果数据样本的某个特征的值方差近乎 0,说明在这一特征上基本没有差异,则这一特征对区分数据没有什么用;另一个是要看特征与学习目标的相关性,应该优先选择与目标高度相关的特征,同时剔除相关性不高的特征。

特征选择的方法大致可以分为过滤法(filter)、包装法(wrapper)、嵌入法(embedded)3 类。①过滤法主要侧重于分析单个特征与目标变量间的相关性,可以用方差分析、卡方检验、相关系数等统计学方法进行相关性分析,但是其显而易见的缺点就是过滤法只考虑单个特征,对可能的提高效率的特征组合不作考虑。②包装法利用选择的特征子集对数据集进行训练,以训练结果的准确率作为衡量该子集的标准,从而选出最好的特征子集。包装法常用稳定性选择和递归特征选择等方法，相比于过滤法，包装法选择的是特征子集，所以会考虑到特征间的组合，但是代价是一旦特征数量过多，计算时间将会很长；如果特征数量过少，其又会有过拟合的问题。③嵌入法试图结合前两种方法的优点，在训练的过程中计算各个特征的权重系数，根据系数从大到小地选择特征。实际上，像支持向量机和决策树等部分机器学习算法对特征比较敏感，比较容易运用到特征选择的任务中甚至是本身就具有对特征打分的机制。

3. *模型的选择与训练* 至此，数据的初步处理才算完成，紧接着就需要选择合适的机器学习模型对数据进行训练。然而，机器学习的模型和算法各种各样且千变万化，光是上文提及的就有许多，我们选择模型的时候要通过对数据进行分析，根据数据的实际情况选择模型，如最简单的，观察数据有没有标签，如果有就用监督学习的算法和模型，如果没有就用无监督学习的算法和模型。选择完模型后就可以正式进行数据训练，我们将数据集划分为训练集、验证集、测试集，首先通过训练集对模型做初步训练，目的一般是找到使代价函数(cost function)最小化的模型内部参数，如果该参数被找到也就说明我们得到了这一模型的最优解。其次，通过验证集来对模型进行进一步的训练，验证集的训练主要是通过对模型选择进行一定的调整，可以是调整模型外部参数也可以是重新选择模型，然后将新的模型再次使用训练集训练，再将几种模型的结果进行比较，选择效果较好的那个模型作为最终模型。最后，再使用测试集对最终模型进行性能的评估。可以发现，验证集和测试集的目的和用处其实差不多，都是对模型进行评估，只不过验证集是在训练时对模型进行评估和比较，增强模型的泛化能力，而测试集仅仅用于对最终模型进行性能评估。

4. *模型的评估与性能度量* 在上述过程中，对验证集进行训练后，需要用某些方法去评估模型从而在模型之间比较挑选，在用测试集最终测试时，同样也需要对模型进行评估，这样才能知道模型的好坏。也就是说，我们需要一些指标和算法来帮助我们衡量模型的泛化能力和好坏。针对不同的问题，不同的模型需要用不同的指标和算法，具体算法将在下文进行阐述。至此，我们取得了一个机器学习问题的最终模型和其评估结果，如果结果符合预期且达到效果，便可以选择将其部署使用。

三、类型与算法

（一）类型

根据需要解决的问题与任务不同，机器学习的类型也不尽相同，其类型通常可以分为监督学习、无监督学习、半监督学习、强化学习。

1. 监督学习

监督学习(supervised learning)是从有标记的训练数据中训练出一个有推断功能模型的机器学习任务。其训练数据由一个输入对象和一个期望的输出值(也称为监督信号)组成，最终理想模型会由一个推断函数组成，当你输入一个训练数据之外的新对象时，会输出一个正确的标签。适合监督学习的算法有很多，将在后文中进行详尽介绍，但都主要考虑以下4个问题。

(1) 权衡偏差与方差：一般而言，随着模型复杂度上升，方差会增加，而偏差则会下降，高偏差意味着欠拟合，高方差意味着过拟合，我们需要从中进行权衡和取舍。

（2）函数复杂度与训练数据量：这个问题的关键在于理想情况下推断函数的复杂度，如果这一函数很简单，那么只需要少量的训练数据并使用具有高偏差和低方差的学习算法进行学习，相反地，如果很复杂，则需要大量的训练数据并使用有低偏差和高方差的学习算法进行学习。

（3）输入空间的维数：如果特征向量具有很高的维数，哪怕我们的推断函数只关心小部分特征，训练也会由于其余维度的混淆变得困难。

（4）输出值中的噪声：在实际训练中，很有可能会受到随机噪声或是确定噪声的干扰，对训练产生负面效果甚至是出现过拟合的情况，往往需要人为加以控制，如在训练时加入正则项采用提前停止（early stopping）的方法防止过拟合，或者干脆直接对训练数据进行降噪处理。

2. 无监督学习

相对于监督学习，从字面意思上来看，无监督学习（unsupervised learning）就是指没有人工监督的学习，也就是说其输入的数据集都没有标签，需要算法自行在数据中寻找模式。无监督学习主要解决聚类、关联、异常检测等问题，其算法与思路均与数据挖掘高度相关。

3. 半监督学习

半监督学习（semi-supervised learning）结合了监督学习与无监督学习，介于两者之间，它的数据集由少量的带标签的数据和大量的无标签数据组成。半监督学习的好处在于，由于标记数据的需求减少，数据成本大大降低，同时在训练过程中，可以利用未标记数据对训练结果做一个测试，根据测试结果的可靠度对训练结果进行评估，从而优化训练进程。我们以鸢尾花数据集为例，对于半监督学习，我们假设数据集中大部分数据是未经标记也就是没有标签类别的，然后在训练过程中得到了两种分类器，让它们都去对一个数据集中未标记的数据进行分类并分别计算可靠度，然后选取可靠度较高的结果进行进一步的机器学习。但是，为了更好地利用数据集中未标记的数据，我们必须对数据分布做基本性假设。常用的假设有连续型假设（continuity assumption，指距离很近的两个数据的标签类似），聚类假设（cluster assumption，指位于同一聚类的两个数据的标签类似），流行假设（manifold assumption，指在一个很小的局部区域内的数据标签类似）。通过研究可以发现，3 个假设大同小异，本质都是一样的，只有关注点不同。

4. 强化学习

强化学习（reinforcement learning）是让计算机以不断试错的方式进行学习，在学习的过程中与环境进行交互获得指导，如果计算机的选择是正向的，那么将会获得“奖赏”；反之则会得到“惩罚”。与监督学习不同的是，强化学习中“奖赏”和“惩罚”的强化信号不会告诉计算机应该怎么做、怎么做是正确的，只能告诉计算机自己这样做是正确或是错误的，全靠计算机自己学习。最基本的强化学习模型为马尔可夫决策过程（Markov decision processes，MDP），其理论基础为马尔可夫链，具体原理算法模型将在下文中提到。

（二）算法

根据上文的叙述，机器学习中的算法根据目的大致可以细分为评估、优化、表示 3 类。实际上我们现在一说到算法，大家会想到支持向量机、线性回归等名词，这些都仅仅是用于表示的算法的名称,评估及优化算法也是其重要组成部分,可以说我们现在常常说的算法就是由评估、优化、表示 3 部分组成的。接下来,我们分别从这 3 部分入手,挑选一些常用或是重要的部分,对机器学习的算法进行基本介绍。

1. 评估

关于用于评估的算法,主要是由几个评估指标组成,在介绍这些评估指标之前,为了方便起见,我们需要先解释一些定义。

(1) 正负样本:属于某一类别或是符合某一标签的样本称为正样本,反之称为负样本。真阳性(true positive,TP)表示模型输出结果为正样本,实际数据为正样本。假阳性(false positive,FP)表示模型输出结果为正样本,实际数据为负样本。假阴性(false negative,FN)表示模型输出结果为负样本,实际数据为正样本。真阴性(true negative,TN)表示模型输出结果为负样本,实际数据为负样本。

(2) 准确率(accuracy):表示模型输出结果中正确的正样本和负样本占所有样本的比例。

公式:

$$\text{准确率} = \frac{TP + TN}{TP + FP + FN + TN}$$

(3) PR 曲线:简单地说就是由召回率作为横轴,精确率作为纵轴的曲线,整条曲线由调整概率输出阈值形成,如果一个模型结果的 PR 曲线被另一个模型结果的 PR 曲线完全包住,我们可以说后者的模型性能比前者要好。

(4) ROC 曲线:与 PR 曲线有些类似,但是它的曲线横坐标为假正样本率(false positive rate,FPR),纵坐标为真正样本率(true positive rate,TPR)

公式:

$$FPR = \frac{FP}{TN + FP}$$

$$TPR = \frac{TP}{TP + FN}$$

ROC 曲线同样是通过调整阈值生成的,我们可以通过计算 ROC 曲线下的面积(area under the curve,AUC)来衡量模型的性能。与 PR 曲线不同的是,当数据中的正负样本发生变化时,PR 曲线可能会产生剧烈变化,而 ROC 曲线能够保持不变。

(5) 平均绝对误差(MAE):是绝对误差的平均值,能很好地反映模型输出值的真实误差情况。

公式:

$$MAE = \frac{1}{n}\sum_{i=1}^{n} |y_i - \hat{y}_i|$$

式中,y_i 表示样本的真实值,$\hat{y}_i$ 表示模型输出的结果。

(6) 均方误差(MSE):对误差开平方处理以放大误差。

公式：

$$\text{MSE} = \frac{1}{n}\sum_{i=1}^{n}(y_i - \hat{y}_i)^2$$

（7）均方根误差（RMSE）：顾名思义就是对均方误差开根号，均方根误差和均方误差就类似于标准差和方差。在样本量不是很多的情况下往往会对无偏估计使用方差，对有偏估计使用均方误差。

公式：

$$\text{RMSE} = \sqrt{\frac{1}{n}\sum_{i=1}^{n}(y_i - \hat{y}_i)^2}$$

2. 优化

（1）最小二乘法：如果要细分，可以分为普通最小二乘法、加权最小二乘法、广义最小二乘法，这里主要介绍普通最小二乘法（ordinary least squares，OLS）。普通最小二乘法早在18世纪初就被提出并用于天文研究，是一种实用性很强的数学优化技术。

我们假设在 x、y 坐标系中有若干个数据点需要用线性模型拟合，最小二乘法就是给出了一种拟合的方法：使所有数据点到该直线的竖直方向的距离之和最小的直线就是所求的拟合直线。

如果我们用公式来表示，假设有 n 个 p 维的数据点，记作 $\{x_{i1}, x_{i2}, \cdots, x_{ip}\}_{i=1}^{n}$，线性模型记作：

$$\boldsymbol{Y} = \boldsymbol{X\beta} + \boldsymbol{\varepsilon}$$

式中，Y 为因变量块，X 为自变量块，β 为权重参数，ε 为系统随机误差。

$$\boldsymbol{Y} = \begin{pmatrix} y_1 \\ y_2 \\ \vdots \\ y_n \end{pmatrix}, \boldsymbol{X} = \begin{pmatrix} 1 & x_{11} & \cdots & x_{1p} \\ 1 & x_{21} & \cdots & x_{2p} \\ \vdots & \vdots & \ddots & \vdots \\ 1 & x_{n1} & \cdots & x_{np} \end{pmatrix}, \boldsymbol{\beta} = \begin{pmatrix} \beta_0 \\ \beta_1 \\ \beta_2 \\ \vdots \\ \beta_p \end{pmatrix}, \boldsymbol{\varepsilon} = \begin{pmatrix} \varepsilon_0 \\ \varepsilon_1 \\ \varepsilon_2 \\ \vdots \\ \varepsilon_n \end{pmatrix}$$

那么根据最小二乘法，我们要做的就是寻找参数 $\boldsymbol{\beta}$，从而使所有数据到该线性模型的 y 轴距离最小，也就是说，我们要求解的是

$$\hat{\boldsymbol{\beta}} = \text{argmin} \| \boldsymbol{X\beta} - \boldsymbol{Y} \|^2$$

设 $L(\boldsymbol{\beta}) = \| \boldsymbol{X\beta} - \boldsymbol{Y} \|^2 = (\boldsymbol{X\beta} - \boldsymbol{Y})^{\mathrm{T}}(\boldsymbol{X\beta} - \boldsymbol{Y}) = \boldsymbol{Y}^{\mathrm{T}}\boldsymbol{Y} - \boldsymbol{Y}^{\mathrm{T}}\boldsymbol{X\beta} - \boldsymbol{\beta}^{\mathrm{T}}\boldsymbol{X}^{\mathrm{T}}Y + \boldsymbol{\beta}^{\mathrm{T}}\boldsymbol{X}^{\mathrm{T}}\boldsymbol{X\beta}$
式中，$L(\beta)$ 为损失函数，T 为转置操作。

则有

$$\frac{\mathrm{d}L(\boldsymbol{\beta})}{\mathrm{d}\boldsymbol{\beta}} = \frac{\mathrm{d}(\boldsymbol{Y}^{\mathrm{T}}\boldsymbol{Y} - \boldsymbol{Y}^{\mathrm{T}}\boldsymbol{X\beta} - \boldsymbol{\beta}^{\mathrm{T}}\boldsymbol{X}^{\mathrm{T}}\boldsymbol{Y} + \boldsymbol{\beta}^{\mathrm{T}}\boldsymbol{X}^{\mathrm{T}}\boldsymbol{X\beta})}{\mathrm{d}\boldsymbol{\beta}}$$

$$= -2\,\boldsymbol{Y}^{\mathrm{T}}\boldsymbol{X} + 2\boldsymbol{\beta}\,\boldsymbol{X}^{\mathrm{T}}\boldsymbol{X}$$

由于 $L(\boldsymbol{\beta})$ 显然为凸函数，因此 $\widehat{\boldsymbol{\beta}}$ 位于梯度为 0 处，满足 $\frac{\mathrm{d}L(\boldsymbol{\beta})}{\mathrm{d}\boldsymbol{\beta}} = 0$。

那么，

$$\frac{\mathrm{d}L(\widehat{\boldsymbol{\beta}})}{\mathrm{d}\widehat{\boldsymbol{\beta}}} = -2\,\boldsymbol{Y}^{\mathrm{T}}\boldsymbol{X} + 2\,\widehat{\boldsymbol{\beta}}\,\boldsymbol{X}^{\mathrm{T}}\boldsymbol{X} = 0$$

$$\Rightarrow \boldsymbol{Y}^{\mathrm{T}}\boldsymbol{X} = \widehat{\boldsymbol{\beta}}\,\boldsymbol{X}^{\mathrm{T}}\boldsymbol{X}$$

$$\Rightarrow \boldsymbol{X}^{\mathrm{T}}\boldsymbol{Y} = \boldsymbol{X}^{\mathrm{T}}\boldsymbol{X}\widehat{\boldsymbol{\beta}} \Rightarrow \widehat{\boldsymbol{\beta}} = (\boldsymbol{X}^{\mathrm{T}}\boldsymbol{X})^{-1}\,\boldsymbol{X}^{\mathrm{T}}\boldsymbol{Y}$$

至此，我们通过最小二乘法并求解正规方程，得到了这一线性模型的最佳参数 $\widehat{\boldsymbol{\beta}}$。

(2) 梯度下降法：在介绍梯度下降法之前，不妨先想象这样一个场景，一个人被困在山上并试图下山，但是山上的雾气使能见度很低，下山的路径只能靠脚边的信息来决定。那么这个人该怎么做才能最快下山？梯度下降法告诉我们，应该沿着自己身边下降最陡的下坡方向前进，最终将很快找到下山的路或是卡在某个洞中。梯度下降法是一种用来寻找可微函数的局部最小值的迭代优化方法，从数学的角度来看，一个函数梯度的方向就是其增长速度最快的方向，那么反过来，梯度的反方向就是其减小最快的方向，这也是梯度下降最核心的思想。在这种类比中，下山就是我们的目标，也就是寻找局部最小值，路的陡峭程度代表着误差曲线的斜率，整个下山过程就像是这一算法的运作流程，沿着山路最陡也就是斜率最大的方向前进。

而在机器学习中，因为我们经常需要对损失函数进行最小化的操作，梯度下降法被广泛运用。下面将用数学语言对梯度下降法进行具体描述：

对于一个函数 $f(\boldsymbol{X}) = f(x_1, x_2, \cdots, x_n)$，要求取其最小值，我们假定从一个初始点 $\boldsymbol{X}^{(0)} = [x_1^{(0)}, x_2^{(0)}, \cdots, x_n^{(0)}]$ 开始[其中 $\boldsymbol{X}^{(i)}$ 表示 $\boldsymbol{X}$ 的迭代次数]以 $\boldsymbol{\eta} > 0$ 作为学习率构建一个迭代过程，$\boldsymbol{\eta}$ 表示学习率：当 $i \geqslant 0$ 时，

$$\boldsymbol{X}^{(i+1)} = \boldsymbol{X}^{(\mathrm{i})} - \boldsymbol{\eta}\,\nabla f(\boldsymbol{X}^{i})$$

不断迭代直到收敛，最终收敛到的 $\boldsymbol{X}$ 就是所求函数最小值所在的位置。

其中，$\nabla f(\boldsymbol{X}^{i}) = \left(\frac{\partial f}{\partial x_1}\boldsymbol{X}^{i}, \frac{\partial f}{\partial x_2}\boldsymbol{X}^{i}, \cdots, \frac{\partial f}{\partial x_n}\boldsymbol{X}^{i}\right)$ 为 $f(\boldsymbol{X}^{i})$ 的梯度，表示经过 i 次 X 的迭代之后函数 $f(X^{i})$ 的梯度。

从梯度下降法的迭代公式来看，每一次迭代都会使初始点前进并且下一个点的位置与它的梯度相关。以最简单的抛物线为例，从一个初始点开始，刚开始的时候梯度较大，下降速度会比较快，随着逐渐下降，梯度会越来越小，下降速度会越来越慢，最终收敛到梯度为 0 的极值点。但有时会遇到函数不收敛的情况，而是在极值点的两边反复跳动，这就需要调整学习率 $\boldsymbol{\eta}$，学习率 $\boldsymbol{\eta}$ 代表下降的步长，$\boldsymbol{\eta}$ 越大，下降速度越快，但同时也更容易越过最低点；但 $\boldsymbol{\eta}$ 过小会导致函数迟迟走不到最低点。

(3) 贪心算法：又称贪婪算法，是求最优解问题的一种常用方法，它的运作模式一般是将求解过程分成若干小步骤，在每个小步骤上都选取当前状态下最优的选择，最后将这些局

部最优解结合起来,在整体上也可能呈现最优解。

3. 表示

(1) 监督学习

1) 线性回归:是对一个因变量与一个或多个自变量之间的关系进行线性建模的方法。

2) 逻辑回归:在介绍逻辑回归之前,我们需要先知道 Logistic 分布。Logistic 分布是一种连续型的概率分布,其分布函数也称为 Logistic 函数,为

$$F(x) = \frac{1}{1 + e^{-\frac{x-\mu}{\gamma}}}$$

式中,μ 为位置参数,γ 为形状参数。我们常用的 Sigmoid 函数就是 Logistic 函数在 $\mu = 0$,$\gamma = 1$ 时的特殊情况。其大致图像特征如图 2-7 所示。

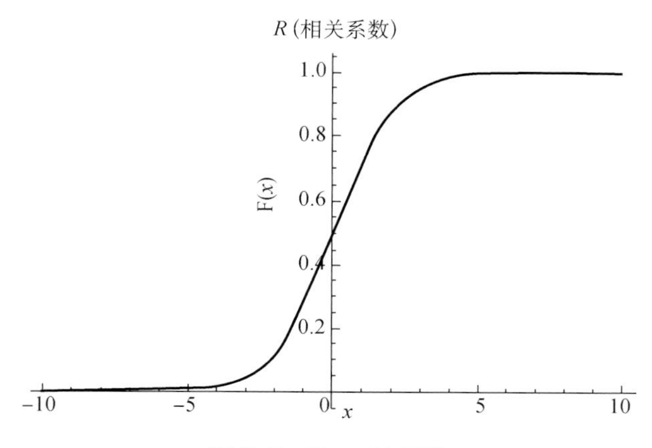

图 2-7　Sigmoid 函数

对于一个二分类问题,我们需要对输入的 x 进行判断,判断是它的标签是 A 类还是 B 类。然而,显然线性回归模型输出的是一个数值而不是一个标签,不能用来解决二分类问题,我们很自然地能想到可以设定一个阈值,如 0,如果输出值<0,那么将其视作 A 类;如果输出值>0,那么将其视作 B 类。这确实是一种办法,早在 20 世纪 50 年代就有人通过这一方法发明了感知机(perceptron)模型。而逻辑回归模型不是直接对标签进行预测,而是去对标签为 A 类的概率进行一个预测,输出值将会被控制在[0, 1],如果输出值>0.5,将其视作 A 类;反之将其视作 B 类。恰好,Sigmoid 函数的性质很适合充当逻辑回归的模型,它的值域范围在[0, 1],有一定的对称性,并且足够平滑,便于求导。

3) 朴素贝叶斯分类:是一种用于构造分类模型的简单技术。要搞懂朴素贝叶斯分类,必须先了解其理论基础——贝叶斯定理。

4) 支持向量机:其核心思想就是找到一个超平面以对训练数据集进行划分。我们假设已标记数据集 $\boldsymbol{X} = \{(\boldsymbol{x}_1, y_1), (\boldsymbol{x}_2, y_2), \cdots, (\boldsymbol{x}_n, y_n)\}$, $y_i \in \{-1, +1\}$ 线性可分,且每个数据有 p 个特征,分为-1,+1 两类。也就是说一定能找到一个超平面将其划分,我们用一个线性方程描述,记作超平面 $(\boldsymbol{\beta}, b)$:

$$\boldsymbol{x\beta} + b = 0$$

式中，$\boldsymbol{x}=(x_1, x_2, \cdots, x_p)$，$\boldsymbol{\beta}=\begin{pmatrix}\beta_1\\ \beta_2\\ \vdots\\ \beta_p\end{pmatrix}$，$b$ 为位移项，决定了超平面和原点的距离。

如果超平面 $(\boldsymbol{\beta}, b)$ 能对训练数据集进行正确分类，将会满足：对于 $(\boldsymbol{x}_i, y_i) \in \boldsymbol{X}$，有如下公式：

$$\begin{cases}\boldsymbol{x}_i\boldsymbol{\beta}+b \geqslant +1, & y_i=+1\\ \boldsymbol{x}_i\boldsymbol{\beta}+b \leqslant -1, & y_i=-1\end{cases}$$

其中，距离这一超平面最近的样本点使得等号成立，称为支持向量（Support vector）。

但如图 2-8 所示，这样的超平面划分可能不止一个，且看起来都可以对样本进行很好地划分，那么究竟该选哪个呢？支持向量机的另一个核心思想就是要找的超平面需要使得离该超平面最近的数据点的距离最远，换句话说，需要让两个不同类别的支持向量到超平面的距离之和最大，这个距离被称为间隔（margin），很容易可以得到间隔的计算公式为

$$\gamma=\frac{2}{\|\boldsymbol{\beta}\|}$$

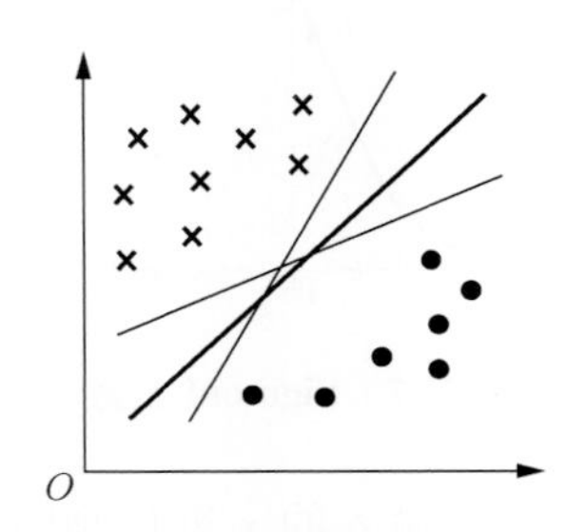

图 2-8　超平面划分数据集

于是，我们的问题就转换为了找到具有最大间隔的划分超平面，即

$$\max_{\boldsymbol{\beta}, b}\frac{2}{\|\boldsymbol{\beta}\|}, \quad y_i(\boldsymbol{x}_i\boldsymbol{\beta}+b) \geqslant 1, \quad i=1, 2, \cdots, n$$

同时，这也等价于最小化，因此可以写成：

$$\min_{\boldsymbol{\beta}, b}\frac{1}{2}\|\boldsymbol{\beta}\|^2, \quad y_i(\boldsymbol{x}_i\boldsymbol{\beta}+b) \geqslant 1, \quad i=1, 2, \cdots, n$$

也就是一个带约束条件的极值问题，可以用拉格朗日乘数法进行化简求解。

5）随机森林：是监督学习中比较常用的一个算法，顾名思义，它是用随机的方式去构建一个森林，而森林中有许多“树”，我们将其称为决策树，并且每一棵决策树间没有关联。

因此，在介绍随机森林之前，我们必须知道什么是决策树。决策树从本质上来讲，就是用超平面分割空间的一种方法，每次分割都用一定的约束条件将空间一分为二。例如，面试

官要对一名面试者做出“能否通过面试”的决策时,往往需要进行一系列的判断或是子决策:面试者是什么学历? 如果是本科毕业,再看面试者的工作经历;如果有两年,再看他的工作能力;等等。最后,我们可以得出一个最终决策,判断此人能否通过面试。而在机器学习问题中,我们手头上的训练数据,就等同于各个面试者的信息和面试结果。我们要做的就是从这些信息中推测出面试官最看重求职者的哪个地方,也就是判断哪个特征最重要,这样可以在之后进行一个预测。

(2) 无监督学习:主成分分析(principal component analysis,PCA)简称 PCA 算法,用于无监督学习中的另一重要任务——降维,主要是对高维数据进行降维,也可用于提取数据的主要特征。主成分分析的本质用简单的语言描述,就是将数据看作是一个椭球(假设数据为三维),如果这个椭球的短轴足够短,我们可以将其忽略,则椭球就降维成为二维的椭圆。至于如何判断椭球短轴的长短就需要看这一特征变量的方差,方差越小说明这一维度的变量越不重要,也就是短轴越短,可以忽略不计,方差越大则说明这一变量越重要,可以将其视作主成分。其算法具体实现步骤如下。

为了方便表示,假设数据集 $\boldsymbol{X}=(\boldsymbol{x}_1, \boldsymbol{x}_2, \cdots, \boldsymbol{x}_n)$,其中 $\boldsymbol{x}_i=\begin{pmatrix} a_i \\ b_i \end{pmatrix}$,由 n 个二维数据组成,且数据已经进行过归一化处理,目的是将椭球的中心放在原点。

则:

$$\boldsymbol{D}=\frac{1}{n}X X^{\mathrm{T}}=\begin{pmatrix} \frac{1}{n}\sum_{i=1}^{n} a_i^2 & \frac{1}{n}\sum_{i=1}^{n} a_i \cdot b_i \\ \frac{1}{n}\sum_{i=1}^{n} b_i \cdot a_i & \frac{1}{n}\sum_{i=1}^{n} b_i^2 \end{pmatrix}=\begin{pmatrix} \mathrm{Cov}(a, a) & \mathrm{Cov}(a, b) \\ \mathrm{Cov}(b, a) & \mathrm{Cov}(b, b) \end{pmatrix}$$

式中, $\mathrm{Cov}(a, b)$ 为 ab 间的协方差, $\mathrm{Cov}(a, a)$ 等同于变量 a 的方差。而我们的目标则是将两两变量间的协方差降为 0,各变量的方差尽可能大,达到降维的效果,也就是说,我们要寻找的是能使协方差矩阵 $\boldsymbol{D}$ 对角化的矩阵,对角化后的协方差矩阵除了对角线的方差外的协方差元素均为 0。那么接下来,我们要做的就是计算协方差矩阵 $\boldsymbol{D}$ 的特征值及其对应特征向量,再将特征向量按大小从上到下排成行,并取前 m 行形成对角矩阵 $\boldsymbol{P}$。 最后令 $\boldsymbol{Y}=\boldsymbol{PX}$,求得的 $\boldsymbol{Y}$ 就是 $\boldsymbol{X}$ 降至 m 维的数据结果。这样一来,我们就在保证了之前数据特征的情况下将数据压缩到了低维,避免了维度过大的问题,降低了机器学习的难度。

(3) 半监督学习

1) 生成模型算法:根据上文的介绍,我们已经知道了半监督学习是利用大量的未标记数据和少量的已标记数据进行训练,这样可以大大降低数据成本。那么我们可以想到,利用已标记的数据去生成分类模型,然后利用该生成模型对未标记数据进行标记,再根据已标记数据和未标记数据的拟合以及未标记数据的标记结果来选择相应的参数。这也就是所谓的生成模型算法,它假设所有数据无论有没有标记,都是通过同一模型生成的,我们通过假设的模型将未标记数据和学习目标联系起来。常用的生成模型有高斯混合模型、隐马尔可夫模型和上文中提到的贝叶斯模型。

2) 转导支持向量机:是支持向量机算法在半监督学习上的扩展与推广。支持向量机在解决监督学习任务时候的目标是找到一个超平面使得划分后的间隔最大化。而转导支持向量机的核心思想与之类似，目标是为未标记数据打上合适的标签，使得超平面划分后的间隔最大化。因此，在使用转导支持向量机时，需要先用已标记的数据训练出一个支持向量机模型，并用该模型对未标记数据进行标记。现在所有数据都已经打上标签，用这些数据重新训练支持向量机模型，根据其中误判率较高的数据调整参数迭代求解。

第四节　深 度 学 习

一、基本概念和发展史

（一）深度学习的基本概念及其网络结构

1. 基本概念

“思维的本质”是人类一直思考的本源问题之一，深度学习研究和模仿人类大脑中的神经网络的工作机制，并且使用机器实现人类大脑的工作机制，使机器获得同人一般的思考能力和抽象能力，机器是永远不知疲倦的，同时跟人类相比具备着更快的运转速度，因此更适合大量的重复性工作。目前，人工智能已经成为一个具备着众多实际落地应用和非常活跃的研究领域，并且正值蓬勃发展。人们期望通过设计的智能程序自动地处理常规烦琐的劳动、理解语音和图像，其还能够协助医学诊断与支持基础性科学研究。在人工智能的早期，智能程序主要被设计用于处理那些对人类智力来说较为困难，但是对于计算机来说却相对简单的问题，如那些可以通过特定数学规则描述的问题。但是，人工智能真正的挑战在于解决处理那些对于人来说执行容易，但是却很难通过形式化数学规则描述的任务，如识别图像中手掌骨的年龄或识别语音中的内容。对于这类问题，我们人类能够凭借着直觉轻而易举地将其解决好。

深度学习的概念源于 30 多年来计算机科学、人工神经网络和人工智能的研究，深度学习之所以被称为“深度”学习，是相对于支持向量机、提升方法、最大熵方法等“浅层”学习方法而言的，这些“浅层”学习方法依靠人工经验抽取样本特征，网络模型学习后获得的是没有层次结构的单层特征。在 2016 年 3 月，《“十三五”规划纲要》中要求加快人工智能支撑体系建设、推动人工智能技术在各领域应用，同年 10 月份，美国联邦政府更是发布了《美国国家人工智能研究与发展规划》的文件，国内外各大互联网公司，如百度、阿里巴巴、腾讯、Google、Microsoft、Facebook 等也纷纷加大了对人工智能的研发与应用的投入。此外，各种应用领域的人工智能新创公司不断成立。正如我们感受的那样，各种各样的人工智能应用正在慢慢地改善着人们的生活，影响着人们的日常生活。而深度学习正是目前人工智能的热门研究领域之一，被应用在人工智能的众多领域中，如图像处理、自然语言处理、语音处理等。

2. 常见网络结构

深度学习及神经网络模型是近年来机器学习及人工智能领域新的研究方向及热点

问题。

在介绍深度学习之前,让我们先看看人工神经网络(artificial neural network,ANN)。人工神经网络是机器学习中比较特殊的一种算法,它试图通过模拟人脑的神经网络对数据进行预测或分类。一般比较简单的人工神经网络包含 3 层结构:输入层(input layer)、隐藏层(hidden layer)、输出层(output layer)。顾名思义,输入层用于输入变量数据,然后在隐藏层用激励函数(activation function)对输入数据进行计算,最终送到输出层输出。并且,神经网络由若干个神经元组成,每层的神经元间互相有连接,每个连接都代表着一个权重。假设数据 $\boldsymbol{X} \in \mathbf{R}^{1\times M}$ 由 M 个输入变量组成,有 N 个神经元,最终得到的输出变量记作 $\boldsymbol{y} \in \mathbf{R}^{1\times 1}$。则输入数据经由输入层进行隐藏层时,会进行下述运算:

$$\boldsymbol{Z} = \boldsymbol{X}\,\boldsymbol{\omega}^{\mathrm{T}} + \boldsymbol{b}_0$$

式中,$\boldsymbol{\omega} \in \mathbf{R}^{N\times M}$ 为输入层与隐藏层之间的连接矩阵,里面的元素为相互的权重;$\boldsymbol{b}_0 \in \mathbf{R}^{1\times N}$ 称为偏置矩阵,每个神经元上都有一个常量称为偏置。而在隐藏层接收到数据 $\boldsymbol{Z}$ 后,会有激励函数 $\sigma(\boldsymbol{Z})$ 作用,激励函数的目的是为模型加入非线性的因素,避免最终生成表达能力不足的线性模型,常用的激励函数有上文提及的 Sigmoid 函数、双曲正切函数等。经过隐藏层上的计算后,从隐藏层走向输出层同样也需要进行运算:

$$\boldsymbol{y} = \sigma(\boldsymbol{Z})\,\boldsymbol{\theta}^{\mathrm{T}} + \boldsymbol{b}_1$$

式中,$\boldsymbol{\theta}$ 为隐藏层与输出层间的连接矩阵;$\boldsymbol{b}_1$ 称为偏置系数矩阵。由此,我们得到了输入数据在神经网络模型中运算的输出结果,这样一来,我们假设有 n 组数据 $(\boldsymbol{X}_i, \boldsymbol{y}_i)$,训练目标就变为了最小化损失函数:

$$L(\boldsymbol{\omega}, \boldsymbol{b}_0, \boldsymbol{\theta}, \boldsymbol{b}_1) = \sum_{i=1}^{n} \frac{1}{2}\left[\sigma(\boldsymbol{X}_i\,\boldsymbol{\omega}^{\mathrm{T}} + \boldsymbol{b}_0)\,\boldsymbol{\theta}^{\mathrm{T}} + \boldsymbol{b}_1 - \boldsymbol{y}_i\right]^2$$

在人工神经网络中,我们常用反向传播(back propagation,BP)的方法对损失函数进行最小化。所谓反向传播,就是用梯度下降的方法,对权重矩阵根据最终的误差进行调整,再重新进行迭代,直到达到规定次数或误差小于某个阈值。

而深度学习的关键词就在于"深度",它是对人工神经网络的扩展和优化,为多层的神经网络结构,经典的深度学习模型有卷积神经网络、循环神经网络、生成对抗网络等。如今,由于中央处理器、图形处理器等硬件的更新迭代、更快的网络连接和更好的分布式计算的软件不断更新,使人工智能技术由浅层学习逐渐过渡到深度学习。同时,人们面临的问题规模随着时间的推移也不断增加,深度学习凭借其可延展性,很好地利用了当前的软硬件水平,发展与日俱增,应用越来越广泛,可以解决的任务也日益复杂。当前深度学习已经被许多顶级的技术公司所使用(如 Google、Microsoft、Facebook、IBM、Baidu、Apple、Adobe、Netflix、NVIDIA 和 NEC 等)。深度学习甚至可以在科学领域做出杰出的贡献,如用于对象识别的卷积神经网络为神经科学家们提供了可供研究的视觉处理模型;深度学习也已经成功地用于预测分子间的相互作用,帮助制药公司研究新药等。可以预见的是,未来深度学习将被逐渐运用到更多更广的领域,解决更多的问题。

深度神经网络模型属于通过多个单层非线性网络结构叠加而成的人工神经网络，通过对原始信号进行逐层特征变换，将样本在原空间的特征表现变换到新的特征空间，并不断自动学习原始信号新的特征，得到层次化的特征表现，从而更有利于分类或特征可视化，是一种主动的、高投入的、理解记忆的、涉及高阶思维的、学习结果迁移性强的学习状态和学习过程。根据内部算法的结构特征，可以将深度学习分为前馈深度网络、反馈深度网络及双向深度网络 3 种类型。其中，前馈深度网络由多个编码器叠加而成，且没有封闭环路对输入数据进行编码，使数据从输入层单向经过一个或多个隐含层处理后到达输出层，包括多层感知机、卷积神经网络等，其发展形成时间较早。反馈深度网络则是通过多个解码器叠加而成，其对输入数据进行解码处理，包括反卷积网络、层次稀疏编码网络等。双向深度网络则是由多个编码器与解码器互相叠加而成，包括深度置信网络、深度玻尔兹曼机、栈式自动编码器等。

（二）深度学习的发展历程

1. 起源阶段

1943 年，心理学家 W.S. McCilloch 和数学逻辑学家 W. Pitts 发表论文《神经活动中内在思想的逻辑演算》，提出了 MP 模型，该模型是模仿生物的神经元结构及神经元的工作原理构造出来的一个简化的、抽象的数学模型，该模型也被称为模拟大脑。MP 模型当时被构造用来让计算机模拟生物的神经元的反应过程，该模型将神经元的工作原理简化成了 3 个过程，分别为输入信号线性加权、求和及非线性激活（阈值法）。

加拿大著名心理学家 Donald Olding Hebb 于 1949 年的《行为的组织》中提出了一种基于无监督学习的赫布学习规则。赫布学习规则网络模型的建立是模仿人类认知世界的过程，该网络模型是通过使用大量的训练集对模型进行训练，在训练的过程中模型对训练数据集中的统计特征进行提取，然后通过计算样本的相似度大小对样本进行分类，根据相似度的大小把相似度大的样本分为同一类，反之则非同一类，将待分样本分为所需要的若干类。

MP 模型开创了人工神经网络的先河，同时打开了人工神经网络的新局面，也为接下来的神经网络模型的研究奠定了基础。赫布学习规则与条件反射机制一致，为以后的神经网络学习算法奠定了基础，具有重大的历史意义。在 MP 模型和赫布学习规则的基础上，计算机科学家 Rosenblatt 在 1958 年提出了两层神经元组成的神经网络，称为感知器。感知器算法使用特定方法从模型训练数据集中通过学习更新双层的神经元模型参数，从而对输入模型中的多维数据进行分类任务。

在 1962 年，感知器算法在理论上被证明模型能够收敛，通过理论验证与实践效果感知器算法无疑引起了第一次神经网络的浪潮，让人们觉得能够设计出一个可以真正学习与思考的人造智能机器。然而，纵观各门学科领域的发展史，均毫无疑问地充满着艰辛曲折，深度学习领域也不例外。在 1969 年，美国数学家及人工智能先驱 Marvin Minsky 和 LOGO 语言的创始人 Seymour Papert 在他们共同编写的《感知器》专著中证明了感知器本质上其实是一种只能处理线性问题的线性模型，感知器根本无法处理异或问题。这一证明及感知器在当时并未得到及时的推广，使得该领域的研究进入了第一个寒冬期，人们对神经网络的研究也陷入了将近 20 年的停滞。

2. 发展阶段

1982年，著名物理学家John Joseph Hopfield提出了Hopfield神经网络。Hopfield神经网络是一种结合存储系统和二元系统的循环神经网络。Hopfield网络也可以模拟人类的记忆，根据激活函数的选取不同，可分为连续型和离散型两种类型，分别用于优化计算和联想记忆。但由于容易陷入局部最小值的缺陷，该算法并未在当时引起很大的轰动。

直到神经网络之父Geoffrey Hinton在1986年提出了适用于多层感知器训练的反向传播算法，在传统的神经网络正向传播获得到的损失值的基础上，反向传播得到各层神经元的梯度，随着网络模型的训练过程不断地根据梯度值来动态地调整各层的神经元的权值，最后通过梯度值的调整来完成权值更新及网络的收敛。反向传播算法很好地处理了多层感知器的训练问题，由此引起了研究者们的广泛关注。此外，通过使用Sigmoid激活函数，加入非线性因素，在多层感知器的层与层之间进行非线性映射，有效解决了非线性问题。Sigmoid函数是一个在生物学中常见的S形的函数，也称为S形生长曲线。在信息科学中，由于其单调递增及反函数单调递增等性质，Sigmoid函数常被用作神经网络的阈值函数，将变量映射到0~1。

一方面，早期的计算机硬件计算能力有限，导致设计出的神经网络规模过大时，并不能得到有效训练。另一方面，反向传播算法被指出存在梯度消失问题，也就是说在误差梯度后项传递的过程中，后层梯度以乘的方式叠加到前层，由于Sigmoid函数的饱和特性，后层梯度本来就小，误差梯度传到前层时几乎为0，因此无法对前层进行有效学习，该问题直接阻碍了深度学习的进一步发展。此外，在20世纪90年代中期支持向量机等各种浅层机器学习模型被提出，支持向量机属于一种有监督的学习算法，被应用于分类和回归分析等问题中。支持向量机是以统计学为基础，这和神经网络有明显的差异，支持向量机等算法的提出再次阻碍了深度学习的发展。

2006年，加拿大多伦多大学教授Geoffrey Hinton和他的学生Ruslan Salakhutdinov在顶尖学术刊物*Science*上发表了一篇文章，文章中详细给出了如何处理梯度消失的方案。该方案提出了一种先使用无监督逐层预训练的方法对模型权值进行初始化再进行常规的基于反向传播的有监督的微调模型训练，以此来处理深度神经网络在训练过程中出现的梯度消失问题。该方案的提出立即在学术圈引起了巨大反响，世界上众多知名的高校纷纷投入了大量的人力、物力用于对深度学习领域的相关研究，紧接着这种研究热潮又迅速地蔓延到工业界当中。

直到2011年，修正线性单元（rectified linear unit，ReLU）激活函数的提出，深度网络模型在训练过程中出现梯度消失的问题才被有效解决。2011年以来，Microsoft研究院和Google的语音识别研究人员先后采用深度神经网络技术降低语音识别错误率20%~30%，是语音识别领域十多年来最大的突破性进展。2012年，深度神经网络技术在图像识别领域取得惊人的效果，Hinton课题组为了证明深度学习的潜力，首次参加ImageNet图像识别比赛，其通过构建的卷积神经网络AlexNet一举夺得冠军，且碾压第二名（支持向量机法）的分类性能，在ImageNet评测上将错误率从26%降低到15%。也正是由于该比赛，卷积神经网络吸引了众多研究者的注意。AlexNet就是采用修正线性单元激活函数，从根本上解决了梯度消失问题并且极大地增大了学习模型的收敛速度,并采用图形处理器极大地提高了模型的运算速度。此外,扩展了 LeNet5 结构,添加了 Dropout 层(丢失层)以减小过拟合,局部响应归一化层(local response normalization,LRN)以增强泛化能力/减小过拟合。由于修正线性单元方法可以很好地抑制梯度消失问题,AlexNet 抛弃了"预训练+微调"的方法,完全采用有监督训练。也正因为如此,深度学习的主流学习方法也变为了纯粹的有监督学习。在同一年,深度神经网络还被应用于制药公司的药物产生的生理反应的量度的预测问题,并获得世界最好成绩。

随着深度学习技术的不断进步及数据处理能力的不断提升,2014 年,Facebook 基于深度学习技术的 DeepFace 项目,在人脸识别方面的准确率已经能达到 97%甚至 97%以上,与人类识别的准确率几乎没有差别。这样的结果也再一次证明了深度学习算法在图像识别方面的一骑绝尘。

2016 年 3 月,由 Google 旗下 DeepMind 公司开发的 AlphaGo(基于深度学习)与围棋世界冠军、职业九段棋手李世石进行围棋人机大战,以 4∶1 的总比分获胜;2016 年末 2017 年初,该程序在中国棋类网站上以"大师"(Master)为注册账号与中日韩数十位围棋高手进行快棋对决,连续 60 局无一败绩;2017 年 5 月,在中国乌镇围棋峰会上,它与排名世界第一的世界围棋冠军柯洁对战,以 3∶0 的总比分获胜。围棋界公认基于深度学习技术的机器人 AlphaGo 的棋力已经超过人类职业围棋顶尖水平。

2017 年,基于强化学习算法的 AlphaGo 升级版 AlphaGo Zero 横空出世,其采用"从零开始""无师自通"的学习模式,以 100∶0 的比分轻而易举打败了之前的 AlphaGo。除了围棋,它还精通国际象棋等其他棋类游戏,可以说是真正的棋类"天才"。此外在这一年,深度学习的相关算法在医疗、金融、艺术、无人驾驶等多个领域均取得了显著成果。所以,也有专家把 2017 年看作是深度学习甚至是人工智能发展最为突飞猛进的一年。

深度学习目前还处于发展阶段,无论是理论方面还是实践方面都还有许多问题待解决,不过由于我们处在了一个"大数据"时代,以及计算资源的大大提升,新模型、新理论的验证周期会大大缩短。人工智能时代的开启必然会很大程度地改变这个世界,无论是从交通、医疗方面,还是在购物、军事等方面。

二、深度学习图像识别的国外研究前沿

2010 年,加拿大多伦多大学的 Krizhevsky 等将开发的卷积神经网络应用于 ImageNet 大规模视觉识别挑战赛(ImageNet large scale visual recognition challenge,ILSAVRC)中。最后,在测试结果上,显示他们在前一选项和前五选项错误识别率分别仅为 37.5%和 17.0%。之后在 ILSVRC-2012 中,研究者将该模型变体为"AlexNet"应用,最终在图像分类任务中前五项测试错误识别率仅为 15.3%,远低于第二名(26.2%)。可以看出,深度学习在图像识别领域具有无法比拟的优势。

2015 年,英国牛津大学的 Simonyan 等展示了在 ILSAVRC-2014 中获得图像分类第一的深度神经网络。该网络利用每层含有的极小卷积滤波器,实现持续添加卷积层来增加网络深度(达到 19 层),形成极深的卷积神经网络。同年,Microsoft 团队的 He 等针对随隐层数目增加导致网络图像识别效能下降的退化难题,提出了一种深度残差学习算法。之后,采用

ImageNet-2012 图像库与深度残差学习算法的结果比较，发现基于 VGG 网络模型分别设计的普通网络和残差网络（ResNet）结构性能显示：随着隐层数目的增加，残差网络图像识别准确率增高。

2017 年，意大利学者 Bianco 等针对商标识别，提出一种识别通道模型，研究者使用不同的机器学习技术，在 FlickrLogos-32 库、FlickrLogos-32plus 库及验证集分别进行混合配比调整，得到最佳神经网络。这为今后我们使用深度学习网络，在医学图像中查找特定标志目标，提供了解决方案。

2020 年初，美国斯坦福大学的 Esteva 等利用 GoogleNet Inception V3 网络模型，对上万张病理诊断确诊为皮肤癌的临床病理图片，通过疾病分割算法进行分类学习。最后，研究者们通过对代表大多数癌症识别的角化细胞癌与良性脂溢性角质对照组，以及代表致命癌症识别的恶性黑色素瘤与良性瘤对照组，两组进行测试来检验分类效能，证实皮肤癌智能化分类功能初步实现。

2020 年初，意大利的 Spampinato 等通过将青少年手腕部 X 线片样本，用于将现有模型（OverFeat、GoogLeNet、OxfordNet）作为“网络特征提取器”的卷积神经网络学习的评估结果比较以及微调与改进卷积神经网络结构等过程中，得到了一套最佳自动化骨龄评估模型——BoNet。这一研究堪称深度学习与青少年骨龄评估完美结合的里程碑式成果，也是国内外第一篇将深度学习应用于骨龄评估研究的论著。

美国哈佛医学院的 Lee 等提出一个全自动的、带有检测与分类卷积神经网络的深度学习平台，以实现骨龄评估，并且能自动生成结构化放射学报告。

三、深度学习图像识别的国内研究前沿

我国对深度学习的研究起步较晚，但发展较为迅速。在近两年内，百度成立的深度学习研究院将深度学习技术逐渐扩展到图像识别、语音搜索等领域。但目前国内关于开展基于运用深度学习进行骨龄、牙龄研究的报道不多。

2017 年，何雪英等根据国外基于深度学习诊断皮肤癌的研究思路，提出一种运用到乳腺癌病理图像自动分类的卷积神经网络模型，实现了乳腺癌病理图像的自动分类。这一研究是国内较早将深度学习运用于医学领域的研究成果。研究表明，该方法的识别率可高达 91%。

2020 年，司鉴院王亚辉团队调取上海市、浙江省、海南省、吉林省、河南省 11.0～21.0 周岁汉族青少年骨盆 X 线片图像 962 例（男性 481 例，女性 481 例），将上述图像进行预处理作为研究对象。采用随机抽样的方法抽取 80% 作为训练集、验证集，用于模型拟合和超参数的调整，20% 作为测试集，用于评估模型泛化的能力。通过比较模型估计值与生活年龄的均方根误差、平均绝对误差及绘制 Bland-Altman 散点图评估 VGG19、Inception-V3、Inception-ResNet-V2 共 3 种深度学习模型（图 2-9～图 2-11）基于骨盆 DR 摄片图像进行骨龄自动评估的性能。结果显示，Inception-ResNet-V2 模型预测年龄与生活年龄的均方根误差、平均绝对误差相对更好。Bland-Altman 散点图显示 Inception-ResNet-V2 模型的差值的均值最小。

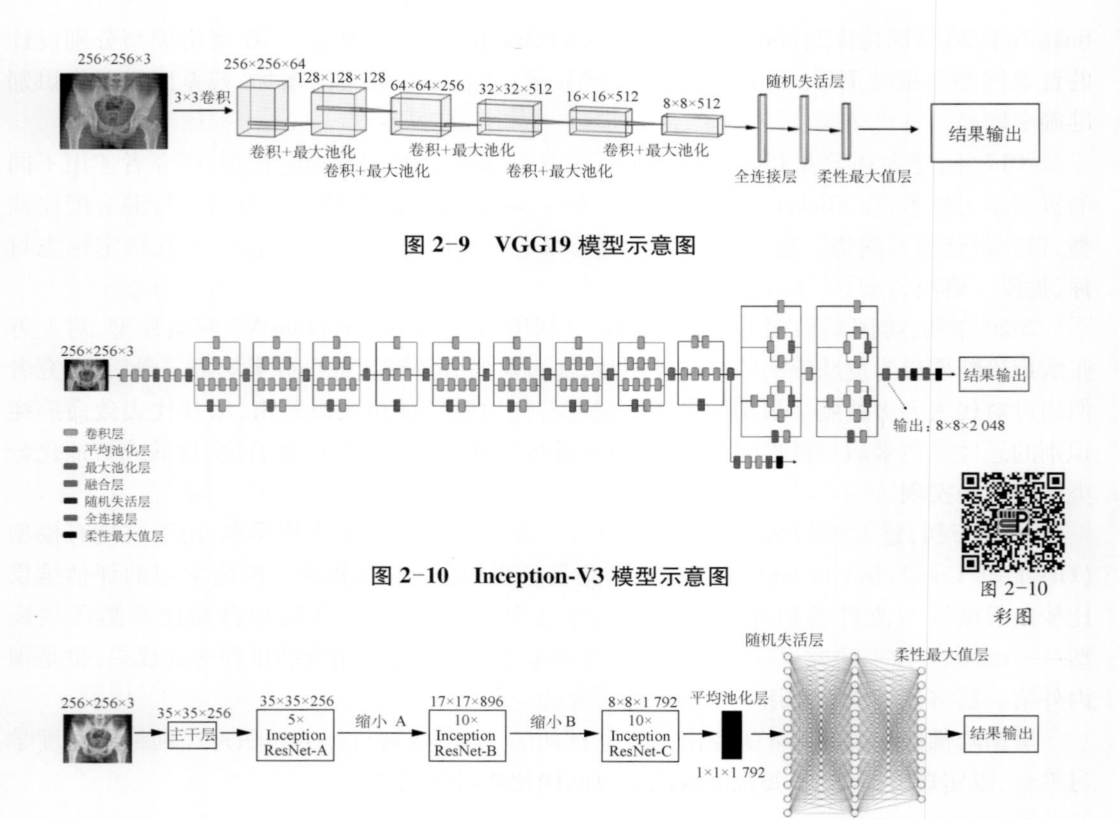

图 2-9　VGG19 模型示意图

图 2-10　Inception-V3 模型示意图

图 2-10
彩图

图 2-11　Inception-ResNet-V2 模型示意图

四、深度学习在法医学骨龄评估中的优势

近年来，机器学习在自动驾驶、计算机视觉、语音识别、医学诊断等领域均取得了巨大的成就。2014~2019 年，王亚辉课题组曾应用支持向量机、主成分分析等浅层学习算法对我国汉族青少年腕关节、维吾尔族青少年膝关节 DR 摄片骨龄进行深入研究，结果表明，基于支持向量机算法实现尺、桡骨远端骨骺发育分级的自动化评估是可靠的、可行的，基于支持向量机及主成分分析算法建立的骨龄回归算法模型可以实现较高准确率的年龄预测。随着人工智能技术的不断革新与换代，深度学习及神经网络模型逐步成为机器学习领域新的研究方向及热点问题。深度学习逐步在影像学、肿瘤学、病理学、外科学及语音识别领域的研究中取得突破性进展，在人脸识别、信息检索等领域也展示出独特优势并被广泛应用。人工智能网络算法也由反向传播算法、支持向量机等浅层算法发展到当前的深度学习算法，深度学习算法不需要人工提取特征点，可以通过建立多层次的网络联系，自动从大数据中学习知识，预测效率及准确性更高。尤其卷积神经网络在图像识别领域有着突出的表现，多次在 ImageNet 大规模视觉识别挑战大赛中取得优异的成绩。

骨龄研究是法医人类学主要研究内容之一。人类骨骼发育过程呈现连续性与阶段性的增龄性变化，因此，我们可以通过骨骺大小、形态及骨骺闭合程度等发育规律来推断个体的生物学年龄，这也是骨龄评估的理论基础与核心依据。为使骨龄鉴定过程更为简便、快捷，鉴定意见更为客观、准确，鉴定效能更为快速、高效，人工智能方法与技术将是今后骨龄研究的主要趋势。近年来，国内外众多学者都尝试通过浅层机器学习方法和深度学习技术构建骨龄评估自动化体系以期进一步提高骨龄评估准确性。

直到20世纪90年代，随着计算机数字化信息技术和图像识别技术的发展与应用，以及与之相伴的神经网络算法应用的不断改进、计算机内存容量的不断扩大等方面的改善，在图片识别中出现从将原始图像转化为数字图像输入计算机进行机器读片，到目前直接输入原图像识别的质的飞跃，而在神经网络学习方面则从单一特征获取的浅层学习，逐渐演变为可以学习得到层次化特征表示的深度学习。例如，2014年，司鉴院王亚辉团队首次将支持向量机方法运用到青少年骨龄评估研究中，实现尺、桡骨远端骨骺发育分级自动化分类。但是，考虑到浅层学习是通过人工经验来获取样本特征，而且其对复杂函数的表达能力有限，不能很好地挖掘样本内部深层次的信息，因而认为使用带有多个特征处理隐含层结构的深度学习，应该会取得更好的效果。正如本文所列举的近年来深度学习在国内外图像识别中的研究进展实例所述，短时间内研究者们已从算法学习、数据库创建、网络模型结构、数据处理等方面进行了大量尝试，并取得突出的研究成果，解决了图片特征识别中的诸多难题。2017年，意大利卡塔尼亚大学的Spampinato等首次将深度学习卷积神经网络模型应用于青少年腕关节X线片中推断骨龄，其使用多种深度学习网络算法对骨骼图像进行识别，研究结果显示人工与计算机读片间存在0.79岁的误差，获得了目前最先进的研究成果，开辟了骨龄研究新思路、新方法，实现了浅层学习向深度学习的完美过渡。而Lee等提出的骨龄评估深度学习平台则进一步推动了此项研究的进展。

随着机器学习方法及神经网络模型的不断改进，深度学习已经在众多领域的图像识别中有所应用与发展，包括骨龄评估DR摄片研究领域，进一步推动了法医人类学的发展。今后，我们的研究思路应再开阔一些，首先，从摄片手段而言，以往多聚焦于骨关节DR摄片，今后可以收集骨骼CT、MRI图像开展类似研究。其次，从研究人群而言，以往多聚焦于青少年，今后可以开展基于人工智能技术的成年人骨龄研究。再次，从研究技术而言，以往多聚焦于支持向量机、主成分分析、决策树等浅层学习方法或一般统计学分析，今后基于人工智能技术的骨龄研究可以多采用一些卷积神经网络、迁移学习、监督学习等深度学习技术。最后，由于我国是一个多民族国家，以往的骨龄研究多集中于汉族人群，今后可以适当开展维吾尔族、藏族人群的人工智能技术骨龄评估研究。我国精准医学科研项目现阶段已开始实施，运用深度学习的骨龄评估研究，不仅可以将骨关节图像库共享于精准医学大数据平台中，还可以利用深度学习进一步改善并提升精准医学影像技术的诊断价值。

第五节 人工智能在法医学研究领域中的应用

传统的法医学鉴定主要依赖法医学专家汇总提取原始信息，通过医学、生物、理化等学科知识，并结合自身工作经验得出鉴定意见，其过程不仅耗时耗力，还受难以避免的主观和客观因素的影响。目前,人工智能的研究实践不断创新和蓬勃发展,尤其是在机器学习与神经网络方面,其成果在法医学的诸多领域中得到广泛应用。人工智能辅助的法医学基础研究,涵盖法医临床学、法医病理学、法医物证学、法医人类学、法医毒物分析学等领域,为解决传统法医学问题提供了新思路与新方法,促进法医学科发展,也为将来学科实践应用提供广阔的发展空间。近些年,国内外法医学者们基于人工智能技术开展人脸识别、年龄推断、DNA 分型、毒化分析、死亡时间推断、影像图像与病理学切片诊断、损伤及死亡原因鉴定等多方面的研究,反映出运用人工智能技术解决法医学鉴定问题的可行性与优越性。人工智能技术作为一种适应时代发展的崭新技术手段,为法医学带来新活力的同时,也带来了新挑战。如何科学应对这些挑战,形成人工智能和法医学协同发展的"人工智能+法医学"新模式,是大数据时代下法医学发展的新方向。

一、人脸识别

人类个体的面部特征十分丰富,除轮廓形状之外,还有五官特征及分布。面部容貌虽然在生长发育中会发生变化,但是五官特征是相对固定的,因此这些特征可作为同一认定和个体识别理想的生物学特征。与视网膜识别(对人体的安全性未知)和指纹识别(涉及个人隐私)等体生物特征进行身份验证相比,人脸识别的应用具有直观、友好及便捷等优点,具有更广阔的应用前景。

人脸具有多个形象特征,Peng 等在马尔可夫网络的基础上,自适应地学习组合图像的多个表征,并采用最小误差边界切割(minimum error boundary cut)算法对重叠区域进行拼接,建立基于多重表征的自适应人脸素描合成方法,实现了高效的人脸识别。Sajid 等检测并评估了面部不对称特征的尺寸及其随年龄变化的特点,发现非对称性面部特征是预测年龄的一个强有力指标,基于支持向量机算法针对量化的面部不对称特征估计给定人脸图像的年龄组,并采用卷积神经网络提取非对称的面部特征,通过分析人脸图像年龄组估计误差对人脸识别算法的影响,发现将从年龄组估计中提取到的信息嵌入人脸识别算法中,可以大大提高人脸识别的准确性。Nino-Sandoval 等在采用支持向量机监督学习算法,选取哥伦比亚人头颅侧位 X 线图像中 10 个颅颌关节变量,对下颌骨相对于上颌骨的矢状位置关系进行分类,发现骨性Ⅱ类和骨性Ⅲ类的颅颌面结构有不依赖于下颌骨的独特骨性关系,之后基于同样的数据库采用人工神经网络等深度学习算法,选取了 17 个颅颌面形态的解剖相关变量预测上、下颌骨的位置关系,发现人工神经网络的分类预测能力优于支持向量机。Lippert 等报道了基于机器学习(最大熵算法)的 1 061 个人类个体面部特征及肤色、声音、性别、祖先预测等,尽管获得的准确度较低,但该方法为后续研究奠定了良好的基础。Hwa 等使用一组单核苷酸多态性(常染色体、性染色体、线粒体),利用机器学习聚类的方法对 18 个降解 DNA 样本进行祖先推断,成功率超过 90%,随着人群性状、遗传基因组学数据的不断积累与人工智能辅助下的数据综合应用处理能力不断提高,生物物证介导的嫌疑人个体特征刻画会加速实现。

二、年龄推断

年龄推断是法医实践中的常见问题,包括活体年龄推断和尸体年龄推断。骨骼发育过程具有连续性和阶段性特征,传统的骨龄鉴定方法是以人工测定的方法对骨骺生长进行分级,不仅存在技术困难,而且无法消除主观性偏差。人工智能深度学习在骨图像识别和骨龄评估中尽管处于研究的初级阶段,但已经表现出很强的发展势头。

骨骼的发育状况是骨龄鉴定的重要依据。王亚辉等收集了 140 名 11~19 周岁的中国青少年的桡骨远端和尺骨的 X 线图像,采用支持向量机对中国青少年的腕关节 X 线图像进行训练,构建年龄预测模型,实现了对桡骨远端和尺骨远端骨骺的自动分类。Zhang 等考虑到性别差异,运用体绘制技术提取 280 名女性和 282 名男性第 5 颈椎至第 1 腰椎区域的 CT 图像信息后,分别采用简单线性回归、多元线性回归、梯度增强回归、支持向量机和决策树等算法构建了男性特异性和女性特异性年龄预测模型。Spampinato 等用公共数据集测试并评估了 OverFeat、GoogLeNet 和 OxfordNet 三种卷积神经网络模型在骨龄自动评估中的应用,并基于处理后的 X 线图像,建立了新的用于骨龄推断的 BoNet 卷积神经网络模型。Lee 等基于手部及腕关节 X 线图像,创建了一个可以自动检测并分类的卷积神经网络模型,能够在放射科医生的指导下自动生成结构化报告,实现了较为精准的骨龄评估。Navega 等以欧洲女性的股骨为研究对象,构建了基于骨密度测量法的人工神经网络模型用于骨龄评估。

除骨骼外,牙齿的发育情况也是年龄预测的重要指标之一。De Tobel 等首先对口腔全景 X 线图像对比度设置进行优化,评估了下颌第三磨牙的特征,并使用图像处理软件以标准化的方式在其周围放置矩形边框,随后利用 MATLAB 软件中的机器学习算法对下颌第三磨牙的特征进行自动识别,研发了一种基于下颌第三磨牙的年龄预测自动检测技术。Stepanovsky 等比较了从简单数学模型到复杂机器学习算法的 22 种年龄预测模型,证明基于机器学习算法的数据挖掘方法优于基于平均年龄的传统数学模型方法,并提出了用具有代表性的中位年龄代替牙齿发育阶段的方法与缺失牙病例的缺失数据替换技术,构建了基于列表多元线性回归模型的年龄预测模型。

当缺乏完整的骨骼证据时,用分子生物学方法分析案发现场遗留的血液、组织等生物学物证所包含的信息,也是法医学年龄推断的另一重要手段。DNA 甲基化是生物体普遍的表观遗传现象,其随着年龄的增长会逐渐积累,结合神经网络的分析方法进行 DNA 甲基化法医学年龄推断已经获得很大进展。继多元回归、反向传播神经网络、支持向量机及随机森林模型被应用于基于 DNA 甲基化的年龄预测模型构建后,Vidaki 等选出 16 个 CpG 位点,首次应用人工神经网络构建年龄预测模型,不仅提高了预测的精准度,还排除了未成年及不同种族背景的影响。Feng 等使用逐步向后的多元线性回归分析和穷举搜索算法(exhaustive searching algorithm)进行了系统的特征位点选择,确定了适用于年龄预测的最优的 9 个 CpG 位点,最终构建的年龄预测模型的精确度高于其他已经建立的年龄预测模型,提示特征位点选择对预测模型的性能起着至关重要的作用。目前,法医现场检材的质量低、可用于分析的检材量较少,同时每种组织或体液都可能表现出不同的年龄相关 DNA 甲基化水平,且这种模式受到环境、疾病等多种因素的影响。因此,在广泛的人类组织和细胞类型中开发一种灵敏、多组织适用的年龄预测模型是一项非常具有挑战性的工作。

三、死亡时间推断

死亡时间是指从人体死亡到尸体检验所经历的时间,又称死后时间间隔(postmortem

interval,PMI)。法医对死亡时间的精准推断有助于判断嫌疑人是否有作案时间,为案件的侦查提供线索。传统的推断方法有对尸体现象、离子和酶学检测、DNA 降解检测等的推断,近些年的新方法有显微分光光度、傅里叶变换红外光谱技术、彗星试验等。

人类组织中某些蛋白质降解过程与死后时间间隔明显相关。Li 等通过显微红外技术结合机器学习方法研究人类死后软骨光谱学变化,建立了死亡时间推断模型,推动了光谱成像技术结合多元数据分析在死亡时间推断上的应用发展。Zhang 等采用傅里叶变换红外光谱技术分析尸体的玻璃体液,并引入先进的机器学习算法,建立了贝叶斯岭回归、支持向量回归和人工神经网络模型进行死亡时间推断。

已有研究表明,在尸体腐败过程中,尸体和附近土壤中的微生物群落能够形成一个动态系统,因此可以通过检测尸体附近的土壤微生物估计死亡时间。Metcalf 等分别对尸体附近土壤进行 16S rRNA 基因(古菌和细菌群落)、18S rRNA 基因(微生物真核生物群落)测序,提取尸体分解过程相关的微生物多样性表征,并使用随机森林回归及动态贝叶斯网络探究微生物演替在不同土壤类型、季节和寄主物种中的可预测性。Johnson 等使用 7 种回归算法对尸体鼻道和耳道中的皮肤微生物群落进行分析,最终开发了一个 k-最近邻回归模型评估死亡时间。

尸体的死后时间间隔推断不仅受到尸体本身状态影响,更与尸体所处的环境有关,环境因素的复杂变化导致死后时间间隔的推断是困难的,因而人工智能结合其他法医学参数进行大数据分析可能是解决死后时间间隔问题的一种较优的方式。利用犯罪现场尸体上昆虫的发育或演替规律来推断死亡时间是法医昆虫学家们的研究重点。法医昆虫学结合人工智能为死后时间间隔的推断提供了新的动力,用两种人工神经网络的方法分析尸体上丝光绿蝇幼虫烃类化学物质的气相色谱-质谱(gas chromatography mass spectrometry,GC-MS)法估计绿蝇的生活阶段,进而估计死后时间间隔,得到准确度为 80.8%和 87.7%的结果。周兰等用多种机器学习的方法连续分析家兔死亡后 48 h 内角膜图像推断死后时间间隔,发现多种模型预测结果准确度有一定差异。Moore 等先用 GC-MS 技术分析了丽蝇幼虫表皮碳氢化合物,根据其化学成分随时间的变化构建了基于人工神经网络的丽蝇幼虫年龄推断模型,随后用同样的方法构建了丽蝇成虫年龄推断模型,为精准死亡时间推断提供了新方法。

四、DNA 分型

基于毛细管电泳平台的微卫星 DNA(microsatellite DNA)[又称短串联重复(short tandem repeat,STR)]序列分型是法医物证 DNA 鉴定的主要手段。当通过毛细管电泳进行 DNA 分型检验时往往有一些干扰因素,如仪器运行、样品本身、毛细管状态、荧光染料、进样通道和电压变异等,如何从背景噪声中提取真实的等位基因信息一直是解读微卫星 DNA 电泳图谱的挑战。目前的处理办法一般是设定统一信号强度阈值区分片段峰,即通过静态峰阈值尽可能过滤杂峰,将干扰降到最低,但是往往需要专业技术人员调整参数才可以得出正确的微卫星 DNA 分型结果。

而实际中这些干扰因素往往是动态变化的,设置的静态峰阈值并不能够很好解决该问题,时常会有假阳性、假阴性的情况出现,Marciano 等将人工智能中机器学习技术引入基因分型中,将静态峰阈值变为动态峰阈值,很好地适应了复杂情况下的基因分型,这在一定程度上有助于该问题的解决。人工神经网络在峰图处理方面表现出巨大潜能,Taylor 等避开了信号强度阈值的使用,先是用两个原始电泳图谱训练了一个简单的人工神经网络模型以用于光谱分离,而后扩大样本量构建了一个结合贝叶斯算法的人工神经网络模型,探索了人工神经网络在微卫星 DNA 电泳图谱峰分类上的应用,不但有效地避免了由扩增不均衡造成的部分等位基因信息丢失,而且可以排除由于电泳过程中设备电流跳动等情况产生的伪峰干扰。

对于混合样本 DNA 中包含人数的准确估计是法医工作者对混合样本精确分析的重要前提。近些年,法医学者们提出了新的机器学习算法,有效地提高了准确度,但研究结果表明,当混合样本中包含人数较多时,现有算法往往无法对包含人数进行准确估计。Taylor 考虑到法医日常检案中的样本可能是混合样本等复杂情况,进一步探索了人工神经网络模型在不同电泳仪器产生的图谱及混合 DNA 样本的图谱中的可泛化性。Marciano 等使用机器学习的方法来推断混合 DNA 样本中提供者的数量,评估了 k-最近邻算法、分类与回归树、多元逻辑回归、多层感知器及支持向量机 5 种候选机器学习算法后,构建了最优的贡献者数量估计(probabilistic assessment for contributor estimation,PACE)系统,开发了一个智能等位基因检测降噪系统,评估了动态化阈值与机器学习相结合检测伪峰和降噪工具的有效性。这套系统用根据样本内的每个基因座计算的动态峰检测阈值取代传统的静态分析阈值,检测等位基因并去除低水平信号噪声后,应用过滤器过滤掉影子峰,用微调算法减少噪声,并用机器学习模型评估基因座中是否存在额外的检测噪声。经过验证,发现在多达 4 个供体的 DNA 混合物中,PACE 系统识别供者人数的准确度仍然超过 98%,是法医评估混合样本中包含人数的一个有力工具。

可以推知,随着基因组测序的技术手段不断进步,成本不断降低,法医物证学家们将面对的不再是简单的微卫星 DNA 分型信息,而是全基因组的测序信息,因此这些基础数据的信息挖掘就至关重要。由于机器学习在数据挖掘上具有分类、预测、关联、侦查等分析优势,较适用于法医物证学与人类学中 DNA 大数据挖掘,如宏观上需要通过 DNA 确定个体的精准地理信息、民族信息、语系信息,微观上需要确定个体精准的容貌特征、特殊性状等,最终实现嫌疑人的精准定位。在以上领域中人工智能将发挥关键作用,目前已经有学者采用机器学习的方法对 DNA 序列的分类、DNA 位点的预测进行初步探索。

五、毒物分析

近年来,国内外禁毒形势颇为严峻,毒物毒品检测分析面临着前所未有的挑战。传统的毒品毒物检测方法在人工智能的辅助下研发速度明显加快:在毒物检测开发过程中,人工智能结合贝叶斯概率的方法可以辅助目标化合物的筛选,在检测结果的判读上,Woldegebriel 等开发了一套基于新的贝叶斯统计的概率模型,在液质联用时用于物质的真峰与伪峰辨别。Eliaerts 等开发一个用超几何分布抽样结合傅里叶变换红外光谱技术和支持向量机算法的工具,用于采样并快速分析可卡因和左旋咪唑。Mollerup 等利用人工神经网络建立了液相色谱-高分辨精确质谱联用技术的识别参数预测模型,可以支持毒物的初步筛查。2019 年,Wendt 等以阿片类镇痛药曲马多为模型药物,以接受过曲马多暴露的芬兰人尸体检验采集的血液为样本集,采用监督机器学习分类算法实现 CYP2D6 代谢表型的自动分类,从而在法医学中帮助调查死亡原因和死亡方式。人工智能在法医毒物检测中的研究应用尚处于初级阶段，随着不同学科相互交叉，机器学习将会在中毒检测及代谢组学生物标志物筛选、相关实验数据实时及后处理软件开发中发挥作用，相信法医毒理学与法医毒物分析学会迎来巨大的变革。

六、损伤方式和死亡原因鉴定

损伤方式和死亡原因鉴定是法医学鉴定的重点和难点，法医学者试图通过人工智能方法来辅助解决这一难题。随着法医影像学技术的发展，利用医学成像技术和计算机软件程序进行虚拟解剖，通过无创手段查找尸体体内损伤与疾病，已成为死亡原因推断的重要手段。Ebert 等开发了一种基于死后尸体 CT 穿刺针自动放置系统，通过 CT 引导，用机器人手臂实现尸体穿刺针放置的自动化，提取组织和液体样本进行组织学和毒理学分析。但是，该系统在处理多处穿刺等复杂情况时难以找到能够避开与尸体解剖结构及已经放置的针的最佳进针点。2017 年，Ebert 等用死后尸体 CT 图像训练了两个独立的深度学习网络用以判断心包有无积血及心包积血的含量，证明了应用深度学习自动检测出血性心包积液的可行性。

Ren 等应用基质辅助激光解吸电离飞行时间质谱技术，筛选正常大鼠与弥散性轴索损伤大鼠脑干组织的差异表达蛋白，构建了监督神经网络分类器，为弥散性轴索损伤的鉴定提供了参考依据。Wei 等基于猪颅骨骨折样本开发了一种自动化的模式识别分类方法，用以区分不同场景下的颅骨骨折模式，为法医学鉴定区分婴幼儿意外和虐待性头部创伤提供了新思路。Yilmaz 等以尸体检验相关参数为基础构建了判断活产还是死产的人工神经网络和径向基函数网络模型，这些研究均展现了人工智能在法医损伤鉴定及死亡原因鉴定中的应用前景。Mjutaba 等运用不同的自动文本分类技术分析从尸体检验记录中提取的主特征向量，构建了一个基于尸体检验记录的死亡原因预测分类模型，随后该团队开发了一种基于概念图的文档表示技术，并提取医学临床术语概念特征，通过图形表示后使用这些特性来训练一个两级文本分类器预测死亡方式及死亡原因。

法医学领域中，虽然现在人工智能的应用研究已经有了突飞猛进的发展，但其研究成果是否可以推广到法医的实际应用中，除了新技术带来的伦理等方面的挑战以外，还有许多问题亟待解决。算法是人工智能解决问题的关键手段。法医学研究者还需要探索更为适当的机器学习算法（如深度学习），将其融通到法医学领域中。而在解决一些实际问题中，传统方法的快速、简便等优势不可忽视。同时，人工智能在法医学领域的应用仍缺乏统一、规范的标准。只有制订完善的专业标准，才能更好地将人工智能应用于法庭证据的呈现。如何将人工智能的优势融入法医学实践中，真正实现“人工智能+法医学”的愿景，还需要法医学者继续探索努力。

主要参考文献

边肇祺，2000.模式识别[M].北京：清华大学出版社.

蔡自兴，刘丽珏，蔡竞峰，等，2016.人工智能及其应用[M].5 版.北京：清华大学出版社.

方雅婷,2020.人工智能技术时代法医学科面临的新机遇与挑战[J].法医学杂志,36(1):77-85.
何雪英,韩忠义,魏本征,2017.基于深度学习的乳腺癌病理图像自动分类[J].计算机工程与应用,54(12):121-125.
李航,2012.统计学习方法[M].北京:清华大学出版社.
梁鑫,徐慧,2016.基于深度学习神经网络的SAR图像目标识别算法[J].江汉大学学报(自然科学版),44(2):131-136.
吕尤焱,2004.骨密度、骨龄测定仪研制与临床[C].北京:第七届全国体育科学大会.
仇法新,2019.数据挖掘技术在医保控费管理中的应用[J].中外企业家,(19):76.
孙志军,薛磊,许阳明,等,2012. 深度学习研究综述[J]. 计算机应用研究, 29(008):2806-2810.
王惠中,彭安群,2011.数据挖掘研究现状及发展趋势[J].工矿自动化,37(2):29-32.
王亚辉,王子慎,魏华,等,2014.基于支持向量机实现骨骺发育分级的自动化评估[J].法医学杂志,30(6):422-426.
王亚辉,朱广友,乔可,等,2007. X线骨龄评估方法研究进展与展望[J].法医学杂志,23(5):365-369.
姚婕,陈荣山,吴昊,2019.数据挖掘在医疗系统中的应用[J].电脑知识与技术,15(35):8-9.
尹宝才,王文通,王立春,2015.深度学习研究综述[J].北京工业大学学报,41(1):48-59.
余永维,殷国富,殷鹰,等,2014.基于深度学习网络的射线图像缺陷识别方法[J].仪器仪表学报.35(9):2012-2019.
张光华,潘婧,2019.人工智能技术在医疗领域中的应用[J].电子技术与软件工程,(19):239-240.
张绍岩,张丽君,张继业,等,2009.中国大中城市儿童第二掌骨的掌骨指数正常参考值[J].中华现代儿科学杂志,64(4):193-198.
周九常,刘智明,2018.数据挖掘研究综述[J].河南图书馆学刊,38(8):130-132,137.
周志华,2016.机器学习[M].北京:清华大学出版社.
Goodfellow I, Bengio Y, Courville A, 2017.深度学习:自适应计算与机器学习系列[M].赵申剑,黎彧君,符天凡,等,译.北京:人民邮电出版社.
Han J W, Kamber M, 2007. 数据挖掘:概念与技术[M].范明,孟小峰,译.北京:机械工业出版社.
Ozdemir S, Susarla D, 2019. 特征工程入门与实践[M].庄嘉盛,译.北京:人民邮电出版社.
Angrist J D, Pischke J S, 2009. Mostly Harmless Econometrics [M]. New Jersey: Princeton University Press.
Arthur Z, Peter F, 2018. There and back again: outlier detection between statistical reasoning and data mining algorithms[J]. Wiley Interdisciplinary Reviews Data Mining & Knowledge Discovery, 8(2): e1280.
Bianco S, Buzzelli M, Mazzini D, et al., 2017. Deep learning for logo recognition[J]. Neurocomputing, 245(C): 23-30.
Butcher J B, Moore H E, Day C R, et al., 2013. Artificial neural network analysis of hydrocarbon profiles for the ageing of Lucilia sericata for post mortem interval estimation[J]. Forensic Sci Int, 232(1-3): 25-31.
Cheng X, Qu H, Wang G, et al., 2015. A novel strategy for forensic age prediction by DNA methylation and support vector regression model[J]. Sci Rep, 5: 17788.
De Tobel J, Radesh P, Vandermeulen D, et al., 2017. An automated technique to stage lower third molar development on panoramic radiographs for age estimation: a pilot study[J]. J Forensic Odontostomatol, 35(2): 42-54.
Ebert L C, Ptacek W, Breitbeck R, et al., 2014. Virtobot 2.0: the future of automated surface documentation and CT-guided needle placement in forensic medicine[J]. Forensic Sci Med Pathol, 10(2): 179-186.
Eliaerts J, Meert N, van Durme F, et al., 2018. Practical tool for sampling and fast analysis of large cocaine

seizures[J]. Drug Test Anal, 10(6): 1039-1042.

Esteva A, Kuprel B, Novoa R A, et al., 2017. Dermatologist-level classification of skin cancer with deep neural networks[J]. Nature, 542(7639): 115-118.

Feng L, Peng F, Li S, et al., 2018. Systematic feature selection improves accuracy of methylation-based forensic age estimation in Han Chinese males[J]. Forensic Sci Int Genet, 35: 38-45.

Guttormsen S, Bürger A, Hansen T E, et al., 2011. The SiRi particle-telescope system[J]. Nuclear Inst & Methods in Physics Research A, 648(1): 168-173.

He K, Zhang X, Ren S, et al., 2016. Deep residual learning for image recognition[J], 2016 IEEE Conference on Computer Vision and Pattern Recognition (CVPR), (1): 770-778.

Hinton G E, Osindero S, Teh Y W, 2006. A fast learning algorithm for deep belief nets [J]. Neural Computation, 18(7): 1527-1554.

Hipp J, 2000. Algorithms for association rule mining — a general survey and comparison[J]. Acm Sigkdd Explorations Newsletter, 2(1): 58-64.

Hodge V, Austin J, 2004. A survey of outlier detection methodologies[J]. Artificial Intelligence Review, 22: 85-126.

Hwa H L, Wu M Y, Lin C P, et al., 2019. A single nucleotide polymorphism panel for individual identification and ancestry assignment in Caucasians and four East and Southeast Asian populations using a machine learning classifier[J]. Forensic Sci Med Pathol, 15(1): 67-74.

Isaak J, Hanna M J, 2018. User data privacy: facebook, cambridge analytica, and privacy protection[J]. Computer, 51(8): 56-59.

Jain N, Rahul K, Jha I K A K, et al., 2017. Hand written digit recognition using convolutional neural network (CNN)[J], Conference Info, 777-783.

Johnson H R, Trinidad D D, Guzman S, et al., 2016. A machine learning approach for using the postmortem skin microbiome to estimate the postmortem interval[J]. PLoS One, 11(12): e167370.

Krizhevsky A, Sutskever I, Hinton G E, 2012. ImageNet classification with deep convolutional neural networks [C]. New York: International Conference on Neural Information Processing.

LeCun Y, Bengio Y, Hinton G, 2015. Deep learning [J]. Nature, 521(7553): 436-444.

Lee H, Tajmir S, Lee J, et al., 2017. Fully automated deep learning system for bone age assessment[J]. J Digit Imaging, 30(4): 427-441.

Li Z, Huang J, Wang Z, et al., 2019. An investigation on annular cartilage samples for post-mortem interval estimation using Fourier transform infrared spectroscopy[J]. Forensic Sci Med Pathol, 15(4): 521-527.

Marciano M A, Adelman J D, 2017. PACE: probabilistic assessment for contributor estimation — a machine learning-based assessment of the number of contributors in DNA mixtures[J]. Forensic Sci Int Genet, 27: 82-91.

Marciano M A, Williamson V R, Adelman J D, 2018. A hybrid approach to increase the informedness of CE-based data using locus-specific thresholding and machine learning[J]. Forensic Sci Int Genet, 35: 26-37.

Margagliotti G, Bolle T, 2019. Machine learning & forensic science[J]. Forensic Sci Int, 298: 138-139.

Metcalf J L, Xu Z Z, Weiss S, et al., 2016. Microbial community assembly and metabolic function during mammalian corpse decomposition[J]. Science, 351(6269): 158-162.

Mollerup C B, Mardal M, Dalsgaard P W, et al., 2018. Prediction of collision cross section and retention time for broad scope screening in gradient reversed-phase liquid chromatography-ion mobility-high resolution accurate mass spectrometry[J]. J Chromatogr A, 1542: 82-88.

Moore H E, Butcher J B, Adam C D, et al., 2016. Age estimation of Calliphora (Diptera: Calliphoridae) larvae using cuticular hydrocarbon analysis and artificial neural networks[J]. Forensic Sci Int, 268: 81-91.

Mujtaba G, Shuib L, Raj R G, et al., 2018. Classification of forensic autopsy reports through conceptual graph-based document representation model[J]. J Biomed Inform, 82: 88-105.

Mujtaba G, Shuib L, Raj R G, et al., 2018. Prediction of cause of death from forensic autopsy reports using text classification techniques: a comparative study[J]. J Forensic Leg Med, 57: 41-50.

Navega D, Coelho J D, Cunha E, et al., 2018. DXAGE: a new method for age at death estimation based on femoral bone mineral density and artificial neural networks[J]. J Forensic Sci, 63(2): 497-503.

Niculescu-Mizil A, Caruana R, 2005. Predicting good probabilities with supervised learning[C]. Bonn: Proceedings of the Twenty-Second International Conference (ICML 2005).

Niemeijer M, 2002. Automating skeletal age assessment [D]. Utrecht: Utrecht University.

Nino-Sandoval T C, Guevara Perez S V, Gonzalez F A, et al., 2016. An automatic method for skeletal patterns classification using craniomaxillary variables on a Colombian population[J]. Forensic Sci Int, 261: 159. e1-e6.

Olson D L, Delen D, 2008. Advanced data mining techniques[M]. Berlin: Springer.

Oquab M, Bottou L, Laptev I, et al., 2014. Learning and Transferring Mid-level Image Representations Using Convolutional Neural Networks[C]. Seattle: IEEE Conference on Computer Vision and Pattern Recognition.

Pal SK, Petrosino A, Maddalena L., 2012. Handbook on soft computing for video surveillance[C]. New York: Chapman & Hall/CRC.

Peng C, Gao X, Wang N, et al., 2016. Multiple representations-based face sketch-photo synthesis[J]. IEEE Transactions on Neural Networks and Learning Systems, 27(11): 2201-2215.

Ren G, Zou D, Huang P, et al., 2016. Identifying diffuse axonal injury by matrix-assisted laser desorption/ionization time-of-flight: a new method for pathological observation[J]. Am J Forensic Med Pathol, 37(4): 279-283.

Robert D, 2013. Hof. 10 breakthrough technologies, deep learning: with massive amounts of computational power, machines can now recognize objects and translate speech in real time. Artificial intelligence is finally getting smart. MIT Technology Review [2017-11-01]. https://www.technologyreview.com/s/513696/deep-learning/.

Russell S J, Peter N, 2003. Artificial intelligence: a modern approach[M]. Artificial Intelligence: A Modern Approach.

Saha M M, Izykowski J, Rosolowski E, 2010. Artificial intelligence application[M].Berlin: Springer.

Sajid M, Taj I A, Bajwa U I, et al., 2018. Facial asymmetry-based age group estimation: role in recognizing age-separated face images[J]. J Forensic Sci, 63(6): 1727-1749.

Shah S A A, Bennamoun M, Boussaid F, 2016. Iterative deep learning for image set based face and object recognition[J]. Neurocomputing, 174(PB): 866-874.

Spampinato C, Palazzo S, Giordano D, et al., 2016. Deep learning for automated skeletal bone age assessment in X-ray images[J]. Medical Image Analysis, 36: 41-51.

Stepanovsky M, Ibrova A, Buk Z, et al., 2017. Novel age estimation model based on development of permanent teeth compared with classical approach and other modern data mining methods[J]. Forensic Sci Int, 279: 72-82.

Taylor D, Kitselaar M, Powers D, 2019. The generalisability of artificial neural networks used to classify

electrophoretic data produced under different conditions[J]. Forensic Sci Int Genet, 38: 181-184.
Thodberg H H, Jenni O G, Caflisch J, et al., 2009. Prediction of adult height based on automated determination of bone age[J]. Journal of Clinical Endocrinology & Metabolism, 94(12): 4864-4874.
Vidaki A, Ballard D, Aliferi A, et al., 2017. DNA methylation-based forensic age prediction using artificial neural networks and next generation sequencing[J]. Forensic Sci Int Genet, 28: 225-236.
Wang Y H, Liu T A, Wei H, et al., 2016. Automated classification of epiphyses in the distal radius and ulna using a support vector machine[J]. J Forensic Sci, 61(2): 409-414.
Wei F, Bucak S S, Vollner J M, et al., 2017. Classification of porcine cranial fracture patterns using a fracture printing interface[J]. J Forensic Sci, 62(1): 30-38.
Wendt F R, Novroski N M M, Rahikainen A L, et al., 2019. Supervised classification of CYP2D6 genotype and metabolizer phenotype with postmortem tramadol-exposed finns[J]. Am J Forensic Med Pathol, 40(1): 8-18.
Weston J, Ratle F, Mobahi H, et al., 2008. Deep Learning via Semi-supervised Embedding[C]. New York: International Conference on Machine Learning.
Woldegebriel M, Vivo-Truyols G, 2015. Probabilistic model for untargeted peak detection in LC-MS using bayesian statistics[J]. Anal Chem, 87(14): 7345-7355.
Wu R, Yan S, Shan Y, et al., 2015. Deep image: scaling up image recognition[J]. Computer Science, (22): 245-252.
Wünsche K, Wünsche B, Fähnrich H, et al., 2000. Ultrasound bone densitometry of the os calcis in children and adolescents[J]. Calcified Tissue International, 67(5): 349.
Yilmaz R, Erkaymaz O, Kara E, et al., 2017. Use of autopsy to determine live or stillbirth: new approaches in decision-support systems[J]. J Forensic Sci, 62(2): 468-472.
Zhang J, Wei X, Huang J, et al., 2018. Attenuated total reflectance Fourier transform infrared (ATR-FTIR) spectral prediction of postmortem interval from vitreous humor samples[J]. Anal Bioanal Chem, 410(29): 7611-7620.
Zhang K, Fan F, Tu M, et al., 2018. The role of multislice computed tomography of the costal cartilage in adult age estimation[J]. Int J Legal Med, 132(3): 791-798.
Zhou B, Lapedriza A, Xiao J, et al., 2014. Learning deep features for scene recognition using places database [C]. Kuching: International Conference on Neural Information Processing Systems.

第三章

法医学骨龄

第一节　传统方法

人体生长发育的成熟程度可以用两个年龄来表示,即生活年龄(日历年龄)和生物学年龄(骨龄)。骨龄代表人体的生物学年龄。人类骨骼发育的变化基本相似,每一根骨头的发育过程都具有连续性和阶段性。个体骨骼发育在不同的年龄阶段具有相同的生物学特征。

骨龄鉴定是根据骨骼大小、形态、结构等变化的生物学特征,用来推断个体的生物学年龄。在我国司法鉴定实践中,对于青少年违法犯罪后无法查证其真实年龄,或者疑有犯罪嫌疑人谎称未成年人等,往往需要通过骨龄鉴定的方法来推断其真实的生活年龄。

一、X 线摄影对骨龄的鉴定

(一)根据锁骨 X 线摄影推定年龄

1. Walker 等根据锁骨 X 线变化推定年龄

1985 年,Walker 等对不同年龄个体的锁骨 X 线片进行了观察研究,发现成年人年龄变化与锁骨 X 线片上所见的形态改变有密切关系。根据其在不同年龄段的变化特点,提出了下述 8 级分级标准。

1 级:18.0~24.0 岁,整个骨髓腔中充满排列紧密的细小颗粒状骨小梁,骨小梁大致沿锁骨长轴呈平行层状排列,胸骨端和肩峰端也充满细小颗粒状骨小梁。

2 级:25.0~29.0 岁,与上一级基本相同,但骨髓腔及骨干端的骨小梁结构轻微疏松。

3 级:30.0~34.0 岁,骨干端骨小梁进一步疏松,腔隙增大。骨髓腔中的层板状骨小梁明显减少。

4 级:35.0~39.0 岁,骨髓腔中杯盘状形态的骨小梁消失,半透明度显著增加。胸骨端骨皮质明显变薄。

5 级:40.0~44.0 岁,胸骨端和肩峰端仅含有粗糙疏松的骨小梁,与骨髓腔中的骨小梁相比粗糙疏松更明显。胸骨端骨皮质进一步变薄,骨髓腔扩大。

6 级:45.0~49.0 岁,与上一级相比骨小梁略有吸收。

7 级:50.0~55.0 岁,非常粗糙疏松的骨小梁是该级的关键特征,除骨髓腔中央没有扩大外,各部位骨质均减少。

8 级:55.0 岁以上,与上一级难以区别,骨小梁结构大体相似,沿骨髓腔可见明显的骨皮质卷曲。

2. Schmeling 等根据锁骨 X 线变化推定年龄

(1) 分级方法(图 3-1)

1 级:锁骨胸骨端骨骺未出现。

2 级:锁骨胸骨端骨骺出现,骨骺与干骺端未闭合。

3 级:锁骨胸骨端骨骺与干骺端部分闭合(骨小梁从干骺端穿过骺板至骨骺)。

4 级:锁骨胸骨端骨骺与干骺端完全闭合,可见残留骺线。

5 级:锁骨胸骨端骨骺与干骺端完全闭合,骺线消失。

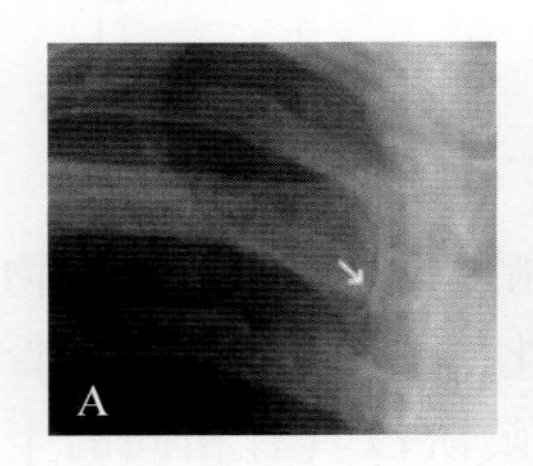

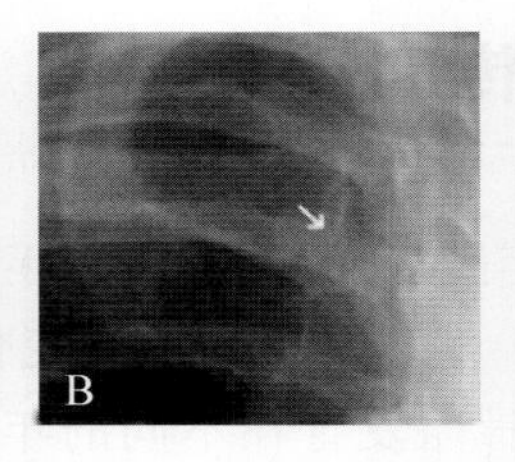

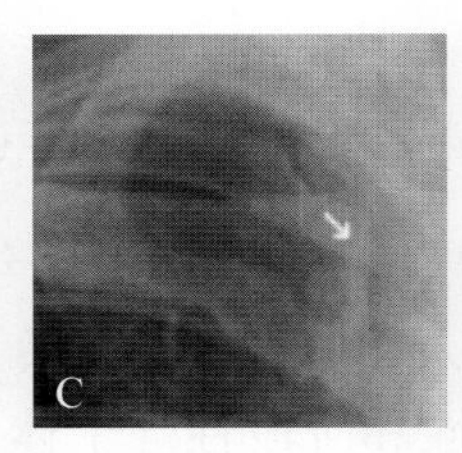

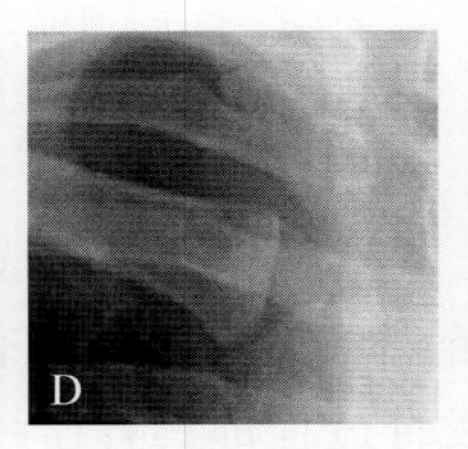

图 3-1 Schmeling 等建立的锁骨胸骨端骨骺发育分级方法(A~D 代表 2~5 级)

(2) 研究结果:2004 年,Schmeling 等研究 873 例 16.0~30.0 岁个体的胸部 X 线片发现,174 例样本锁骨胸骨端骨骺闭合,无法观察,余样本中 1 级未出现,男性 5 级、女性 5 级、男性 4 级大于 21.0 周岁,女性 4 级大于 18.0 周岁,4 级、5 级均可预示男、女均已满 18.0 周岁(表 3-1)。

表 3-1 Schmeling 等研究中(2004 年)锁骨胸骨端 X 线片 3 级~5 级年龄分布特征

等级	性别	最小值~最大值(岁)	平均值±标准差(岁)	中位数(岁)	下四分位数(岁)	上四分位数(岁)
3	男	16.7~24.0	20.8±1.7	20.9	19.9	22.3
	女	16.0~26.8	20.0±2.1	19.9	18.2	21.5
4	男	21.3~30.9	26.7±2.3	26.7	24.8	28.5
	女	20.0~30.9	26.7±2.6	26.7	24.8	28.9
5	男	26.0~30.4	28.5±1.5	28.3	27.1	29.9
	女	26.7~30.9	29.0±1.4	29.1	27.7	30.5

3. 朱广友、王亚辉等根据锁骨 X 线变化推定年龄

(1) 分级方法(图 3-2)

1 级:锁骨胸骨端骨骺尚未出现,干骺端略凹陷。

2 级:锁骨胸骨端骨骺开始出现,呈条片状稍高密度影,干骺端略饱满。

3 级:锁骨胸骨端骨骺部分覆盖干骺端,未达干骺端的 1/2,骺软骨间隙宽且清晰。

4 级:锁骨胸骨端骨骺大部分覆盖干骺端,达干骺端的 1/2 以上,骺软骨间隙仍宽且清晰。

5 级:锁骨胸骨端骨骺基本覆盖干骺端,干骺端开始全面闭合,骺软骨间隙模糊。

6 级:锁骨胸骨端骨骺干骺端全部闭合,骺线残留或消失。

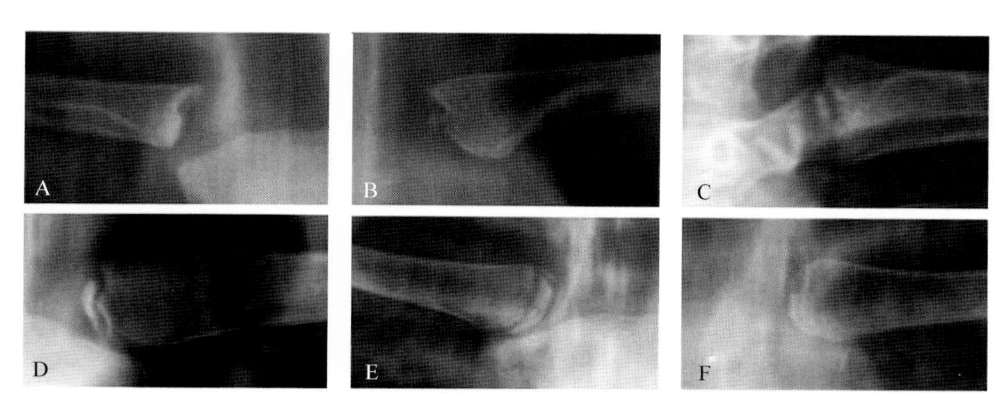

图 3-2 朱广友、王亚辉等建立的锁骨胸骨端骨骺发育分级方法(A~F 代表 1~6 级)

(2) 研究结果:2008 年,朱广友、王亚辉等对我国东部、中部及南部地区 1 897 名 12.0~20.5 周岁青少年锁骨胸骨端骨骺发育研究发现,男性锁骨胸骨端骨骺出现与闭合的平均年龄为 17.38 岁,闭合的平均年龄为 20.20 岁;女性锁骨胸骨端骨骺出现与闭合的平均年龄分别为 16.15 岁、19.59 岁(表 3-2)。

表 3-2 中国青少年锁骨胸骨端骨骺出现与闭合时间表

性别	特征	例数	平均年龄(岁)	年龄范围(岁)	标准差(岁)	标准误(岁)	95%置信区间(岁)
男性	出现	125	17.38	14.85~19.91	1.29	0.12	17.16~17.58
	闭合	18	20.20	19.17~	0.72	0.72	19.17~
女性	出现	106	16.15	16.11~18.52	1.21	0.12	15.91~16.39
	闭合	10	19.59	20.00~	0.58	0.42	18.90~

(二) 根据胸骨 X 线摄影推定年龄

经研究证实,胸骨 X 线变化与年龄变化之间的关系,具有明显的相关性。且获得胸骨的解剖形态极为方便,用 X 线拍照观察不用剔除表面软组织,省时省力,胸骨是实用性很强的推定年龄部位。

将提取的胸骨用 X 线拍照后按表 3-3 中的标准观察评分,然后将评分值代入下列多元回归方程进行推定年龄。

表 3-3 女性胸骨 X 线影像变化评分标准

变量	结构影像	X 线微细结构影像变化	评分
X_1	肋切迹钙化带	部分或基本形成	1

（续表）

变量	结构影像	X线微细结构影像变化	评分
		形成（薄）、残骨骺	2
		厚而致密	3
		模糊，轻度疏松	4
		疏松	5
X_2	肋切迹骨质增生	无，平滑	1
		弧线样增生	2
		月形或粟粒小斑块状增生	3
		增生骨质出现模糊骨纹	4
		增生骨质骨纹清晰而致密	5
		增生骨质疏松	6
X_3	胸骨柄骨纹结构	均匀连续放射线状，或均匀网眼状骨纹结构	1
		出现间断、间或骨纹，粗细不匀	2
		骨纹增强，边缘不整	3
		边缘呈粗大颗粒状或呈破网状	4
X_4	松质骨	均匀网眼	1
		疏密网眼	2
		混合网眼	3
		稀疏网眼	4
X_5	骨皮质	光滑而密度低，皮质薄	1
		出现少许粟粒或小花边样骨膜反应	2
		骨皮质厚、骨密度高，骨皮质颗粒状，骨骺呈葱皮状骨膜或花边状融合	3
		丘状隆起，或皮质异常增厚或疏松分层	4

$Y=9.664\ 1+1.699\ 9X_1+2.748\ 6X_2+1.892\ 9X_3+1.556\ 1X_4+0.425\ 5X_5$，$Y$为推断年龄，$X$为变量评分。

该方法适用于17.0~50.0岁的汉族女性。

（三）根据肩关节X线摄影推定年龄

1. 李彦明等根据肩关节X线摄影推定年龄

（1）各项观察指标分级方法：2017年，李彦明等对210例中国汉族成人肩关节X线（CR）片进行分析，其中男性124例，年龄范围为18.0~83.0周岁，女性86例，年龄范围18.0~60.0周岁，选取与年龄变化关系密切的肱骨骨髓腔高度（X_1）、肱骨近端骨骺骨小梁变化（X_2）、肱骨大结节内骨小梁变化（X_3）、锁骨骨髓腔肩峰侧骨小梁变化（X_4）4项指标，观察不同年龄各指标的变化进行统计分析；研究认为，利用成人肱骨骨髓腔高度、肱骨近端骨骺骨小梁变化、肱骨大结节内骨小梁变化、锁骨骨髓腔肩峰侧骨小梁变化可推断年龄，各项观察指标分级、评分方法见表3-4。

表 3-4 各项观察指标分级、评分方法

指标	评分	分级	特征
X_1	1	0 级	在外科颈以下
	2	1 级	达外科颈
	3	2 级	外科颈以上,骺线以下
	4	3 级	达骺线
	5	4 级	骺线以上与肱骨大结节中形成的腔隙相汇合
X_2	1	0 级	骨小梁呈放射状系统
	2	1 级	骨小梁系统部分呈尖形拱状
	3	2 级	骨小梁系统呈尖形拱状,沿髓腔两侧开始出现柱状结构
	4	3 级	沿髓腔两侧的柱状结构出现碎裂状
	5	4 级	柱状结构仅剩下不连续残片
	6	5 级	松质骨仅留有残迹,皮质变薄、透明
X_3	1	0 级	骨小梁致密均匀,放射状排列
	2	1 级	骨小梁变细、稀疏
	3	2 级	骨小梁粗细不均,偶有中断,大结节内开始出现空洞或大片状缺损
	4	3 级	骨小梁特细,有空洞或缺损变大
	5	4 级	骨小梁特别稀疏、细弱,空洞更大,与骨髓腔融合
X_4	1	0 级	骨小梁排列紧密,呈细小颗粒状,大致沿锁骨长轴呈平行层状排列
	2	1 级	骨小梁结构轻微疏松
	3	2 级	骨小梁进一步疏松,腔隙增大
	4	3 级	骨小梁粗糙疏松,半透明度显著增加
	5	4 级	骨小梁略有吸收
	6	5 级	非常粗糙疏松的骨小梁,骨质减少
	7	6 级	与 5 级相似,沿骨髓腔可见明显的骨皮质卷曲

(2) 研究结果:使用全指标回归方法的误差明显小于单变量回归,预测年龄与实际年龄的误差在 3.0 岁以内的样本占全部样本 80.0%,而误差在 5.0 岁以内的样本占全部样本的约 93.0%;从男、女性盲测结果的比较看出,预测年龄与实际年龄误差在 3.0 岁以内的男性为 73.0%,而女性为 87.0%,女性回归方程预测年龄的效果要优于男性的年龄判定回归方程,其误差较大。

2. Schranz 等根据肱骨近端骨发育 X 线摄影推定年龄

年龄变化与肱骨上端骨髓腔向外科颈延伸发展之间的关系,早在 1959 年 Schranz 就已做了研究。对肱骨上端骨髓腔的观察比较,可沿其纵轴锯开。X 线摄影观察更方便、快捷,且不破坏标本。根据对肱骨进行放射学和解剖学的观察研究,Schranz 提出了肱骨近端下述 11 个发育等级的年龄判定标准。

1 级:15.0~16.0 岁,干骺端(骨干生长端)仍是软骨性的。

2 级:17.0~18.0 岁,干骺端初步愈合,骨干内腔仍是尖形拱状的。

3 级:19.0~20.0 岁,闭合接近完成,骨骺的内部结构呈放射状,骨髓腔呈尖形拱状。

4 级:21.0~22.0 岁,闭合完成,外侧面仍留有软骨的痕迹,内部结构同前。

5 级:23.0~25.0 岁,干骺端的发育完成,骨骺的内部结构不再呈明显的放射状,骨髓腔仍是尖形拱状的,骨髓腔顶距外科颈很远。

6 级:26.0~30.0 岁,骨骺内部结构的放射状特征正在消失,骨干内腔尖形拱状,骨髓腔仍未达外科颈。

7 级:31.0~40.0 岁,骨骺的放射状内部结构完全消失,骨干内部结构更近似圆柱形,骨髓腔的最上部接近外科颈。

8 级:41.0~50.0 岁,骨干的圆柱形结构呈不连续状,骨髓腔的圆锥形顶达外科颈,在圆锥状骨髓腔顶与骺线之间可有空隙。

9 级:51.0~60.0 岁,肱骨大结节处出现豌豆大小的腔隙。

10 级:61.0~70.0 岁,骨的外层粗糙,皮质变薄,骨干的内部结构不规整,髓腔达骺线,大结节处有蚕豆大腔隙,肱骨头显示透明状。

11 级:75.0 岁以上,骨的外面粗糙,大结节不再呈突出状,骨皮质变薄,髓腔中仍有少量海绵样组织,骨骺(肱骨头)脆弱,透明度增加。

上述各项指标均是对男性而言,对于女性,青春期早 2.0 年,成熟期早 5.0 年,老年期早 7.0~10.0 年。

3. 朱广友、王亚辉等根据青少年肩关节骨发育 X 线推定骨龄

(1) 青少年肩关节各项观察指标分级方法:2008 年,朱广友等对我国东部、中部及南部地区 1 897 名 11.0~20.5 周岁青少年肱骨近端、锁骨肩峰端、肩胛骨肩峰端骨发育状况进行了系统研究,研制了我国当代青少年肱骨近端骨骺(X_1)、锁骨肩峰端骨骺(X_2)、肩胛骨肩峰端骨骺(X_3)发育分级方法(表 3-5)。

表 3-5 青少年肩关节各项观察指标分级方法

指标	分级	特征
X_1	1 级	继发骨化中心后面(高面)与干骺端之间的骺软骨间隙模糊;继发骨化中心前面(低面)与干骺端之间的骺软骨间隙完整、清晰
	2 级	继发骨化中心后面(高面)与干骺端锥形面顶部之间呈点状闭合;继发骨化中心前面(低面)与干骺端开始闭合,骺软骨间隙变模糊
	3 级	继发骨化中心后面(高面)与干骺端部分闭合,闭合的骺线向两侧延展,闭合范围未达 1/2;继发骨化中心前面(低面)与干骺端尚未完全闭合
	4 级	继发骨化中心后面(高面)与干骺端大部分闭合,闭合范围达 1/2 以上,干骺端边缘尚残留狭小间隙;继发骨化中心前面(低面)与干骺端尚未完全闭合
	5 级	干骺端全部闭合,骺线残留或消失
X_2	1 级	锁骨肩峰端边缘不清,呈不规则状
	2 级	开始形成完整的边缘,轮廓变清晰
	3 级	边缘逐渐骨化,呈不连续的致密线;形成锁骨肩峰端正常解剖形态
X_3	1 级	继发骨化中心尚未出现;肩胛骨肩峰端边缘不清,呈波浪状或花边状
	2 级	继发骨化中心开始出现,呈小片状或碎块状
	3 级	继发骨化中心逐渐增大并相互融合,部分或全部覆盖肩峰;干骺端开始呈点状闭合
	4 级	干骺端部分闭合,呈多点状闭合;闭合的骺软骨间隙呈不连续的线状

（续表）

指标	分级	特征
	5级	干骺端大部分闭合；闭合的骺软骨间隙呈连续的线状
	6级	干骺端全部闭合，骺线残痕消失

（2）研究结果：该研究根据不同躯体部位骨骺闭合分级结果最高频数分布情况，确定肩关节骨发育标准图谱（表3-6）。

表3-6 各年龄段对应肩关节不同指标分级情况

年龄（岁）	肱骨近端骨骺（X_1）		锁骨肩峰端骨骺（X_2）		肩胛骨肩峰端骨骺（X_3）	
	女性	男性	女性	男性	女性	男性
11.0	1级	1级	1级	1级	1级	1级
11.5	2级	1级	1级	1级	1级	1级
12.0	2级	2级	1级	1级	2级	1级
12.5	2级	2级	2级	1级	2级	1级
13.0	3级	2级	2级	2级	3级	1级
13.5	3级	2级	2级	2级	3级	2级
14.0	3级	2级	2级	2级	4级	3级
14.5	4级	3级	2级	2级	4级	3级
15.0	4级	3级	2级	2级	5级	4级
15.5	4级	3级	2级	2级	5级	4级
16.0	4级	3级	2级	2级	5级	4级
16.5	4级	4级	3级	2级	5级	4级
17.0	4级	4级	3级	3级	5级	5级
17.5	5级	4级	3级	3级	6级	5级
18.0	5级	4级	3级	3级	6级	5级
18.5	5级	5级	3级	3级	6级	6级
19.0	5级	5级	3级	3级	6级	6级
19.5	5级	5级	3级	3级	6级	6级
20.0	5级	5级	3级	3级	6级	6级
20.5	—	5级	—	3级	—	6级

4. 牛丽萍等根据青少年肩关节骨发育X线推定年龄

（1）观察指标及分级方法：2002年，牛丽萍等对太原地区267名年龄12.0~22.0岁的青少年肩关节X线片与年龄间的关系进行相关研究，其肩关节X线片上的观察指标，肱骨近端骨骺（X_1），锁骨肩峰端骨骺（X_2），肩胛骨肩峰端骨骺（X_3），肩胛骨喙突骺（X_4），具体分级、评分方法见表3-7。

表 3-7 各项观察指标分级、评分方法

指标	评分	分级	特征
X_1	1	0 级	骨干与肱骨骨骺全线明显分离
	2	1 级	骨骺开始闭合,骨骺两端见骨小梁连接,闭合范围小于 1/5
	3	2 级	干骺端部分闭合,闭合范围在 2/5~1/2
	4	3 级	干骺端部分闭合,闭合范围达 3/5
	5	4 级	干骺端基本闭合,骨骺线闭合线达 4/5
	6	5 级	骨骺端全部闭合,闭合线呈线状
X_2	1	0 级	边缘不清呈不规则状
	2	1 级	锁骨肩峰端开始形成完整的边缘
	3	2 级	锁骨肩峰端边缘开始骨化呈亮线
X_3	1	0 级	肩峰端骨骺尚未出现
	2	1 级	肩峰端骨骺开始出现
	3	2 级	肩峰端骨骺开始增长,部分或全部覆盖肩峰
	4	3 级	骨骺与骨体部分闭合,闭合骨骺呈线状
	5	4 级	骨骺进一步闭合,闭合骨骺呈不连续残破线状
	6	5 级	骨骺与骨体闭合完成,骺线残痕消失
X_4	1	0 级	肩峰喙突骨骺尚未出现
	2	1 级	肩峰喙突骨骺开始出现
	3	2 级	骨骺开始增长,部分或全部覆盖喙突
	4	3 级	骨骺与骨体部分闭合,愈合骨骺呈线状
	5	4 级	骨骺进一步闭合,闭合骨骺呈不连续残破线状
	6	5 级	骨骺与骨体闭合完成,骺线残痕消失

(2) 研究结果:牛丽萍等利用肩关节 X 线片建立了判定青少年年龄的判别方程。回代检验结果:±2.0 岁准确率 96.3%,预测年龄 95%置信区间为±2.68 岁,其误差较大。多元回归方程为 $Y=9.517+0.518X_1+0.913X_2+0.65X_3+0.436X_4$, $R=0.911$,标准误 = 1.344,$F>0.01$。其中,Y 为推断年龄,X 为变量评分。

(四) 根据肘关节 X 线摄影推定年龄

1. 欧阳镇等建立的青少年肘关节骨发育图谱

1987 年,欧阳镇等对男性 294 人(8.0~15.0 岁),女性 225 人(8.0~13.0 岁)利用 X 线摄影法观察了青少年肘关节骨发育年龄变化,其变化较为鲜明的年龄段男性集中于 10.0~15.0 岁,女性集中于 9.0~13.0 岁。因此,对这一时期的骨龄判定,用肘部 X 线摄影可能比手腕部更为准确、更为灵敏。

首先,需要拍摄肘部正侧位 X 线片。在正位片上着重观察肱骨内上髁、肱骨外上髁、肱骨滑车、肱骨小头及桡骨小头骨骺发育状况,在侧位片上观察尺骨鹰嘴骨骺的发育情况。根据正侧位片的观察所见,参照下述各年龄肘部的主要 X 线征象及骨发育示意图(图 3-3),找出成熟水平相近者,相应标准图谱代表的年龄即为骨骺发育年龄。当正位和侧位 X 线片骨龄不一致时,如正位片为 11.0 岁,侧位片为 12.0 岁,则以两者均值 11.5 岁作为被判定的骨龄。该方法分别适用于男性10.0~15.0岁及女性8.0~13.0岁儿童青少年的肘部骨骼发育年龄的判定。

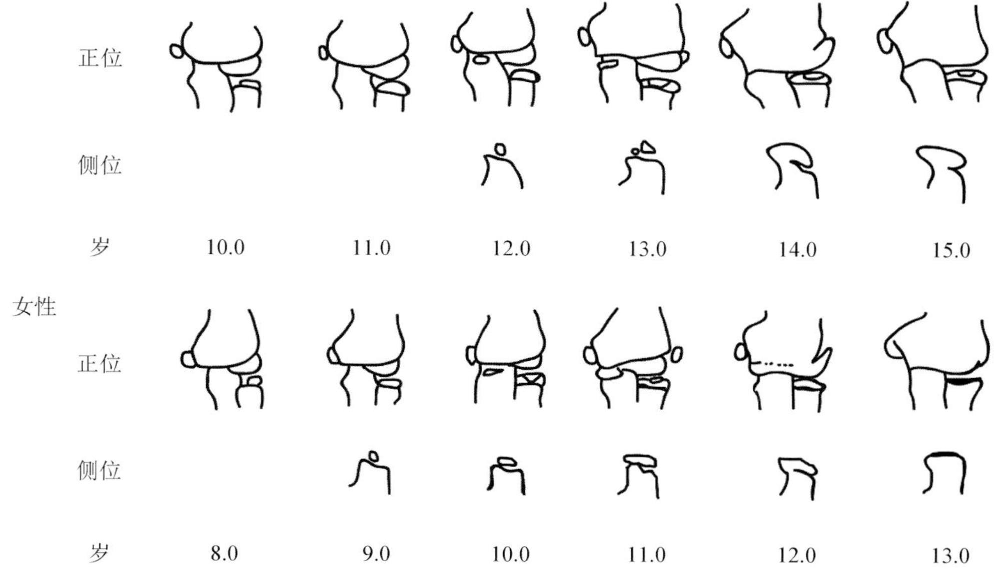

图3-3　男、女青少年儿童肘部骨发育及其对应年龄示意图

（1）男性儿童青少年各年龄肘关节骨发育X线征象

1）10.0岁：可见肱骨小头、肱骨内上髁和桡骨小头等3个骨化中心。

2）11.0岁：桡骨小头长径达到干骺端宽度的2/3。

3）12.0岁：肱骨滑车和尺骨鹰嘴出现。

4）13.0岁：肱骨外上髁出现，鹰嘴出现2个骨化中心或1个骨化中心的长径超过干骺端斜面的1/2。

5）14.0岁：肱骨滑车完全愈合，外上髁和肱骨小头共同与干骺端部分愈合，鹰嘴部分愈合，愈合部分不超过干骺端宽度的1/2。

6）15.0岁：外上髁等完全愈合，鹰嘴愈合部分超过干骺端宽度的1/2。

（2）女性儿童青少年各年龄肘关节骨发育X线征象

1）8.0岁：可见肱骨小头、肱骨内上髁和桡骨小头等3个骨化中心。

2）9.0岁：桡骨小头长径达到干骺端宽度的2/3，鹰嘴骨化中心的长径不超过干骺端斜面的1/2。

3）10.0岁：肱骨滑车出现，鹰嘴骨化中心的长径超过干骺端斜面的1/2，或出现2个骨化中心。

4）11.0岁：出现肱骨外上髁，鹰嘴骨化中心的长径超过干骺端的宽度。

5）12.0岁：肱骨滑车、外上髁和尺骨鹰嘴等干骺部分愈合。

6）13.0岁：除肱骨内上髁外，各干骺完全愈合。

2. 青少年肘关节骨发育X线推定骨龄

（1）青少年肘关节各项观察指标分级方法：2008年，朱广友、王亚辉等对我国东部、中部及南部地区1 897名11.0～20.5周岁青少年肱骨内上髁、肱骨小头、桡骨头骨发育状况进行了系统研究，研制了我国当代青少年肱骨内上髁骨骺（X_1）、肱骨小头骨骺（X_2）、桡骨头骨骺（X_3）发育分级方法（表3-8）。

表3-8 青少年肘关节各项观察指标分级方法

指标	分级	特征
X_1	1级	继发骨化中心与干骺端之间的骺软骨间隙完整、清晰
	2级	干骺端开始闭合，继发骨化中心与干骺端之间的骺软骨间隙变模糊
	3级	干骺端部分闭合，闭合的骺软骨间隙呈线状并向一侧延展
	4级	干骺端全部闭合，骺线残痕消失
X_2	1级	继发骨化中心呈楔形，继发骨化中心与干骺端之间的骺软骨间隙完整、清晰
	2级	干骺端开始闭合，闭合范围未达1/2；继发骨化中心与干骺端之间的骺软骨间隙变模糊
	3级	干骺端大部分闭合，闭合范围达1/2以上
	4级	干骺端全部闭合，骺线残痕消失
X_3	1级	继发骨化中心呈盘状，外侧端略厚于内侧端，最大横径小于干骺端最大横径；继发骨化中心与干骺端之间的骺软骨间隙完整、清晰
	2级	继发骨化中心呈类帽状覆盖干骺端，最大横径略大于干骺端最大横径；继发骨化中心与干骺端之间的骺软骨间隙较前变窄且模糊
	3级	干骺端开始闭合，闭合范围未达1/2
	4级	干骺端大部分闭合，闭合范围达1/2以上，干骺端边缘尚残留狭小间
	5级	干骺端全部闭合，骺线残留或消失

（2）研究结果：该研究根据不同部位骨骺闭合分级结果最大频数分布情况，确定不同年龄肘关节骨发育标准图谱（表3-9）。

表3-9 各年龄段对应肘关节不同指标分级情况

年龄（岁）	X_1		X_2		X_3	
	女性	男性	女性	男性	女性	男性
11.0	1级	1级	1级	1级	1级	1级
11.5	2级	2级	2级	2级	2级	1级
12.0	2级	2级	3级	2级	2级	1级
12.5	2级	2级	3级	2级	3级	2级
13.0	3级	2级	4级	2级	3级	2级
13.5	4级	2级	4级	3级	4级	2级
14.0	4级	2级	4级	4级	4级	3级
14.5	4级	3级	4级	4级	5级	4级
15.0	4级	3级	4级	4级	5级	5级
15.5	4级	4级	4级	4级	5级	5级
16.0	4级	4级	4级	4级	5级	5级

（续表）

年龄（岁）	X_1		X_2		X_3	
	女性	男性	女性	男性	女性	男性
16.5	4级	4级	4级	4级	5级	5级
17.0	4级	4级	4级	4级	5级	5级
17.5	4级	4级	4级	4级	5级	5级
18.0	4级	4级	4级	4级	5级	5级
18.5	4级	4级	4级	4级	5级	5级
19.0	4级	4级	4级	4级	5级	5级
19.5	4级	4级	4级	4级	5级	5级
20.0	4级	4级	4级	4级	5级	5级
20.5	—	4级	—	4级	—	5级

（五）根据腕关节X线推定年龄

腕关节骨块较多，有长骨、短骨等，且X线操作方便，另外手腕部又是劳动器官，便于观察功能上引起的形态变化，因此是国内外骨龄研究中最常用的方法。常用的方法包括计数法、图谱法、计测法、评分法等。

1. 计数法

计数法是计算骨化中心出现和骨骺闭合的数目并与相应的标准比对得出骨龄的评定方法，通常以50%出现率（或融合率）所在年龄为正常值的标准。计数法包括单部位计数法和多部位计数法。

1926年，Todd首先提出计数法，它是最早的骨龄评定方法。Gam在Elgenmark研究的基础上，列出了骨化中心出现与年龄对应的图表，即只要拍摄手腕部X线片，并数出骨化中心的数目，然后直接查表就可以得出骨龄。该法较少受拍片时手腕部位置的影响。然而，正常儿童在10.0岁以后手腕部就没有新的次级骨化中心出现，显然单部位计数法适用年龄范围过窄，仅限于学龄前儿童。我国学者对正常儿童腕部骨化中心出现的数目与年龄进行了较为系统的研究，结果表明，1.0岁时出现腕部骨化中心2~3个，3.0岁时4个，6.0岁时7个，8.0岁时9个，10.0岁时出齐10个，即在10.0岁以前，腕部骨化中心出现的个数大约为年龄+1，实际上除了头状骨和钩骨外，其余各骨骨化中心出现的正常年龄范围仍较大。但由于其使用简便、省时、易于掌握，计数法可用于少儿年龄的评估，误差较大。

2. 图谱法

图谱法就是将被检者X线片与（手、腕部）系列骨龄标准X线图谱比较（每一标准图谱代表该年龄组儿童骨发育的平均水平），以最相像的标准X线片对应的骨龄作为被检者骨龄的评定方法。图谱法既考虑到骨化中心出现的数目，又兼顾形态大小，也考虑到各骨的发育水平，具有简便、明确、易行的特点。其代表方法有美国的G-P图谱法、中国的顾氏图谱法和日本的标准骨成熟图谱法，其中G-P图谱法在国际上应用广泛。

（1）G-P图谱法：早在1898年就有人提出骨骼发育图谱的概念。之后，美国的研究人员于1931年开始实施布拉斯计划。他们选择在美国出生的中、上层白种人家庭中无体格和智能异常的儿童,1.0 岁前每 3 个月拍摄 1 次,5.0 岁以后每年拍摄 1 次,15.0 岁每半年拍摄 1 次,观察骨发育系列形态变化的 X 线征象,历时 5 年,最终从纵向资料中选择了 1 000 名儿童的 X 线片,将手、腕部按每一骨发育成熟度递增排序,取其每一系列的众数片或中位片作为代表,分析各骨代表的发育指征,得到各骨和各年龄骨发育的 X 线影像学特点,以此作为评定标准。1937 年,Todd 在其研究基础之上发表了手、腕部骨骼发育图谱法,至此开创了骨发育的系统研究。该方法所提出的骨发育 X 线指征成为以后研究骨发育的基础,但由于所选样本单一,故其实用价值存在局限性。随后 Greulich 和 Pyle 对此图谱做了改进,选择手、腕部共 27 块骨,154 个骨成熟标志,各骨发育标志均不少于 8 项(其中桡骨远端骨骺、尺骨远端骨骺为 11 项)。经过大量对比研究,他们筛选出 58 张标准 X 线片(男性 31 张,女性 27 张),相当于男或女发育衡量尺的 31 或 27 个刻度。与 Todd 图谱相比,后者将观察的年龄范围男性扩展到 19.0 岁,女性扩展到 18.0 岁。由于不同年龄阶段骨发育的速度不一样,他还合理地调整了相邻标准 X 线片的时间间隔;分别标示出各骨的骨龄,既可以评出总的骨龄,又可以评出单个骨的骨龄,以了解各骨发育的不平衡性。同时,他改善了标准 X 线片的图像质量和文字说明,将其于 1959 再版。由于其简便、直观、精确度较好,该图谱法在国际上有较高的影响力和权威性,并广为流传。但是,在实际操作中,将被检者 X 线片与标准 X 线片相比较选择“相片”时仍存在较大的主观性。此外,其原样本来自发达国家富裕家庭儿童,故 G-P 图谱法用于非发达国家和地区时骨龄评定时花费显得偏高,而修订又很困难。

(2) *顾氏图谱法*:20 世纪 90 年代初,顾光宁对 1959~1961 年的资料进行再整理,并对一些由于年代变化而发生改变的指标(如男性 7.0 岁以后腕部豌豆骨和舟状骨发育较 1962 年提前一年)予以矫正,采用 Flory Mackay“在某一年龄时,组内某一骨化中心出现数超过 50%时,此年龄作为该骨化中心出现的年龄”的方法,确定某一骨化中心出现的年龄。而在确定每一年龄骨化标准(如何选择标准 X 线片)的时候,采用了最多数法,即一组内,相同骨化中心出现数目最多的一张。并于 1993 年完成并出版了《中国人标准骨龄及应用(顾氏图谱)》专著。他认为,图谱中的各线条是按照标准 X 线绘成的,所有骨骼、骨化中心及骨骺的形状及大小比例十分精确。但是,该法的核心基础仍是计数法的思想,方法设计上本身就丢失了许多可操作的骨骼发育信息,尤其在学龄期后存在较大的误差(图 3-4)。

3. 计测法

计测法是通过测定骨骼的纵横轴比例、骨化中心面积推断活体骨龄。该方法较为准确,降低了其他因素对结果的影响,客观性较强,随机误差小。由于计测法测定方式相对繁杂,标准亦尚未统一,故相关研究较困难。近年来,随着计算机图像识别及智能化软件技术的开发应用,测定方法趋向简约,使计测法的进一步研究成为可能。

手部骨骼测量研究始于 1902 年,之后国内外相继有学者对手部骨骼进行测量,收集正常手部骨骼相关数据。1992 年,日本学者 Kimura 利用第 2 掌骨 X 线片,测量其长和宽来估算身高,其结果标准误为 4.19 cm。同年,黄幼才利用 X 线摄影精确测定手腕骨的三维空间位置和大小,并根据各骨块所占的权重比,运用回归拟合的方法建立回归方程,确定手腕各骨得分的加权平均值,求得手腕骨成熟度得分,然后,采用三点二次曲线拟合法(即抛物线插值法)计算骨龄,但未提出具体年龄推断的方法。2007 年,李开等对湖南 103 名 14.0 周岁男性中学生拍摄左手腕后前位 X 线片,利用计测法测量掌、指骨的干骺端横径、骨骺端横

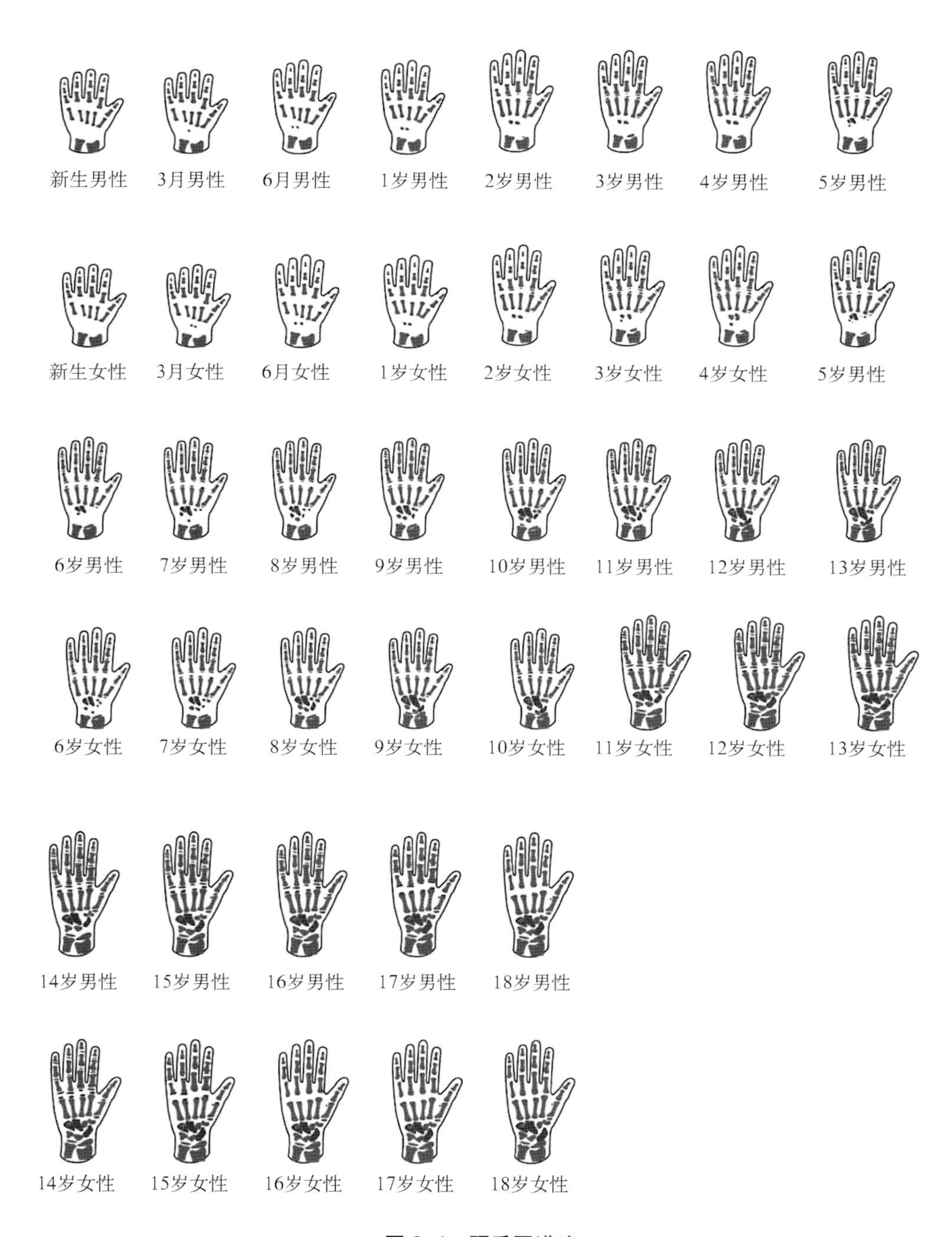

图 3-4 顾氏图谱法

径、骺线宽度，计算干骺比值，并观察骨骺闭合情况，得出 14.0 岁男性手腕骨 15 个部位的发育标准，准确率为 80.0%。

4. 评分法

评分法是根据不同部位骨发育的不同阶段进行分级或者分期，并赋予相应的分值。计算被检者不同部位骨发育分值的总和,再与不同年龄组骨发育标准分值进行比较,得出相应的生物学年龄。它是目前评定骨龄最为精确的方法。

(1) TW 评分法:1962 年,Tanner 和 Whitehouse 在 Acheson 的启发下,认为骨发育评分系统不像计数法、图谱法依附于年龄,是真正衡量骨发育的方法。于是展开了对英国和西欧 2 600 位儿童生长发育的长期纵向研究,提出了一套骨发育评分系统,这种方法称为 TW1 法。它的独特之处在于:在选取手、腕部参评骨骼时,选择了头状骨和钩骨,舍弃了第二、四掌、指骨和豌豆骨共 9 块,力求在避免信息重复情况下,挑取尽可能代表个体发育信息多的个骨;个骨发育分期时,要求分期标志为人类普遍存在而不受种族、性别、个体大小的影响,且标志点应易于区分;在确定分值时,选择能使每一个人 20 个骨的各期分数的离均差平方和最小,即分期的数学基础是方差和极小化,每个骨赋分为 0~100 分。此法在实际应用中虽然存在缺陷,但为 Tanner 以后的研究奠定了基础。

1975 年,TW1 法修改为 TW2 法。将桡骨、尺骨、头状骨、三角骨、舟骨、小多角骨的最后一个发育分期合并到上一期,这样每一个骨发育分期为 8 期或 9 期,更易于辨别;将手、腕部骨分为 3 个系列,即含桡、尺、掌指骨 13 块的 RUS 系列(R 系列),腕骨 7 个的 C 系列,二者综合的 20 骨系列(T 系列);将每一骨的分值从 0~100 分,改为每一系列骨总分值为 0~1 000分,其中每一骨的分值不都是 100 分;将原来男性、女性各期的分值一样,改为有差异;增加了纵向研究的样本量。总之,TW2 法采用了不依附于年龄的骨发育评分系统和骨发育标准系统,骨龄鉴定的结果更为精确,是计数法和图谱法不可比拟的。

进入 21 世纪,考虑到当代青少年骨发育普遍提前(有报道认为,每 10 年左右骨发育成熟提前 0.22~0.66 岁,故骨龄标准的适用期限以 10 年为宜),TW2 于 2001 年获得修改,形成 TW3 法。Tanner 和 Whitehouse 认为,R 系列骨龄标准随着时代、人群的不同而变化,并重新收集了来自 3 个城市上万张 X 线片制订了新的 R 骨系列发育标准,舍弃了 T 系列。TW2 法、TW3 法有其共同的优点,如把骨发育过程的细致量化、把骨发育百分位值和骨发育分转化为骨龄标准的标准化法等。不足的是,由于该法中涉及的指标和参数多,人工评定较烦琐费时;虽经专业人员读片评定,其重复性也不是很好;骨发育分期的生物学依据不甚清楚等。另外,它的标准人群骨发育资料采集于欧美发达国家儿童,故不宜直接用于我国青少年儿童。目前,国内外普遍认同的骨龄鉴定方法为 TW3 法,预期该法的应用将会更加广泛。

1) TW 评分法 X 线分期:是将手、腕部 20 个骨的骨发育分为 8 期或 9 期,即桡骨、掌骨、指骨、钩骨和大多角骨骼分为 9 期,尺骨、舟骨、月骨、三角骨、头状骨和小多角骨骼分为 8 期。各期的顺序以英文大写字母从 A 起依次表示。

A 期:骨化中心尚未出现。

B 期(萌出期):骨化中心刚出现。

C 期(骨核期):骨化中心的轮廓清晰。

D 期(增大期):长骨骨骺或腕骨核增长到一定大小。

E 期、F 期、G 期(构形期):长骨骨骺或腕骨核逐步成形,如关节面、骨突的形成,与邻近骨关系的变化等。

H 期(近成熟期,若骨发育只分 8 期,则为成熟期)、I 期(成熟期):长骨的干骺端融合开始、完成,或腕骨核接近、达到成熟形态。

每一期有 1~3 个标志，须达到以下 2 个条件方可评为相应的期：①只有 1 个标志者，骨骺发育分期符合这 1 个即可，有 2 个者只要符合其中 1 个即可，有 3 个者需要符合其中2 个。②符合其上一期的第 1 个标志。例如，某骨 C 期有标志 a 和 b，D 期有标志 a、b、c，若评为 D 期，须符合 D 期的 3 个标志中的 2 个和 C 期的标志 a 方可。以下是各骨发育期的具体标志。

A.桡骨：观察部位为桡骨远端，其内侧邻近尺骨远端，远外侧邻近舟骨，远内侧邻近月骨。其继发骨化中心的发育分为 9 期。

A 期：骨化中心尚未出现，仅见桡骨的干骺端。

分值：0。

B 期：骨化中心刚出现，为白色钙沉着点，其边界不清楚，一般 1 个，偶尔多个。

分值：男（R16，T15）；女（R23，T17）①。

C 期：骨化中心呈卵圆形，轮廓清楚，周边线平滑、连续。

分值：男（R21，T17）；女（R30，T19）。

D 期：①骨骺的最大径等于或大于桡骨干骺端宽度的一半。②骨骺增厚，主要在外侧，以致其外侧部分厚而圆，内侧部分较尖细。③骨骺近侧缘（即近侧面的投影）的中 1/3 变平，稍增厚，它与桡骨干骺端之间的间隙变窄，大约为 1 mm。

分值：男（R30，T21）；女（R44，T25）。

E 期：骨骺远侧呈现重影。重影由靠近骨骺远缘的增厚白线和靠近白线远侧的低密度阴影构成。白线是掌面边缘的投影，低密度阴影是背面新出现骨组织的边缘的投影。

分值：男（R39，T27）；女（R56，T33）。

F 期：①骨骺近缘为一致密白线，宽而不规则，它是骨骺近缘掌面的投影，提示骨骺的近缘已分化为掌面和背面。②骨骺的内、外两端圆形隆起，尤其是内侧明显，近缘走向与桡骨干骺端的大部分平行一致。这些征象是骨骺大约从上一期起向两侧生长的反映。

分值：男（R59，T48）；女（R78，T54）。

G 期：①骨骺远侧背面已有明显的月骨和舟骨关节缘，两关节缘交接处呈小峰状。②骨骺内侧分化为掌关节面（白线）和背关节面（阴影），白线或阴影都可向内突出于干骺端，依拍 X 线片时腕关节的位置而定；此两关节面将与尺骨骨骺构成关节。③骨骺近缘向远侧稍拱起。

分值：男（R87，T77）；女（R114，T85）。

H 期：骨骺帽盖着桡骨干骺端的一侧（常为内侧）或两侧。

分值：男（R138，T96）；女（R160，T99）。

I 期：①骨骺开始闭合。闭合线为黑白相间，白线代表闭合，占全长的 1/4 以上，但小于全长，余为黑线，代表残留的骨骺软骨区。②干骺完全闭合，闭合线全为白色，可部分或完全消失。

分值：男（R213，T106）；女（R218，T106）。

B. 尺骨：观察部位为尺骨远端，其外侧邻近桡骨远侧，远外侧邻近月骨，远内侧邻近三角骨。其继发骨化中心的发育分为 8 期。

A 期：骨化中心尚未出现，仅见尺骨的干骺端。

① R 表示 R 系列，T 表示 T 系列。

分值:0。

B 期:骨化中心刚出现,为白色钙沉着点,其边界不清楚,一般 1 个,偶尔多个。

分值:男(R27,T22);女(R30,T22)。

C 期:骨化中心轮廓清楚,周边线平滑、连续。

分值:男(R30,T26);女(R33,T29)。

D 期:①骨骺的最大径等于或大于尺骨干骺端宽度的一半。②骨骺变长,横径(内、外径)明显大于纵径(远、近径)。③骨骺呈楔形,尖端朝外,远缘和近缘平直,但不一定平行。

分值:男(R32,T30);女(R37,T30)。

E 期:骨骺远内侧的茎突清楚可见,但凸起小。

分值:男(R40,T39);女(R45,T33)。

F 期:①骨骺外侧的尺骨头清楚可见,尺骨头内侧的白线(尺骨头内侧面的投影)使尺骨头与茎突相区别;尺骨头和茎突交接处的近缘和远缘凹陷,故该处较狭窄。②骨骺与桡骨骨骺邻近的边缘变平。

分值:男(R58,T56);女(R74,T60)。

G 期:①骨骺与尺骨干骺端等宽。②骨骺近缘与尺骨干骺端远缘在中 1/3 处互相重叠。

分值:男(R107,T73);女(R118,T73)。

H 期:①干骺端开始闭合,闭合线为黑白相间,白线代表闭合,黑线代表残留的骨骺软骨区,在茎突一侧常较清楚,在其他处仅隐约可见。②干骺完全闭合,闭合线全为白色,可部分或完全消失。

分值:男(R181,T84);女(R173,T80)。

C. 第 1 掌骨。

A 期:骨化中心尚未出现,仅见第 1 掌骨的干骺端。

分值:0。

B 期:骨化中心刚出现,为白色钙沉着点,其边界不清楚,一般 1 个,偶尔多个。

分值:男(R6,T4);女(R8,T5)。

C 期:骨化中心呈卵圆形,轮廓清楚,周边线平滑、连续。

分值:男(R9,T5);女(R12,T6)。

D 期:骨骺的最大径等于或大于第 1 掌骨干骺端宽度的一半。

分值:男(R14,T11);女(R18,T11)。

E 期:①骨骺与第 1 掌骨干骺端等宽。②骨骺近缘有凹陷,反映骨骺近侧开始分化为掌面和背面,但掌、背面尚不清楚。

分值:男(R21,T19);女(R24,T18)。

F 期:骨骺近侧呈舟形,由第 1 掌骨背侧面方向的平面和第 1 掌骨侧面方向的平面构成;这是由于骨骺近侧已清楚地分化为掌面和背面,加之拇指在 X 线片上的转位;此外,到本期末,骨骺内缘从圆隆状变为平直。

分值:男(R26,T24);女(R31,T24)。

G 期:骨骺帽盖着干骺端的一侧或两侧,通常内侧比外侧明显,这与拇指在手的位置上转位有关。

分值:男(R36,T28);女(R43,T29)。

H 期:干骺端开始闭合,闭合线为黑色相间,白线代表闭合,占全长的 1/4 以上,但小于全长,余为黑线,代表残留的骨骺软骨区。

分值:男(R49,T30);女(R53,T31)。

I 期:干骺端完全闭合,闭合线全为白色,可部分或完全消失。

分值:男(R67,T32);女(R67,T33)。

D. 第 3、5 掌骨:观察部位为第 3、5 掌骨远端,它们的远端分别邻近第 3、5 近节指骨;此两骨的继发性骨化中心的发育分期标志相同,各分为 9 期。

A 期:骨化中心尚未出现,仅见第 3、5 掌骨的干骺端。

分值:0。

B 期:骨化中心刚出现,为白色钙沉着点,其边界不清楚,一般 1 个,偶尔多个。

分值:第 3 掌骨 男(R4,T3);女(R5,T3)。第 5 掌骨 男(R4,T3);女(R6,T3)。

C 期:骨化中心轮廓清楚,圆形,周边线平滑、连续。

分值:第 3 掌骨 男(R5,T4);女(R8,T5)。第 5 掌骨 男(R6,T3);女(R9,T4)。

D 期:骨骺的最大径等于或大于第 3、5 掌骨干骺端宽度的一半。

分值:第 3 掌骨 男(R9,T6);女(R12,T7)。第 5 掌骨 男(R9,T6);女(R12,T7)。

E 期:骨骺从上一期的卵圆形或半圆形变成铲形或指甲形。这是因为骨骺的内缘、外缘、近缘已变得清楚,内-近缘角和外-近缘角已变得明显。

分值:第 3 掌骨 男(R12,T10);女(R16,T11)。第 5 掌骨 男(R14,T12);女(R17,T12)。

F 期:骨骺可分辨出掌面,即在骨骺的内侧和外侧,于低密度阴影即背面内,可见掌面边缘的投影为一增粗的纵行白线。这是由于骨骺已分化为掌面和背面,自上一期起,背面的一侧或两侧向内侧方生长,超过了掌面。

分值:第 3 掌骨 男(R19,T16);女(R23,T17)。第 5 掌骨 男(R18,T17);女(R23,T18)。

G 期:骨骺的宽度分别等于或大于第 3、5 掌骨的干骺端的宽度(相当于后述各指骨骨骺发育出现盖帽的阶段)。

分值:第 3 掌骨 男(R31,T22);女(R37,T23)。第 5 掌骨 男(R29,T21);女(R35,T22)。

H 期:干骺端开始闭合,闭合线为黑白相间,白线代表闭合,占全长的 1/4 以上,但小于全长,余为黑线,代表有残留的骨骺软骨区。

分值:第 3 掌骨 男(R43,T23);女(R47,T24)。第 5 掌骨 男(R43,T23);女(R48,T24)。

I 期:干骺端完全闭合,闭合线全为白色,可部分或完全消失。

分值:第 3 掌骨 男(R52,T25);女(R53,T26)。第 5 掌骨 男(R52,T25);女(R52,T25)。

E. 第 1 近节指骨:观察部位为第 1 指即拇指的近节指骨的近端,其近侧邻近第 1 掌骨的远端。其继发性骨化中心的发育分为 9 期。

A 期:骨化中心尚未出现,仅见第 1 近节指骨的干骺端。

分值:0。

B 期:骨化中心刚出现,为白色钙沉着点,其边界不清楚,一般 1 个,偶尔多个。

分值:男(R7,T4);女(R9,T5)。

C 期:骨化中心轮廓清楚,盘形,周边线平滑、连续。

分值:男(R8,T5);女(R11,T5)。

D 期:骨骺的最大径等于或大于第 1 近节指骨干骺端宽度的一半。有时有多个骨化中心,最大径之和虽大于第 1 近节指骨干骺端宽度的一半,但仍应判为 C 期。

分值:男(R11,T8);女(R14,T8)。

E 期:①骨骺近缘呈拱形,常常增厚。②骨骺呈楔形,内缘比外缘长。

分值:男(R17,T15);女(R20,T14)。

F 期:骨骺宽度大于第 1 近节指骨干骺端宽度,特别在内侧。干骺的走向一致。

分值:男(R26,T23);女(R31,T24)。

G 期:骨骺帽盖着第 1 近节指骨干骺端,在内侧比在外侧明显。

分值:男(R38,T28);女(R44,T29)。

H 期:干骺端开始闭合,闭合线为黑白相间,白线代表闭合,占全长的 1/4 以上,但黑线未完全消失,代表有残留的骨骺软骨区。

分值:男(R52,T30);女(R56,T30)。

I 期:干骺端完全闭合,闭合线全为白色,可部分或完全消失。

分值:男(R67,T32);女(R67,T32)。

F. 第 3、5 近节指骨:观察部位为第 3、5 近节指骨的近端,它们的近侧分别邻近第 3、5 掌骨的远端。此两骨的继发性骨化中心的发育分期标志相同,各分为 9 期。

A 期:骨化中心尚未出现,仅见第 3、5 近节指骨的干骺端。

分值:0。

B 期:骨化中心刚出现,为白色钙沉着点,其边界不清楚,一般 1 个,偶尔多个。

分值:第 3 近节指骨 男(R4,T3);女(R5,T4)。第 5 近节指骨 男(R4,T3);女(R6,T4)。

C 期:骨化中心轮廓清楚,盘形,周边线平滑、连续。

分值:第 3 近节指骨 男(R4,T4);女(R7,T4)。第 5 近节指骨 男(R5,T3);女(R7,T4)。

D 期:骨骺的最大径等于或大于第 3、5 近节指骨干骺端宽度的一半。

分值:第 3 近节指骨 男(R9,T6);女(R12,T7)。第 5 近节指骨 男(R9,T6);女(R12,T7)。

E 期:骨骺近缘呈拱形,明显增厚。

分值:第 3 近节指骨 男(R15,T13);女(R19,T13)。第 5 近节指骨 男(R15,T13);女(R18,T13)。

F 期:骨骺分别与第 3、5 近节指骨干骺端等宽,骨骺与干骺端的走向一致。

分值:第 3 近节指骨 男(R23,T20);女(R27,T20)。第 5 近节指骨 男(R21,T19);女(R26,T19)。

G 期:骨骺帽盖着干骺端。

分值:第 3 近节指骨 男(R31,T23);女(R37,T24)。第 5 近节指骨 男(R30,T22);女(R35,T23)。

H 期:干骺端开始闭合,闭合线由黑白线构成,白线代表闭合,占全长的 1/4 以上,黑线未完全消失,代表有残留的骨骺软骨区。

分值:第 3 近节指骨 男(R40,T24);女(R44,T25)。第 5 近节指骨 男(R39,T23);女(R42,T24)。

I 期:干骺端完全闭合,闭合线全为白色,可部分或完全消失。

分值:第 3 近节指骨 男(R53,T26);女(R54,T26)。第 5 近节指骨 男(R51,T25);女(R51,T25)。

G. 第 3、5 中节指骨:观察部位为第 3、5 中节指骨的近端,它们的近侧分别邻近第 3、5 近节指骨的远端。此两骨的继发性骨化中心的发育分期标志相同,各分为 9 期。

A 期:骨化中心尚未出现,仅见第 3、5 中节指骨的干骺端。

分值:0。

B 期:骨化中心刚出现,为白色钙沉着点,其边界不清楚,一般 1 个,偶尔多个。

分值:第 3 中节指骨 男(R4,T3);女(R6,T4)。第 5 中节指骨 男(R6,T4);女(R7,T4)。

C 期:骨化中心轮廓清楚,盘形,周边线平滑、连续。

分值:第 3 中节指骨 男(R6,T4);女(R8,T4)。第 5 中节指骨 男(R7,T4);女(R8,T5)。

D 期:骨骺的最大径等于或大于第 3、5 中节指骨干骺端宽度的一半。

分值:第 3 中节指骨 男(R9,T7);女(R12,T7)。第 5 中节指骨 男(R9,T8);女(R12,T8)。

E 期:骨骺呈滑车形,近侧中部凸向邻近的第 3、5 近节指骨的远端,近侧白线为骨骺背侧近缘的投影,在该白线近侧的一边或两边,凸起的阴影为骨骺掌面近缘的投影,在有投影的位置,背面和掌面的近缘投影相互重叠。

分值:第 3 中节指骨 男(R15,T13);女(R18,T13)。第 5 中节指骨 男(R15,T14);女(R18,T14)。

F 期:骨骺分别与第 3、5 中节指骨干骺端等宽。

分值:第 3 中节指骨 男(R22,T19);女(R27,T20)。第 5 中节指骨 男(R23,T19);女(R28,T20)。

G 期:骨骺帽盖着干骺端。

分值:第 3 中节指骨 男(R32,T22);女(R36,T23)。第 5 中节指骨 男(R32,T21);女(R35,T22)。

H 期:干骺端开始闭合,闭合线由黑白线构成,白线代表闭合,占全长的 1/4 以上,黑线未完全消失,代表有残留的骨骺软骨区。

分值:第 3 中节指骨 男(R43,T23);女(R45,T24)。第 5 中节指骨 男(R42,T22);女(R43,T22)。

I 期:干骺端完全闭合,闭合线全为白色,可部分或完全消失。

分值:第 3 中节指骨 男(R52,T25);女(R52,T25)。第 5 中节指骨 男(R49,T23);女(R49,T23)。

H. 第 1 远节指骨:观察部位为第 1 指即拇指的远节指骨的近端,其近侧邻近第 1 近节指骨的远端。其继发骨化中心的发育分为 9 期。

A 期:骨化中心尚未出现,仅见第 1 远节指骨干骺端。

分值:0。

B 期:骨化中心刚出现,为白色钙沉着点,其边界不清楚,一般 1 个,偶尔多个。

分值:男(R5,T4);女(R7,T5)。

C 期:骨化中心轮清楚,盘形,周边线平滑、连续。

分值:男(R6,T4);女(R9,T5)。

D 期:骨骺的最大径等于或大于第 1 远节指骨干骺端宽度的一半。

分值:男(R11,T7);女(R15,T8)。

E 期:①骨骺与第 1 远节指骨干骺端等宽。②骨骺的远端变得较平,近缘凸向第 1 远节指骨的远端,但凸起部分不一定在近缘的中轴,一般在近缘的偏内侧。这是由于骨骺的近侧朝第 1 近节指骨远端的方向生长,而拇指在 X 线片上有转位,故与前述第 3、5 中节指骨骨骺发育 E 期的滑车形稍有不同。

分值:男(R17,T14);女(R22,T15)。

F 期:①骨骺的近外缘凹陷,与第 1 近节指骨远端的形状相匹配;或者,在有的位置上,近外侧阴影里面有一凹陷的白线。②骨骺的远端呈舟形,由内面、外面和底部构成。③骨骺比第 1 远节指骨干骺端宽。

分值:男(R26,T23);女(R33,T24)。

G 期:骨骺帽盖着第 1 远节指骨干骺端。由于拇指位置关系,盖帽在内侧比在外侧明显。

分值:男(R38,T30);女(R48,T31)。

H 期:干骺端开始闭合,闭合线为黑白相间,白线代表融合,占全长的 1/4 以上,但黑线未完全消失,代表有残留的骨骺软骨区。

分值:男(R46,T31);女(R51,T32)。

I 期:干骺端完全闭合,闭合线全为白色,可部分或完全消失。

分值:男(R66,T33);女(R68,T34)。

I. 第 3、5 远节指骨:观察部位为第 3、5 远节指骨的近端,它们的近侧分别邻近第 3、5 中节指骨的远端。此两骨的继发骨化中心的发育分期标志相同,各分为 9 期。

A 期:骨化中心尚未出现,仅见第 3 或第 5 远节指骨的干骺端。

分值:0。

B 期:骨化中心刚出现,为白色钙沉着点,其边界不清楚,一般为 1 个,偶尔多个。

分值:第 3 远节指骨 男(R4,T3);女(R7,T3)。第 5 远节指骨 男(R4,T3);女(R7,T3)。

C 期:骨化中心轮廓清楚,盘形,周边线平滑、连续。

分值:第 3 远节指骨 男(R6,T4);女(R8,T4)。第 5 远节指骨 男(R6,T4);女(R8,T4)。

D 期:骨骺最大横径分别等于或大于第 3 或第 5 远节指骨干骺端宽度的一半。

分值:第 3 远节指骨 男(R8,T6);女(R11,T6)。第 5 远节指骨 男(R9,T7);女(R11,

T7)。

E 期:①骨骺分别与第 3 或第 5 远节指骨的干骺端等宽。②骨骺的近缘中部凸向邻近的中指骨远端。

分值:第 3 远节指骨 男(R13,T10);女(R15,T10)。第 5 远节指骨 男(R13,T11);女(R15,T11)。

F 期:骨骺的近侧分化为掌面和背面,背面的投影是一条增厚的白线,掌面的投影是白线近侧的阴影,掌面和背面都呈滑车形以与邻近的中节指骨骨端构成关节。

分值:第 3 远节指骨 男(R18,T16);女(R22,T17)。第 5 远节指骨 男(R18,T16);女(R22,T17)。

G 期:骨骺帽盖着第 3、5 远节指骨干骺端。

分值:第 3 远节指骨 男(R28,T21);女(R33,T22)。第 5 远节指骨 男(R27,T20);女(R32,T21)。

H 期:干骺端开始闭合,闭合线由黑白线构成。白线代表闭合,占全长的 1/4 以上,但黑线未完全消失,代表有残留的骨骺软骨区。

分值:第 3 远节指骨 男(R34,T22);女(R37,T23)。第 5 远节指骨 男(R34,T21);女(R36,T22)。

I 期:干骺端完全闭合,闭合线全为白色,可部分或完全消失。

分值:第 3 远节指骨 男(R49,T24);女(R49,T24)。第 5 远节指骨 男(R48,T23);女(R47,T23)。

J. 头状骨:观察部位位于腕部的中心,其远侧邻近第 3 掌骨近侧、第 2 掌骨近内侧和第 4 掌骨近外侧,近侧邻近月骨,外侧邻近小多角骨和舟骨,内侧邻近钩骨。其原发骨化中心的发育分为 8 期。

A 期:骨化中心尚未出现。

分值:0。

B 期:骨化中心刚出现,为白色钙沉着点,其边界不清楚,一般为 1 个,偶尔多个。

分值:男(C100,T60);女(C84,T53)。

C 期:骨化中心轮廓清楚,圆形,周边线平滑、连续。

分值:男(C104,T62);女(C88,T56)。

D 期:①头状骨最大径等于或大于桡骨远侧干骺端宽度的一半。②头状骨的钩骨缘变平或只稍圆凸。③头状骨的第 2 掌骨缘开始变清楚,能与其钩骨缘相区别,因此,头状骨呈“D”字形。

分值:男(C106,T65);女(C91,T61)。

E 期:①头状骨的钩骨缘变凹,稍增厚。②头状骨变长,其长径明显大于横径,但小于从头状骨近缘到桡骨干骺端远缘的距离。

分值:男(C133,T71);女(C99,T67)。

F 期:头状骨继续变长,其长径等于或大于从其近缘到桡骨干骺端远缘的距离。

分值:男(C133,T79);女(C121,T76)。

G 期:①头状骨的外侧远端缘出现一条增厚的白线,它是头状骨的第 2、3 掌骨关节面的投影。②头状骨的钩骨缘凹陷的中央可见其钩骨关节面。

分值:男(C160,T89);女(C149,T85)。

H期:①头状骨的第2、3掌骨关节面已分化为掌面和背面,而且背面的生长超过掌面的生长。背面的投影是头状骨外侧远端缘的阴影,掌面的投影是该阴影里面的粗白线,即上一期在头状骨外侧远端缘的粗白线现移位到其外侧远端缘里面。②头状骨的第4掌骨突明显伸到钩骨,二者重叠,构成关节;该骨突通常还可伸达第3掌骨的近内侧和第4掌骨的近外侧,三者重叠,构成关节。

分值:男(C214,T16);女(C203,T113)。

K. 钩骨:观察部位位于腕部的前内侧,其前侧邻近第4、5掌骨的近端,后内侧邻近三角骨,外侧邻近头状骨。其原发性骨化中心的发育分为9期。

A期:骨化中心尚未出现。

分值:0。

B期:骨化中心刚出现,为白色钙沉着点,其边界不清楚,一般为1个,偶尔多个。

分值:男(C73,T42);女(C72,T44)。

C期:骨化中心轮廓清楚,圆形,周边线平滑、连续。

分值:男(C75,T44);女(C74,T47)。

D期:①钩骨的最大径等于或大于桡骨远侧干骺端宽度的一半。②钩骨的三角骨缘变平,与手的长轴斜行走向,钩骨呈斜的“D”字形。

分值:男(C79,T49);女(C78,T53)。

E期:①钩骨的头状骨缘开始与头状骨的钩骨缘形状一致。钩骨的头状骨缘在近1/3~1/2处稍隆起。以此隆起为界,钩骨的头状骨缘的近段和远段都较平直。②钩骨的掌骨缘、头状骨缘现已分化为掌骨缘和头状骨缘,故钩骨从上一期的“D”字形变为三角形,由其三角骨缘、掌骨缘、头状骨缘组成。

分值:男(C79,T49);女(C78,T53)。

F期:钩骨的三角骨缘凹陷,因为从上一期起,钩骨朝第5掌骨近端方向的生长明显。

分值:男(C128,T70);女(C131,T74)。

G期:钩骨远侧的边缘或里面有一条横行的增厚白线,这表示钩骨的第4掌骨关节面开始形成,并分化为掌面和背面。

分值:男(C159,T81);女(C161,T85)。

H期:①钩骨的钩已经开始出现,为尚不连续的白线。②钩骨远侧的白线变为折线,其中一段横行走向,另一段与手的纵轴斜行走向,这表示钩骨的第4、5掌骨关节面已分化。

分值:男(C181,T92);女(C183,T97)。

I期:钩骨的钩已完成发育。

分值:男(C194,T106);女(C194,T109)。

K. 三角骨:观察部位位于腕部的内侧,其远外侧邻近钩骨,近外侧邻近月骨,近侧邻近尺骨的远端。其原发骨化中心的发育分为8期。

A期:骨化中心尚未出现。

分值:0。

B 期:骨化中心刚出现,为白色钙沉着点,其边界不清楚,一般为 1 个,偶尔多个。

分值:男(C10,T7);女(C11,T8)。

C 期:骨化中心轮廓清楚,圆形,周边线平滑、连续。

分值:男(C13,T10);女(C16,T12)。

D 期:①三角骨最大径等于或大于尺骨远侧干骺端宽度的一半。②三角骨的钩骨缘变平。

分值:男(C28,T17);女(C31,T19)。

E 期:三角骨变长,其长径明显大于横径,因为三角从上一期起朝内侧远端生长较快。

分值:男(C57,T28);女(C56,T28)。

F 期:三角骨的月骨缘变平和清晰,并与三角骨的钩骨缘形成略大于 90°的角,该两缘或其中一缘的白线稍增厚,这表明相应的关节面开始形成。

分值:男(C84,T38);女(C80,T36)。

G 期:三角骨的钩骨侧和(或)月骨侧边缘为低密度阴影,阴影里面为高密度白线,即上一期边缘上的白线现移位到边缘的稍里面。这反映三角骨的钩骨侧和(或)月骨侧已分化为掌骨和背面。

注意:从三角骨 G 期起,豌豆骨的影像清晰,但因它与三角骨的影像重叠,不易仔细辨别,故豌豆骨发育征象不作为分期指标,亦不参与骨发育的分析。

分值:男(C102,T45);女(C104,T46)。

H 期:三角骨增宽,特别是其远侧部分,故其内缘出现凹陷。

分值:男(C124,T62);女(C126,T63)。

M. 月骨:观察部位位于腕部的近侧,其远侧邻近头状骨,近侧邻近桡骨远端,外侧邻近舟骨,内侧邻近三角骨。其原发骨化中心的发育分为 8 期。

A 期:骨化中心尚未出现。

分值:0。

B 期:骨化中心刚出现,为白色钙沉着点,其边界不清楚,一般为 1 个,偶尔多个。

分值:男(C14,T10);女(C16,T10)。

C 期:骨化中心轮廓清楚,卵圆形,周边线平滑、连续。

分值:男(C22,T13);女(C24,T14)。

D 期:①月骨最大径等于或大于尺骨远侧干骺端宽度的一半。②月骨的远端缘增厚。

分值:男(C39,T20);女(C40,T20)。

E 期:①月骨的远侧清楚地分化出掌面和(或)背面,二者汇合处的投影是一增粗的白线,故在该白线的远侧可见掌面的较密阴影和(或)背面的较淡阴影,背面阴影朝向舟骨,但尚未与掌面阴影构成鞍形(见 F 期)。②月骨的桡骨缘变平。

分值:男(C58,T27);女(C59,T27)。

F 期:①月骨远侧的掌面(较密阴影)和背面(较淡阴影)构成明显的鞍形,以便与头状骨形成关节,故该鞍为月骨的头状骨鞍。背面朝舟骨方向生长,超过了掌面的外缘,但还不到从掌面外缘到舟骨内缘的距离的一半。②月骨的舟骨缘和三角骨缘变平,稍增厚。

分值:男(C84,T36);女(C84,T35)。

G 期:①月骨远侧头状骨鞍的背面进一步增长,超过了从掌面外缘到舟骨内缘距离的一半。②月骨的舟骨缘(仍然平直)和桡骨缘交接处形成一清楚的角。

分值:男(C101,T44);女(C106,T46)。

H 期:①月骨远侧头状骨鞍的背面进一步增长,接触或重叠舟骨的内缘。注意:头状骨鞍的掌面和(或)背面也可接触或重叠头状骨的近缘,依骨形状的个体差别和手、腕部 X 线片的位置而定,故此征象不作为分期的指标。②月骨的舟骨缘变凹陷。

分值:男(C120,T60);女(C122,T60)。

N. 舟骨:观察部位位于腕部的外近侧,其远侧邻近大多角骨、小多角骨,近侧邻近桡骨远端,内远侧邻近头状骨,内近侧邻近月骨。其原发骨化中心的发育分为 8 期。

A 期:骨化中心尚未出现。

分值:0。

B 期:骨化中心刚出现,为白色钙沉着点,其边界不清楚,一般为 1 个,偶尔多个。

分值:男(C26,T14);女(C24,T13)。

C 期:骨化中心轮廓清楚,圆形,周边线平滑、连续。

分值:男(C36,T18);女(C35,T17)。

D 期:舟骨最大径等于或大于尺骨远侧干骺端宽度的一半。

分值:男(C52,T23);女(C51,T23)。

E 期:舟骨的头状骨侧分化为掌面和背面,掌面投影为增粗的白线,背面投影为白线内侧的阴影。

分值:男(C71,T30);女(C71,T29)。

F 期:①舟骨的头状骨侧的掌面(白线)和背面(白线内侧的阴影)都变凹陷。③舟骨的大多角骨缘和小多角骨缘变平。

分值:男(C85,T35);女(C88,T36)。

G 期:①舟骨的头状骨侧的背面阴影明显超过掌面白线,接触或重叠头状骨的近端和月骨的外侧远端。这是因为舟骨主要朝近、内侧方向生长。②舟骨的月骨缘清楚可见,自内上斜向外下,即该缘的头状骨端距腕中线较近,并只在此端接触月骨,该缘的桡骨骨骺端距腕中线较远。

分值:男(C100,T42);女(C104,T44)。

H 期:①舟骨的头状骨侧与头状骨的舟骨侧的走向密切一致。②舟骨的月骨缘改变了在上一期的走向,自外上斜向内下,即该缘靠头状骨的一端距腕中线较远,该缘靠桡骨骨骺的一端距腕中线较近。③舟骨的外缘远段有凹陷,或者舟骨的远部呈清楚的头形,这是因为舟骨的远部外侧增大,其桡骨茎突关节面已形成。

分值:男(C116,T58);女(C118,T57)。

O. 大多角骨:观察部位位于手腕部的外侧,其远侧邻近第 1、2 掌骨的近端,近侧邻近舟骨,内侧邻近小多角骨。其原发骨化中心的发育分为 9 期。

A 期:骨化中心尚未出现。

分值:0。

B 期:骨化中心刚出现,为白色钙沉着点,其边界不清楚,一般为 1 个,偶尔多个。

分值:男(C23,T12);女(C20,T12)。

C期:骨化中心轮廓清楚,圆形,周边线平滑、连续。

分值:男(C31,T15);女(C27,T14)。

D期:①大多角骨最大径等于或大于第1掌骨近侧干骺端宽度的一半。②大多角骨的第1掌骨缘和(或)舟骨缘变平,该两缘之间的距离明显小于另两缘之间的距离。

分值:男(C46,T21);女(C42,T20)。

E期:大多角骨与第2掌骨近端之间的间隙宽度小于大多角骨最大径的1/3,这是因为大多角骨从上一期起主要朝第2掌骨近端方向生长。

分值:男(C66,T28);女(C60,T25)。

F期:大多角骨的第1掌骨缘有一清楚的凹陷,凹陷的中部附近稍增厚,这是因为大多角骨从上一期起主要朝第1掌骨近端外缘方向生长。

分值:男(C83,T34);女(C80,T32)。

G期:①大多角骨的远缘稍重叠第2掌骨近侧的外端。②大多角骨的舟骨缘变平、增厚。在质量好的X线片上,在该缘与小多角骨重叠以外的部分,在白线近侧还可见到少许阴影,这是掌面和背面刚分化的表现。

分值:男(C95,T39);女(C95,T39)。

H期:①大多角骨的外缘远段变直,该直线缘的尖顶与第1掌骨相应的关节面会合。②大多角骨的第1掌骨侧呈鞍形,与第1掌骨近侧掌面、背面的形状相匹配。

分值:男(C108,T47);女(C111,T49)。

I期:大多角骨的外侧从上一期起进一步向外膨隆。该膨隆将大多角骨的外侧缘清楚地分为远、近两段:远段朝外,近段朝桡骨茎突稍凹陷,有时亦可平直。

分值:男(C117,T59);女(C119,T59)。

P. 小多角骨:观察部位位于手腕部的远部外侧,其远侧邻近第2掌骨的近端,近侧邻近舟骨,外侧邻近大多角骨,内侧邻近头状骨。其原发骨化中心的发育分为8期。

A期:骨化中心尚未出现。

分值:0。

B期:骨化中心刚出现,为白色钙沉着点,其边界不清楚,一般为1个,偶尔多个。

分值:男(C27,T14);女(C21,T13)。

C期:骨化中心轮廓清楚,圆形,周边线平滑、连续。

分值:男(C32,T16);女(C30,T16)。

D期:小多角骨最大径等于或大于第1掌骨近侧干骺端宽度的一半。

分值:男(C42,T20);女(C43,T20)。

E期:小多角骨的头状骨缘和(或)与其垂直的另一缘变平,后者将与第2掌骨近缘的内侧构成关节。

分值:男(C51,T23);女(C53,T24)。

F期:①小多角骨的头状骨缘和(或)第2掌骨缘内侧出现增厚的白线,其中任一白线朝邻近骨的一侧可见阴影,这是该处开始分化为掌面(白线)和背面(阴影)的表现。②小多角骨的远侧从上一期起开始生长,出现一小圆峰阴影,它是远侧背面的部分投影,以后与第2

掌骨近侧的中间凹陷构成关节。

分值:男(C77,T32);女(C77,T31)。

G 期:小多角骨的第 2 掌骨缘和头状骨缘都已分化为掌面(白线)和背面(阴影),背面阴影超过掌面白线,以致接近或重叠邻近的第 2 掌骨或头状骨的边缘。

分值:男(C93,T39);女(C97,T40)。

H 期:小多角骨近侧背面阴影的边缘凹陷,而近侧掌面白线仍是直的。

分值:男(C115,T56);女(C118,T57)。

2) 骨龄评定标准:根据 R、C 系列和不同性别,得出骨发育的总分经查表得出骨龄,国际通用的 TW3 骨龄评定标准(表 3-10,表 3-11)与 TW2 法比较,R 系列骨龄评分标准从 10 岁或 11 岁以后约提前 1 岁,C 系列骨龄评分标准与 TW2 法相同。

表 3-10 R 系列骨发育转化为 R 系列骨龄评分标准(TW3 法)

男		女	
骨发育分	骨龄(岁)	骨发育分	骨龄(岁)
42	2.0	126	2.0
66	2.5	148	2.5
91	3.0	174	3.0
129	4.0	219	4.0
143	4.5	234	4.5
158	5.0	251	5.0
172	5.5	269	5.5
186	6.0	288	6.0
200	6.5	309	6.5
214	7.0	331	7.0
228	7.5	351	7.5
243	8.0	372	8.0
259	8.5	398	8.5
275	9.0	427	9.0
295	9.5	462	9.5
316	10.0	501	10.0
339	10.5	543	10.5
363	11.0	589	11.0
394	11.5	631	11.5
427	12.0	676	12.0
462	12.5	724	12.5
501	13.0	776	13.0
550	13.5	832	13.5
603	14.0	891	14.0
668	14.5	944	14.5
741	15.0	1 000	15.0

（续表）

男		女	
骨发育分	骨龄(岁)	骨发育分	骨龄(岁)
813	15.5	—	—
891	16.0	—	—
1 000	16.5	—	—

表 3-11 C 系列骨发育分转化为 C 系列骨龄评分标准(TW3 法)

男		女	
骨发育分	骨龄(岁)	骨发育分	骨龄(岁)
—	—	182	2.0
190	2.5	198	2.5
197	3.0	223	3.0
206	3.5	256	3.5
225	4.0	296	4.0
250	4.5	337	4.5
281	5.0	379	5.0
314	5.5	422	5.5
354	6.0	468	6.0
398	6.5	511	6.5
445	7.0	555	7.0
491	7.5	600	7.5
535	8.0	648	8.0
581	8.5	699	8.5
632	9.0	761	9.0
677	9.5	821	9.5
724	10.0	872	10.0
769	10.5	916	10.5
810	11.0	950	11.0
848	11.5	974	11.5
884	12.0	988	12.0
915	12.5	995	12.5
944	13.0	1 000	成年
968	13.5	—	—
986	14.0	—	—
995	14.5	—	—
1 000	成年	—	—

（2）李果珍的骨龄百分计数法：20 世纪 60 年代初，李果珍研究了北京市 0～18.0 岁儿童 1 938 例，选取了 10 个右手、腕部骨（研究认为，选取左或右手对评定结果之差异无统计

学意义),依据初级骨化中心的出现、形状的改变、关节面的出现与形成及干骺融合过程中骺线变化等确定骨发育期的标志(分期符合率为71.9%),后结合Tanner评分法的思想,将10个骨的每一骨发育到成熟期所需要的平均年数的总和作为100,各骨骼期发育年数所占百分数称为发育指数。评定时,将10个骨骼期发育指数相加后,从标准表或曲线图查出骨龄。该法首次以骨龄百分计数法制订了中国儿童骨发育标准,对于青春后期儿童较为适合。

(3) 叶氏骨龄评分法:1985年,叶义言认为不宜将TW2法直接用于我国儿童的骨龄评估。于是,他以20世纪80年代长沙市2 122例儿童为研究对象,对TW2法进行了修正、改良,实现了骨发育分期系统"中国化",并在CHN法14块骨的基础上增加了尺骨和5块腕骨,使评定更加全面。此法的骨龄评估基本思想和TW2完全一致,被称为TW系列的中国版(称为TW-C法),骨发育分值与TW2一致,骨龄评分标准有所修订(表3-12~表3-14)。继而于1998年研制成该方法CD-ROM,由计算机辅助评定骨龄,已在我国各地临床应用。

表3-12 R系列骨发育分转化为R系列骨龄评分标准(TW-C法)

男		女	
骨发育分	骨龄(岁)	骨发育分	骨龄(岁)
74	1.0	139	1.0
80	1.5	146	1.5
85	2.0	152	2.0
91	2.5	160	2.5
98	3.0	168	3.0
105	3.5	177	3.5
112	4.0	188	4.0
121	4.5	199	4.5
130	5.0	211	5.0
139	5.5	225	5.5
150	6.0	240	6.0
161	6.5	257	6.5
173	7.0	275	7.0
186	7.5	296	7.5
201	8.0	318	8.0
216	8.5	343	8.5
232	9.0	370	9.0
250	9.5	401	9.5
270	10.0	434	10.0
291	10.5	483	10.5
313	11.0	560	11.0
338	11.5	627	11.5
369	12.0	686	12.0
431	12.5	738	12.5
492	13.0	784	13.0

（续表）

男		女	
骨发育分	骨龄（岁）	骨发育分	骨龄（岁）
550	13.5	824	13.5
605	14.0	859	14.0
659	14.5	890	14.5
710	15.0	917	15.0
760	15.5	940	15.5
807	16.0	961	16.0
853	16.5	979	16.5
897	17.0	995	17.0
940	17.5	—	—
980	18.0	—	—

表 3-13 C 系列骨发育分转化为 C 系列骨龄评分标准（TW-C 法）

男		女	
骨发育分	骨龄（岁）	骨发育分	骨龄（岁）
123	1.0	79	1.0
134	1.5	106	1.5
146	2.0	135	2.0
160	2.5	165	2.5
175	3.0	197	3.0
191	3.5	230	3.5
210	4.0	264	4.0
230	4.5	300	4.5
252	5.0	339	5.0
276	5.5	378	5.5
303	6.0	420	6.0
332	6.5	464	6.5
364	7.0	510	7.0
400	7.5	558	7.5
439	8.0	608	8.0
482	8.5	661	8.5
529	9.0	716	9.0
581	9.5	774	9.5
638	10.0	835	10.0
701	10.5	889	10.5
771	11.0	906	11.0
847	11.5	922	11.5
872	12.0	938	12.0

（续表）

男		女	
骨发育分	骨龄（岁）	骨发育分	骨龄（岁）
900	12.5	953	12.5
925	13.0	967	13.0
947	13.5	980	13.5
966	14.0	993	14.0
984	14.5	—	—
1 000	15.0	—	—

表 3-14　T 系列骨发育分转化为 T 系列骨龄评分标准（TW-CC 法）

男		女	
骨发育分	骨龄（岁）	骨发育分	骨龄（岁）
117	1.0	140	1.0
130	1.5	162	1.5
145	2.0	184	2.0
160	2.5	207	2.5
175	3.0	231	3.0
192	3.5	255	3.5
210	4.0	281	4.0
229	4.5	308	4.5
250	5.0	336	5.0
271	5.5	366	5.5
294	6.0	396	6.0
318	6.5	428	6.5
344	7.0	460	7.0
371	7.5	495	7.5
400	8.0	530	8.0
431	8.5	567	8.5
464	9.0	657	9.0
498	9.5	738	9.5
535	10.0	800	10.0
574	10.5	848	10.5
638	11.0	884	11.0
719	11.5	912	11.5
783	12.0	934	12.0
833	12.5	950	12.5
872	13.0	963	13.0
902	13.5	973	13.5
926	14.0	980	14.0

（续表）

男		女	
骨发育分	骨龄（岁）	骨发育分	骨龄（岁）
944	14.5	986	14.5
959	15.0	990	15.0
970	15.5	994	15.5
979	16.0	996	16.0
986	16.5	998	16.5
991	17.0	—	—
995	17.5	—	—
998	18.0	—	—

（4）《中国儿童手腕骨发育标准 CHN 法与参考图谱》

1）研究背景和团队：由于使用英国 TW 法、美国 G-P 法和我国早期的骨龄评测方法与标准评测出的当代儿童、青少年骨龄中位数与年龄均值存在较大的偏差，而且预测身高误差也比较大，对同一儿童、青少年相隔一段时间的再次评测得出的骨龄变化值和变化速度也有较大的误差。这些问题不仅容易对儿童、青少年的实际发育程度形成误判，还容易对儿童、青少年发育速度、现身高、预测的成年身高及其变化趋势形成误判，进而影响选材的成功率和临床筛查、诊治相关疾病，评估病情发展趋势和评价干预，治疗效果的准确性。为此，国家体育总局在 1987 年组织成立了由相关研究经验的科研人员组成的中国儿童手腕骨发育标准研究课题组，聘请著名影像学专家李果珍教授（北京医院原放射科主任，骨龄百分计数法的制定者）和孙鼎元教授（天津医院原院长）为技术顾问。主要研究单位包括天津体育学院解剖学教研室、国家体育总局科学研究所群体研究室、河北省体育科学研究所运动生理研究室、河北省科学院应用数学研究所计算方法研究室、湖南省体育科学研究所、哈尔滨市体育科学研究所、重庆市体育科学研究所、福建省体育科学研究所、陕西省体育科学研究所等共 60 多位科研人员参加了该项目的设计、采样、读片、数据处理和数据分析及研究报告的撰写、讨论和修改工作（2018 年课题组成员出版了《中国儿童手腕部骨龄评测标准 CHN 法与参考图谱》一书）。

2）CHN 法的基本原理、方法及样本

A. 参照骨的选择：初始参照骨的选择和 TW2 法相同，以英国 TW2 法骨发育成熟度分期为基础，借鉴美国 G-P 法和我国骨龄百分计数法，对各参照骨发育成熟指征的描述进行简化、修订，但指标的判读标准仍然按照 TW2 法。

B. 参照骨权重分配原理：各骨骼成熟指征、成熟分的计算方法与 TW2 法相同，但各参照骨权重用"差方和分析"的方法确定。以分类特征方差和极小化-迭代算法确定各个骨化中心的权重（在全部样本中参照骨总差方和大的给予较小的权重，总体差方和小的给予较大的权重），以分类特征方差和极小化计算骨发育成熟度得分，以各年龄组骨发育成熟度得分的第 50 百分位作为成熟度得分与骨龄的对照值。用各年龄组成熟分第 50 百分位分段拟合的 2 次曲线计算出样本组间的成熟分和骨龄对照值。

C. CHN 法样本

a. 年龄范围:女性 0~18.0 岁,男性 0~19.0 岁。

b. 摄片具体要求:0 岁,要求在出生 3 天内;0.5~6.0 岁,要求在周岁或周岁半前后一星期以内;7.0 岁至以上,要求在周岁或周岁半的前后 15 天内。

C. 区域范围:黑龙江省、河北省、陕西省、湖南省、福建省的省会城市及重庆市和部分地级市市区居住 3 年以上健康儿童、青少年(选择各方面条件较好的幼儿园、学校)合格样本共 22 160 例。剔除所有患过重大疾病,或慢性的、常规筛查不合格的、参加过体育和其他系统训练、有外伤史的儿童青少年。检验样本范围:哈尔滨、北京、兰州、济南、上海、佛山市区居住 3 年以上健康儿童合格样本共 8 416 例。

D. CHN 法各参照骨权重:从统计的数据中看出,男性、女性手腕骨发育的特点比较一致。各骨权重基本相当,均是尺骨、三角骨、舟骨、月骨、大多角骨、小多角骨因在手、腕部完整的发育过程中产生的差方和较大,权重过低而被去除。在男性、女性各自保留的相同的 14 块参照骨中,男性、女性权重最大的骨块均是头状骨和钩骨,男性中权重最小的依次是第五中节指骨(1.14%)、第 5 远节指骨(1.61%);女性中权重最小的依次是第 5 远节指骨(3.33%)、第 5 中节指骨(3.83%)。

虽然 CHN 法男性、女性各骨权重次序大致相同,但两性手腕骨发育的特点也十分显著:男性各骨权重相对悬殊,女性各骨权重相对接近,说明男性各骨发育均衡性、一致性相对较差,女性各骨发育均衡性、一致性相对较好。这种现象可能和男性、女性在生活、劳动、运动中用手习惯和用力强度不同有一定关系。

3) CHN 法与 TW2 法、G-P 图谱法的比较

A. CHN 法与 TW2 法的比较

CHN 法与 TW2 法相同点:①骨龄片拍摄体位相同;②数据处理原理相同。

CHN 法与 TW2 法不同点:①拍摄 X 线片的焦片距不同。TW2 法的焦片距为 76.0 cm,CHN 法焦片距为 85.0 cm。②确定各参照骨权重的方法不同。TW2 法按照骨骼种类、数量人为平均分配各骨权重,CHN 法根据各骨骼成熟指征在评价系统中的稳定性用统计学方法确定各参照骨权重。③评测的骨块数量不同。TW2 法需要评测 20 块骨,CHN 法去除了正常变异大(指征出现的年龄范围大)、稳定性差(指征出现后持续的时间短)的 6 块骨骼,最终评定 14 块骨。④样本来源不同。TW2 法的定标样本是 1948~1960 年的 2 600 例英国伦敦白种人儿童、青少年,CHN 法样本为 20 世纪 80 年代末期中国 6 个大中城市中长期居住的 22 160 例健康儿童、青少年。

CHN 法与 TW2 法比较具有的优点:①去除了 TW2 法人为平均分配参照骨权重的做法,首次用数学方法确定了各个参照骨在骨发育成熟度评价中的权重。使得各个参照骨的各个发育分期,在评测手、腕部骨骼从生命降生到发育成熟全过程中的价值得到合理体现。②CHN法手腕骨发育成熟度曲线与我国儿童生长发育的客观规律更吻合,预测身高更准确。③CHN 法各骨权重与我国相关领域专家经验得到相互印证,提高了评测标准的可靠性。④评测结果的一致性显著提高。⑤需要评定的骨骼数量从 20 块简化为 14 块,减少了 30% 的工作量,提高了评测效率。

B. CHN 法与 G-P 图谱法的比较:①种族、营养水平、卫生保健水平、生活习惯不同,导

致同一张 X 线评测的结果不同，身高发育潜力也不同。②我国男童 2.0 岁后骨发育逐渐落后于美国男童（G-P 样本），8.0~11.0 岁达到峰值（我国男童落后美国男童约 1.0 岁）；11.0 岁后我国男童相对于美国男童呈现骨骼发育加速状态，并在 14.0 岁左右超过美国男童；我国男性 18.4 岁手腕骨完全闭合，美国男性手腕骨完全闭合的年龄为 19.0 岁。③我国 2.0~11.0 岁男童的骨发育成熟度与美国 2.0~10.0 岁男童相比，呈现相对迟缓的状态；11.0~18.4 岁对应美国 10.0~19.0 岁的变化，呈现相对加速的状态，而且骨骺提前闭合。④我国女童 3.0 岁后骨发育逐渐落后于美国女童（G-P 样本），10.0 岁达到峰值（我国女童落后美国女童约 1.0 岁）；10.0 岁后我国女童相对于美国女童呈现骨骼发育加速状态，并在 11.7 岁左右超过美国女童；我国女性手腕骨完全闭合年龄为 17.3 岁，而美国女性手腕骨完全闭合年龄为 18.0 岁；⑤我国 3.0~11.0 岁女童的骨发育成熟度与美国 3.0~10.0 岁女童相比，呈现相对迟缓的状态；11.0~17.3 岁对应美国 10.0~18.0 岁的变化，呈现相对加速，且骨骺提前闭合。

4）CHN 法骨龄评测标准的适用性：CHN 法行骨龄评测标准样本于 1987 年秋季至 1988 年底取自哈尔滨、石家生、西安、重庆、长沙、福州等城市和部分地级市中长期居住的城市户籍健康儿童，属于当时生活条件相对优越的家庭。但是，包含哈尔滨、北京、兰州、济南、上海、佛山等检验样本在内，各年龄组各省市儿童骨龄第 50 百分位均有不同程度的差异，但最大差异不超过 1.0 岁。CHN 法在判定 13.0~18.0 岁生长突增期男性青少年年龄较为准确，并使得手腕骨生长发育研究由定性达到了定量分析。但也存在诸如采样间距较大、骨发育分期过于简单化等不能很好地反映参评骨在特定时期的发育等问题。

（5）《中国人手腕骨发育标准-中华 05》：2002 年，由河北省体育科学研究所申请立项并修订骨龄标准，于 2005 年完成了阶段成果《中国人手腕骨发育标准-中华 05》，2006 年将《中国青少年儿童手腕骨成熟度及评价方法》（TY/T 3001—2006）作为行业标准，已于 2006 年 7 月 1 日起开始实施，并以此代替了《中国人手腕骨发育标准（CHN 法）》（TY/T 001—92）。它是以我国当代社会经济发展中上水平、全国南北方有代表性城市中年龄介于 0~20.0 岁男女共 17 401 名健康儿童、青少年为样本，通过拍摄左手腕后前位（正位）X 线片，同时测量身高、体重；采用国际普遍应用的 TW3 计分法修订的骨龄评价标准。并利用 Tanner 等的方法拟合骨成熟度得分曲线，制订了骨发育生长评价图表，同时提出了适用于体育领域的 RUS-CHN 法。

经在 1.0~9.0 岁 2 438 名（男性 1 301 名，女性 1 137 名）对象中应用检验，骨龄与生活年龄的差值大都为 0.10~0.13 岁，由此可见，此法更适合我国儿童青少年骨骼发育状况。较之于前面的方法，该方法所推断的骨龄精确度显著提高。其主要原因在于：①样本均来自国内，避免了因遗传和种族等因素而造成的误差。②样本量大且来源于不同地区，故其代表性强，所得结论可靠。③采用了目前国际通用的 TW 评分法的思想，其分期及评分方法更能如实反映骨骼发育的动态连续过程，并在观察部位的选取及分级赋分内容上做了相应的调整。目前在国内评分法骨龄鉴定主要用于体育人才选拔和儿童体格发育状况临床评估。

《中国人手腕骨发育标准-中华 05》对手腕骨发育 X 线分级进行了详细描述，以下手腕骨发育分级将结合该行业标准中骨发育分级进行阐述。因各骨的发生、发展特点不一，下面将逐一介绍（图 3-5）。

桡骨

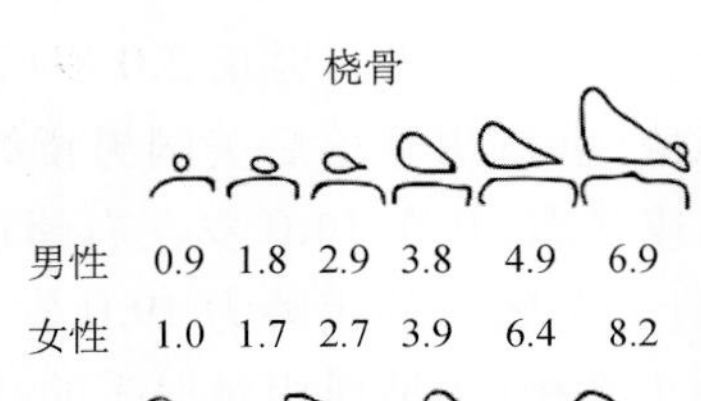

男性 0.9 1.8 2.9 3.8 4.9 6.9

女性 1.0 1.7 2.7 3.9 6.4 8.2

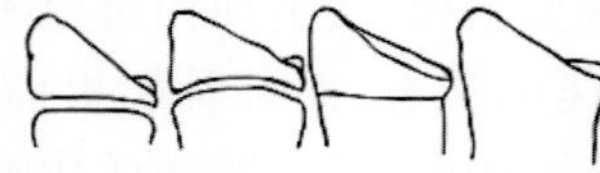

男性 8.5 9.8 11.2 12.7

女性 8.9 10.0 11.6 12.6

尺骨

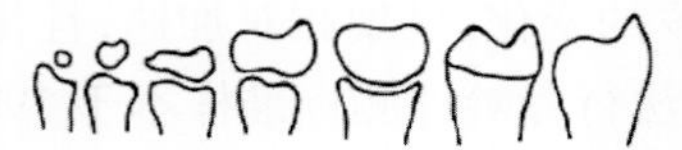

男性 1.7 2.8 4.1 5.8 6.8 7.9 8.8

女性 1.6 2.4 3.2 5.0 5.6 7.0 8.1

头骨

男性 0.3 1.2 2.2 4.0 5.6 7.2 9.7

女性 0.4 1.3 2.1 4.0 6.0 8.1 9.6

钩骨

男性 0.3 1.8 3.1 4.7 6.9 8.6

女性 0.4 1.8 3.0 5.1 7.1 8.5

三角骨

男性 1.9 3.1 4.3 6.6

女性 1.4 2.6 4.3 7.6

第1掌骨

男性 1.0 2.6 4.5 6.7 8.1 9.8 10.8

女性 1.2 3.7 5.4 7.4 8.4 9.6 10.2

第2掌骨

男性 0.3 1.8 2.7 4.9 6.7 8.3 9.3

女性 0.4 2.0 3.1 5.1 7.8 9.2 10.0

第2~5掌骨

男性 0.6 1.1 2.6 3.5 5.4 6.8 8.4 10.0 10.5

女性 0.8 1.2 2.7 4.2 6.2 7.9 8.9 9.9 11.2

近排指骨

男性 0.7 1.3 2.2 3.5 5.8 7.5 9.0 10.7 11.7

女性 0.7 1.2 2.3 3.7 6.4 7.5 9.0 10.2 11.1

远排指骨

男性 1.0 2.0 3.9 6.2 8.0 9.1 10.5 11.3

女性 0.7 1.4 2.6 6.1 7.8 8.7 10.3 11.1

图 3-5　10 个骨的发育指标和相应的发育指数

1）青少年桡骨远端骨发育 X 线分级（共 12 级）

1 级：继发骨化中心仅可见一个钙化点，极少为多个，边缘不清晰。

2 级：继发骨化中心清晰可见，为圆盘形，有平滑连续的缘。

3 级：开始骨化表现为圆形或卵圆形骨核，横径小于干骺端的 1/2。

4 级：继发骨化中心的初步变形表现为桡侧大而圆，尺侧小而尖。

5 级：开始出现关节面，掌侧边缘致密或出现双边。

6 级：桡骨结节的出现，桡侧圆头向掌侧凸出使骨化中心变为三角形。

7 级：干侧边变平，角变方。

8 级：达到成人形，但骺板厚薄不匀，茎突萌出，继发骨化中心骺侧分化为掌关节面（白边）和背关节面（阴影），最大横径近似于干骺端最大横径，桡骨的舟、月关节面之间呈小峰状，干骺之间的骺软骨间隙完整、清晰。

9 级：骺板厚薄一致但仍较厚，茎突初具雏形，继发骨化中心呈类帽状覆盖干骺端，最大横径超过干骺端最大横径，继发骨化中心尺侧关节面可区分掌关节面（白边）和背关节面（阴影），桡骨的舟、月关节面之间的小峰状凸起较前明显，干骺开始闭合，干骺之间的骺软骨间隙渐变模糊。

10 级：骺板变薄但仍完整，茎突向掌侧凸出，干骺部分闭合，闭合范围未达 1/2。

11 级：茎突成形，干骺大部分闭合，闭合范围达 1/2 以上，干骺边缘尚残留狭小间隙。

12 级：干骺全部闭合，骺线残留或消失。

2）青少年尺骨远端骨发育 X 线分级（共 9 级）

1 级：继发骨化中心仅可见一个钙化点，极少为多个，边缘不清晰。

2 级：继发骨化中心清晰可见，有平滑连续的缘。

3 级：开始骨化为扁形继发骨化中心，偶尔茎突先骨化就表现为偏于尺侧的小圆形继发骨化中心。

4 级：掌侧分化出尺骨小头和茎突。

5 级：干侧分化，边变平，茎突萌出，继发骨化中心呈凹凸状轮廓，最大横径大于 1/2 干骺端最大横径，干骺之间的骺软骨间隙完整、清晰。

6 级：茎突初具雏形，轮廓较模糊，继发骨化中心最大横径近似于干骺端最大横径，干骺之间的骺软骨间隙变模糊。

7 级：骺板变薄，茎突较前增大，轮廓清晰，继发骨化中心干侧面略凹陷，干骺开始闭合，闭合范围小于 1/2。

8 级：茎突成形，干骺大部分闭合，闭合范围达 1/2 以上，干骺边缘尚残留狭小间隙。

9 级：环状关节面形成，干骺全部闭合，骺线残留或消失。

3）青少年头骨骨发育 X 线分级（共 7 级）

1 级：开始骨化为圆形继发骨化中心，呈钙化点，极少为多个，边缘不清晰。

2 级：骨化中心初步变形，由圆形变为椭圆形，有平滑连续的缘。

3 级：骨化中心最大径为桡骨宽度的一半或一半以上，并出现一个关节面，边变平，或仅凹陷。

4 级：骨化中心进一步增长，纵向直径明显大于横向直径，并出现两个关节面，即与钩、第 2 掌骨或第 3 掌骨的关节面中的任何两个。

5 级：骨化中心纵向直径等于或大于近侧缘到桡骨干的距离，3 个关节面全部出现。

6 级：骨化中心远侧的外侧缘（第 2 或 3 掌骨关节面）致密，骨化中心在钩骨缘（钩骨关节面）凹的中部出现致密白线，头骨基本成人形但较小，周围骨的间隙稍宽。

7 级：头骨完全成人形。

4）青少年钩骨骨发育 X 线分级（共 7 级）

1 级：开始骨化为圆形骨化中心，呈钙化点，极少为多个，边缘不清晰。

2 级：骨化中心变形，由圆形变为三角形，有平滑连续的缘。

3 级:骨化中心最大径为桡骨骨干宽度的一半或一半以上。

4 级:骨化中心头骨缘按头骨的钩骨关节面成形,骨化中心可区分出掌骨缘和头骨缘,出现 2 个关节面,形状由“D”字形变为三角形。

5 级:骨化中心第 4 掌骨关节面可区分为掌侧面和背侧面,沿骨的远侧缘或在远侧缘以内可见致密白线,并出现三个关节面。

6 级:各关节面全部形成,上缘表现为双边马鞍形。

7 级:出现钩状突,完成发育。

5) 青少年三角骨骨发育 X 线分级(共 6 级)

1 级:开始骨化为圆形继发骨化中心,呈钙化点,极少为多个,边缘不清晰。

2 级:骨化中心变为椭圆形,有平滑连续的缘。

3 级:骨化中心最大径为尺骨骨干宽的一半或一半以上,骨化中心与钩骨相邻的缘变平。

4 级:骨化中心增长,纵向直径明显大于横向直径。

5 级:骨化中心月骨缘变平,与钩骨缘形成稍大于 90°的角,1 条缘或 2 条缘致密,并开始出现关节面,边变平但棱角不鲜明。

6 级:骨化中心成人形,骨化中心远侧部分增宽,内侧缘凹陷。

6) 青少年第 1 掌骨骨发育 X 线分级(共 8 级)

1 级:开始骨化为小圆形骨化中心,一般为单个,极少为多个,边缘不清晰。

2 级:继发骨化中心清晰可见,开始变形,长圆形或半圆形,有平滑连续的缘。

3 级:骨骺最大径为干骺端宽度的一半或一半以上。

4 级:开始出现关节面,表现为双边或小凹,开始出现掌侧面和背侧面。

5 级:马鞍形关节面形成,骨骺内侧端略小于外侧端,最大横径略小于干骺端最大横径,干骺之间的骺软骨间隙完整、清晰。

6 级:骨骺骺侧面略凹陷,最大横径略大于干骺端最大横径,干骺开始闭合,闭合范围未达 1/2,干骺之间的骺软骨间隙变模糊。

7 级:干骺部分闭合,闭合范围达 1/2 以上,干骺边缘尚残留狭小间隙。

8 级:干骺全部闭合,骺线残留或消失。

7) 青少年第 3、5 掌骨骨发育 X 线分级(共 8 级)

1 级:开始骨化为小圆形骨化中心,一般为单个,极少为多个,边缘不清晰。

2 级:继发骨化中心清晰可见,呈圆形,有平滑连续的缘。

3 级:骨骺最大横径为骨干宽度的一半或一半以上。

4 级:骨骺呈指甲状或铲状,其两侧分别可见纵行的致密线,继发骨化中心最大横径近似于干骺端最大横径,干骺之间的骺软骨间隙完整、清晰。

5 级:骨骺一侧或两侧呈类帽状并覆盖干骺端,最大横径略大于干骺端最大横径,干骺之间的骺软骨间隙较前变窄且模糊。

6 级:骨骺呈横“D”字形,干骺端开始闭合,闭合范围未达 1/2。

7 级:干骺端大部分闭合,闭合范围达 1/2 以上,干骺边缘尚残留狭小间隙。

8 级:干骺全部闭合,骺线残留或消失。

8) 青少年近、中、远节指骨骨发育 X 线分级(共 8 级)

1 级：开始骨化为小圆形骨化中心，一般为单个，极少为多个，边缘不清晰。

2 级：继发骨化中心清晰可见，呈圆盘形，有平滑连续的缘。

3 级：骨骺最大横径为骨干宽度的一半或一半以上。

4 级：继发骨化中心最大横径近似于干骺端最大横径，干骺之间的骺软骨间隙完整、清晰。

5 级：第 1、3、5 近节指骨继发骨化中心骺侧面略凹陷，第 3、5 中节指骨继发骨化中心呈倒三角形。

6 级：骨骺与干骺端基本等宽，骨骺外侧端呈方形。

7 级：继发骨化中心一侧或两侧呈类帽状并覆盖干骺端，最大横径略大于干骺端最大横径，干骺端开始闭合，干骺之间的骺软骨间隙较前变窄且模糊，第 1 掌指关节内侧籽骨出现，轮廓不清。

8 级：干骺端部分闭合，闭合处骺软骨间隙呈线状，第 1 掌指关节内侧籽骨轮廓清晰。

以上各骨发育过程中 X 线解剖的变化表明，各骨发育过程中形态改变可以归纳为5 类。①继发骨化中心的出现与变形；②骨骺最长径与干骺端最长径比值的变化；③关节面的出现与形成；④骨突的出现，如桡骨茎突、尺骨茎突、钩骨的钩突等；⑤骨骺不断生长，用骨骺和干骺端的比例判断骨骺发育的大小；⑥骺线变为宽窄一致，变细，部分消失和完全消失。

4 个指掌骨的发育时间顺序，是第 1、2 指掌骨在先，第 4、5 指掌骨在后。在骨发育的开始和最后阶段，分期标志比较明了。中间阶段则较为复杂，这是由于发育顺序可以出现不同的组合。例如，头骨最初是一个小圆形骨化中心，接着变为长圆形，这两期的顺序是恒定的。下一步出现关节面时，最先出现的可以是与钩骨相邻的，也可以是与第 2 掌骨相接的。出现 2 个或 3 个关节面时的组合就更加多样化，这是各骨发育相互影响的必然结果。

在实际应用时，只需要拍摄一张检查对象的左手掌下位包括腕部和尺桡骨下端的正位 X 线片。依次核对 10 个骨的发育分期并记下相应的发育指数。有时一个骨的发育分期可能在两期之间，就用两期发育指数的平均数。将 10 个骨的发育指数相加得出总和，然后从表 3-15 和表 3-16 查出相应的骨龄范围。

表 3-15 男性各年龄的骨龄发育指数

年龄（岁）	1.0	2.0	3.0	4.0	5.0	6.0	7.0	8.0	9.0	10.0	11.0	12.0	13.0	14.0	15.0	16.0	17.0	18.0	19.0	20.0	21.0	22.0
85%下限	0.3	2.8	5.9	9.6	13.6	17.9	22.6	27.7	33.0	38.7	44.6	50.8	57.0	63.8	70.7	77.8	83.7	88.0	91.0	93.1	94.7	96.0
平均指数	1.0	4.6	8.9	13.6	18.7	24.0	29.5	35.4	41.5	47.8	54.2	61.0	67.7	74.5	81.8	88.3	92.7	95.2	96.9	97.8	98.6	99.0
85%上限	2.0	7.4	13.2	19.1	25.4	31.7	38.0	44.6	51.2	58.0	64.6	71.5	78.2	85.2	92.0	96.0	98.1	99.0	100.0	100.0	100.0	100.0

表 3-16 女性各年龄的骨龄发育指数

年龄（岁）	1.0	2.0	3.0	4.0	5.0	6.0	7.0	8.0	9.0	10.0	11.0	12.0	13.0	14.0	15.0	16.0	17.0	18.0	19.0	20.0
85%下限	1.0	3.5	6.7	10.6	15.3	20.7	26.4	32.9	39.9	47.5	55.2	63.8	72.5	82.0	90.0	94.3	96.7	98.0	98.8	99.2
平均指数	2.7	6.8	11.4	16.7	22.5	28.9	35.6	42.8	50.2	57.8	65.7	73.9	82.5	91.0	96.0	98.2	99.1	99.7	99.8	100.0

（续表）

年龄（岁）	1.0	2.0	3.0	4.0	5.0	6.0	7.0	8.0	9.0	10.0	11.0	12.0	13.0	14.0	15.0	16.0	17.0	18.0	19.0	20.0
85%上限	4.6	10.4	16.5	23.2	30.3	37.7	45.0	52.8	60.6	68.8	76.8	85.1	92.1	96.6	99.1	100.0	100.0	100.0	100.0	100.0

（六）根据骨盆X线摄影推定年龄

骨盆骨骺一般在手、足、肘等各大关节骨骺与干骺端闭合以后很长时间内仍在继续发育。因此，骨盆X线摄影对于推断年龄偏大的青少年个体骨龄更有实用价值。骨盆诸组成骨中，根据髂嵴与坐骨结节骨骺的发育状况推定青少年个体的骨龄较为常用。

1. 朱广友、王亚辉等根据骨盆X线摄影推定年龄

2008年，朱广友、王亚辉等对我国东部、中部及南部地区1 897名11.0~20.5周岁青少年骨盆发育状况进行了系统研究，研制了我国当代青少年髂嵴骨骺、坐骨骨骺发育分级方法及闭合年龄。

（1）髂嵴骨骺发育X线分级

1级：骨骺尚未出现，髂嵴部分呈锯齿状，多始于外侧。

2级：骨骺开始出现一个或数个，呈稍高密度弧形影，多与锯齿缘相对应。

3级：骨骺部分覆盖髂嵴，其长径未达髂嵴全长的1/2，骨骺与髂嵴可均呈锯齿状缘且互相对应。

4级：骨骺大部分覆盖髂嵴，其长径达髂嵴全长的1/2~2/3，骺软骨间隙较宽且清晰，仍与锯齿状缘相对应。

5级：骨骺基本覆盖髂嵴，其长径达髂嵴全长的2/3以上，骨骺与髂嵴开始闭合，骺软骨较前变窄，可见骨小梁通过，锯齿缘变模糊。

6级：骨骺全长覆盖髂嵴，其厚度增加，多以中部更明显，骨骺与髂嵴部分闭合。

7级：骨骺与髂嵴大部分闭合，骨骺与髂嵴一侧或两侧尚留有狭小间隙。

8级：骨骺与髂嵴完全闭合，形成髂嵴正常解剖形态。

髂嵴骨骺发育X线的8个分级示意图见图3-6。

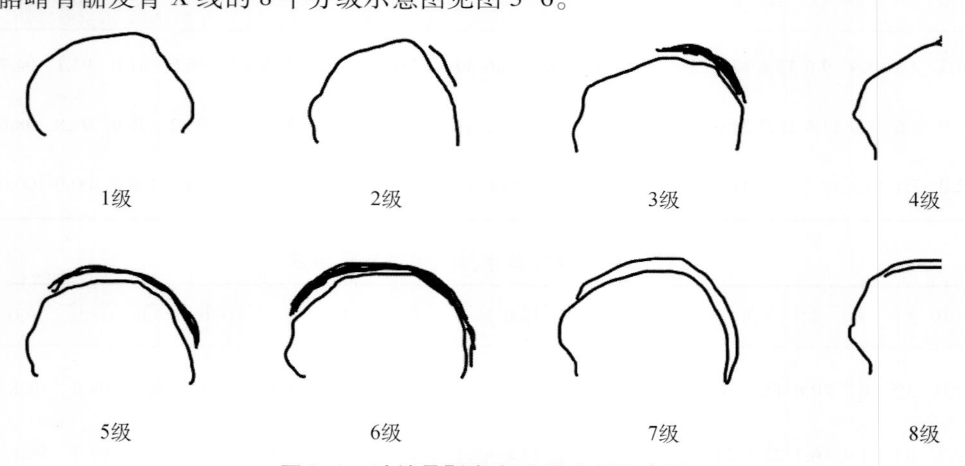

图3-6　髂嵴骨骺发育X线分级示意图

（2）坐骨结节骨骺发育 X 线分级

1 级：骨骺尚未出现。

2 级：骨骺开始出现，呈条片状稍高密度影。

3 级：骨骺的长度接近坐骨最低点；骨骺与坐骨开始闭合，可见骨小梁通过。

4 级：骨骺基本覆盖坐骨支；骨骺与坐骨部分闭合。

5 级：骨骺与坐骨完全闭合，形成坐骨正常解剖形态。

坐骨结节骨骺发育 X 线分级示意图见图 3-7。

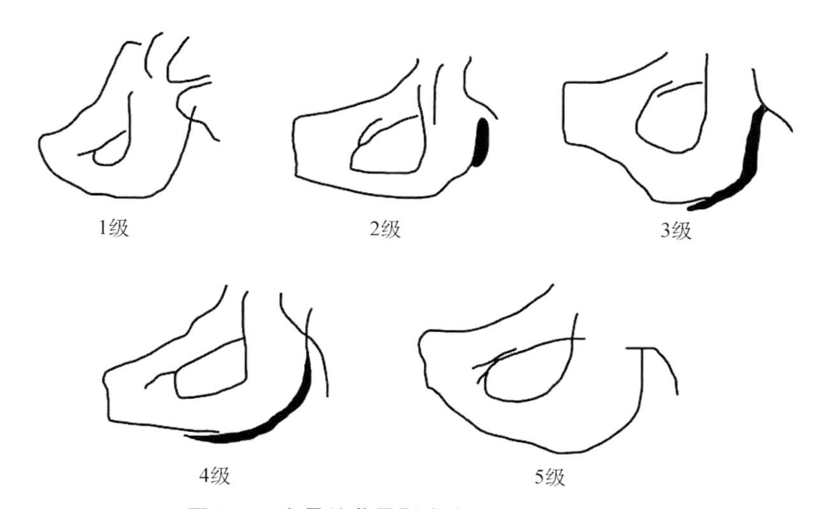

图 3-7　坐骨结节骨骺发育 X 线分级示意图

髂嵴及坐骨结节骨骺发育 X 线分级与年龄的关系，见表 3-17。

表 3-17　根据髂骨和坐骨结节骨骺发育推定年龄

年龄（岁）	髂嵴（级别）		坐骨结节（级别）	
	男	女	男	女
12	1 级	1 级，偶尔 2 级	1 级	1 级，偶尔 2 级
13	2 级	2 级，偶尔 3 级	1 级，偶尔 2 级	2 级，偶尔 3 级
14	2 级，偶尔 3 级	3 级	2 级，偶尔 3 级	3 级
15	3 级、4 级，偶尔 5 级	4 级	3 级，偶尔 4 级	3 级、4 级
16	5 级	5 级	3 级，偶尔 4 级	3 级、4 级
17	6 级	6 级	4 级	4 级
18	6 级，偶尔 7 级	7 级	4 级	4 级
19	7 级、8 级	8 级	4 级，偶尔 5 级	5 级
20	8 级	8 级	5 级	5 级

2. Kellinghaus 等根据髂嵴发育 X 线征象推定年龄

1 级：骨骺未出现。

2 级：骨骺出现，未与髂嵴闭合。

2a 级：骨骺出现，长度小于髂翼最大长度 1/3。

2b 级：骨骺出现，长度为髂翼最大长度的 1/3～2/3。

2c 级：骨骺出现，长度大于髂翼最大长度 2/3。

3 级：骨骺与髂嵴部分闭合。

3a 级：骨骺部分闭合，闭合长度小于髂翼最大长度 1/3。

3b 级：骨骺部分闭合，闭合长度为髂翼最大长度的 1/3～2/3。

3c 级：骨骺部分闭合，闭合长度大于髂翼最大长度 2/3。

4 级：骨骺完全闭合。

2013 年，Wittschieber 等根据上述分级方法研究了 566 例 10.0～30.0 岁骨盆 X 线片，结果显示 3c 级男女最小年龄均为 15.0 岁，4 级男性最小年龄为 17.0 岁，女性最小年龄为 16.0 岁。

3. 邓振华、董晓爱等根据骨盆 X 线征象推定年龄

2013 年，邓振华、董晓爱等研究了 1 777 例 14.0～26.0 岁四川汉族髂嵴、坐骨结节骨骺发育情况，参照 TW2 分级原则，结合研究样本的年龄跨度及骨骺发育特点，将髂嵴的骨骺发育程度分为 0～7 级，将坐骨结节的骨骺发育程度分为 0～6 级，并分别赋予相应分值。

（1）髂嵴分级方法

0 级（1 分）：尚未出现骨骺，髂嵴外缘呈锯齿状。

1 级（2 分）：出现 1 个或数个骨骺，其长度小于髂嵴全长的 1/2。

2 级（3 分）：骨骺长度继续增加，覆盖髂骨体大于 1/2。

3 级（4 分）：骨骺覆盖整个髂嵴，尚未与髂骨体开始闭合。

4 级（5 分）：骨骺与髂骨体开始闭合，闭合范围小于 1/3；

5 级（6 分）：骨骺与髂骨体部分闭合，闭合范围小于 2/3。

6 级（7 分）：骨骺与髂骨体大部分闭合，只在髂骨内侧或外侧缘局部留有间隙。

7 级（8 分）：骨骺与髂骨体完全闭合，成为成熟的髂骨。

（2）坐骨结节分级方法

0 级（1 分）：骨骺尚未出现。

1 级（2 分）：骨骺出现。

2 级（3 分）：骨骺最低点接近坐骨最低点。

3 级（4 分）：骨骺基本完全覆盖坐骨支。

4 级（5 分）：骨骺与坐骨体开始闭合，闭合范围小于 1/2。

5 级（6 分）：骨骺与坐骨体大部分闭合，闭合范围大于 1/2。

6 级（7 分）：骨骺与坐骨完全闭合，形成完整坐骨结节形态。

邓振华、董晓爱等研究发现，男、女性髂嵴骨骺完全闭合的最小年龄为 17.95 岁、18.36 岁，男、女性坐骨结节骨骺完全闭合的最小年龄为 17.01 岁、18.4 岁。18.0 周岁时，一半以上的髂嵴骨骺处于部分或大部分闭合的发育状态，约有 80%的坐骨结节骨骺开始或部分闭合。男、女性髂嵴发育差异无统计学意义，因此建立了年龄推断二次方程：$Y=15.966+0.066X^2-0.472X$（X：髂嵴、坐骨结节骨骺分级后计分总值；Y：年龄），回代检验，±0.5 岁准确率为 26.4%，±1.0 岁准确率为 58.6%，±2.0 岁准确率为 90.0%。

4. 根据耻骨联合面发育X线征象推定年龄

应用耻骨联合面形态学变化特征推断年龄，在刑事杀人碎尸案中应用极广，也非常有价值。然而，在40.0岁以上的年龄组，该方法的使用受到限制。因此，耻骨X线摄影推定年龄方法即可作为形态法的补充和发展。1995年，张忠尧等对118例10.0~60.0岁的男性耻骨的X线影像改变与年龄的关系进行了观察研究。

首先，运用耻骨X线片和CT片，并对X线片上的耻骨联合面波浪嵴、骨纹结构、松质骨网眼、骨小梁分布、骨唇线、横骨梁、骨质增生和耻骨下支骨皮质进行观察。

（1）数量化指标赋值标准：具体见表3-18。

表3-18 男性耻骨X线影像变化详细标准

变量	观测项目	赋分值(x)	形态变化	方程系数	
				数量化理论Ⅰ	逐步回归
X_1	联合面波浪嵴	0	嵴峰高锐	—	—
		1	嵴峰高钝	2.69	2.96
		2	嵴峰低钝	5.18	6.13
		3	嵴峰消失	8.35	9.46
X_2	骨纹结构	0	细密	—	—
		1	细疏	1.54	—
		2	粗疏	4.08	2.39
X_3	松质骨网眼	0	均匀小网眼	—	—
		1	稀疏网眼	0.74	—
		2	普遍大网眼	0.50	—
X_4	骨小梁分布	0	较均匀	—	—
		1	部分变细或缺少	1.72	—
		2	小片状缺少	2.64	—
		3	大片状缺少	5.72	7.23
X_5	骨唇线	0	无	—	—
		1	轻度	3.05	2.96
		2	明显	6.77	6.57
		3	消失	7.35	7.26
X_6	横骨梁	0	无	—	—
		1	轻度	3.50	3.91
		2	明显	4.61	5.35
		3	模糊不清	7.02	7.85
X_7	骨质增生	0	无	—	—
		1	1个小棘突	0.82	—
		2	2个以上或1个大棘突	2.94	2.03
		3	棘突尖皮质破损伴有闭孔缘皮质骨变薄	6.35	5.42

（续表）

变量	观测项目	赋分值(x)	形态变化	方程系数	
				数量化理论Ⅰ	逐步回归
X_8	耻骨下支骨皮质	0	无	—	—
		1	一侧或双侧形成	1.99	1.82
		2	致密	3.65	3.45

（2）数量化理论Ⅰ方程。

$Y=15.03+2.69X_1+5.18X_2+8.35X_3+1.54X_4+4.08X_5+0.74X_6+0.50X_7-5.92X_8+2.64X_9+5.92X_{10}+3.05X_{11}+6.77X_{12}+7.53X_{13}+3.50X_{14}+4.61X_{15}+7.02X_{16}+0.82X_{17}+2.94X_{18}+6.35X_{19}+1.99X_{20}+3.65X_{21}$

方程检验，$R=0.984\,3$；$S=2.54$，$F>F0.01$，$P<0.01$。Y 为推断年龄，X 为变量评分。

（3）逐步回归方程。

$Y=15.17+2.96X_1+6.13X_2+9.46X_3+2.39X_5+4.33X_9+7.23X_{10}+2.96X_{11}+6.57X_{12}+7.26X_{13}+3.91X_{14}+5.35X_{15}+7.85X_{16}+2.03X_{18}+5.42X_{19}+1.82X_{20}+3.45X_{21}$

方程检验，$R=0.981\,8$，$S=2.52$，$F>F0.01$，$P<0.01$（注：在多元回归分析中，表 3-18 中 $X_1 \sim X_8$的观测项目被原研究者规定为自变量。在数量化理论Ⅰ方程中，其每项中的 0~3 个同类目为自变量，因此方程中有 $X_1 \sim X_{21}$）。

（4）推断骨龄：应用时按观测项目赋值标准，对拍照的男性 X 线片显示的形态结构依次赋值，然后将各自对应的该方程系数相加，最后加上常数项，即求得骨龄。该方法适用于 10.0~60.0 岁的汉族男性。

（七）根据髋关节 X 线摄影推定年龄

1. 根据股骨近端 X 线摄影推定年龄

（1）Walker 等根据股骨近端 X 线变化推定年龄：1985 年，Walker 等根据股骨近端的 X 线片上的变化，将股骨近端年龄变化分为 8 个等级，具体分级标准与年龄的关系如下。

1 级：骨皮质境界清晰明了，原发骨小梁呈网状，完全充满股骨头，继发骨小梁呈网状并完全充满股骨近端的骨髓腔，中部骨皮质厚而致密，对应年龄为 18.0~24.0 岁。

2 级：大多数特征同上一级，但骨密度稍有降低并有局部丢失，尤以 Ward's 三角明显，大转子处透明度增加，股骨头颈处有继发骨小梁的某些区域透明度也增加，头颈处的原发骨小梁与上一级相同，对应年龄为 25.0~29.0 岁。

3 级：股骨头和股骨颈的继发骨小梁的半透明度全面减弱，重要的支撑骨小梁仍然强壮并呈完好的网状，中部骨皮质强壮，但外侧骨皮质有部分缺失，Ward's 三角区因半透明度增加而界限清楚，继发骨小梁的全面吸收使初级原发骨小梁有更清晰的界限，对应年龄为 30.0~34.0 岁。

4 级：与上一级相似，但所有骨小梁群的半透明度进一步增大，股骨头部骨小梁较上一级变得轻微粗糙，少数个体骨小梁有增厚，由于没有独特的、明显的特征可与上一级区分，故该级较难判断，对应年龄为 35.0~39.0 岁。

5 级：大转子处骨小梁明显吸收，各部骨小梁密度减低，少数骨小梁（股骨头下部）显示疏松倾向，股骨头下部继发骨小梁明显缺失，在骨髓腔也可看到类似骨小梁缺失，对应年龄为 40.0~44.0 岁。

6 级：股骨头部再生性骨质进行性缺失并波及上部，骨髓腔部和股骨头部骨小梁进一步缺失，原发骨小梁明显减少，骨皮质进一步变强壮，同时骨小梁与上一级相比在透明度方面有更大差别，可见侧面骨皮质呈轻微的波浪状，对应年龄为 45.0~49.0 岁。

7 级：原发骨小梁粗糙，数量明显减少，继发骨小梁几乎完全缺失，横行原发骨小梁群仍然存在，却变得粗糙和纤细，所有皮质明显缺失，整个标本透明度增加，对应年龄为 50.0~59.0 岁。

8 级：不再有继发性骨小梁形成，横向骨小梁群也有吸收，股骨头部仅有原发性骨小梁保留，中侧部骨皮质有明显的皮质卷曲，骨髓腔实际上也变空，对应年龄在 60.0 岁左右。

(2) 刘丰春等根据股骨近端 X 线变化推定年龄：1998 年，刘丰春等对 167 例 10.0~83.0 岁青岛地区汉族正常人（男性 84 例，女性 83 例）股骨上部和 36 套已知性别年龄股骨标本进行 X 线摄影，测量股骨上部骨松质长度（股骨颈上缘最低点至股骨上部骨髓腔顶距离），计算出股骨上部骨松质指数（股骨上部骨松质长度/股骨长）。经统计分析，显示股骨上部骨松质的长度和指数均与年龄呈高度负相关，并得出股骨上部骨松质长度、股骨上部骨松质指数与年龄的回归方程，其检验结果准确性误差在 3.0 岁以内为 83.3%。

男性股骨上部骨松质指数与年龄回归方程：$Y=319.2129-16.1137X_1$（$R=-0.98668$）；女性股骨上部骨松质指数与年龄回归方程：$Y=258.0649-12.8628X_2$（$R=-0.97866$）。

(3) 青少年髋关节各项观察指标分级方法

2008 年，朱广友、王亚辉等对我国东部、中部及南部地区 1 897 名 11.0~20.5 周岁青少年髋臼、股骨头、大转子骨发育状况进行了系统研究，研制了我国当代青少年髋臼（X_1）、股骨头骨骺（X_2）、大转子骨骺（X_3）发育分级方法（表 3-19）。

表 3-19　青少年髋关节各项观察指标分级方法

指标	分级	特征
X_1	1 级	髋臼缘模糊，不连续；髋臼尚未完全闭合
	2 级	髋臼缘呈连续的致密线，髋臼完全闭合，形成正常解剖形态
X_2	1 级	继发骨化中心一侧或两侧呈类帽状覆盖干骺端；干骺端开始闭合，骺软骨间隙变模糊，可见骨小梁通过
	2 级	干骺端部分闭合，闭合范围未达 1/2
	3 级	干骺端大部分闭合，闭合范围达 1/2 以上；干骺端一侧或两侧尚留有狭小间隙
	4 级	干骺端全部闭合，骺线残留或消失
X_3	1 级	干骺端开始闭合，多始于中部，可见骨小梁通过，其两侧骺软骨间隙较宽且明显
	2 级	干骺端部分闭合，闭合范围未达 1/2，两侧间隙较前变窄
	3 级	干骺端大部分闭合，闭合范围达 1/2 以上；干骺端一侧或两侧尚留有间隙
	4 级	干骺端全部闭合，骺线残留或消失

(2) 研究结果：该研究根据不同部位骨骺闭合分级结果最大频数分布情况，确定不同年龄髋关节骨发育标准图谱（表 3-20）。

表 3-20　各年龄段对应肘关节不同指标分级情况

年龄(岁)	X_1		X_2		X_3	
	女性	男性	女性	男性	女性	男性
11.0	1 级	1 级	1 级	1 级	1 级	1 级
11.5	1 级	1 级	1 级	1 级	1 级	1 级
12.0	1 级	1 级	1 级	1 级	1 级	1 级
12.5	2 级	1 级	2 级	1 级	2 级	1 级
13.0	2 级	1 级	3 级	2 级	3 级	1 级
13.5	2 级	2 级	4 级	2 级	4 级	2 级
14.0	2 级	2 级	4 级	2 级	4 级	2 级
14.5	2 级	2 级	4 级	2 级	4 级	3 级
15.0	2 级	2 级	4 级	3 级	4 级	3 级
15.5	2 级	2 级	4 级	4 级	4 级	4 级
16.0	2 级	2 级	4 级	4 级	4 级	4 级
16.5	2 级	2 级	4 级	4 级	4 级	4 级
17.0	2 级	2 级	4 级	4 级	4 级	4 级
17.5	2 级	2 级	4 级	4 级	4 级	4 级
18.0	2 级	2 级	4 级	4 级	4 级	4 级
18.5	2 级	2 级	4 级	4 级	4 级	4 级
19.0	2 级	2 级	4 级	4 级	4 级	4 级
19.5	2 级	2 级	4 级	4 级	4 级	4 级
20.0	2 级	2 级	4 级	4 级	4 级	4 级
20.5	—	2 级	—	4 级	—	4 级

(八) 根据膝关节 X 线摄影推定年龄

1975 年,美国 Fels 研究所的学者 Roche 等研究了下肢(股骨、胫骨、腓骨)34 个骨发育指征,并提出了 RWT 膝部骨龄评分法。他们认为长骨关节如膝部,与其体格发育关系更为密切,更能很好地反映骨发育程度。

1. 股骨远端骨骺发育 X 线分级

1 级:继发骨化中心呈类帽状;干骺端开始闭合,骺软骨间隙变模糊,可见骨小梁通过。

2 级:继发骨化中心呈类帽状覆盖于干骺端,干骺端部分闭合,闭合范围未达 1/2,多始于中部,骺软骨间隙较前变窄。

3 级:干骺端大部分闭合,闭合范围达 1/2 以上,干骺端一侧或两侧尚留有间隙。

4 级:干骺端全部闭合,骺线残留或消失。

2. 胫骨近端骨骺发育 X 线分级

1 级:干骺端开始闭合,骺软骨间隙变模糊,可见骨小梁通过。

2 级:干骺端部分闭合,闭合范围未达 1/2,继发骨化中心呈类帽状覆盖干骺端。

3 级:干骺端大部分闭合,闭合范围达 1/2 以上,干骺一侧或两侧尚有留有间隙。

4 级:干骺端全部闭合,骺线残留或消失。

3. 腓骨近端骨骺发育 X 线分级

1 级:继发骨化中心最大横径近似于干骺端最大横径,且外侧厚于内侧,骺软骨间隙较宽且清晰。

2 级:干骺端开始闭合,多始于中部,骺软骨间隙较前变窄且模糊,可见骨小梁通过。

3 级:干骺端部分闭合,闭合范围未达 1/2。

4 级:干骺端大部分闭合,闭合范围达 1/2 以上,干骺端一侧或两侧尚留有间隙。

5 级:干骺端全部闭合,骺线残留或消失,形成腓骨头正常解剖形态。

1963 年,张乃恕等观察到男、女性股骨远端、胫骨近端及腓骨近端骨骺闭合年龄范围分别为 17.0~20.0 岁和 15.0~18.0 岁。1984 年和 1995 年,席焕久等报道了对西安市和开原市青少年膝关节骨骺闭合年龄进行的研究,认为股骨远端、胫骨近端及腓骨近端骨骺闭合年龄在男性组分别由 20.0 岁、21.0 岁、20.0 岁提前到 18.7 岁、21.1 岁、19.5 岁,女性组则由 19.0 岁、20.0 岁、19.0 岁提前到 17.7 岁、18.7 岁、17.5 岁,男、女性分别提前约 1.0 岁。2001 年,吴恩惠等亦对青少年膝关节骨骺闭合时间研究做了详细介绍,认为女性膝关节各骨骺闭合时间无明显先后差异,均为 16.0~18.0 岁,比男性提前闭合 1.0 岁。2005 年,朱成方等对高密地区汉族青少年膝关节骨骺发育进行了研究,认为股骨远端、胫骨近端、腓骨近端骨骺闭合年龄在男性组分别为 17.3 岁、17.4 岁、17.3 岁,女性组分别为 15.7 岁、15.9 岁、15.6 岁。2010 年,朱广友、王亚辉等对华东、华中、华南三地区汉族青少年膝关节骨骺发育进行了研究,研究显示男性青少年膝关节骨骺闭合年龄在 15.0~19.0 岁(平均年龄约为 17.0 岁),女性在 14.0~18.0 岁(平均年龄约为 16.0 岁),该结果与吴恩惠等报道的基本一致。

(九)根据踝关节 X 线摄影推定年龄

1. 胫骨远端骨骺发育 X 线分级

1 级:骺软骨间隙宽且清晰;继发骨化中心最大横径略宽于干骺端最大横径,且形成内踝雏形。

2 级:干骺端开始闭合,骺软骨间隙较前变窄且模糊,可见骨小梁通过,内踝塑形完成。

3 级:干骺端部分闭合,闭合范围未达 1/2,闭合多始于中部。

4 级:干骺端大部分闭合,闭合范围大于 1/2,干骺端一侧或两侧尚留有间隙。

5 级:干骺端全部闭合,骺线残留或消失。

2. 腓骨远端骨骺发育 X 线分级

1 级:骺软骨间隙较宽且清晰,继发骨化中心最大横径近似于干骺端最大横径。

2 级:干骺端开始闭合,骺软骨间隙较前变窄且模糊,可见骨小梁通过。

3 级:干骺端部分闭合,闭合范围未达 1/2,多始于中部。

4 级:干骺端大部分闭合,闭合范围达 1/2 以上,干骺端一侧或两侧尚留有间隙。

5 级:干骺端全部闭合,骺线残留或消失。

2005 年,朱成方等对高密地区汉族青少年踝关节骨骺发育进行了研究,认为胫骨远端、腓骨远端骨骺闭合年龄在男性组分别为 16.4 岁、16.3 岁,女性组分别为 15.4 岁、15.0 岁。

(十)根据足部 X 线摄影推定年龄

1. 观察的骨骼

(1)第 1 组:足舟骨、骰骨、内侧、中间和外侧楔骨。

(2)第 2 组:第 1~5 跖骨。

(3) 第 3 组:第 1~5 近节趾骨,拇趾远节趾骨。

2. 观察指标与标准

观察指标为继发骨化中心,根据其发生、发展特点,将骨骺骨化中心分为 0~10 共 11 个阶段,将跟骨、足舟骨、骰骨及楔骨等的继发骨化中心分为 0~5 个等级。

(1) 骨骺发育 X 线分级

1 级:继发骨化中心未出现。

2 级:出现小圆形阴影(与继发骨化中心出现的时期相当)。

3 级:比 2 级有分化,但尚未呈现继发骨化中心固有的形态。

4 级:开始分化,形成继发骨化中心固有的形态。

5 级:进一步发展,产生凹凸样轮廓,但继发骨化中心的宽度小于骨干的宽度。

6 级:继发骨化中心的宽度与骨干一致。

7 级:继发骨化中心与骨干相对应的缘下垂,形成帽状初期,其间尚留有空隙。

8 级:间隙的距离缩小,呈现两面互相垂直的锯齿状。

9 级:骨骺与干骺端开始闭合,但尚未完成。

10 级:骨骺已闭合,但尚有清楚的连续的横线。

11 级:骨骺完全闭合,呈成人形。

继发骨化中心/骨骺的发育分级是人为赋予的,其间尚有一些连续的移行阶段,有时判定其究竟属哪一个分级比较难,特别是 3、4 级更难判断。

(2) 跗骨骨化中心的分期

1 级:继发骨化中心未出现。

2 级:出现小圆形阴影。

3 级:比 2 级进一步分化,但仍处于共同的光滑的圆形时期。

4 级:继发骨化中心的固有形态开始显现并有一些凹凸。

5 级:继发骨化中心的固有分化继续进行,与相邻骨间明确的关节面形成。

6 级:成熟完成,彼此相互重合。

3. 推断年龄

把上述分级作为得分数,则第 1 组足舟骨、骰骨、内外侧和中间楔骨得 0~25 分;第 2 组第 1~5 骨共得 0~50 分;第 3 组第 1~5 近节趾骨及拇指远节指骨共得 0~60 分。

实际应用时,按照上述标准求得各个骨化中心的得分数,然后按组求得合分数,根据表 3-21 求得相应的年龄。各组所得的年龄难以一致,可取其平均值作为估计的个体年龄。

表 3-21　不同年龄足部各骨继发骨化中心的平均得分数

年龄(岁)	男性组			女性组		
	1	2	3	1	2	3
0.5	3.3	0	0	3.8	0	0
1.5	6.1	0	0	7.3	0.3	5.9
2.5	7.2	1.0	8.5	9.1	2.8	13. 9
3.5	10.4	3.0	14.6	12.6	9.4	20.6

（续表）

年龄(岁)	男性组			女性组		
	1	2	3	1	2	3
4.5	12.4	8.1	19.1	13.3	15.2	22.3
5.5	12.1	22.2	—	19.3	24.8	—
6.5	16.9	24.1	—	23.0	28.1	—
7.5	21.5	26.5	—	25.9	30.7	—
8.5	25.5	28.6	—	29.1	33.0	—
9.5	27.9	30.4	—	33.0	35.8	—
10.5	29.9	32.3	—	34.9	37.4	—
11.5	32.5	36.1	—	38.0	39.3	—
12.5	33.5	37.4	—	38.9	42.9	—
13.5	36.3	39.0	—	45.4	52.4	—
14.5	40.4	46.8	—	—	—	—
15.5	46.4	51.7	—	—	—	—
16.5	48.7	56.7	—	—	—	—

（十一）青少年躯体七大关节骨龄评估体系

1. 躯体七大关节骨骺及其骨发育X线分级

（1）摄片方法：X线投照位置以曹厚德主编的《现代医学影像技术学》为标准。X线摄影装置以200~500 mA、80~100 kV的机型为基准。具体方法如下：

1）胸锁关节后前位：近距离投照，包括双侧胸锁关节。

2）肩关节正位：肩部放松下垂，掌心自然向前；包括肱骨近端、锁骨肩峰端和肩胛骨肩峰端。

3）肘关节正位：上臂紧贴台面或暗盒，前臂不能内旋；包括肱骨下端、肱骨内上髁和桡骨头。

4）腕关节正位（包括全手正位）：前臂须贴紧暗盒；应包括尺、桡骨下端，并含腕、掌、指骨。

5）髋关节正位：双下肢内旋至双侧第一足趾；包括髂嵴与坐骨、股骨头及大转子。

6）膝关节正位：包括股骨远端及胫、腓骨近端。

7）踝关节正位：脚尖须绷直；包括胫、腓骨远端及跟骨结节等。

测量身高及体重后，拍摄双侧胸锁关节后前位、肩关节正位、肘关节正位、腕关节正位（包括全手正位）、髋关节正位、膝关节正位、踝关节正位片。

（2）骨骺指标：具体见表3-22。

表3-22 躯体七大关节骨骺指标及其变量代号

关节	指标	变量	关节	指标	变量
胸锁关节	锁骨胸骨端骨骺	X_1	髋关节	髂嵴骨骺	X_{15}
肩关节	肱骨近端骨骺	X_2		坐骨骨骺	X_{16}

（续表）

关节	指标	变量	关节	指标	变量
	锁骨肩峰端骨骺	X_3		髋臼骨骺	X_{17}
	肩胛骨肩峰端骨骺	X_4		股骨头骨骺	X_{18}
肘关节	肱骨内骨骺上髁	X_5		大转子骨骺	X_{19}
	肱骨小骨骺头	X_6	膝关节	股骨远端骨骺	X_{20}
	桡骨小头骨骺	X_7		胫骨近端骨骺	X_{21}
腕关节（包括全手）	桡骨远端骨骺	X_8		腓骨近端骨骺	X_{22}
	尺骨远端骨骺	X_9	踝关节	胫骨远端骨骺	X_{23}
	第1掌骨骨骺	X_{10}		腓骨远端骨骺	X_{24}
	第3、5掌骨骨骺	X_{11}			
	近节指骨骨骺	X_{12}			
	中节指骨骨骺	X_{13}			
	远节指骨骨骺	X_{14}			

与推断年龄相关的其他指标：①身高，即人站立位时（赤足）的身长，用cm表示。②体重，即指净重量，用kg表示。③地区。

（3）骨发育分级方法：2008年，朱广友、王亚辉等对我国东部、中部及南部地区1 897名12.0~20.5周岁青少年锁骨胸骨端骨骺发育状况进行了系统研究，研制了我国当代青少年躯体七大关节表3-22中24个骨骺发育分级方法，具体方法见《中国青少年骨龄鉴定标准图谱法》。

2. 继发骨化中心出现及骨骺闭合时间

经数理统计分析计算出青少年男、女性继发骨化中心出现与骨骺闭合时间表（表3-23，表3-24）。

表3-23 青少年男性继发骨化中心出现与骨骺闭合时间表

指标	特征	例数	平均年龄（岁）	年龄范围（岁）	标准差	标准误	95%置信区间（岁）
X_1	出现	125	17.38	14.85~19.91	1. 29	0.12	17.16~17.58
	闭合	18	20.20	19.17~	0.72	0.72	19.17~
X_2	闭合	213	19.18	16.60~20.00	1.32	0.09	18.04~18.36
X_3	闭合	280	18.70	15.39~22.00	1.69	0.10	18.50~18.90
X_4	出现	58	13.38	11.40~15.36	0.88	0.13	13.10~13.63
	闭合	256	19.01	16.36~20.92	1.33	0.08	13.10~13.63
X_5	闭合	450	16.12	14.20~18.16	1.04	0.08	15.96~16.27
X_6	闭合	575	16.33	13.30~18.78	1.25	0.08	16.16~16.39
X_7	闭合	477	15.33	13.90~17.06	0.87	0.07	15.24~15.47
X_8	闭合	220	18.02	16.50~19.53	0.77	0.08	17.84~18.18

（续表）

指标	特征	例数	平均年龄（岁）	年龄范围（岁）	标准差	标准误	95%置信区间（岁）
X_9	闭合	235	18.28	16.50～20.06	0.91	0.08	18.16～18.45
X_{10}	闭合	470	15.72	12.50～17.50	0.91	0.07	15.53～15.86
X_{11}	闭合	404	16.64	13.50～17.89	0.64	0.08	17.65～17.95
X_{12}	闭合	432	16.50	14.80～18.00	0.77	0.08	17.92～18.30
X_{13}	闭合	433	16.58	14.70～18.11	0.78	0.08	17.91～18.31
X_{14}	闭合	484	16.00	14.10～17.78	0.91	0.08	17.74～18.03
X_{15}	出现	50	13.75	11.60～15.87	1.08	0.15	13.44～14.04
	闭合	159	19.58	17.74～	0.93	0.07	19.45～19.72
X_{16}	出现	67	14.39	11.70～16.90	1.33	0.15	14.10～14.68
	闭合	288	19.57	17.92～	0.99	0.09	19.35～19.75
X_{17}	闭合	179	14.62	13.10～16.36	0.89	0.06	14.54～14.74
X_{18}	闭合	455	15.41	14.10～16.98	0.80	0.07	15.27～16.55
X_{19}	闭合	417	15.46	14.70～17.69	1.14	0.08	16.62～16.99
X_{20}	闭合	288	16.97	14.90～17.60	1.09	0.08	16.81～17.13
X_{21}	闭合	366	17.04	15.00～19.04	1.02	0.08	16.88～17.20
X_{22}	闭合	290	17.65	15.90～19.45	0.92	0.08	17.40～17.81
X_{23}	闭合	390	16.92	14.90～19.04	1.08	0.07	16.76～17.06
X_{24}	闭合	394	16.98	14.90～19.02	1.04	0.07	16.84～17.12

表 3-24 青少年女性继发骨化中心出现与骨骺闭合时间表

指标	特征	例数	平均年龄（岁）	年龄范围（岁）	标准差	标准误	95%置信区间（岁）
X_1	出现	106	16.15	16.11～18.52	1.21	0.12	15.91～16.39
	闭合	10	19.59	20.00～	0.58	0.42	18.90～
X_2	闭合	190	18.21	15.47～20.95	1.40	0.10	18.01～18.41
X_3	闭合	254	17.75	14.42～21.08	1.70	0.11	17.53～17.97
X_4	出现	30	12.64	11.15～14.12	0.76	0.14	12.37～12.91
	闭合	213	18.09	15.36～20.22	1.47	0.10	17.89～18.29
X_5	闭合	292	15.17	12.41～16.42	1.05	0.06	14.82～15.06
X_6	闭合	472	14.66	11.90～16.83	1.37	0.06	14.54～14.78
X_7	闭合	231	14.25	11.98～15.42	0.92	0.06	14.04～14.28
X_8	闭合	131	17.50	14.63～18.92	1.12	0.10	17.15～17.55
X_9	闭合	143	17.23	15.04～19.52	1.17	0.10	17.03～17.43
X_{10}	闭合	176	14.46	12.72～15.42	0.87	0.07	14.22～14.50
X_{11}	闭合	214	15.58	13.58～16.88	0.93	0.06	15.34～15.58
X_{12}	闭合	336	15.58	13.35～17.81	1.14	0.06	15.46～15.70

（续表）

指标	特征	例数	平均年龄（岁）	年龄范围（岁）	标准差	标准误	95%置信区间（岁）
X_{13}	闭合	339	15.67	13.17～17.33	1.16	0.06	15.45～15.69
X_{14}	闭合	300	15.08	12.58～16.42	1.03	0.06	14.79～15.03
X_{15}	出现	58	12.88	11.36～14.40	0.78	0.10	12.68～13.08
	闭合	85	19.42	16.79～20.25	1.05	0.12	18.84～19.32
X_{16}	出现	87	13.34	11.40～15.28	0.99	0.11	13.12～13.56
	闭合	39	19.58	18.67～	1.46	0.23	18.62～19.52
X_{17}	闭合	199	13.50	11.83～14.42	0.71	0.05	13.27～13.47
X_{18}	闭合	179	14.42	12.70～15.42	0.78	0.06	14.28～14.52
X_{19}	闭合	214	15.08	12.86～15.92	0.89	0.06	14.68～14.92
X_{20}	闭合	304	15.75	12.88～17.33	1.19	0.07	15.51～15.79
X_{21}	闭合	303	16.00	13.58～17.83	1.14	0.07	15.85～16.13
X_{22}	闭合	207	16.78	14.30～18.96	1.27	0.09	16.60～16.97
X_{23}	闭合	312	15.75	13.23～17.33	1.12	0.06	15.54～15.78
X_{24}	闭合	285	15.96	13.58～17.83	1.20	0.07	15.57～15.85

3. 青少年躯体七大关节骨龄鉴定数学模型

（1）多元回归数学模型

男性：$Y=7.673+0.015\times \text{Height(cm)}+0.450\times X_1+0.153\times X_2+0.364\times X_3+0.170\times X_4+0.215\times X_6+0.332\times X_9+0.219\times X_{15}$。该数学模型的±1.0岁及±1.5岁的准确率分别为70.59%和88.24%。

女性：$Y=9.414+0.462\times X_1+0.182\times X_2+0.493\times X_3+0.226\times X_4+0.304\times X_8+0.184\times X_{15}+0.096\times X_{16}$。该数学模型的±1.0岁及±1.5岁的准确率分别为78.46%和93.85%。

（2）Fisher's线性两类判别分析数学模型（表3-25，表3-26）。

表3-25　男性14.0、16.0、18.0周岁判别分析数学模型

年龄	判别模型	骨骼发育指标	判别分析数学模型	综合判别率（%）（训练样本）	综合判别率（%）（校验样本）
14.0周岁	最佳判别模型	X_2、X_4、X_6、X_{16}、X_{18}、X_{20}、Height、Weight	$Y_1=-331.891+4.952\times \text{Height}-1.314\times \text{Weight}+4.255\times X_2-4.712\times X_4-7.969\times X_6+0.645\times X_{16}-7.452\times X_{18}-6.820\times X_{20}$	75.6	100.0
			$Y_2=-345.639+5.017\times \text{Height}-1.355\times \text{Weight}+4.607\times X_2-4.119\times X_4-7.183\times X_6+0.993\times X_{16}-7.066\times X_{18}-7.398\times X_{20}$	84.8	66.7
16.0周岁	逐步回归判别模型	X_1、X_2、X_4、X_9	$Y_3=-8.443-0.618\times X_1+2.764\times X_2+1.878\times X_4+0.920\times X_9$	86.6	100.0
			$Y_4=-15.940+0.176\times X_1+3.067\times X_2+2.483\times X_4+1.655\times X_9$	74.0	80.0

（续表）

年龄	判别模型	骨骼发育指标	判别分析数学模型	综合判别率（%）（训练样本）	综合判别率（%）（校验样本）
18.0 周岁	最佳判别模型	X_1、X_3、X_8、X_9、X_{15}、X_{19}、Height、Weight	$Y_5=-624.298+7.249\times Height-1.969\times Weight-2.274\times X_1+15.385\times X_3-9.447\times X_8+4.729\times X_9+4.689\times X_{15}+23.011\times X_{19}$	73.5	80.0
			$Y_6=-631.417+7.243\times Height(cm)-1.942\times Weight-1.529\times X_1+16.078\times X_3-10.491\times X_8+5.916\times X_9+5.619\times X_{15}+21.885\times X_{19}$	82.3	80.6

注：Y_1表示不超过 14.0 周岁，Y_2表示已超过 14.0 周岁。若 $Y_1>Y_2$，则判定年龄不超过 14.0 周岁；若 $Y_1<Y_2$，则判定为年龄已超过 14.0 周岁。

Y_3表示不超过 16.0 周岁，Y_4表示已超过 16.0 周岁。若 $Y_3>Y_4$，则判定年龄不超过 16.0 周岁；若 $Y_3<Y_4$，则判定为年龄已超过 16.0 周岁。

Y_5表示不超过 18.0 周岁，Y_6表示已超过 18.0 周岁。若 $Y_5>Y_6$，则判定年龄不超过 18.0 周岁；若 $Y_5<Y_6$，则判定为年龄已超过 18.0 周岁。

Height 表示身高，单位为 cm；Weight 表示体重，单位为 kg。

表 3-26 女性 14.0、16.0、18.0 周岁判别分析数学模型

年龄	判别模型	骨骼发育指标	判别分析数学模型	综合判别率（%）（训练样本）	综合判别率（%）（校验样本）
14.0 周岁	逐步回归判别模型	X_2、X_4、X_5、X_{15}、X_{17}、X_{18}、Weight	$Y_1=-28.231+0.652\times Weight+2.385\times X_2-0.565\times X_4+1.312\times X_5-2.343\times X_{15}+17.116\times X_{17}-1.137\times X_{18}$	76.9	100.0
			$Y_2=-34.686+0.604\times Weight+3.060\times X_2+0.090\times X_4+2.025\times X_5-2.075\times X_{15}+15.982\times X_{17}-0.263\times X_{18}$	87.2	90.0
16.0 周岁	最佳判别模型	X_1、X_3、X_4、X_8、X_{14}、X_{15}、X_{16}、X_{22}、Height、Weight	$Y_3=-564.555+7.032\times Height-2.183\times Weight-1.013\times X_1+6.300\times X_3+6.782\times X_4-13.533\times X_8+24.888\times X_{14}-3.596\times X_{15}+8.407\times X_{16}+7.035\times X_{22}$	78.0	100.0
			$Y_4=-578.598+7.092\times Height-2.198\times Weight-0.654\times X_1+7.157\times X_3+7.448\times X_4-12.811\times X_8+23.077\times X_{14}-2.946\times X_{15}+8.966\times X_{16}+6.493\times X_{22}$	74.7	77.0
18.0 周岁	最佳判别模型	X_1、X_2、X_3、X_8、X_{13}、X_{14}、X_{16}、X_{19}、Height、Weight	$Y_5=-1\,333.433+7.794\times Height-1.471\times Weight-0.984\times X_1+17.472\times X_2+0.854\times X_3-36.153\times X_8-292.534\times X_{13}+393.033\times X_{14}+0.492\times X_{16}+297.353\times X_{19}$	68.5	69.2
			$Y_6=-1\,332.931+7.762\times Height-1.483\times Weight-0.531\times X_1+18.142\times X_2+1.923\times X_3-34.833\times X_8-299.962\times X_{13}+399.432\times X_{14}+1.723\times X_{16}+294.841\times X_{19}$	87.4	93.1

注：Y_1表示不超过 14.0 周岁，Y_2表示已超过 14.0 周岁。若 $Y_1>Y_2$，则判定年龄不超过 14.0 周岁；若 $Y_1<Y_2$，则判定为年龄已超过 14.0 周岁。

Y_3表示不超过 16.0 周岁,Y_4表示已超过 16.0 周岁。若 $Y_3>Y_4$,则判定年龄不超过 16.0 周岁;若 $Y_3<Y_4$,则判定为年龄已超过 16.0 周岁。

Y_5表示不超过 18.0 周岁,Y_6表示已超过 18.0 周岁。若 $Y_5>Y_6$,则判定年龄不超过 18.0 周岁;若 $Y_5<Y_6$,则判定为年龄已超过 18.0 周岁。

Height 表示身高,单位为 cm;Weight 表示体重,单位为 kg。

(十二) 根据脊柱 X 线摄影推定年龄

随着年龄的增长,脊柱会出现一系列退行性变,包括骨骺闭合、骨赘形成和纵韧带骨化,脊柱的此类退行性变可作为骨龄推断的指标,但须谨慎使用。骨赘通常在 30 岁以后开始形成,因此可用于成人年龄评估。基于骨赘的影像高度可将其分为 4 个等级(0~3 级)。

0 级:脊柱表面光滑。

1 级:脊柱表面轻微粗糙不平(骨刺)。

2 级:脊柱表面变化介于 1 级和 3 级(唇样变)。

3 级:脊柱表面粗糙不平超过 0.8 cm(骨桥形成)。

2005 年,日本人研究了 225 例个体(年龄 20~88 岁)脊柱 X 线片,检查颈椎、腰椎前部及胸椎前部及两侧骨赘形成情况,计算每个部位骨赘最大值;取颈椎、胸椎和腰椎区域骨赘最高值的平均值即为"骨赘形成指数"(osteophyte formation index)并建立年龄推断模型。

男性:年龄 $=37.90+12.07X$。

女性:年龄 $=36.67+18.64X$。

式中,$X=$骨赘形成指数;置信指数为 68%。

应用不同区域脊柱骨赘最大值所建的年龄推断模型的标准误差为 10.7~16.2,女性比男性误差更大。其中相关性最好,标准差最小的方程为

男性:年龄 $=37.5+10.6X$($X=$腰椎前部骨赘形成指数)。

女性:年龄 $=40.1+13.6X$($X=$腰椎前部骨赘形成指数)。

二、CT 对骨龄的鉴定

CT 图像的显示是由黑到白不同的灰度来表示的,显示白的区域代表高吸收区,即高密度区,如骨骼、钙化灶等;显示黑的区域代表低吸收区,即低密度区,如水、气体及脂肪组织等。薄层 CT 扫描技术的层厚小于 5.0 mm,可以观察到骨骼细微结构的变化,这种技术能弥补常规 CT 厚层扫描在遇到细小病灶或组织结构时容易出现遗漏的现象。近年来,由于多层螺旋 CT(multislice spiral computed tomography,MSCT),特别是 64 层以上 MSCT 在临床的广泛应用,使短时间、薄层、大范围容积扫描的信息采集成为可能,可以一次完成胸、腹部扫描,高级图像重组技术得到了真正的迅速发展,如多层螺旋 CT 多平面重组技术(multiple planar reformation,MPR)和容积再现(volume rendering,VR)图像重组等。MPR 能够从不同角度观察特定的解剖结构,尤其对于较多重叠的组织器官,其优势更为明显。VR 图像重组可以再现组织器官的立体结构,并可从多方位、多视角任意调节组织器官的位置,以利于收集完整的图像信息,更直观地显示扫描图像的形态及走行。由于 MSCT 具有重复性强、检查时间短、数据量大、后处理软件丰富等特点,为 CT 图像重组技术奠定了基础。因此,近年来 MSCT 扫描联合 MPR、VR 图像重组技术已逐渐应用到锁骨胸骨端骨龄的法医学鉴定中。

（一）锁骨胸骨端CT对骨龄的鉴定

目前，我国法医学、体育科学及临床医学等领域所开展的骨龄研究主要是基于躯体单关节（以腕关节为主）或多关节（以肩关节、肘关节、腕关节、髋关节、膝关节、踝关节及胸锁关节为主）X线片进行的。然而，对于18.0周岁以上青少年来说，躯体各大关节骨骺基本趋于闭合，能准确、客观地反映该年龄组个体骨骺发育状况的观察指标趋于减少，而锁骨胸骨端骨骺，不论其出现时间还是闭合时间均是全身诸多骨关节中最后一个部位。结合《刑法》第十七条（三）规定："已满十四周岁不满十八周岁的人犯罪，应当从轻或者减轻处罚。"由此可见，18.0周岁作为从轻或减轻刑事责任的年龄结点，在法庭审判中具有重要意义。而且，在法医学骨龄鉴定实践中，遇到的骨龄鉴定案件一般分为两大类，一类是犯罪嫌疑人被刑事拘留后距骨龄鉴定时间较短，一般为数日至数月内；另一类是种种原因，经过数年后犯罪嫌疑人才被要求进行骨龄鉴定，据此推断其作案时年龄是否已经满法定责任年龄。由此，不论从青少年骨骺发育的客观规律分析，还是从我国法律规定的法定责任年龄结点来看，锁骨胸骨端骨龄对于我国18.0周岁以上青少年的年龄推断都具有举足轻重的意义。

个体不同部位骨骼的发育时间不尽相同，锁骨胸骨端继发骨化中心出现与骨骺闭合时间是全身各大关节中最晚的一个，可以较好地反映18.0周岁以上个体骨骼发育情况。锁骨胸骨端与其邻近的肺、胸骨、肋骨、支气管及胸椎横突等解剖结构相互重叠，因此，传统的X线检查不利于清晰观察锁骨胸骨端骨骺发育情况，CT不论是横断面或冠状面均没有结构互相重叠的影像，这也是CT相比X线的优势所在。基于此，20世纪末，国内外已有学者开始致力于运用薄层CT扫描技术扫描胸锁关节评估骨龄。

1. Kreitner等的研究情况

1998年，Kreitner等首次将CT扫描技术应用于德国白种人群锁骨胸骨端骨骺发育，第一次对锁骨胸骨端骨骺发育状况进行了系统阐述，为其他学者的研究奠定了理论基础。Kreitner等将CT中锁骨胸骨端的发育分为4个等级，对380名德国白种人30.0岁以下的个体的锁骨胸骨端发育进行研究，发现其骨化中心出现于11.0~22.0岁，从16.0~26.0岁发现部分闭合，在22.0岁时首次发现完全闭合，在27.0岁时100%的样本中发现完全闭合。具体分级如下。

1级：继发骨化中心尚未出现。

2级：继发骨化中心已出现，尚未开始闭合。

3级：继发骨化中心开始闭合。

4级：继发骨化中心完全闭合。

2. Schulz等的研究情况

2005年，德国学者Schulz等采用了Schmeling锁骨胸骨端骨骺发育X线5级分级标准，对Unfallkrankenhaus医院629名15.0~30.0岁两性青少年锁骨胸骨端骨骺发育CT进行了回顾性研究，CT扫描层厚为7.0 mm。该研究针对性别进行分组比较。研究表明，两性锁骨胸骨端骨骺发育在2级的年龄均为15.0岁，男、女性3级年龄分别为17.0岁和16.0岁，在4级的年龄均为21.0岁，这与Schmeling等X线研究结果一致。但男、女性锁骨胸骨端骨骺发育至5级的最小年龄分别为22.0岁和21.0岁，较Schmeling传统X线片研究结果提前4.0~5.0岁，这主要是由于样本采用非薄层CT扫描（层厚7 mm）而产生部分容积效应，使尚存的骺线“提前”消失，导致实际较低的骨骺发育等级被高估的结果。

3. 田利新等的研究情况

2003 年，田利新等对我国东北地区 695 名（男性 380 例、女性 315 例）30.0 周岁以下青年胸锁关节进行常规胸部 CT 扫描（层厚不详），根据 Kreitner 等提出的 CT 分级标准进行阅片。研究显示，CT 测定的锁骨胸骨端继发骨化中心出现和骨骺闭合的时间与青春期发育的时间规律基本吻合，锁骨胸骨端骨骺非常适合作为青少年骨龄发育的评定指标之一。此外，全部被检者中有一半以上的锁骨胸骨端骨骺已完全闭合，年龄均在 19.0 周岁以上，说明测定锁骨胸骨端骨龄，对排除未成年具有较可靠的法医学价值。

4. Kellinghaus 等的研究情况

（1）分级方法：2010 年，Kellinghaus 等在锁骨胸骨端骨骺发育 Schmeling 分级方法的基础上，对 2 级、3 级进行了细化，他提出锁骨胸骨端骨骺至 2 级时，根据骨骺长度与干骺端长度比例，可分为 2a、2b、2c 三个亚型；骨骺发育至 3 级时，根据骨骺闭合长度与干骺端长度比例，可分为 3a、3b、3c 三个亚型。通过多位学者的研究表明，以往对锁骨胸骨端骨骺发育的 CT 分级均是基于薄层 CT 平扫技术进行的，而 CT 平扫图像所反映的骨骺发育仅为单一层面信息，难以表现锁骨胸骨端骨骺发育的全貌。具体分级方法如下（图 3-8）。

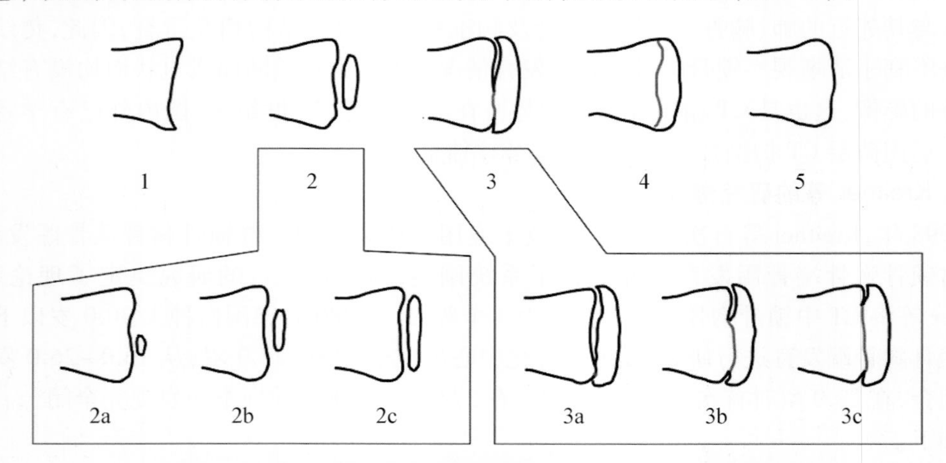

图 3-8 锁骨胸骨端骨骺 Kellinghaus 等分级方法示意图

1 级：锁骨胸骨端骨骺未出现。

2 级：锁骨胸骨端骨骺出现，骨骺与干骺端未闭合。

2a 级：骨化中心出现，长度小于干骺端 1/3。

2b 级：骨化中心出现，长度在干骺端的 1/3～2/3。

2c 级：骨化中心出现，长度大于干骺端 2/3。

3 级：锁骨胸骨端骨骺与干骺端部分闭合（骨小梁从干骺端穿过骺板至骨骺）。

3a 级：骨化中心部分闭合，闭合长度小于骺板 1/3。

3b 级：骨化中心部分闭合，闭合长度在骺板的 1/3～2/3。

3c 级：骨化中心部分闭合，闭合长度大于骺板的 2/3。

4 级：锁骨胸骨端骨骺与干骺端完全闭合，可见残留骺线。

5 级:锁骨胸骨端骨骺与干骺端完全闭合,骺线消失。

(2) 研究结果:具体见表 3-27。

表 3-27 Kellinghaus 等研究中锁骨胸骨端 CT2 级、3 级子等级年龄分布特征

等级	性别	最小值~最大值(岁)	均数±标准差(岁)	中位数(岁)	下四分位数(岁)	上四分位数(岁)
2a	男	14.4~20.0	17.4±1.4	17.8	16.8	18.2
	女	13.1~18.2	15.8±1.8	15.8	14.2	17.5
2b	男	16.4~20.1	18.2±1.1	18.1	17.6	18.8
	女	15.4~19.3	17.4±1.4	17.8	16.0	18.2
2c	男	17.1~20.2	18.6±1.4	18.5	17.3	19.9
	女	15.6~18.2	17.3±0.9	17.8	16.7	18.0
3a	男	17.5~20.7	19.0±1.1	18.6	18.4	20.4
	女	16.8~22.1	19.6±1.6	19.6	18.5	21.0
3b	男	18.3~25.4	21.1±2.0	21.1	19.8	22.1
	女	17.8~24.4	21.0±1.9	21.1	19.6	22.4
3c	男	19.7~26.2	22.9±1.8	23.3	21.4	24.1
	女	19.5~26.2	22.5±1.8	22.1	21.3	23.7

5. 邓振华、赵欢等的研究情况

(1) 分级方法:2011 年,邓振华、赵欢等对四川大学华西医院影像中心的 565 名 15.0~26.0 周岁四川汉族青少年锁骨胸骨端骨骺发育状况进行胸部薄层 CT 扫描(层厚 1.0 mm),并对 Schmeling 等制订的锁骨胸骨端骨骺发育分级标准进行了细化,最终将锁骨胸骨端骨骺发育程度分为 4 个等级(图 3-9)。

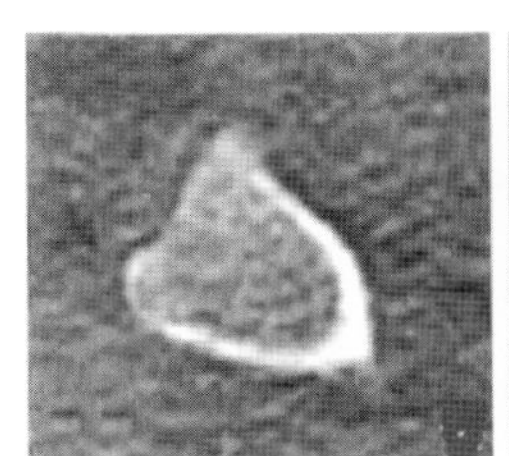
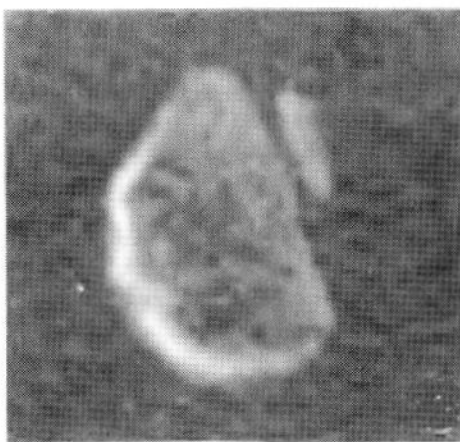
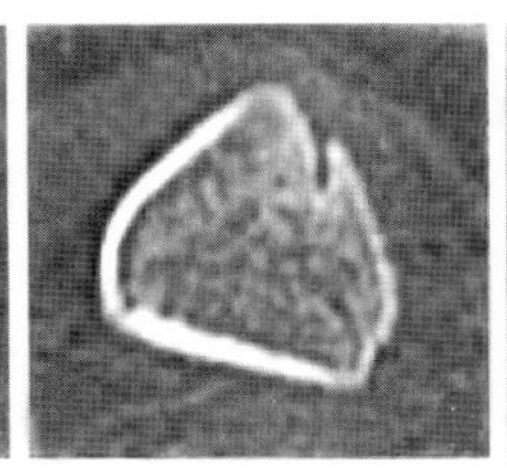
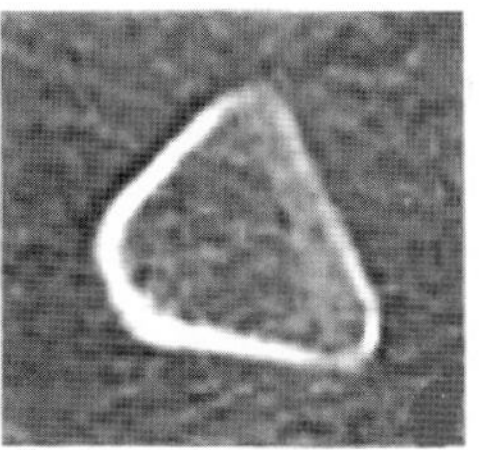

图 3-9 锁骨胸骨端骨骺发育 Kreitner 分级 CT 图像

1 级:骨化中心未出现,干骺端略凹陷。

2 级:骨化中心出现,表现为①可见 1 个钙化点,极少见多个钙化点;②骨化中心显现清晰,椭圆形,有平滑连续的缘;③骨骺逐渐增大,胸骨端有关节面的缘形成,即出现致密白线;④骨骺与干骺端形状一致,且骨骺与骨干之间有明显的间隙,有软骨板相隔。

3 级:骺软骨部分成骨骨化,表现为①骨骺与骨干之间有高密度条索影连接;②骨骺与骨干之间间隙缩小,逐渐被高密度影取代。

4 级:骨骺与骨干基本结合,仅在干骺之间留有一条完整或不连续的细小分界线,或骨骺线已消失。

（2）研究结果：各级经验分布函数图显示，1 级人群 100%小于 18.0 周岁，2 级人群 75%小于 18.0 周岁，3 级人群 94.5%大于 18.0 周岁，4 级人群 100%大于 20.0 周岁，两性之间差异无统计学意义。研究结果显示，锁骨胸骨端骨骺发育 3 级最早出现于 16.0 周岁，这与 Kreitner 等的研究结果一致，但 4 级最小年龄为 20.0 周岁，比 Kreitner 等研究结果小 2.0 周岁，比 Schulz 等研究结果小 1.0 周岁，这可能与种族差异有关，各等级年龄分布特征见表 3-28。

表 3-28 邓振华、赵欢等研究中锁骨胸骨端 CT 各等级年龄分布特征

等级	性别	最小值（岁）	最大值（岁）	均数±标准差（岁）	中位数（岁）	下四分位数（岁）	上四分位数（岁）
1	女	15.00	17.62	15.59±0.70	15.21	15.08	16.05
	男	15.00	18.00	15.99±0.86	15.78	15.15	16.69
2	女	15.00	20.13	17.12±1.19	17.14	16.21	18.00
	男	15.01	20.63	17.30±1.30	17.16	16.02	18.25
3	女	16.28	25.82	21.57±2.31	21.64	19.90	23.46
	男	16.74	25.97	21.47±2.13	21.35	19.93	23.03
4	女	18.89	25.97	23.70±1.66	23.98	22.42	25.00
	男	20.03	25.81	23.77±1.31	23.96	22.81	24.86

6. 王亚辉、魏华等的研究情况

2013 年，司鉴院王亚辉、魏华等在我国华东地区（以上海市为主）、华南地区（以四川省为主）采取随机分层整群抽样方法收集了 795 例 15.0~25.0 周岁男、女性青少年双侧锁骨胸骨端薄层 CT 扫描影像学资料。同时，运用薄层 CT 扫描并 MPR 及 VR 图像重组技术将锁骨胸骨端骨骺发育分为 5 个等级，其中又将 2 级 、3 级划分为 2a、2b、2c 及 3a、3b、3c 三个亚型，虽然分级形式上与 Schmeling 及 Kellinghaus 的五分法类似，而具体的分级内容与以往的薄层 CT 扫描研究相比，有以下几个特点：①增加骨骺分级亚型的划分依据，Kellinghaus 制订的锁骨胸骨端骨骺发育 2 级、3 级中，仅根据薄层 CT 扫描图像中骨骺长度与干骺端长度的比值作为分级依据。然而，在骨骺发育初期，由于骨骺体积较小、形态不一，通过薄层 CT 扫描所显示的骨骺长度并不能完全、真实地反映骨骺的实际长度，因此，通过测量骨骺长度与干骺端长度比值亦不能真实反映骨骺发育程度。本研究通过图像重组技术将二者比值调整为骨骺最长径与干骺端最长径比，使测量值更加真实、准确地反映骨骺发育状况。②运用 MPR 及 VR 图像重组技术，以往的分级重点研究骨骺长度与干骺端长度以及骨骺闭合范围与干骺端长度的关系，缺乏骨骺的立体结构的信息。由于锁骨胸骨端骨骺发育特征不仅体现在骨骺长度的变化，同时骨骺面积增加同样反映出骨骺发育程度。因此，本研究在观察薄层 CT 扫描图像中骨骺最长径变化的同时，还从立体多方位、多角度观察骨骺发育状况，测量骨骺面积与干骺端面积的比值，进一步探讨骨骺面积/干骺端面积与骨骺最长径/干骺端最长径以及骨骺闭合长度/干骺端长度之间的相关性，并对不同亚型骨骺发育状况进行了必要的量化，主要体现在锁骨胸骨端骨骺发育 2 级、3 级的亚型中，通过运用 MPR 及 VR 图像重组技术，更便于我们去深入掌握锁骨胸骨端骨骺发育的基本规律。③研究锁骨胸骨端骨骺的基本形

态、萌出个数及部位等发育特征，通过 VR 图像重组，并从多方位观察锁骨胸骨端骨骺发育状况，更有利于指导阅片工作。

（1）分级方法：王亚辉、魏华等在 Schmeling 强化版的五分法的基础上，利用 MPR 及 VR 图像重组技术，进一步增加锁骨胸骨端骨骺与干骺端面积比在分级中的内容，并补充 MPR 及 VR 图像重组所获取的具体数据信息，进一步强化锁骨胸骨端骨骺发育 CT 分级方法。然后，观察双侧锁骨胸骨端继发骨化中心是否出现、出现的位置与形态以及骨骺逐渐闭合的动态过程，并采用 MPR 及 VR 图像重组后处理技术测量双侧锁骨胸骨端骨骺最长径（cm）、干骺端最长径（cm）、骨骺面积（cm^2）、干骺端面积（cm^2），并计算骨骺最长径与干骺端最长径比值、骨骺面积与干骺端面积比值，锁骨胸骨端骨骺发育 CT 分级如下（图 3-10）。

1 级：继发性骨化中心尚未出现，干骺端略凹陷。

2 级：继发骨化中心出现，与干骺端尚未开始闭合，干骺端渐饱满。

2a 级：骨骺最长径≤干骺端最长径 1/3；骨骺面积约为干骺端面积 1/8。

2b 级：干骺端最长径 1/3<骨骺最长径≤干骺端最长径 2/3；骨骺面积约为干骺端面积 2/8。

2c 级：骨骺最长径>干骺端最长径 2/3，骨骺尚未开始闭合；骨骺面积约为干骺端面积 3/8。

3 级：骨骺进一步生长，基本覆盖干骺端，并与干骺端开始闭合。

3a 级：骨骺闭合长度≤干骺端长度 1/3；骨骺面积约为干骺端面积 4/8。

3b 级：干骺端长度 1/3<骨骺闭合长度≤干骺端长度 2/3；骨骺面积约为干骺端面积 5/8。

3c 级：骨骺闭合长度>干骺端长度 2/3；骨骺面积约为干骺端面积 6/8。

4 级：骨骺与干骺端基本闭合，尚可见骺线残留，骨骺面欠光整。

5 级：骨骺与干骺端完全闭合，骺线不可见，骨骺面较光整。

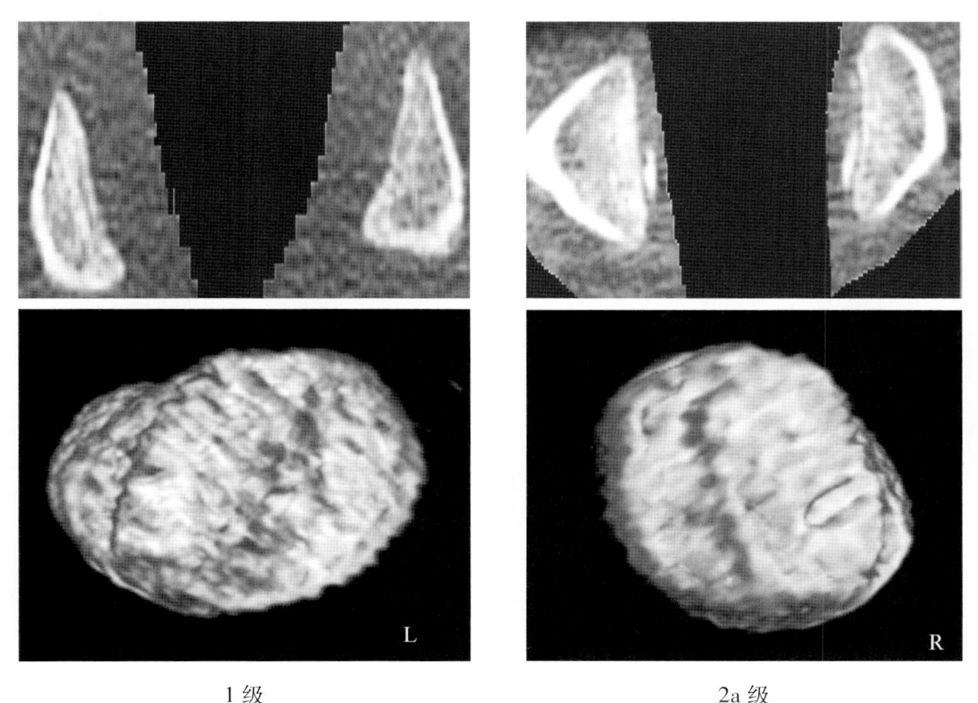

1 级　　2a 级

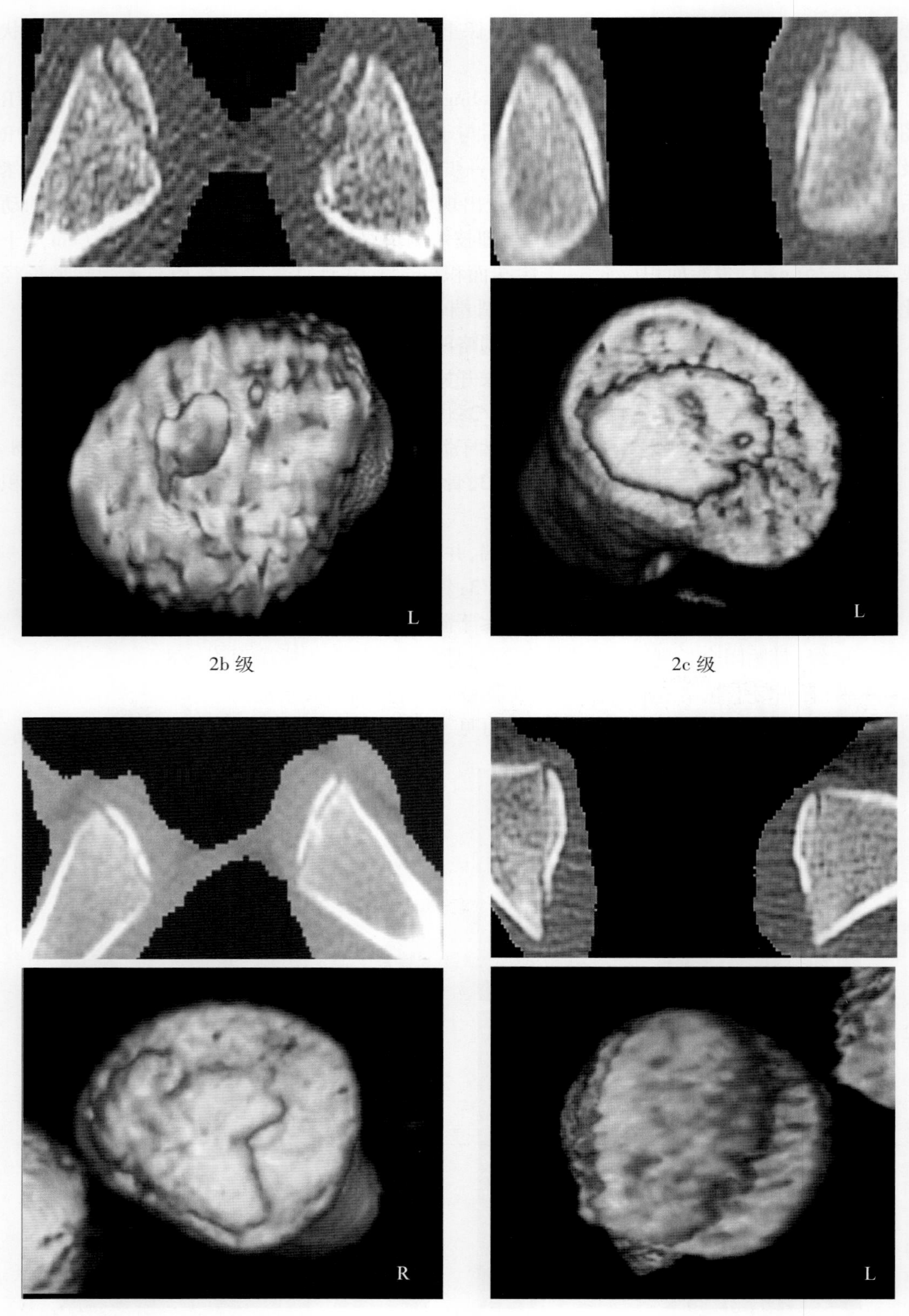

2b 级　　2c 级

3a 级　　3b 级

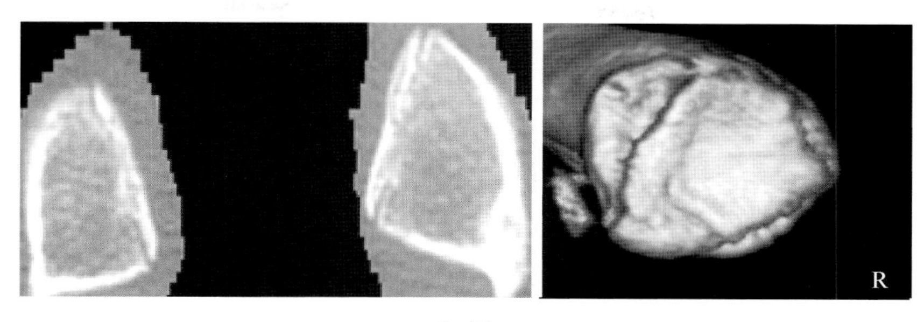

3c 级

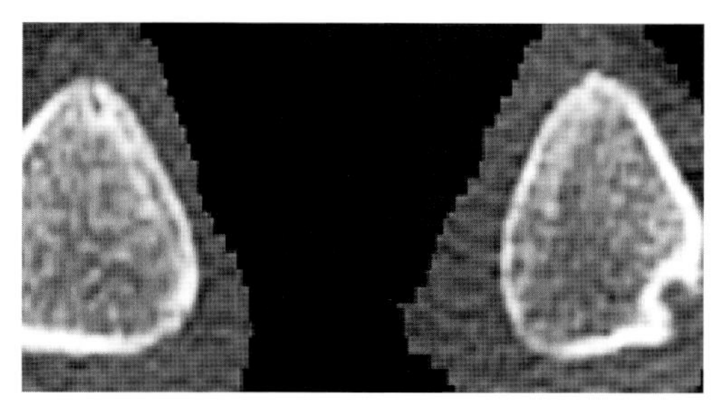

4 级

图 3-10
彩图

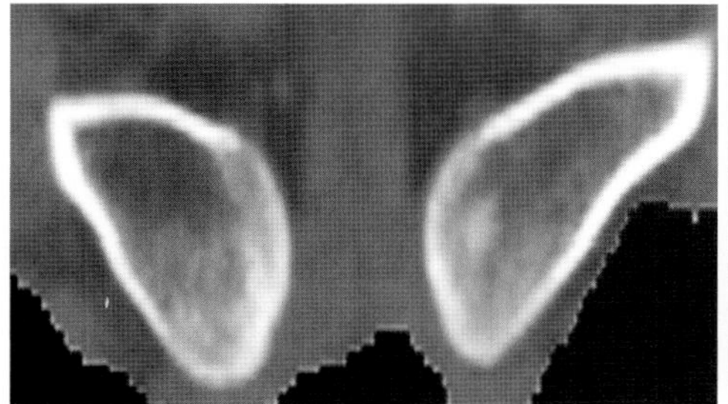

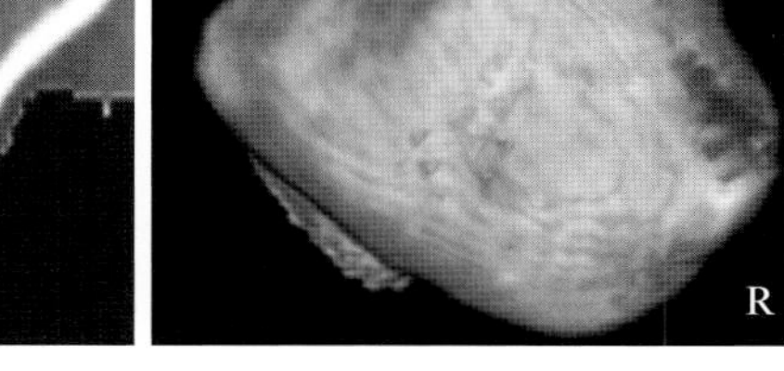

5 级

图 3-10 青少年锁骨胸骨端骨骺发育 CT 分级方法图示

（2）研究结果：针对不同发育等级与年龄之间的统计学描述性研究及骨骺最长径/干骺端最长径、骨骺面积/干骺端面积与年龄之间的统计学描述性研究（包括平均值、中位值、标准差、最大值、最小值等），具体见表 3-29～表 3-32。

表 3-29 男性青少年锁骨胸骨端 CT 分级统计学描述性研究结果

		1	2a	2b	2c	3a	3b	3c	4	5
年龄（岁）	平均值	15.93	17.25	18.07	18.82	19.55	21.83	22.35	22.96	25.34
	中位数	16.05	17.20	18.01	18.65	19.47	21.83	22.36	22.86	25.29
	标准差	0.67	1.17	1.45	1.28	1.63	1.53	1.76	1.59	0.33
	最小值	15.00	15.01	15.36	16.59	16.74	19.00	19.18	20.05	24.67
	最大值	17.21	19.13	20.68	22.16	22.20	24.27	25.49	25.76	25.89

（续表）

		1	2a	2b	2c	3a	3b	3c	4	5
骺端径线比	平均值	0	1/8	4/8	6/8	6/8	6/8	7/8	1	1
	最大值	0	2/8	5/8	1	1	1	1	1	1
	最小值	0	0	3/8	5/8	3/8	4/8	6/8	1	1
骺端面积比	平均值	0	1/8	2/8	3/8	4/8	5/8	7/8	1	1
	最大值	0	2/8	4/8	7/8	1	1	1	1	1
	最小值	0	0	1/8	2/8	3/8	4/8	6/8	1	1

表 3-30 女性青少年锁骨胸骨端 CT 分级统计学描述性研究结果

		1	2a	2b	2c	3a	3b	3c	4	5
年龄(岁)	平均值	15.63	16.07	16.59	18.39	19.17	20.28	22.47	22.95	24.37
	中位数	15.71	16.01	16.77	18.26	19.16	20.23	22.51	23.06	24.45
	标准差	0.41	0.64	0.68	1.39	2.15	1.68	1.85	1.60	0.82
	最小值	15.00	15.00	15.36	16.00	16.28	17.38	19.11	20.09	23.01
	最大值	16.55	17.01	17.64	20.78	23.86	23.04	25.82	25.86	25.97
骺端径线比	平均值	0	1/8	4/8	6/8	6/8	7/8	7/8	1	1
	最大值	0	2/8	5/8	1	1	1	1	1	1
	最小值	0	0	3/8	5/8	4/8	4/8	5/8	1	1
骺端面积比	平均值	0	1/8	2/8	4/8	4/8	5/8	6/8	1	1
	最大值	0	2/8	3/8	6/8	7/8	1	1	1	1
	最小值	0	0	0	2/8	2/8	3/8	3/8	1	1

表 3-31 男、女性青少年锁骨胸骨端骨骺与干骺端面积比

年龄(周岁)	15.0~	16.0~	17.0~	18.0~	19.0~	20.0~	21.0~	22.0~	23.0~	24.0~	25.0~
男性面积比平均值	0	0	1/8	3/8	3/8	4/8	4/8	6/8	8/8	8/8	8/8
女性面积比平均值	0	1/8	2/8	4/8	4/8	5/8	5/8	6/8	8/8	8/8	8/8

表 3-32 11 个年龄组两性青少年锁骨胸骨端骨骺发育对应的等级

年龄(周岁)	15.0~	16.0~	17.0~	18.0~	19.0~	20.0~	21.0~	22.0~	23.0~	24.0~	25.0~
男性	1	1	2a	2c	3a	3b	3c	3c	4	4	4
女性	1	2a	2c	3a	3b	3c	3c	4	4	4	4

薄层 CT 扫描图像重组技术应用于青少年锁骨胸骨端骨骺发育状况的评估，是目前国

内外法医学骨龄研究中使用的较为先进的技术手段。随着三维影像技术的发展及几何测量学在法医人类学中应用的普及，对于锁骨胸骨端骨骺大小、形态及出现部位等测量变得更为简单、精确，克服了锁骨胸骨端骨骺在X线片上显影不清的缺陷，通过对骨骺图像的二维、三维重组，利于总结骨骺的分型、观察骨骺发育的细微变化与立体结构特征，对阅片具有重要的指导作用，这将使骨龄鉴定更加客观、准确。

（二）骨盆CT对骨龄的鉴定

1. 耻骨联合面CT对骨龄的鉴定

自Todd首次描述了耻骨联合面的年龄变化，耻骨联合面已成为目前成人年龄推断研究最广泛的部位之一，是成人年龄推断较有价值的部位。早期研究多是根据尸体解剖中的耻骨联合面推断年龄，随着影像学技术的发展，X线、CT已逐渐用于研究耻骨联合面增龄变化，特别是薄层CT及三维重组技术的应用，耻骨联合面推断年龄逐渐应用于活体。

耻骨联合面CT三维重组图像推断年龄的方法沿用尸检中的相关方法，常用的方法是Suchey-Brooks六分级法。

1级：耻骨联合面、耻骨结节呈波纹状（沟和），水平嵴非常明显。耻骨联合面上下缘均无明显边界。

2级：耻骨联合面沟嵴明显，但其上下缘已出现明显边界，开始出现骨化结节，但骨化结节未出现尚不能排除。

3级：耻骨联合面边界变低，骨化结节沿背侧缘逐渐愈合形成上界。耻骨联合面变平或仍可见。背侧平台形成，但背侧缘唇形变还未出现。

4级：耻骨联合面可能残留沟嵴。椭圆形轮廓多在此阶段形成，但未形成完整的椭圆形面结构，背侧缘上部可能有空隙。耻骨结节和耻骨联合面被上缘完全分开。耻骨联合面边界明显。背侧缘可能出现唇样变但较轻微。

5级：耻骨联合面边界形成完整的椭圆形面结构，相较边界，联合面轻微退化。背侧缘唇样变明显，无或仅少许边界退化。

6级：耻骨联合面持续衰退，边缘侵蚀，表面退化，轮廓不规律。大多耻骨结节独立存在。

2013年，Loitering等将该分级方法应用于195例15.0~70.0岁的高加索人种的年龄推断，各等级的一般描述性分析见表3-33。

表3-33　昆士兰地区样本男、女性左右侧Suchey-Brooks六分级法各等级年龄分布特征[a]

等级	男性					女性				
	样本量（例）	左侧平均值（标准差）（岁）	右侧平均值（标准差）（岁）	△（岁）	年龄范围（岁）	样本量（例）	左侧平均值（标准差）（岁）	右侧平均值（标准差）（岁）	△（岁）	年龄范围（岁）
1	16	17.75（2.12）	17.75（2.12）	—	15.00~22.00	13	20.71（5.77）	18.83（3.19）	−1.88	15.00~32.00
2	22	26.25（5.24）*	25.80（5.49）	−0.45	21.00~40.00	3	34.50（4.95）	32.00（0.00）	−2.50	31.00~38.00
3	13	35.40（10.40）	33.00（8.69）	−2.40	25.00~49.00	10	31.67（8.62）	31.71（4.35）	+0.04	24.00~41.00

（续表）

等级	男性 样本量（例）	男性 左侧平均值（标准差）（岁）	男性 右侧平均值（标准差）（岁）	△（岁）	年龄范围（岁）	女性 样本量（例）	女性 左侧平均值（标准差）（岁）	女性 右侧平均值（标准差）（岁）	△（岁）	年龄范围（岁）
4	30	36.12（8.05）	33.77（4.83）	−2.35	26.00～58.00	4	39.00（7.07）	42.50（2.12）	+3.50	34.00～44.00
5	67	49.17（8.84）**	46.25（8.79）	−2.92	31.00～66.00	28	49.00（9.42）	52.76（5.69）**	+3.76	23.00～67.00
6	90	55.93（10.90）**	56.98（9.26）**	+1.05	29.00～70.00	94	57.33（9.22）*	58.16（9.46）	+0.83	23.00～70.00

a 预测年龄与实际年龄间统计差异（** $P \leqslant 0.05$，* $P \leqslant 0.1$）。
注：△表示左右两侧各等级年龄差异（左侧为基准）。

2. 耳状面 CT 对骨龄的鉴定

耳状面年龄研究常用的方法是 Lovejoy 八分法，但比较尸骨和 CT 三维重组后髂骨耳状面的表面形态变化，有研究发现，在三维重组中髂骨耳状面的微孔率和表面纹理不宜用于 CT 三维重组，而横向组织（transverse organization）、大孔隙度（macroporosity）和顶端的宏观变化（apical activity）可作为年龄推断的指标，并将此 3 种指标分别划分为 3 个等级。2009 年，法国人研究了 46 例髋骨三维重组后耳状面此 3 项指标的年龄变化特点（表 3-34）。

表 3-34 耳状面各指标各等级年龄分布特征

指标	等级	样本量（例）	平均值（岁）	标准差	最小值（岁）	最大值（岁）	KW 检验 χ^2	KW 检验 P
横向组织	明显	9	33.67	12.46	24.00	65.00	14.94	0.000 6
	中度	13	47.62	14.20	32.00	75.00		
	消失	24	57.46	13.77	34.00	84.00		
大孔隙度	无	12	37.00	13.25	24.00	65.00	13.90	0.001 0
	中度	21	49.81	11.16	32.00	68.00		
	明显	13	62.38	16.80	32.00	84.00		
顶端活动	无	11	35.36	10.42	24.00	59.00	14.41	0.000 7
	中度	21	51.52	14.39	32.00	75.00		
	明显	14	59.29	15.17	32.00	84.00		

（三）颅骨 CT 对骨龄的鉴定

颅骨分为面颅骨和脑颅骨，脑颅骨间留有薄层结缔组织膜，构成缝，即为颅缝，并以膜内成骨形式发育。主要颅缝有矢状缝、冠状缝、人字缝、蝶额缝、蝶顶缝、枕乳缝、鳞缝等。额骨与两侧顶骨连接处构成冠状缝。两侧顶骨连接处为矢状缝，两侧顶骨与枕骨连接处构成人字缝。颅缝在颅骨内面和外面大体均能观察，且颅内缝和颅外缝在形态变化上存在差异，鉴于颅缝的复杂性及分布，法医学研究常重点关注矢状缝、冠状缝、人字缝等与年龄的变化规律。颅骨骨缝的愈合规律是先从内板开始，然后向外板延伸，直至外板颅缝完全愈合为止，但是个体颅骨外缝的不愈合或者不完全愈合也是一种较普遍现象，颅缝愈合的个体差异大。

颅缝在青少年晚期或 20.0 岁左右开始愈合，直到老年时（60.0 岁后）才逐渐愈合（表 3-35）。有关颅缝愈合的研究虽已逾百年，但 Todd 是第一个根据这一特征建立年龄预测公式且使这方法规范化的。早年颅缝的研究多基于尸骨，但单一肉眼直接观察尸骨颅缝的愈合状况，仅能观察到内和外缝的情况，而评估颅缝的横断面情况需要毁损颅骨进行。而随着影像技术的发展，特别是薄层 CT 的应用解决了此难题，实现了颅缝推断成人年龄的活体应用。但需要注意，颅缝愈合的变化与年龄间相关性较小，仅能推断大致年龄范围，预测年龄范围可能为 7.0~14.0 岁甚至更大。

表 3-35 颅缝开始愈合和结束愈合的顺序

愈合顺序	开始		结束	
	侧-前	顶	侧-前	顶
1	翼点	顶孔矢状缝交点	翼点	顶孔矢状缝交点
2	中部冠状缝	翼点	蝶额缝	翼点
3	蝶额缝	前矢状缝	中部冠状缝	前矢状缝
4	下部蝶颞缝	人字缝尖	下部蝶颞缝	人字缝尖
5	上部蝶颞缝	中部人字缝	上部蝶颞缝	前囟
6	—	中部冠状缝	—	中部人字缝
7	—	前囟	—	中部冠状缝

颅缝愈合早期分级标准多基于颅骨大体观测分级，观测指标多为表面颅外缝、内缝的愈合情况，分为 0~4 级。

0 级：颅缝未愈合（骨缝间尚有明显裂隙）。

1 级：颅缝开始愈合（颅缝间已无明显裂隙）。

2 级：颅缝部分愈合（颅缝处留存锯齿线等痕迹超过 1/2 范围）。

3 级：颅缝大部分愈合（颅缝处留存锯齿线等痕迹少于 1/2 范围）。

4 级：颅缝完全愈合（颅缝处锯齿线等痕迹均已消失，湮没）。

随着 CT 技术在法医年龄推断中的应用，颅骨内部颅缝的变化亦可直接观察，因此该分级方法进一步细分为 7 个等级。

1 级：颅缝未愈合。

2 级：颅内缝开始愈合。

3 级：颅内缝完全愈合。

4 级：颅缝小部分愈合，<50%。

5 级：颅缝大部分愈合，≥50%。

6 级：颅缝完全愈合，可见残留愈合线。

7 级：缝完全愈合，愈合线消失。

2015 年，涂梦、邓振华等应用薄层 CT（层厚 0.6 mm）及三维重组技术测量 23.33~76.93

岁四川汉族男性矢状缝、冠状缝、人字缝愈合规律(表 3-36)。建立成人年龄推断的逐步回归方程:

$$Y=21.560+3.388\times S+3.450\times C_1(R=0.591, \mathrm{RMSE}=8.656)$$

回代检验年龄误差范围为 11.58~15.20 岁,平均绝对误差为 6.21 岁。同时,每 5 岁将年龄分层,建立年龄层推断逐步回归方程:

$$Y=0.682+0.771\times S+0.624\times C_1(R=0.603, \mathrm{RMSE}=1.740)$$

回代检验,24%验证样本年龄层预测准确,60%验证样本预测年龄与实际年龄相差 1 个年龄层。

表 3-36 各颅缝愈合规律(岁)

颅缝	颅内缝		颅外缝	
	完全愈合最小年龄(岁)	未完全愈合最大年龄(岁)	完全愈合最小年龄(岁)	未完全愈合最大年龄(岁)
矢状缝	28.90	63.81	72.01	76.93
左侧冠状缝	23.33	56.30	72.92	76.93
右侧冠状缝	28.94	58.51	72.92	76.93
左侧人字缝	27.24	64.90	72.92	76.93
右侧人字缝	27.24	64.90	—	76.93

(四) 肋骨 CT 对骨龄的鉴定

肋软骨位于各肋骨的前端,是一种透明软骨,由软骨细胞、基质和纤维组成,随年龄增加而出现钙化,钙化形态呈现多样性,常有沿肋骨边缘的轨道状钙化、结节状、斑块状及片状钙化。第 1~7 肋软骨与胸骨相应的肋切迹构成胸肋关节,第 8~10 肋软骨的前端不直接与胸骨相连,而依次与上位肋软骨形成软骨连接。第 11、12 对肋为浮肋。成人年龄增长与软骨钙化程度之间呈现出一定的规律,特别是胸骨平面的肋软骨的钙化通常是成人年龄评估指标。

1980 年,Mccormick 首次利用胸部 X 线片进行年龄认定,Mccormick 是该研究最早研究者之一。研究尸检中肋软骨的钙化并发现肋软骨开始钙化是该个体可能已经至少 30 岁的一个重要指标,若肋软骨同时具有密集的矿化,表示个体可能至少已是中年。肋软骨的矿(钙)化包括 5 项指标:骨质脱钙(BD),第一肋软骨与胸骨柄的融合(FM),肋骨软骨附着处的变化(RC),软骨钙化(CM),软骨胸骨附着处的变化(CS)。

每个指标的分数分为 1~5,其中 1 为非常轻,5 为非常重。将每个参数的分数乘以 15,代入方程计算个体年龄:

$$年龄=\mathrm{CS}\times0.89+\mathrm{FM}\times0.03+\mathrm{RC}\times0.03+\mathrm{CM}\times0.03+\mathrm{BD}\times0.02$$

据报道,该回归方程均方根差为±8.43 年,95%置信区间为±17 年。

2015 年,涂梦、邓振华等应用薄层 CT(层厚 1.0 mm)及三维重组技术测量 20.85~85.52 岁四川汉族人第 1~7 肋软骨钙化规律,并将肋软骨钙化分为 8 个等级。

1 级:肋软骨未出现钙化。

2 级:肋软骨的钙化呈点状和(或)线条状,累计长度小于肋骨面至胸骨胸肋关节面间距的 50%。

3 级:肋软骨的钙化呈点状和(或)线条状,累计长度大于等于肋骨面至胸骨胸肋关节面间距的 50%。

4 级:肋软骨的钙化呈非线条状和点状,钙化表面积≤肋骨至胸骨胸肋关节面间面积的 25%。

5 级:肋软骨的钙化呈非线条状和点状,25%<钙化表面积≤50%。

6 级:肋软骨的钙化呈非线条状和点状,50%<钙化表面积≤75%。

7 级:肋软骨的钙化呈非线条状和点状,钙化表面积>肋骨至胸骨胸肋关节面间的 75%,但未完全钙化。

8 级:肋软骨完全钙化,肋软骨与胸骨胸肋关节面间无间隙。

建立年龄推断逐步回归方程:

男性:$Y=9.864+0.550\times R1+3.713\times R1-0.040\times RDn+2.066\times L2$

回代检验,年龄误差范围为 16.958~8.207 岁,平均绝对误差为 5.94 岁。

女性:$Y=13.330+4.315\times R1-0.06\times RDn+2.015\times L2+1.745\times R2+2.898\times L1-0.035\times LDn$

回代检验,年龄误差范围为 10.795~22.677 岁,平均绝对误差为 6.72 岁。

式中,R1 为右侧第 1 肋软骨等级;RDn 为右侧平均放射密度;L1 为左侧第 1 肋软骨等级;L2 为左侧第 2 肋软骨等级;R2 为右侧第 2 肋软骨等级;LDn 为左侧平均放射密度。

三、MRI 对骨龄的鉴定

MRI 显示骺软骨的图像分辨率较高,清晰显示骨骺骨化等变化,且对比度较好,是评价骨骼发育情况较为理想的影像学技术。况且不同 MRI 序列对正常组织的影像信号特点不同:长骨两端骺板为透明软骨,呈 T_1 低信号、T_2 高信号;上、下两侧为临时钙化带,呈 T_1 极低信号、T_2 极低信号;骨皮质为坚硬组织,T_1 信号与 T_2 信号更低。目前,法医学领域应用 MRI 推断年龄的研究国外相对较多、国内较少,针对的研究部位主要集中在锁骨胸骨端及肢体长骨骨骺(如手腕骨与膝关节)等部位。

(一)锁骨胸骨端 MRI 推断年龄

2007 年,Schmidt 等首次将锁骨胸骨端 MRI 应用于年龄推断,其对 54 例双侧锁骨进行 MRI 检查(1.5T,3D-T_1WI 序列),并比较了 MRI 和 X 线、CT 检查,发现 X 线及 CT 所用的分级方法同样适用于 MRI,且各分级对应年龄范围基本一致,认为可以将锁骨胸骨端 MRI 摄影方法用于法医年龄推断。2011 年,Hillewig 等对 121 例 11.0~30.0 岁健康志愿者分别进行了锁骨胸骨端 MRI 与 X 线摄影,使用 Schmeling 分级法分析骨骺发育程度,结果发现 MRI 无法准确判定骨骺闭合遗留骺线,故 4 级、5 级可合并以提高观察者之间的一致性。此外研究表明,3.0T-T_1WI-VIBE 序列可提供高分辨率的锁骨胸骨端骨骺横断面影像,采集时间仅需要 4 min,具有图像分辨率高、无辐射、时间短,推断骨龄准确度更高等优点。随后,2013 年 Hillewig 等又对 220 例个体进行了锁骨胸骨端 MRI 摄影,并对手腕部进行 X 线片摄影,研究表明,锁骨胸骨端的 MRI 检查可用于评估个体是否已满 18.0 岁,但应联合手腕部的检查(表 3-37)。

表 3-37 Hillewig 等研究中锁骨胸骨端 MRI 各等级年龄分布特征

等级	性别	最小值~最大值(岁)	平均值±标准差(岁)	中位数(岁)	下四分位数(岁)	上四分位数(岁)
1	男	16.1~20.8	17.4±0.3	17.2	18.0	16.8
	女	16.0~17.9	16.7±0.6	16.0	19.5	13.9
2	男	—	—	—	—	—
	女	—	—	—	—	—
3	男	16.2~26.2	20.6±0.3	20.8	21.3	19.9
	女	16.0~26.0	19.8±0.3	16.0	19.5	13.5
4	男	22.1~26.9	24.9±0.2	25.0	25.4	24.4
	女	18.1~26.9	24.2±0.3	24.4	24.8	23.6
5	男	—	—	—	—	—
	女	—	—	—	—	—

为了研究锁骨胸骨端 MRI 是否可用于年龄节点判定,2014 年,Vieth 等对参加 U_{20}足球竞赛的 152 例 18.0~22.0 岁男性运动员双侧锁骨胸骨端进行 MRI 摄影(3.0T-3D-FFE 序列:重复时间(TR)/回波时间(TE)= 15/4.6 ms,偏转角度(FA)= 10°,采集时间(TA)= 341 min,像素大小=0.7 mm×0.7 mm×1.4 mm),研究发现,仅 1 名运动员锁骨胸骨端的骨骺完全骨化闭合,年龄为 21.2 岁,故认为该指标可能成为个体 20 岁的有力支撑证据,但该结论需要加大样本进行验证研究。2016 年,Schmidt 等对 10.0~30.0 岁 125 例女性和 270 例男性锁骨的尸骨样本进行 3.0T MRI 摄影,扫描参数分别为 3D-T_1-FFE 序列(TR/TE = 10/4.6 ms,信号平均次数(NSA)= 10,层厚 2 mm,TA = 439 min)、2D-T_2WI 序列(TR/TE = 2 000/80 ms,NSA = 8,层厚 1.26 mm,TA = 936 min),利用 Kellinghaus 分级法对骨骺发育程度进行分级。研究发现,女性达 3c 级的最小年龄为 19.3 岁、男性的最小年龄为 19.0 岁;女性达 4 级的最小年龄为 21.0 岁、男性的最小年龄为 21.5 岁;故认为可为 18.0 岁及 21.0 岁的年龄判定提供依据。为进一步验证该结论,2017 年,Schmidt 等以大样本 MRI 为基础,包括 12.0~24.0 岁 334 例女性和 335 例男性青少年,联合应用 Schmeling 分级法和 Kellinghaus 分级法,发现女性达 3c 级的最小年龄为 18.9 岁、男性的最小年龄为 19.1 岁;女性达 4 级的最小年龄为21.3 岁、男性的最小年龄为 21.7 岁;进一步证实了锁骨 MRI 可为个体 18.0 岁及 21.0 岁的年龄判定提供依据。

3.0T-MRI 扫描在临床医学检查中较为昂贵,而 1.0T/1.5T 场强 MRI 更为常用。为检验 1.0T-MRI 是否适用于年龄推断,Tangmose 等于 2013 年对 47 例尸骨和 55 例活体的锁骨胸骨端进行 MRI 检查(1.0T-3D-T_2WI 序列),研究发现运动伪影的存在使得活体 MRI 较尸体差,且 1.0T 图像分辨率较差,不利于活体锁骨胸骨端的观察与分级,提出观察者在开始阅片前应明确分级标准、并完成相应影像学培训。最新研究进展为 2020 年 De Tobel 等分析了 11.0~30.0 岁的 227 例女性和 247 例男性的锁骨胸骨端 MRI 影像,3.0T-T_1WI-VIBE 序列研究发现,通过纳入双侧锁骨胸骨端与排除形态变异锁骨胸骨端,锁骨胸骨端 MRI 年龄推断模型的平均绝对误差可达 1.97 岁,区分未成年人的正确率为 69%。然而,组间检验 Kappa 值分别为 0.60、0.64,提示在实现自动化年龄推断之前,锁骨胸骨端 MRI 实现准确年龄推断很大程度上依赖阅片经验丰富的影像学专家进行分期判读。

（二）手腕部MRI推断年龄

手腕部MRI推断年龄研究始于运动员年龄判定，2007年，Dvorak等对496例14.0~19.0岁男性足球运动员进行MRI检查（1.0/1.5T，T_1WI-SE序列），针对桡骨远端骨骺闭合程度进行六分级，研究结果表明该方法可以用于年龄判定。为进一步比较MRI与X线之间差异，George等在2012年对150名参与U_{17}足球赛事的男性运动员手腕骨进行MRI（1.5T，T_1WI-FSE序列）和X线摄影，采用同样六分级法判定桡骨远端骨骺发育等级，结果发现，男性足球运动员的手腕骨X线片推断骨骺发育等级均较高于MRI。

2013年，Terada等收集了93例4.0~16.0岁日本儿童的左手腕MRI影像，采用TW2分级法改良版（TW2-RUS法）对尺桡骨远端及掌骨等骨骺发育情况进行分级，发现MRI可清晰显示骨骺形状、驼峰及骨骺-骨干之间的距离，且推断骨龄与实际年龄之间相关性极高，证实MRI具有较好的可靠性。Urschler等为验证G-P图谱与TW2分级法是否适用于MRI摄影技术，对18例健康人进行手腕骨的X线与MRI摄影，结果发现与TW2分级方法相比，G-P图谱法对应分级与X线片的相关性更好；X线摄影对应分级较MRI摄影对应的分级稍高。Hojreh等于2018年为进一步探究G-P图谱法在MRI摄影方法上的适用性，由2名阅片者根据10例患者的左手腕X线片与50例志愿者的左手腕MRI（扫描参数同Urschler等）影像特征进行推断年龄，结果为MRI与X线摄影对应的推断年龄平均差值分别为－0.05岁和－0.175岁。MRI在±1SD范围呈现过高推断年龄趋势，MRI在±2SD范围内可成为X线摄影的替代影像手段。

以MRI影像特征建立新分级标准，最早可见于2014年Tomei等初步观察4.0~19.0岁高加索人尺桡骨远端骨骺的变化规律后提出的Tomei图谱。因MRI影像可良好显示软骨组织，该图谱纳入软骨的出现、暂时性钙化及骨化等进展。之后，Serinelli等使用Tomei图谱分析151例12.0~19.0岁白种人手腕部MRI影像，发现组间检验Pearson系数：男性高达0.97、女性高达0.98，骨龄的Spearman相关系数为男性在0.94、女性在0.96，证实了该分级方法在手腕部骨龄推断中的可行性。

为探究手腕部MRI在年龄节点判定中的应用，Serin等在2016年对尺桡骨远端、第1掌骨基底部的骨骺闭合情况采用3等级分级法，即未闭合、部分闭合和完全闭合，分析了263例9.0~25.0岁个体手腕部MRI影像（T_1WI-SE序列），采用过渡分析结果提示男性尺、桡骨远端骨骺达完全闭合的平均年龄分别为18.1岁、18.2岁；贝叶斯预测概率提示桡骨远端骨骺分级判定18.0岁的准确率为85.0%，增加其余骨骼分级并没有明显提高预判准确率。2017年，Timme等分析了668例12.0~24.0岁个体的桡骨远端骨骺发育情况，基于Schmeling分级法与Kellinghaus分级法提出新分级方法，发现男性达4b级的最小年龄为18.6岁，男、女性达5级的最小年龄分别为23.1岁和22.3岁，可为是否已满18.0岁和21.0岁年龄判定提供证据。2020年，Ali Er等进一步验证得出男性桡骨远端骨骺发育达4b级的年龄为18.2岁，但认为还需要加大样本量和对不同人群进行验证研究。

利用计算机程序自主学习并分析手腕部影像中的骨骺发育情况，进而实现自动化年龄推断是近年来较热门的新兴技术。与X线呈现二维图像不同，MRI图像生成的是三维图像，故对手腕骨骼进行准确空间定位十分重要。为解决解剖学差异、摄片姿势等影响，Ebner

等提出一种定位算法，通过提取整体图像中手骨形状进行全局建模、细化局部信息以提高预测精度，在 T_1WI-MRI 图像数据集中获得（1.4±1.5）mm 的平均定位误差，0.25%误差大于 10.0 mm，为后续研究奠定基础。同年，Stern 等分析了 56 例 13.0~19.0 岁男性高加索人手腕部 MRI 影像（T_1WI-3D-GE 序列），开发一种通过计算相邻骨间隙估计骨骺闭合程度的算法，原理与 TW 分级法类似，推断年龄与实际年龄的平均差为（0.85±0.58）岁。2015 年，Urschler 等提出的算法原理与 Stern 等在 2014 年提出的算法原理相同，测试 102 例 13.0~20.0 岁男性青少年手腕部 MRI 影像后发现平均绝对误差为 0.85 岁；同时 14.0~16.0 岁阶段年龄推断的准确率下降，这与青春期生理变化相关。由于研究样本量较少，且考虑到女性骨骼发育较男性稍早，应单独建立女性年龄自动化推断方法。2019 年，Štern 等通过对 328 例健康人手腕部进行 MRI 三维扫描，输入多种预处理的图像信息，算法应用包括射频脉冲与深度卷积神经网络，结果发现小于 18.0 岁的年龄段的推断准确度较高，平均绝对误差为（0.37±0.51）岁。鉴于 18.0 岁时手腕骨一般发育完成，后续研究有待结合其他骨骼进一步拓宽推断的年龄段。

（三）膝关节 MRI 推断年龄

1992 年，Harcke 等研究正常膝关节的 0.5T-MRI 影像学表现，研究包括股骨远端骨骺及胫骨近端骨骺，将其分成 4 个等级。

1 级（小于 2.0 岁）：骨化中心呈圆形或椭圆形，骨骺主要为软骨，骺板宽、骺软骨信号连续，骨骺与干骺端易区分。

2 级（2.0~12.0 岁）：骨化中心体积增大占据骨骺大部分，骺板扁平、后随骨化中心增大而变窄，骨化中心逐渐发展为双节型。

3 级（大于 12.0 岁）：骺板开始闭合，但其内侧缘仍未见闭合，骨骺信号强于干骺端。

4 级：骺板完全闭合遗留骨骺线，干骺端与骨骺髓腔信号一致，为红骨髓。

2010 年，Jopp 等首次对膝关节 MRI 的年龄推断研究，对 41 例男性胫骨近端进行 MRI 摄影，该试验将胫骨近端骨骺发育分成 3 阶段：骺板未闭合、骺板部分闭合、骺板闭合。结果提示男性胫骨近端骨骺闭合发生在 16.0~17.0 岁。2019 年，Mauer 等采用相同三分级法对 40 例 14.0~21.0 岁德国男性人群 MRI 影像（3.0T-T_1WI-SENSE 序列）的股骨远端骨骺、胫腓骨近端骨骺发育情况进行分级，对应评分为 1~3，结果提示股骨远端骨骺、胫骨近端及腓骨近端骨骺未闭合的最大年龄分别为 17.8 岁、17.7 岁、17.8 岁，均小于 18.0 岁；三者累计分数≤5 时个体年龄小于 18.0 岁。

2012 年，Dedouit 等分析了 290 例 10.0~30.0 岁个体的股骨远端、胫骨近端 MRI 影像，提出基于膝关节 MRI 影像的分级法（共 5 级）。

1 级：干骺端与骨骺见水平软骨信号密度影，宽度大于 1.5 mm 且有分层，两边为低信号影，中间为高信号影。

2 级：干骺端与骨骺间连续线性水平软骨信号密度影，宽度大于 1.5 mm 的高信号影。

3 级：干骺端与骨骺间连续线性水平软骨信号密度影，宽度小于 1.5 mm 的高信号影。

4 级：干骺端与骨骺间不连续线性水平软骨信号密度影，宽度小于 1.5 mm 的高信号影。

5 级：干骺端与骨骺间无高信号影。

研究结果发现，股骨远端骨骺处于 1 级时男、女性最大年龄分别为 16.1 岁、15.7 岁，处于5级时男、女性最小年龄分别为22.6岁、22.1岁;胫骨近端骨骺处于2级时男、女性最大年龄分别为18.0岁、15.7岁,处于5级时男性最小年龄为19.0岁。胫骨近端骨骺闭合早于股骨远端骨骺,且存在两性差异,女性发育早于男性;其认为股骨远端和胫骨近端骨骺发育可以用于法医学年龄判定;但是该试验未考虑种族因素,且样本量较少,其可靠性还需要进一步验证。2016年,Ekizoglu等分析股骨远端、胫骨近端骨骺的MRI影像,采用Dedouit等分级法,发现两种骨骼分级与年龄之间的相关性较好,而股骨远端骨骺发育达5级时男、女性最小年龄分别为22.0岁、21.0岁;胫骨近端骨骺达5级时男、女性最小年龄分别为18.0岁、16.0岁。

联合应用Schmeling分级法和Kellinghaus分级法在膝关节MRI研究中十分常见。Krämer等在290例10.0~30.0岁的股骨远端MRI图像(3.0T-T_1WI-FSE序列)中仅观察到等级范围为2c~4级。研究结果发现,14.0岁之前,男性股骨远端骨骺闭合程度未超过1/3,女性股骨远端骨骺闭合程度未超过2/3;18.0岁之前的男性股骨远端骨骺未完全闭合,与Dedouit等研究结果比较,骨骺完全闭合时间存在不一致;其随后又研究290例胫骨近端MRI影像,发现胫骨近端骨骺完全闭合发生在14.0岁以后,由于样本量较少且分布不均匀,该结论需要更多样本进行验证研究。Saint-Martin等应用214例14.0~20.0岁男性1.5T-MRI影像(T_1WI-TSE序列)验证股骨远端骨骺在判定18.0岁年龄推断中的价值,研究发现股骨远端骨骺完全闭合的最小年龄为18.1岁。2016年,国内学者邓振华、范飞等首次对比分析322例11.0~30.0岁中国人群膝关节的MRI与X线影像,全面考虑股骨远端及胫、腓骨近端骨骺发育情况,采用1.5T-MRI、T_1WI-FES序列,分级后进行线性回归分析,研究结果发现股骨远端及胫、腓骨近端骨骺达2b级时男、女性年龄均小于18.0岁;X线对应分级均较MRI影像高一个等级,研究样本中MRI分级均未达4级;女性膝关节骨骺发育较男性提前1.0~3.0年;MRI分级与年龄之间的相关性较X线分级更强,线性回归方程R值分别为女性0.634、男性0.654。采用相同分级方法,Ottow等于2017年研究股骨远端和胫骨近端骨骺MRI影像(3.0T-T_1WI)在判定14.0岁、16.0岁及18.0岁时的价值,样本为658例12.0~24.0岁德国志愿者,发现股骨远端及胫骨近端骨骺在18.0岁以前均可见完全闭合;胫骨近端骨骺男性达3b级时最小年龄为15.18岁、女性达4级时最小年龄为15.87岁,可为判定是否已满14.0岁提供依据;股骨远端骨骺男性达3b级时最小年龄为17.77岁、女性达4级时最小年龄为16.13岁,可为是否已满16.0岁提供依据。2019年,El-Din等分析335例8.0~28.0岁印度人群胫骨近端的1.5T-MRI影像,研究结果为女性胫骨近端骨骺发育较男性早发生2.0~4.0年,女性达4级时的最小年龄为18.0岁,男性达4级时的最小年龄为19.0岁,认为胫骨近端骨骺达4级时可能成为判定是否已满18.0岁的指标。

为探究膝关节MRI影像在自动化年龄推断中的应用,Dallora等在2019年收集了402例14.0~21.0岁健康志愿者的膝关节MRI图像(1.5T全身MRI扫描仪),旨在建立两种最佳卷积神经网络模型分别用于MRI图像筛选、年龄推断,通过检验多种目前存在的卷积神经网络模型,包括从零学习和迁移学习算法,最佳结果则是GoogLeNet模型(基于ImageNet数据库建立),其年龄推断准确性为男性平均绝对误差为0.793岁,女性平均绝对误差为0.988岁;对18.0岁判定的准确率:男、女性分别为98.1%、95.0%。该方法可有效减少阅片时间及主观因素影响,为此类研究提供新的研究思路。

（四）喉软骨 MRI 推断年龄

喉软骨会随着年龄的增长逐渐钙化和(或)骨化,一般始自 16.0~17.0 岁,约 30.0 岁结束。喉软骨钙化/骨化的模式和量可用作法医学年龄段的推断。喉软骨钙化的影像学检查较直接肉眼观察价值更高。

2004 年,Fatterpekar 等研究了 60 例 2 个月至 7.0 岁个体的两侧喉软骨 MRI 年龄相关变化(层厚:3 mm,T_1,矢状面)。并将研究样本分为 4 组:≤25.0 岁,26.0~53.0 岁,54.0~64.0 岁,65.0~77.0 岁。分级标准如下。

1 级:无增高信号。

2 级:轻度不均匀信号。

3 级:相较颈肩带肌肉,均匀增高信号。

其研究显示:甲状软骨、环状软骨高信号影最早出现于 26.0 岁,钩状软骨高信号影最早出现于 27.0 岁(表 3-38)。但该研究样本量较少,因此喉软骨的 MRI 年龄变化仍需要研究验证。

表 3-38 Fatterpekar 等研究中 T_1-MRI-MRI 中 60 例样本各年龄层喉软骨平均信号(T)

软骨	年龄(岁),样本量(例)			
	≤25,7	26~53,41	54~64,6	65~77,6
甲状软骨	1.4±0.5	2.3±0.5	2.7±0.8	2.5±0.5
环状软骨	1.0±0.0	2.3±0.6	2.3±0.5	2.8±0.4
杓状软骨	1.3±0.5	2.3±0.7	2.8±0.4	2.8±0.4

（五）其余骨骼 MRI 推断年龄

除了利用上述骨骼进行 MRI 推断年龄外,部分学者还应用 MRI 研究踝、肩及髂骨等部位的骨发育与年龄相关性。2013 年,Saint-Martin 等应用胫骨远端及跟骨 MRI 摄影(1.5T-T_1WI 序列)推断骨龄,结果显示胫骨远端骨骺男、女性完全闭合的最小年龄分别为 16.0 岁、14.0 岁;跟骨骨骺男、女性完全闭合的最小年龄分别为 17.0 岁、12.0 岁;推断已满 18.0 岁的准确率:男性为 91.7%、女性为 97.7%;推断未满 18 岁的准确率:男性为 90.6%、女性为 78.6%。2014 年,该团队又研究了胫骨远端 MRI 在 18.0 岁年龄推断中的应用价值,结果显示 97.4%的男性和 93.9%的女性可准确推断个体是否已满 18.0 岁。上述研究显示了胫骨远端及跟骨 MRI 在骨龄推断中的价值,特别是 18.0 岁年龄推断的准确率较高。2015 年,Ekizoglu 等验证胫骨远端及跟骨 MRI 在土耳其人群中的应用价值,结果显示:男、女性胫骨远端骨骺完全闭合的最小年龄分别为 13.0 岁、14.0 岁,男、女性跟骨骨骺完全闭合的最小年龄分布为 16.0 岁、12.0 岁。

2014 年,Wittschieber 等应用髂嵴 MRI 摄影(3.0T-3D-T_1WI-FFE 序列)推断 20.0 岁以下男性足球运动员的骨龄,结果显示髂嵴骨骺完全闭合的最小年龄为 18.0 岁。Ekizoglu 等应用蝶骨-枕骨软骨连接 MRI 影像推断骨龄,通过对 1 078 例 7.0~21.0 岁土耳其人群 MRI 影像(T_1WI-矢状面)的软骨连接融合骨化程度进行分级,共分为 5 个等级,试验观察到除了 1 名男性及 1 名女性外,所有 21.0 岁个体蝶骨-枕骨软骨连接均完全融合;分期与年龄之间的 Spearman 相关系数男性为 0.860、女性为 0.729。

2019 年,Ekizoglu 等应用肱骨近端骨骺 MRI 摄影推断骨龄,收集了 428 例 12.0~30.0 岁个体肱骨近端骨骺 T_1WI-TSE 序列 MRI 影像,联合 Schmeling 分级法和 Kellinghaus 分级法进行分级。结果显示,肱骨近端骨骺发育程度达 3a 级时最大年龄男性为 15.9 岁、女性为 16.7 岁。其后又对 395 例个体进行肱骨近端 MRI 摄影(FES-PD 序列),采用 Dedouit(2012)分级法进行分级,发现达 5 级时男性最小年龄为 20.0 岁、女性最小年龄为 21.0 岁。上述研究均可证实肱骨近端骨骺 MRI 摄影在骨龄推断中的潜在应用价值。

2017 年,Vera 等结合深度学习算法,利用 130 例 13.0~24.0 岁男性白种人志愿者的胸部 MRI 影像(3.0T-T_1WI),提取胸骨柄进行三维点云处理,并利用计算机进行主成分分析从而生成形状参数模型,该模型包括 13 个主成分,能够描述 96%以上的胸骨柄形状变化。多元线性方程提示胸骨柄的形状参数模型、表面积/高度为推断年龄较好的指标,交叉验证其平均绝对误差为 1.18 岁。该研究结合部分深度学习算法基于 MRI 图像进行建立胸骨柄的形状参数模型,为依据胸骨形态变化进行年龄判定提供一种新的参考研究方向。

第二节　人工智能技术

相对于传统人工方法的法医骨龄研究,近年来基于人工智能技术的骨龄研究如同雨后春笋,逐渐受到法医学、临床医学学者的青睐。人工智能的研究目的是要在充分理解生物的智能(特别是人类智能)基础上创造具有一定智能水平的智能机器,即合理地思考和行动的计算机“代理”(agent)。目前,人工智能的主要领域大体上可以分为 3 个方面:感知、学习和认知。感知是指模拟人的感知能力,对外部刺激信息(视觉和语音等)进行感知和加工,主要研究领域包括语音信息处理和计算机视觉等。学习是指模拟人的学习能力,主要研究如何从样例或从与环境的交互中进行学习,主要研究领域包括监督学习、无监督学习和强化学习等。认知是指模拟人的认知能力,主要研究领域包括知识表示以及自然语言理解、推理、规划、决策等。

从人工智能的萌芽时期开始,就有一些研究者尝试让机器来自动学习,即机器学习(machine learning,ML)。机器学习的主要目的是设计和分析一些学习算法,让计算机可以从数据(经验)中自动分析并获得规律,之后利用学习到的规律对未知数据进行预测,从而帮助人们完成一些特定任务,提高开发效率。机器学习的研究内容也十分广泛,涉及线性代数、概率论、统计学、数学优化、计算复杂性等多门学科。在人工智能领域,机器学习从一开始就是一个重要的研究方向。但直到 1980 年后,机器学习因其在很多领域的出色表现,才逐渐成为热门学科。

正常人体骨骼发育过程中初级、次级骨化中心的出现时间、骨化速度、骨骺与干骺端闭合时间顺序及形态变化都具有一定的规律性,这种规律性以“年”或“月”来表示,称为骨龄。传统的骨龄评估方法如计数法、图谱法、计测法、计分法及数学模型法等主要通过人工读取骨骺和干骺端发育状况的形态特点进行骨龄评估,不同读片者之间以及同一读片者在不同时间读片时均会产生一定的误差,故读片结果会受到一定的质疑。于是,在 20 世纪 80 年代,便有研究小组提出实现骨龄评估的计算机化,其中最有价值的便是以机器学习为代表的人工智能技术。1989 年,Michael 的 HANDX 系统以及 1992 年 Tanner 和 Gibbons 的 CASAS 系统,率先将该想法投入实践,也拉开了机器学习在骨龄评估领域发展的帷幕。

一、概述

人工智能技术主要研究在经验学习中如何改善具体算法的性能,它是一类自动分析数据并从中获取规律,然后利用获得规律对未知的数据进行预测的算法。同时,机器学习又是使计算机具有智能的根本途径,是人工智能的核心,其应用遍布人工智能的各领域,主要使用归纳综合,而非演绎。目前,机器学习已有十分广泛的应用领域,如数据挖掘、自然语言处理、计算机视觉、DNA 序列测序、图像识别、生物特征识别、语音和手写识别及机器人应用等。机器学习较为成功的应用领域便是计算机视觉。骨骼影像学图像识别属于计算机视觉范畴,因此,运用机器学习实现骨骼图像的识别,是实现人工智能骨龄评估系统的可靠途径之一。从有限的观测数据(如躯体各大骨关节影像学图片)中学习出具有一般性的规律,并利用这些规律对未知数据(待测骨关节影像学图片)进行预测,逐渐成为推动人工智能技术发展的关键因素。通过使机器模拟人类学习行为,智能化地从过去的经历中获得经验,从而改善其整体性能,重组内在知识结构,并对未知事件进行准确推断。

从以往的学习经验中知道,我们能对环境变化或目标策略(如个体骨龄)做出有效的预判,是因为我们已经积累了许多经验(大量骨关节影像学资料),而通过对经验的利用就能对新情况做出有效的决策。人工智能技术正是这样一门学科,它致力于研究如何通过计算的手段,利用经验来改善系统自身的性能。在计算机"代理"中,经验通常以数据形式存在,因此,人工智能技术所研究的主要内容是关于在计算机上从数据中产生"模型"的算法,即"学习算法"(learning algorithm)。有了学习算法,我们把经验数据提供给"代理",它就能基于这些数据产生模型,这样在面对新的情况时,模型会给我们提供相应的判断。

人工智能技术在 20 世纪 80 年代开始成为一个独立的学科领域,Michalski 等把机器学习研究划分为从样例中学习、在问题求解和规划中学习、通过观察和发现学习、从指令中学习等种类。Feigenbaum 等则把机器学习划分为机械学习、示教学习、类比学习和归纳学习,机械学习即把外界输入的信息全部记录下来,在需要时检索使用,实际上仅是在进行信息存储与检索;示教学习和类比学习类似于从指令中学习、通过观察和发现学习;归纳学习相当于从样例中学习,即从训练样例中归纳出学习结果,归纳与演绎是科学推理的两大基本手段。前者是从特殊到一般的"泛化"(generalization)过程,即从具体的事实归结出一般性规律;后者则是从一般到特殊的"特化"(specialization)过程,即从基础原理推演出具体状况。例如,在数学公理系统中,基于一组公理和推理规则推导出与之相洽的定理,这是演绎;而从样例中学习显然是一个归纳的过程,因此亦称归纳学习(inductive learning)。归纳学习有狭义与广义之分,广义的归纳学习大体相当于从样例中学习,而狭义的归纳学习则要求从训练数据中学得概念(concept),因此亦称为概念学习或概念形成。概念学习技术目前研究应用较少,现实常用的技术大多是产生"黑箱"模型,概念学习中最基本的是布尔概念学习,即对"是""不是"这样的可表示为 0/1 布尔值的目标概念的学习。

进入 20 世纪 90 年代后期,统计学习(statistical learning)闪亮登场并迅速占据主流舞台,代表技术是支持向量机及核方法。统计学习理论早有研究,如 Vapnik 和 Chervonenkis

等提出的支持向量概念、VC维和结构风险最小化原则等，但直到90年代统计学习才开始成为机器学习的热点，一方面是由于有效的支持向量机算法在90年代初才被提出，其优越性能在文本分类应用中得以显现；另一方面是连接主义学习技术的局限性凸显。21世纪初，连接主义学习掀起了深度学习的热潮，所谓深度学习，狭义地说就是多层神经网络。以往机器学习技术在应用中对使用者的要求较高，而深度学习技术涉及的模型复杂度非常高，只要把参数调节适合，模型性能就可取得满意的成果。因此，深度学习虽缺乏严格的理论基础，但它显著降低了机器学习应用者的门槛，为机器学习技术走向工程实践带来了便利。但是，深度学习模型需具备大量参数，若数据样本少，则很容易过拟合，对于复杂的模型和庞大的数据样本，需要运行能力强大的计算设备才能求解。

在过去的20年中，计算机运算能力取得了巨大提升，数据储量与计算设备飞速发展，人类社会的各个角落都积累了大量数据，亟需能有效地对数据进行分析利用的计算机算法，而机器学习恰好顺应大时代的这个迫切需求，因此该学科领域取得巨大发展，受到社会广泛关注。今天，在计算机科学的诸多分支学科领域中，无论是多媒体、图形学、语音学，还是网络通信、软件工程，乃至体系结构、芯片设计，都能找到机器学习技术的身影，尤其是在计算机视觉、自然语言处理等计算机应用技术领域，机器学习已成为最重要的技术进步源泉之一。

随着科学研究的基本手段从传统的“理论+实验”走向现在的“理论+实验+计算”，乃至出现“数据科学”这样的提法，机器学习的重要性日趋显著，因为计算的目的往往是数据分析，而数据科学的核心也恰是通过分析数据来获得价值。显然，机器学习在大数据时代是必不可少的核心技术，学者们收集、存储、传输、管理大数据的目的，是“利用”大数据，而如果没有机器学习技术分析数据，则“利用”无从谈起。

今天，人工智能技术已经与普通人的生活密切相关。随着搜索的对象、内容日趋复杂，人工智能技术的影响更为明显，它已成为智能数据分析技术的创新源泉，但机器学习研究还有另一个不可忽视的意义，即通过建立一些关于学习的计算模型来促进我们理解“人类如何学习”，这无疑是一个有关人类自我认识的重大问题。从这个意义上说，机器学习不仅在信息科学中占有重要地位，还具有一定的自然科学探索色彩。

二、研究基础

机器学习主要是学习预测模型，一般需要首先将数据表示为一组特征，特征可以是连续的数值、离散的符号或其他形式，将这些特征输入预测模型，并输出预测结果，这类机器学习可以看作浅层学习，其特点是不涉及特征学习，主要靠人工经验或特征转换方法来抽取特征。当我们用机器学习来解决法医学骨龄评估实际任务时，会面对多种多样的数据形式，不同数据的特征构造差异很大，所以通常很难找到合适的表示方式。因此，在实际任务中使用机器学习模型一般会包含以下几个步骤。

（1）数据（骨关节影像学图片）预处理：经过数据的预处理，如去除噪声等。

（2）骨关节影像的特征提取：从原始数据中提取一些有效的特征。例如，在图像分类中可有方向梯度直方图特征、局部二值模式特征、尺度不变特征、尺度变换特征等。

（3）骨关节影像的特征转换：对特征进行一定的加工，如降维和升维，降维包括特征抽取和特征选择两种途径，常用的特征转换方法有主成分分析、线性判别分析等。

(4) 骨龄的预测:机器学习的核心部分,学习一个函数并进行预测。

人工智能技术是从有限的观测数据中得出具有一般性的规律,并可以将总结出来的规律推广应用到未观测样本上。人工智能技术可以粗略地分为3个基本要素:模型、学习准则、优化算法。

(一)模型

对于一个人工智能技术任务,首先要确定其输入空间 x 和输出空间 y,不同机器学习任务的主要区别在于输出空间不同。输入空间 x 和输出空间 y 构成了一个样本空间,对于样本空间中的样本,假定 x 和 y 之间的关系可以通过一个未知的真实映射函数 $y=g(x)$ 或真实条件概率分布 $\Pr(y \mid x)$ 来描述。机器学习的目标是找到一个近似真实映射函数 $g(x)$ 或真实条件概率分布 $\Pr(y \mid x)$ 的模型。我们不知道真实的映射函数 $g(x)$ 或条件概率分布 $\Pr(y \mid x)$ 的具体形式,因而只能根据经验来假设一个函数集合,称为假设空间,然后通过观测其在训练集 D 上的特性,从中选择一个理想的假设 $f^* \in \mathscr{F}$。

假设空间 F 通常为一个参数化的函数族:

$$\mathscr{F}=\{f(x;\theta) \mid \theta \in \mathbf{R}^D\}$$

式中,$f(x;\theta)$ 是参数为 θ 的函数,也称为模型,D 为参数的数量。

常见的假设空间可以分为线性和非线性两种,对应的模型 f 也分别称为线性模型和非线性模型。

线性模型的假设空间为一个参数化的线性函数族,即:

$$f(x;\theta)=\omega^{\mathrm{T}}x+b$$

$\mathscr{F}$其中参数 θ 包含了权重向量 ω 和偏置 b。

广义的非线性模型可以写为多个非线性基函数 $\phi(x)$ 的线性组合,即:

$$f(x;\theta)=\omega^{\mathrm{T}}\phi(x)+b$$

式中,$\phi(x)=[\phi_1(x), \phi_2(x), \cdots, \phi_k(x)]^{\mathrm{T}}$ 为 K 个非线性基函数组成的向量,参数 θ 包含了权重向量 ω 和偏置 b。

如果 $\phi(x)$ 本身为可学习的基函数,如

$$\phi_k(x)=h[\omega_k^{\mathrm{T}}\phi'(x)+b_k], \forall 1 \leqslant k \leqslant K,$$

式中,$h(\theta)$ 为非线性函数,$\phi'(x)$ 为另一组基函数,ω_K 和 b_k 为可学习的参数,则 $f(x;\theta)$ 就等价于神经网络模型。

(二)学习准则

令训练集 $D=[x^{(n)}, y^{(n)}]_{n=1}^{N}$ 是由 N 个独立同分布的(identically and independently distributed,IID)样本组成,即每个样本 $(x,y) \in X \times Y$ 是从 X 和 Y 的联合空间中按照某个未知分布 $\Pr(x,y)$ 独立地随机产生的。这里要求样本分布 $\Pr(x,y)$ 必须是固定的,不会随时间而变化。如果 $\Pr(x,y)$ 本身可变的话,就无法通过这些数据进行学习。一个好的模型 $f(x;\theta^*)$ 应该在所有 (x,y) 的可能取值上都与真实映射函数 $y=g(x)$ 一致,即:

$$|f(x;\theta^*)-y|<\epsilon, \ \forall (x,y) \in X \times Y$$

或与真实条件概率分布 $\Pr(y \mid x)$ 一致,即:

$$|f(x;\theta^*) - \Pr(y \mid x)| < \epsilon, \quad \forall (x,y) \in X \times Y$$

式中,ϵ 是一个很小的正数,$f(x;\theta^*)$ 为模型预测的条件概率分布中 y 对应的概率。

模型 $f(x;\theta)$ 的好坏可以通过期望风险 $\mathcal{R}(\theta)$ 来衡量,其定义为

$$\mathcal{R}(\theta) = \mathbf{E}_{(x,y)\sim Pr(x,y)}\{\mathcal{L}[y, f(x;\theta)]\}$$

式中,$\Pr(x,y)$ 为真实的数据分布,$\mathcal{L}[y, f(x;\theta)]$ 为损失函数,用来量化两个变量之间的差异。

损失函数是一个非负实数函数,用来量化模型预测和真实标签之间的差异。最直观的损失函数是模型在训练集上的错误率,即 0~1 损失函数,虽然 0~1 损失函数能够客观地评价模型的好坏,但其缺点是数学性质不是很好,不连续且导数为 0,难以优化,因此经常用连续可微的损失函数替代。平方损失函数(quadratic loss function)经常用在预测标签 y 为实数值的任务中,一般不适用于分类问题交叉熵损失函数(cross-Entropy loss function),也就是,负对数似然函数(negative log-likelihood function),一般用于分类问题。对于两个概率分布,一般可以用交叉熵来衡量它们的差异。Hinge 损失函数一般用于二分类问题。

一个好的模型 $f(x;\theta)$ 应当有一个比较小的期望错误,但由于不知道真实的数据分布和映射函数,实际上无法计算其期望风险 $\mathcal{R}(\theta)(0)$。给定一个训练集 $\mathcal{D} = \{x^{(n)}, y^{(n)}\}_{n=1}^{N}$,我们可以计算的是经验风险(empiric risk),即在训练集上的平均损失:

$$\mathcal{R}_{\mathcal{D}}^{\text{emp}}(\theta) = \frac{1}{N}\sum_{n=1}^{N}\mathcal{L}\{y^{(n)}, f[x^{(n)};\theta]\}$$

因此,一个切实可行的学习准则是找到一组参数 θ^*,使得经验风险最小,即经验风险最小化(empirical risk minimization, ERM)准则。

$$\theta^* = \arg\min_{\theta}\mathcal{R}_{\mathcal{D}}^{\text{emp}}(\theta)$$

根据大数定理可知,当训练集大小 $|\mathcal{D}|$ 趋向于无穷大时,经验风险就趋向于期望风险。然而通常情况下,我们无法获取无限的训练样本,并且训练样本往往是真实数据的一个很小的子集或者包含一定的噪声数据,不能很好地反映全部数据的真实分布,经验风险最小化原则很容易导致模型在训练集上错误率很低,但是在未知数据上错误率很高,这就是过拟合。过拟合问题往往是由训练数据少和噪声及模型能力强等原因造成的,为了解决过拟合问题,一般在经验风险最小化的基础上再引入参数的正则化来限制模型能力,使其不要过度地最小化经验风险,这种准则就是结构风险最小化(structure risk minimization, SRM)准则:

$$\begin{aligned}\theta^* &= \arg\min_{\theta}\mathcal{R}_{\mathcal{D}}^{\text{struct}}(\theta)\\ &= \arg\min_{\theta}\mathcal{R}_{\mathcal{D}}^{\text{emp}}(\theta) + \frac{1}{2}\lambda\ \|\theta\|^2\\ &= \arg\min\frac{1}{N}\sum_{n=1}^{N}\mathcal{L}\{y^{(n)}, f[x^{(n)};\theta]\} + \frac{1}{2}\lambda\ \|\theta\|^2\end{aligned}$$

式中,$\|\theta\|$ 是 ℓ_2 范数的正则化项,用来减少参数空间,避免过拟合;λ 用来控制正则化的强度。

正则化项也可以使用其他函数如 ℓ_1 范数。ℓ_1 范数的引入通常会使得参数有一定稀疏性,

因此在很多算法中也经常使用。从贝叶斯学习的角度来讲,正则化是引入了参数的先验分布,使其不完全依赖训练数据。

和过拟合相反的一个概念是欠拟合,即模型不能很好地拟合训练数据,在训练集上的错误率比较高。欠拟合一般是由于模型能力不足造成的,机器学习的目标是使学可获得的模型能很好地适用于新数据集,而不是仅在训练集上模拟得很好,"代理"学可获得模型适用于新数据集的能力,称为泛化能力。具有强泛化能力的模型能很好地适用于整个样本空间,尽管训练集通常只是样本空间的一部分采样,我们仍希望它能很好地反映出样本空间的特性。通常假设样本空间中全体样本服从一个未知分布 $\mathscr{D}$, 我们获得的每个样本都是独立地从这个分布上采样获得的,即独立同分布。一般而言,训练样本越多,我们得到的关于 $\mathscr{D}$ 的信息越多,这样就越有可能通过学习获得具有强泛化能力的模型。

人工智能技术的学习准则并不仅仅是拟合训练集上的数据,同时也要使得泛化错误最低。给定一个训练集,机器学习的目标是从假设空间中找到一个泛化错误较低的理想模型,以便更好地对未知的样本进行预测,特别是不在训练集中出现的样本。因此,我们可以将人工智能技术看作一个从有限、高维、有噪声的数据上得到更一般性规律的泛化问题。

(三) 优化算法

在确定了训练集 $\mathscr{D}$、假设空间 $\mathscr{F}$ 及学习准则后,如何找到最优的模型 $f(x;\theta^*)$ 就成了一个最优化问题,机器学习的训练过程其实就是最优化问题的求解过程。

人工智能技术的优化又可以分为参数优化和超参数优化。模型 $f(x;\theta)$ 中的 θ 称为模型的参数,可以通过优化算法进行学习。除了可学习的参数 θ 之外,还有一类参数是用来定义模型结构或优化策略的,这类参数称为超参数。常见的超参数包括聚类算法中的类别个数、梯度下降法中的步长、正则化项的系数、神经网络的层数、支持向量机中的核函数等。超参数的选取一般都是组合优化问题,很难通过优化算法来自动学习。因此,超参数优化是机器学习的一个经验性很强的技术,通常是按照人的经验设定,或者通过搜索的方法对一组超参数组合进行不断试错调整。

为了充分利用凸优化中一些高效、成熟的优化方法,如共梯度、拟牛顿法等,很多机器学习方法都倾向于选择合适的模型和损失函数,以构造一个凸函数作为优化目标。但也有很多模型(如神经网络)的优化目标是非凸的,只能退而求其次找到局部最优解。在机器学习中,最简单、常用的优化算法就是梯度下降法,即首先初始化参数 θ_0, 然后按下面的迭代公式来计算训练集 $\mathscr{D}$ 上风险函数的最小值:

$$\begin{aligned}\theta_{t+1} &= \theta_t - \alpha \frac{\partial \mathscr{R}_{\mathscr{D}}(\theta)}{\partial\theta} \\ &= \theta_t - \alpha \frac{1}{N}\sum_{n=1}^{N} \frac{\partial \mathscr{L}\{y^{(n)}, f[x^{(n)};\theta]\}}{\partial\theta}\end{aligned}$$

式中, θ_t 为第 t 次迭代时的参数值, α 为搜索步长。在机器学习中, α 一般称为学习率。针对梯度下降的优化算法,除了加正则化项之外,还可以通过提前停止来防止过拟合。在梯度下降训练的过程中,由于过拟合,在训练样本上收敛的参数并不一定在测试集上是最优的。因此,除了训练集和测试集之外,有时也会使用一个验证集来进行模型选择,以测试模型在验证集上是否最优。在每次迭代时，把新得到的模型 $f(x;\theta)$ 在验证集上进行测试，并计算错误率。如果在验证集上的错误率不再下降，就停止迭代。这种策略为提前停止，如果没有验证集，可以在训练集上划分出一个小比例的子集作为验证集。

在梯度下降法中，目标函数是整个训练集上的风险函数，这种方式称为批量梯度下降法(batch gradient descent,BGD)。批量梯度下降法在每次迭代时需要计算每个样本上损失函数的梯度并求和。当训练集中的样本数量 N 很大时，空间复杂度比较高，每次迭代的计算开销也很大。在机器学习中，我们假设每个样本都是独立同分布地从真实数据分布中随机抽取出来的，真正的优化目标是期望风险最小。批量梯度下降法相当于是从真实数据分布中采集 N 个样本，并由它们计算出来的经验风险的梯度来近似期望风险的梯度。为了减少每次迭代的计算复杂度，我们也可以在每次迭代时只采集一个样本，计算这个样本损失函数的梯度并更新参数，即随机梯度下降法(stochastic gradient descent,SGD)。当经过足够次数的迭代时，随机梯度下降也可以收敛到局部最优解。

批量梯度下降和随机梯度下降之间的区别在于，每次迭代的优化目标是所有样本的平均损失函数还是单个样本的损失函数。随机梯度下降实现简单、收敛速度快，因此使用非常广泛。随机梯度下降相当于在批量梯度下降的梯度上引入了随机噪声，在非凸优化问题中，随机梯度下降更容易逃离局部最优点，缺点是无法充分利用计算机的并行计算能力。小批量梯度下降法(mini-batch gradient descent)是批量梯度下降和随机梯度下降的折中。每次迭代时，我们随机选取小部分训练样本来计算梯度并更新参数，这样既可以兼顾随机梯度下降法的优点，也可以提高训练效率。在实际应用中，小批量随机梯度下降法有收敛快、计算开销小的优点，因此逐渐成为大规模的机器学习中的主要优化算法。

三、常用的人工智能技术

在目前的骨龄鉴定中，常用的人工智能技术算法包括回归算法、支持向量机、神经网络学说和深度学习，以及使用较少的批标准化、决策树、k-最近邻算法等。

(一) 回归算法

回归算法是人工智能技术中最常见也是使用最广的一个算法，回归算法主要有线性回归和逻辑回归两种。线性回归是人工智能技术和统计学中最基础和最广泛应用的模型，是一种对自变量和因变量之间关系进行建模的回归分析。自变量数量为 1 时称为简单回归，自变量数量大于 1 时称为多元回归。

Logistic 回归虽然被称为回归，但其实际上是分类模型，并常用于二分类。Logistic 回归因其简单、可并行化、可解释而深受工业界喜爱。Logistic 回归的本质是假设数据服从这个分布，然后使用极大似然估计做参数的估计。

运用髂骨和坐骨结节拟合多元回归、直线回归、对数回归等数学模型，比较得出多元回归方程具有较高的决定系数(R^2)，与传统方法相比，骨龄推断的效率与准确度均有所提升。

(二) 支持向量机

支持向量机框架是当前最流行的监督学习方法：如果没有关于领域的专业化先验知识，则支持向量机是一个很好的首选。支持向量机类似于逻辑回归，基于线性函数 $w^{T}x+b$，不同于逻辑回归的是，支持向量机不输出概率，只输出类别，当 $w^{T}x+b$ 为正时，支持向量机预测属于正类,当 $w^{T}x+b$ 为负时,支持向量机预测属于负类,所以支持向量机是一个经典的二分类算法,其找到的分割超平面具有更好的鲁棒性,因此,广泛使用在很多任务上,并表现出很强优势。以下 3 个特性使支持向量机具有吸引力:①支持向量机可构造一个极大边距分离器,与样例点具有最大可能距离的决策边界。这有助于做良好泛化。②支持向量机可生成一个线性分离超平面,但使用所谓核技巧,能够将数据嵌入更高维度空间。通常在原输入空间非线性可分的数据,在高维空间很容易分开。高维线性分离器在原空间中实际上不是线性的。这意味着,相对于使用严格线性表示的方法,假说空间得到极大扩展。③支持向量机是非参数化方法,它们保留训练样例,且潜在需要存储所有训练样例。另外,在实际应用中只保留很少一部分样例,有时仅是维度数的一个常量倍数。因此,支持向量机综合了非参数化和参数化模型的优点:它们有表示复杂函数的灵活性,但能抵抗过度拟合。

支持向量机的成功源于一个关键的洞察和一个简洁的技巧。如图 3-11 所示,有一个带 3 个候选决策边界的二值分类问题,每一个决策边界都是线性分离器。它们都与所有样例一致,因此从 0/1 损耗的观点看,它们都同等好。Logistic 回归将发现某个分离直线,直线的确切位置依赖所有样例点。支持向量机的关键洞察是其更重视某些点,关注它们将形成更好的泛化。

对于一个线性可分的数据集,其分割超平面有很多个,但是间隔最大的超平面是唯一的。我们定义间隔 γ 为整个数据集 D 中所有样本到分割超平面的最短距离,如果间隔 γ 越大,其分割超平面对两个数据集的划分越稳定,不容易受噪声等因素影响,支持向量机的目标是寻找一个超平面,使得 γ 最大。数据集中所有满足 $w^{T}x+b$ 的样本点,都称为支持向量。考察图 3-11A 中 3 条直线中最低的那一条,它与 5 个黑点非常接近。尽管它正确分类所有样例,并因此最小化损耗,但是它让人紧张:这么多样例离它如此近,也许有其他黑点会出现在直线的另一边。支持向量机要处理这样一个问题:不是最小化训练数据上的期望经验损耗,而是试图最小化期望泛化损耗。我们不知道未知点可能落在何处,但在概率假设(取自与已知点相同的分布)之下,通过选择离已知样例最远的分离器,能够最小化泛化损耗。我们称这个分离器为极大边距分离器,见图 3-11B。边距是图中两条虚线界定的区域的长度,从分离器到最近样例点距离的 2 倍。

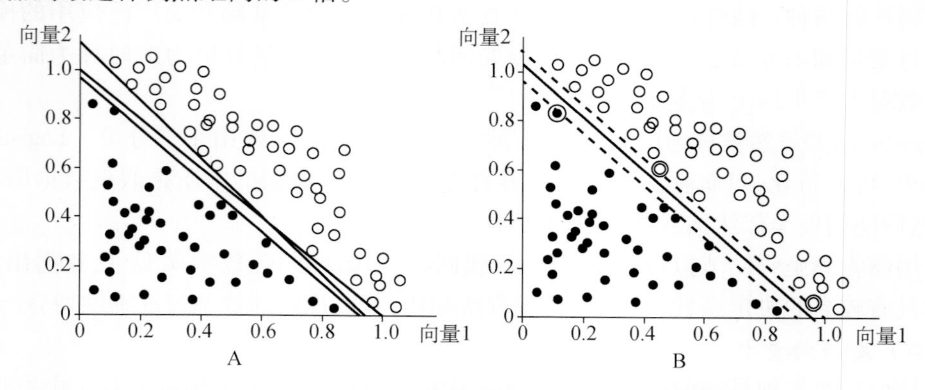

图 3-11　支持向量机线性可分数据集分割超平面示意图

A. 支持向量机分类两类点(黑点和白点)和 3 个候选分离器;B. 极大边距分离器(粗实线),在边界的中心点位置(两条虚线之间的区域),支持向量(带圈的点)是离分离器最近的点

（三）神经网络学说

对于实际任务的实现，单一的神经元是远远不够的，需要通过很多神经元一起协作来完成复杂的功能，这样通过一定的连接方式或信息传递方式进行协作的神经元可以看作一个网络，就是神经网络。到目前为止，研究者已经发明了各种各样的神经网络结构。目前，常用的神经络结构有以下 3 种：前馈网络、记忆网络和图网络。

1. 前馈网络

各个神经元按接收信息的先后分为不同的组，每一组可以看作一个神经层，每一层中的神经元接收前一层神经元的输出，并输出到下一层神经元。整个网络中的信息是朝一个方向传播，没有反向的信息传播，可以用一个有向无环路图表示。前馈网络包括全连接前馈网络和卷积神经网络等。前馈网络可以看作一个函数，通过简单非线性函数的多次复合，实现输入空间到输出空间的复杂映射，这种网络结构简单，易于实现。

在前馈网络中，各神经元分别属于不同的层，输出层与输入层之间的一层神经元，被称为隐层或隐含层，隐含层和输出层神经元都是拥有激活函数的功能神经元。常见的神经网络是层级结构，每层神经元与下一层神经元全部相互连接，神经元之间不存在同层连接，也不存在跨层连接。这样的神经网络结构通常称为多层前馈神经网络（multi-layer feedforward neural network），其中输入层神经元接收外界输入，隐层与输出层神经元对信号进行加工，最终结果由输出层神经元输出；换言之，输入层神经元仅接受输入，不进行函数处理，隐层与输出层包含功能神经元。只包含隐层即可称为多层网络。神经网络的学习过程，就是根据训练数据来调整神经元之间的连接权（connection weight）以及每个功能神经元的阈值；换言之，神经网络“学”到的东西，蕴涵在连接权与阈值中。

前馈网络具有很强的拟合能力，常见的连续非线性函数都可以用前馈网络来近似。根据通用近似定理，对于具有线性输出层和至少一个使用“挤压”性质的激活函数的隐藏层组成的前馈网络，只要其隐藏层神经元的数量足够，它可以以任意的精度来近似任何一个定义在实数空间 $\mathbf{R}^D$ 中的有界闭集函数。也就是说，神经网络在某种程度上可以作为一个万能函数来使用，可以用来进行复杂的特征转换，或逼近一个复杂的条件分布。在机器学习中，输入样本的特征对分类器的影响很大。以监督学习为例，好的特征可以极大地提高分类器的性能。因此，要取得好的分类效果，需要将样本的原始特征向量 $\boldsymbol{x}$ 转换到更有效的特征向量 $\phi(\boldsymbol{x})$，这个过程称作特征抽取。多层前馈网络也可以看成是一种特征转换方法，其输出 $\phi(\boldsymbol{x})$ 作为分类器的输入进行分类。

要解决非线性可分问题，需要考虑使用多层功能神经元。给定一组神经元，我们可以将神经元作为节点来构建一个网络。不同的神经网络模型有着不同网络连接的拓扑结构。一种比较直接的拓扑结构是前馈网络。前馈网络是最早发明的简单人工神经网络，也经常称为多层感知器，但多层感知器的叫法并不是十分合理，因为前馈网络其实是由多层的 Logistic 回归模型（连续的非线性函数）组成，而不是由多层的感知器（不连续的非线性函数）组成。

2. 记忆网络

记忆网络也称为反馈网络，网络中的神经元不但可以接收其他神经元的信息，也可以接收自己的历史信息。与前馈网络相比，记忆网络中的神经元具有记忆功能，在不同的时刻具有不同的状态。记忆网络中的信息传播可以是单向或双向传递,因此,可用一个有向循环图或无向图来表示。记忆网络包括循环神经网络、Hopfield 网络、玻尔兹曼机、受限玻尔兹曼机等。记忆网络可以看作一个程序,具有更强的计算和记忆能力,为了增强记忆网络的记忆容量,可以引入外部记忆单元和读写机制,用来保存一些网络的中间状态,称为记忆增强神经网络(memory augmented neural network,MANN),如神经图灵机等。

前馈网络和记忆网络的输入都可以表示为向量或向量序列,但实际应用中很多数据是图结构的数据,如知识图谱、社交网络、分子网络等,前馈网络和记忆网络很难处理图结构的数据。

3. 图网络

图网络是定义在图结构数据上的神经网络,图中每个节点都由一个或一组神经元构成,节点之间的连接可以是有向的,也可以是无向的,每个节点可以收到来自相邻节点或自身的信息。图网络是前馈网络和记忆网络的泛化,包含很多不同的实现方式。

(1) 卷积神经网络:在深度学习的历史中发挥了重要作用,是第一个表现良好的深度模型之一,远远早于任意深度模型被认为是可行的之前。卷积神经网络也是第一个解决重要商业应用的神经网络,并且仍然是当今深度学习商业应用的前沿。例如,在 20 世纪 90 年代,AT&T 的神经网络研究小组开发了一个用于读取支票的卷积神经网络,到 90 年代末,日本电气股份有限公司部署的这个系统已经被用于读取美国 10% 以上的支票。后来,Microsoft 公司部署了若干个基于卷积网络的 OCR 系统和手写识别系统。卷积神经网络是第一批能使用反向传播有效训练的深度网络之一。这可能可以简单地归结为卷积神经网络比全连接网络计算效率更高,因此使用它们运行多个试验并调整它们的实现和超参数更容易,更大的网络也似乎更容易训练。利用现代硬件,大型全连接网络在许多任务上也表现得很合理,即使使用过去那些全连接网络被认为不能工作得很好的数据集和当时流行的激活函数时,现在也能执行得很好。卷积神经网络提供了一种方法来特化神经网络,使其能够处理具有清楚的网格结构拓扑的数据,以及将这样的模型扩展到非常大的规模,这种方法在二维图像拓扑上是最成功的。

卷积神经网络最早主要是用来处理图像信息,在用全连接前馈网络来处理图像时,会存在以下两个问题:①参数太多,随着隐藏层神经元数量的增多,参数规模也会急剧增加,导致整个神经网络的训练效率非常低,很容易出现过拟合。②局部不变性特征,全连接前馈网络很难提取这些局部不变性特征,一般需要进行数据增强来提高性能。卷积神经网络是受生物学上感受野机制的启发而提出的,感受野机制主要是指听觉、视觉等神经系统中一些神经元的特性,即神经元只接受其所支配的刺激区域内的信号。在视觉神经系统中,视皮质中的神经细胞的输出依赖于视网膜上的光感受器,视膜质的光感受器受刺激兴奋时,将神经冲动信号传到视皮质,但不是所有视皮质中的神经元都会接受这些信号,神经元的感受野是指视网膜上的特定区域,只有这个区域内的刺激才能够激活该神经元。

卷积神经网络有 3 个结构上的特性:局部连接、权重共享和汇聚,这些特性使得卷积神经网络具有一定程度上的平移、缩放和旋转不变的特性。与前馈网络相比,卷积神经网络的参数更少。卷积神经网络主要使用在图像和视频分析的领域中,其准确率一般也远远超出了其他的神经网络模型。在图像处理中,卷积经常作为特征提取的有效方法,一幅图像在经过卷积操作后得到结果称为特征映射。图像处理中常用的滤波器是高斯滤波器,可以用来对图像进行平滑去噪,以提取边缘特征。卷积的主要功能是在图像(或某种特征)上滑动一个卷积核(即滤波器),通过卷积操作得到新的特征。在计算卷积的过程中,需要进行卷积核翻转,在实际中一般会以互相关操作来代替卷积,从而会减少一些不必要的操作或开销。互相关也称为不翻转卷积,是一个衡量两个序列相关性的函数,通常是用滑动窗口的点积计算来实现。在神经网络中使用卷积是为了进行特征抽取,卷积核是否进行翻转和其特征抽取的能力无关。特别是当卷积核是可学习的参数时,卷积和互相关在能力上是等价的,事实上,很多深度学习工具中卷积操作其实都是互相关操作。

在卷积的标准定义基础上,还可以引入卷积核的滑动步长、零填充、转置和空洞来增加卷积的多样性,以便更灵活地进行特征抽取。一般常用的卷积有以下 3 类:窄卷积(narrow convolution)、宽卷积(wide convolution)和等宽卷积(equal-width convolution)。

典型的卷积神经网络是一种具有局部连接、权重共享等特性的深层前馈网络,由卷积层、汇聚层和全连接层构成。卷积层的作用是提取一个局部区域的特征,不同的卷积核相当于不同的特征提取器。由于卷积网络主要应用在图像处理上,而图像为二维结构,因此为了更充分地利用图像的局部信息,通常将神经元组织为三维结构的神经层,其大小为高度(M)×宽度(N)×深度(D),由 D 个 $M\times N$ 大小的特征映射构成。汇聚层称为子采样层,其作用是进行特征选择,降低特征数量,从而减少参数数量。卷积层可以显著减少网络中连接的数量,但特征映射组中的神经元个数并没有显著减少,如果接分类器,分类器的输入维数依然很高,很容易出现过拟合。为了解决这个问题,可以在卷积层之后加上一个汇聚层,从而降低特征维数,避免过拟合。目前,卷积网络的整体结构趋向于使用更小的卷积核,卷积的操作性越来越灵活,汇聚层的作用也变得越来越小,因此目前比较流行的卷积神经网络中,汇聚层的比例正在逐渐降低,趋向于全卷积网络。

典型深层卷积神经网络包括 LeNet-5、AlexNet、Inception 网络、ResNet 等。LeNet-5 提出的时间比较早,是一个非常成功的神经网络模型。基于 LeNet-5 的手写数字识别系统在 20 世纪 90 年代被美国很多银行使用,用来识别支票上面的手写数字。LeNet-5 共有 7 层,接受输入的图像像素为 32×32 =1 024,输出层由 10 个径向基函数(radial basis function,RBF)组成。AlexNet 是第一个现代深度卷积神经网络模型,其首次使用了很多现代深度卷积神经网络的技术方法,如使用 GPU 进行并行训练,采用 ReLU 作为非线性激活函数,使用 Dropout 以防止过拟合,使用数据增强来提高模型准确率等。AlexNet 的结构包括 5 个卷积层、3 个汇聚层和 3 个全连接层,输入 224×224×3 像素的图像,输出 1 000 个类别的条件概率(使用 Softmax 函数的输出层),此外,AlexNet 还在前两个汇聚层之后进行了局部响应归一化以增强模型的泛化能力。在 Inception 网络中,一个卷积层包含多个不同大小的卷积操作,称为 Inception 模块,Inception 网络是由多个 Inception 模块和少量的汇聚层堆叠而成。Inception 模块同时使用 1×1 像素、3×3 像素、5×5 像素等不同大小的卷积核,并将得到的特征映射在深度上拼接(堆叠)起来作为输出特征映射。残差网络就是将很多个残差单元串联起来构成的网络,通过给非线性的卷积层增加直连边(也称为残差连接)的方式来提高信息的传播效率。

(2)径向基函数网络:是 Broomhead 和 Lowe 在 1988 年提出的一种单隐层前馈网络,它使用径向基函数作为隐层神经元激活函数，而输出层则是对隐层神经元输出的线性组合。通常采用两步过程来训练径向基函数网络：第一步，确定神经元中心权重，常用的方式包括随机采样、聚类等；第二步，利用反向传播算法等来确定参数。

（3）竞争型学习（competitive learning）：是神经网络中一种常用的无监督学习策略，在使用该策略时，网络的输出神经元相互竞争，每一时刻仅有一个竞争获胜的神经元被激活，其他神经元则被抑制，这种机制亦称"胜者通吃"（winner-take-all）原则。自适应谐振理论（adaptive resonance theory，ART）网络是竞争型学习的重要代表，该网络由比较层、识别层、识别阈值和重置模块构成。其中，比较层负责接收输入样本，并将其传递给识别层神经元。识别层每个神经元对应一个模式类，神经元数目可在训练过程中动态增长以增加新的模式类。在接收到比较层的输入信号后，识别层神经元之间相互竞争以产生获胜神经元，竞争的最简单方式是，计算输入向量与每个识别层神经元所对应的模式类的代表向量之间的距离，距离最小者胜，获胜神经元将向其他识别层神经元发送信号，抑制其激活。若输入向量与获胜神经元所对应的代表向量之间的相似度大于识别阈值，则当前输入样本将被归为该代表向量所属类别，同时，网络连接权将会更新，使得以后在接收到相似输入样本时该模式类会计算出更大的相似度，从而使该获胜神经元有更大可能获胜；若相似度不大于识别阈值，则重置模块将在识别层增设一个新的神经元，其代表向量就设置为当前输入向量。自适应谐振理论网络比较好地缓解了竞争型学习中的"可塑性-稳定性窘境"（stability-plasticity dilemma），可塑性是指神经网络要有学习新知识的能力，而稳定性则是指神经网络在学习新知识时要保持对旧知识的记忆。这就使得自适应谐振理论网络具有一个很重要的优点，可进行增量学习或在线学习。

（4）自组织映射网络：是一种竞争学习型的无监督神经网络，它能将高维输入数据映射到低维空间（通常为二维），同时保持输入数据在高维空间的拓扑结构，即将高维空间中相似的样本点映射到网络输出层中的邻近神经元。自组织映射的训练过程很简单：在接收到一个训练样本后，每个输出层神经元会计算该样本与自身携带的权向量之间的距离，距离最近的神经元为竞争获胜者，称为最佳匹配单元（best matching unit）。然后，最佳匹配单元及其邻近神经元的权向量将被调整，以使得这些权向量与当前输入样本的距离缩小，这个过程不断迭代，直至收敛。

一般的神经网络模型通常假定网络结构是事先固定的，训练的目的是利用训练样本来确定合适的连接权、阈值等参数。与此不同，结构自适应网络则将网络结构也当作学习的目标之一，并希望能在训练过程中找到最符合数据特点的网络结构。级联相关网络是结构自适应网络的重要代表。级联相关网络有两个主要成分：级联和相关。级联是指建立层次连接的层级结构，在开始训练时，网络只有输入层和输出层处于最小拓扑结构，随着训练的进行，新的隐层神经元逐渐加入，从而创建起层级结构。当新的隐层神经元加入时，其输入端连接权值是冻结固定的。相关是指通过最大化新神经元的输出与网络误差之间的相关性来训练相关的参数。与一般的前馈网络相比，级联相关网络无须设置网络层数、隐层神经元数目，且训练速度较快，但其在数据较小时易陷入过拟合。

（5）递归神经网络（recurrent neural network）：与前馈网络不同，递归神经网络允许网络中出现环形结构，从而可让一些神经元的输出反馈回来作为输入信号，从而能处理与时间有关的动态变化。Elman 网络是最常用的递归神经网络之一，它的结构与多层前馈网络很相似，但隐层神经元的输出被反馈回来，与下一时刻输入层神经元提供的信号一起，作为隐层神经元在下一时刻的输入。通常采用 Sigmoid 激活函数，而网络的训练则常通过推广的反向传播算法进行。

神经网络中有一类模型是为网络状态定义一个能量，能量最小化时网络达到理想状态，而网络的训练就是在最小化这个能量函数。玻尔兹曼机就是一种基于能量的模型，其神经元分为两层：显层与隐层，显层用于表示数据的输入与输出，隐层则被理解为数据的内在表达。玻尔兹曼机中的神经元都是布尔型的，即只能取 0、1 两种状态，状态 1 表示激活，状态 0 表示抑制。玻尔兹曼机的训练过程就是将每个训练样本视为一个状态向量，使其出现的概率尽可能大。标准的玻尔兹曼机是一个全连接图，训练网络的复杂度很高，这使其难以用于解决现实任务。现实中常采用受限玻尔兹曼机。玻尔兹曼机仅保留显层与隐层之间的连接，从而可将其机结构由完全图简化为二部图。

（四）深度学习

1. 迁移学习

在很多实际场景中，经常碰到的问题是标注数据的成本十分高，无法为一个目标任务准备足够多相同分布的训练数据，因此，如果有一个相关任务已经有了大量的训练数据，虽然这些训练数据的分布和目标任务不同，但是由于训练数据的规模比较大，我们假设可以从中学习某些可以泛化的知识，那么这些知识对目标任务会有一定的帮助。迁移学习是指两个不同领域的知识迁移过程，利用源领域中学到的知识来帮助完成目标领域上的学习任务。源领域的训练样本数量一般远大于目标领域。

迁移学习根据不同的迁移方式又分为两个类型：归纳迁移学习（induction transfer learning）和转导迁移学习（transduction transfer learning）。这两个类型分别对应两个机器学习的范式：归纳学习和转导学习。一般的机器学习都是指归纳学习，即希望在训练数据集上学习到使期望风险（即真实数据分布上的错误率）最小的模型。而转导学习的目标是学习一种在给定测试集上错误率最小的模型，在训练阶段可以利用测试集的信息。归纳迁移学习是指在源领域和任务上学习出一般的规律，然后将这个规律迁移到目标领域和任务上；而转导迁移学习是一种从样本到样本的迁移，直接利用源领域和目标领域的样本进行迁移学习。

2. 深度信念网络

对于一个复杂的数据分布，我们往往只能观测到有限的局部特征，并且这些特征通常会包含一定的噪声，如果要对这个数据分布进行建模，就需要挖掘出可观测变量之间复杂的依赖关系，以及可观测变量背后隐藏的内部表示。玻尔兹曼机和深度信念网络都是生成模型，借助隐变量来描述复杂的数据分布。作为概率图模型，玻尔兹曼机和深度信念网络的共同问题是推断和学习问题，这两种模型和神经网络有很强的对应关系，在一定程度上也称为随机神经网络（stochastic neural network，SNN）。

玻尔兹曼机是一个随机动力系统（stochastic dynamical system），每个变量的状态都以一定的概率受到其他变量的影响，玻尔兹曼机可以用概率无向图模型来描述，一个具有 K 个节点（变量）的玻尔兹曼机满足以下 3 个性质：①每个随机变量是二值的，所有随机变量可以用一个二值的随机向量来表示；②所有节点之间是全连接的，每个变量都依赖于所有其他变量;③每两个变量之间的互相影响是对称的。

玻尔兹曼机可以用来解决两类问题。一类是搜索问题,当给定变量之间的连接权重时,需要找到一组二值向量,使得整个网络的能量最低。另一类是学习问题,当给定变量的多组观测值时,学习网络的最优权重。

全连接的玻尔兹曼机在理论上可行,但是其由于复杂性,目前为止并没有被广泛使用。虽然基于采样的方法在很大程度提高了学习效率,但是每更新一次权重,就需要网络重新达到热平衡状态,这个过程依然比较低效,需要很长时间,在实际应用中,使用比较广泛的是一种带限制的版本,也就是受限玻尔兹曼机。受限玻尔兹曼机(restricted Boltzmann machine, RBM)是一个二分图结构的无向图模型,其中的变量也分为隐变量和可观测变量,同一层中的节点之间没有连接,而不同层一层中的节点与另一层中的所有节点连接,和两层的全连接神经网络的结构相同。在具体的不同任务中,需要处理的数据类型不一定都是二值的,也可能是连续值,为了能够处理这些数据,就需要根据输入或输出的数据类型来设计新的能量函数。一般来说,常见的受限玻尔兹曼机有以下 3 种。

(1)"伯努利-伯努利"受限玻尔兹曼机(Bernoulli-Bernoulli RBM, BBRBM):可观测的变量和隐变量都为二值类型。

(2)"高斯-伯努利"受限玻尔兹曼机(Gaussian-Bernoulli RBM, GB-RBM):可观测变量为高斯分布,隐变量为伯努利分布。

(3)"伯努利-高斯"受限玻尔兹曼机(Bernoulli-Gaussian RBM, BG-RBM),可观测变量为伯努利分布,隐变量为高斯分布。

深度信念网络是一种深层的概率有向图模型,其图结构由多层的节点构成,每层节点的内部没有连接,相邻两层的节点之间为全连接。网络的最底层为可观测变量,其他层节点都为隐变量。最顶部的两层间的连接是无向的,其他层之间的连接是有向的。深度信念网络是一个生成模型,可以用来生成符合特定分布的样本。隐变量用来描述在可观测变量之间的高阶相关性。在生成样本时,首先运行最顶层的受限玻尔兹曼机进行足够多次的吉布斯采样,在达到热平衡时生成样本,然后依次计算下一层变量的条件分布并采样。自顶向下进行逐层采样,最终得到可观测层的样本。深度信念网络的训练过程可以分为逐层预训练和精调两个阶段,先通过逐层预训练将模型的参数初始化为较优的值,再通过传统学习方法对参数进行精调。

3. 强化学习

在前文中,我们主要关注监督学习,而监督学习一般需要一定数量的带标签的数据,在很多的应用场景中,通过人工标注的方式给数据打标签往往无法穷尽所有标签结果。例如,我们通过监督学习来训练一个模型自动下围棋,就需要将当前棋盘的状态作为输入数据,其对应的最佳落子位置(动作)作为标签,训练一个好的模型就需要收集大量的不同棋盘状态及对应动作,这种做法实践起来比较困难,一是对于每一种棋盘状态,即使是专家也很难给出正确的动作,二是获取大量数据的成本往往比较高。对于下棋这类任务,虽然我们很难知道每一步的正确动作,但是其最后的结果(即赢输)却很容易判断,因此,如果可以通过大量的模拟数据,通过最后的结果(奖励)来倒推每一步棋的好坏,从而学习出最佳策略,这就是强化学习。

强化学习也称增强学习，是指一类从（与环境）交互中不断学习问题及解决问题的方法。强化学习问题可以描述为一个智能体从与环境的交互中不断学习以完成特定目标（如取得最大奖励值），和深度学习类似，强化学习中的关键问题也是贡献度分配问题，每一个动作并不能直接得到监督信息，需要通过整个模型的全部监督动作得到最终的监督信息，并且其过程有一定的延时性。强化学习也是机器学习中的一个重要分支。强化学习和监督学习的不同在于，强化学习问题不需要给出"正确"策略作为监督信息，只需要给出策略的（延迟）回报，并通过调整策略来取得最大化的期望回报。

早期的强化学习算法主要关注状态和动作都是离散且有限的问题，可以使用表格来记录概率，但在很多实际问题中，有些任务的状态和动作的数量非常多。为了有效地解决这些问题，我们可以设计一个更强的策略函数（如深度神经网络），使得智能体可以应对复杂的环境，学习更优的策略，并具有更好的泛化能力。深度强化学习是将强化学习和深度学习结合在一起，用强化学习来定义问题和优化目标，用深度学习来解决策略和值函数的建模问题，然后使用误差反向传播算法来优化目标函数。深度强化学习在一定程度上具备解决复杂问题的通用智能，并在很多任务上都取得了很大的成功。

四、人工智能技术与医学图像识别

人工智能技术在图像识别、语音识别应用中已取得了突破性进展，在人脸识别、信息检索等领域也展示出独特优势，得到了广泛应用。骨骼 DR 图像显示黑、白、灰不同阶度的变化，具有黑白对比、层次差异的图像特征，法医学工作者基于人工智能技术在图像识别中的优势，将其与法医学骨龄评估研究有机结合，旨在为构建法医学骨龄自动化评估系统提供基础性资料和数据。

（一）图像特征表示

在实际应用中，数据的类型多种多样，如文本、音频、图像、视频等。不同类型数据的原始特征的空间也不相同，而很多机器学习算法要求输入的样本特征是数学上可计算的，因此在机器学习之前我们需要将这些不同类型的数据转换为向量表示，即特征表示。如果直接用数据的原始特征来进行预测，对机器学习模型的能力要求比较高，这些原始特征可能存在不足：如特征比较单一，需要进行（非线性的）组合才能发挥其作用，特征之间冗余度比较高，并不是所有的特征都对预测有用，很多特征是易变的，并往往存在一些噪声。为了提高机器学习算法的能力，我们需要抽取有效、稳定的特征。传统的特征提取是通过人工方式进行的，需要大量的人工和专业知识，机器学习系统通常需要尝试大量的特征，称为特征工程。但即使这样，人工设计的特征在很多任务上也不能满足需要。因此，如何让机器自动地学习出有效的特征也成为机器学习中的一项重要研究内容，称为特征学习，也称表示学习。特征学习在一定程度上可以减少模型复杂性、缩短训练时间、提高模型泛化能力、避免过拟合等。

（二）图像特征学习

传统的特征学习一般是通过人为地设计一些准则，然后根据这些准则来选取有效的特征，具体又可以分为两种：特征选择和特征抽取。

特征选择（feature selection）是选取原始特征集合的一个有效子集，使得基于这个特征子集训练出来的模型准确率最高。简单地说，特征选择就是保留有用特征，移除冗余或无关的特征。子集搜索是最常见的直接的特征选择方法,特征选择的目标是选择一个最优的候选子集,最暴力的做法是测试每个特征子集,看机器学习模型哪个子集上的准确率最高,但这种方式效率太低。常用的方法是采用贪心策略:由空集合开始,每一轮添加该轮最优的特征,称为前向搜索(forward search);从原始特征集合开始,每次删除最无用的特征,称为反向搜索(backward search)。子集搜索方法可以分为过滤式方法和包裹式方法。过滤式方法(filter method)是不依赖具体机器学习模型的特征选择方法,每次增加最有信息量的特征,或删除最没有信息量的特征。包裹式方法(wrapper method)是使用后续机器学习模型的准确率作为评价来选择一个特征子集的方法,每次增加对后续机器学习模型最有用的特征,或删除对后续机器学习任务最无用的特征,这种方法是将机器学习模型包裹到特征选择过程的内部。

(三)图像特征提取

构造一个新的特征空间,并将原始特征投影在新的空间中得到新的表示。特征抽取又可以分为监督和无监督的方法,监督特征学习的目标是抽取对一个特定的预测任务最有用的特征,如线性判别分析,而无监督特征学习和具体任务无关,其目标通常是减少冗余信息和噪声,如主成分分析和自编码器。

特征选择和特征抽取的优点是可以用较少的特征来表示原始特征中的大部分相关信息,去掉噪声信息,进而提高计算效率和减小维度灾难,对于很多没有正则化的模型,特征选择和特征抽取非常必要。经过特征选择或特征抽取后,特征的数量一般会减少,因此特征选择和特征抽取也经常称为维数约减或降维。传统的特征抽取一般和预测模型的学习是分离的,先通过主成分分析或线性判别分析等方法抽取出有效的特征,再基于这些特征来训练机器学习模型。如果将特征的表示学习和机器学习的预测学习有机地统一到一个模型中,建立一个端到端的学习算法,就可以有效地避免它们之间准则的不一致性,这种表示学习方法称为深度学习。深度学习方法的难点是如何评价表示学习对最终系统输出结果的贡献或影响,即贡献度分配问题,目前比较有效的模型是神经网络,即将最后的输出层作为预测学习,其他层作为表示学习。

(四)基于主成分分析的图像识别

主成分分析(principal component analysis,PCA),又称卡尔胡宁-勒夫变换(Karhunen-Loeve,K-L 变换),是一种最常用的数据降维方法,运用主成分分析进行特征降维,既保留了原始指标的主要信息,又避免了冗余信息造成的模型过拟合,使得在转换后的空间中数据的方差最大。作为一种建立在统计最优准则基础上的分析方法,主成分分析具有较长的发展历史。Pearson 等首先将变换引入生物学领域,重新对线性回归进行了分析,得出了变换的一种新形式。Hotelling 等于 1933 年将其与心理测验学领域联系起来,把离散变量转变为无关联系数。在概率论理论建立的同时,主成分分析又单独出现,由 Karhunen 等于 1947 年提出,随后 Loeve 等于 1963 年将其归纳总结,所以称之为 K-L 变换。统计学上主成分分析的定义为用几个较少的综合指标来代替原来较多的指标,而这些较少的综合指标既能尽可能多地反映原来较多指标的有用信息,且相互之间又是无关的。主成分分析是一种用于探索高维数据结构的技术,通过把具有相关性的高维变量合成线性无关的低维变量,新的低维数据集会尽可能地保留原始数据的变量,通常用于高维数据集的探索与可视化。主成分分析也可以看作是一种特征选择和选择提取的过程,其主要目的是在大的输入空间中寻找合适的特征向量,并在所有的特征中提取主要特征。设有 m 条 n 维数据,主成分分析算法的基本步骤:①将原始数据按列组成 n 行 m 列矩阵 X;②将 X 的每一行(代表一个属性字段)进行零均值化,即减去这一行的均值;③求出协方差矩阵;④求出协方差矩阵的特征值及对应的特征向量;⑤将特征向量按对应特征值大小从上到下按行排列成矩阵,取前 k 行组成矩阵,即为降维到 k 维后的数据。

图像分类决策就是在特征空间中用统计方法把被识别对象归为某一类别,通常就是在样本训练集基础上确定规则,使按规则对被识别对象进行分类所造成的错误识别率最小或引起的损失最小,分类决策一般分为训练和识别两个阶段。训练是在建立识别系统时,对已选定的特征完成特征提取之后,对系统进行训练的过程,训练可以分为有监督的(即训练过程中样本的类别已知)和无监督的(要求训练环节对样本集有一个聚类的过程)两种方式。识别是在掌握分类规律后,在实现阶段对连续输入的大量模式进行分类。常用的判别方法有判别函数法、距离方法和相似度方法。

(五)基于支持向量机的图像识别

1. 基于支持向量机骨龄评估图像识别过程

图像是一种模式,图像分类是一种特定的模式识别,可称为图像识别。图像识别系统首先对输入图像做预处理,改善图像质量,然后根据需要对图像进行分割,提取特征信息,最后输出的是对图像中目标(物体)的识别或分类。图像识别过程一般包括图像预处理、图像分割、特征提取和图像分类。

图像的预处理有空域法和频域法。空域法主要是在空间域中对图像像素灰度值直接进行运算处理,通过变换指定大小的邻域中的像素值来获得最后结果,典型的算法有中值滤波法、均值滤波法等。频域法就是在图像的某种变换域中(通常是频率域中)对图像的变换值进行某种运算处理,然后变换回空间域。医学图像是数字图像的一种,医学图像一般都是对比度较低,不同软组织之间的边界模糊,组织特征层次多样,形状结构和细微结构分布复杂,对具体的实际问题没有完全可靠的模型和指导。对于医学图像(如 DR 摄片)而言,预处理的主要目的是去除图像中的噪声和干扰,消除光照不均的影响,得到质量理想的图片以备下一步的图像分割工作。

图像分割是将图像细分为构成它的子区域或对象,也就是将图像中有意义的特征部分提取出来,其有意义的特征有图像中物体的边缘、区域等,这是进一步进行图像识别、分析和理解的基础。由于骨骼的 X 线片图像形状、密度差异,造成了图像的多层次信息,并且受肌肉组织的影响,骨骼边缘不清晰,图像分割有助于得到清晰的目标图像,并进行特征提取和模式分类。

特征提取就是对图像的某些性质进行数学描述,即对原始数据进行变换,得到最能反映描述分类的本质特征。一般我们把原始数据构成的空间称为测量空间,把分类识别赖以进行的空间称为特征空间。通过变换可以把在维数较高的测量空间中表示的模式变为在维数较低的特征空间中表示的模式。特征选择是指从数据空间变换到特征空间的过程。在理论上,特征空间和数据空间的维数是一样的,但变换后的特征中有效包含原有变量的主要信息,就可以考虑减少特征的个数而提取主要的特征,图像的特征和选择的基本任务是如何从许多特征中找出那些最有效的特征，特征选取的好坏强烈地影响到分类器的设计及其性能。

法医骨龄评估中常用的特征提取方式包括方向梯度直方图和局部二值模式特征提取。由于骨龄评估所需的 DR 摄片为黑白灰度图像，基于图像的方向梯度直方图算子能够很好地描述骨骺发育变化带来的边缘特征，具有几何和光学不变性，已广泛应用于计算机视觉其他领域，如目标识别、图像检索等，而局部二值模式算子对于此类图形具有旋转不变性与灰度不变性，能够有效表达图像纹理局部特征。方向梯度直方图特征是模式识别与计算机视觉领域常用于描述图像局部纹理特征的一种常用的特征描述。其基本思想为图像局部区域的灰度值梯度和边缘方向可反映出图像特征，将图像以像素点为单位分为若干个大小相同的单元格，称为元胞，计算出元胞内 6×6 像素点的灰度值梯度信息（大小与方向），并以直方图的形式呈现。然后将相连的 2×2 个元胞组成大的连接区域，称为 block，每个 block 包含了元胞的梯度特征，并以非重叠的形式合并元胞区域，构建每个 block 区域的梯度直方图，从而构成 X 线片图像的方向梯度直方图特征。局部二值模式特征是描述图像局部纹理的特征算子，具有旋转不变形与灰度不变形等优点。该算法的中心思想是在 3×3 像素的正方形区域内，将中心像素点的灰度值设为阈值，邻域内的像素灰度值与中心阈值相比较，若中心阈值大于邻域 8 个像素点灰度值，则该像素点位置被标记为 0，反之则标记为 1，得出一组二进制码表示图像局部信息。将二进制数转化为十进制数，则该 3×3 像素区域可用局部二值模式值反映。

支持向量机对于骨骼影像学图像的建模有如此高的准确率，主要有以下几个原因。

（1）骨骼在影像学摄片上所显示的黑色、白色、灰色 3 个色阶图像与骨骼发育程度并非完全线性相关。而支持向量机在对骨骼特征提取过程中，利用核函数概念，有效解决了这种非线性相关问题。

（2）相对于深度学习网络算法而言，支持向量机更适合于数百例样本的小样本建模。

（3）骨骼图像为固定的影像学图像，梯度方向直方图可以将骨骺图像局部出现的方向梯度次数进行计算，同时，梯度方向直方图的计算是基于一致空间的密度矩阵来提高图像识别准确率，梯度方向直方图得到的描述保持了几何与光学转化不变性。因此，梯度方向直方图尤其适合固定不变的影像学图像的识别与检测。

2. 支持向量机在医学图像识别中的应用现状

肿瘤学作为一种严重危害人类生命安全的疾病，一直是医学研究的热点，也是计算机学家们研究的热点。在肿瘤的医学成像中，机器学习主要应用于 3 个方面：肿瘤的检测、特征化描述和持续监测。通过机器学习，可以精确描述肿瘤大小和体积随时间的变化、多病变的同时追踪、肿瘤表型细微差别与基因型的联系等。2017 年，Liu 的团队采用一个包含 4 种量化的评分特征（短轴直径、轮廓、凹度、纹理）的线性分类器对 182 名肺肿瘤患者（102 名为训练集，70 名为验证集）CT 片进行处理，以对肺结节的恶性率进行预测，结果准确率为 74.3%，灵敏度为66.7%，特异度为 75.6%。其性能显著高于常用的基于多元 Logistic 回归的临床模型，减少了误报的概率。同样，将机器学习应用于肺癌的还有 Hosny 等，他们运用 3D 卷积神经网络对 1 194 名非小细胞肺癌患者的 CT 数据进行训练并预测两年总生存率，该网络共包括 4 个三维卷积层，分别为 64、128、256 和 512 个滤波器，卷积核尺寸分别为 5×5×5、3×3×3、3×3×3 和 3×3×3。在第二层和第四层卷积层之后，应用了两个内核大小为 3×3×3 的最大池层。最后使用一个 SoftMax 分类器层计算预测概率。在该过程中使用谷歌的深度学习框架 TensorFlow 来训练、调整和测试卷积神经网络。得到如下结果。

（1）卷积神经网络的预测结果与患者放疗/手术开始两年后的实际总生存率显著相关，其中放疗组 ROC 曲线下面积（area under the cure，AUC）= 0.70（95% *CI* = 0.63～0.78），*P*<0.005，手术组 AUC=0.71（95%*CI*= 0.60～0.82），*P*<0.001。并且在放疗/手术组内还可分别将患者分为高死亡率组和低死亡率组，两组生存率有显著差异，得到 *P*<0.001 与 *P*=0.03。

（2）提示肿瘤体积是对预后特征贡献最大的区域。肿瘤周围组织在对患者的预后分层中也体现出了十分重要的特性。

（3）在该研究中，卷积神经网络展现出了较高的再测信度及在不同阅读者间的高鲁棒性。并且能够展示肿瘤不同特征对疾病发展的贡献率。此为人类学专家较难实现的点。除了传统医学影像片，病理切片的数字扫描片也被应用于机器学习领域。2019 年，*Nature Medicine* 刊登了 Campanella 等在机器学习方面的进展，该团队收集了 3 个活检切片数据集（前列腺、皮肤、乳腺癌淋巴转移）并对其进行数字扫描，使用解剖病理学实验室信息系统（laboratory information system，LIS）提供的诊断，以弱监督方式对其进行训练。其包括使用多实例学习（multiple instance learning，MIL）训练深度神经网络，从而产生一个语义丰富的像素级特征表示。然后将这些特征表示用于循环神经网络，以整合整个数字扫描切片中的信息并报告最终分类结果。其中，数字扫描切片的聚合方法采用最大池法。结果显示如下。

（1）3 个数据集切片分别在放大 20 倍、5 倍、20 倍扫描的时候可获得最大预测准确性，AUC 分别为 0.986、0.990、0.965。

（2）当训练集达到 10 000 张切片时，平衡误差最小，并趋于平衡。

（3）当对基于多实例学习的像素级分类器生成的热图中提取的人工特征用射频脉冲进行训练时，得到了 0.98 的 AUC，与单独的多实例学习没有统计学差异。假阳性率下降，但是灵敏度亦下降。

除了肿瘤以外，机器学习在医学的其他领域也应用甚广。通过对胸部 CT 医学影像报告单对肺栓塞进行诊断，发现模型精度为 99%，AUC 为 0.97，优于传统的自然语言处理模型。为相关疾病提供更好的诊断依据。

采用支持向量机法对图像骨龄识别进行分类研究，相比传统分类器优势明显，特别是在高维数据空间下，具有较好的泛化能力。支持向量机具有较小的分类错误率，每类之间具有较大的距离，并且对于未知样本有良好的泛化能力，而且即使在存在噪声的情况下，支持向量机法也能获得较好的分类结果。

（六）基于深度学习的图像识别

深度学习是近年来机器学习及人工智能领域新的研究方向及热点问题。虽然目前有关深度学习的骨龄研究发展进程尚处于初级阶段，在算法及模型构造上有很多需要改进之处，但深度学习在图像识别、语音识别应用中已经有了突出的表现，在人脸识别、信息检索等领域也展示出独特的优势，得到了广泛的应用。深度学习的算法结构模拟了大脑的神经连接结构，“深度”体现在该算法有多层隐含层，因此在处理图像、声音和文本时，是通过每一层网络结构对数据特征进行提取处理的，往往浅层提取的是较为简单的特征，如颜色和线条等，而深层提取的则是更为抽象、立体的高层特征。骨骼 X 线图像识别属于图像识别范畴，因此，运用深度学习实现骨骼图像的识别，是实现人工智能骨龄评估系统的一个可靠途径。图像识别技术是人工智能研究的一个重要领域，与传统模式识别相比，深度学习最大的不同在于其是从大数据中自动学习图像特征，而非采用手动设计的特征模型，其可以从大数据中提取成千上万的参数。深度学习模型的“深”字意味着神经网络的结构深，由很多层组成，而非浅层学习的3层结构（输入层、输出层、隐含层）。深度模型具有强大的学习能力和高效的特征表达能力，更重要的优点是从图像像素级原始数据到抽象的语义概念，来逐层提取信息，这使得其在提取图像的全局特征和上下文信息方面具有突出的优势，为解决传统的计算机视觉问题（图像分割和关键点检测）带来了新的思路。

近年来，基于生物学原理研究的深度神经网络，尤其是纽约大学教授Lecun等依据视觉神经Hubel-Wiesel模型提出的卷积神经网络的逐步兴起，使深度学习在图像识别领域取得了优异的研究成果。

2008年，美国Google公司的Weston等提出了一种非线性半监督嵌入式模型，其特点：①选择使用“算法嵌入空间”分别为输出层、中间层及辅助中间层三种模型，结果显示，相比原模型，3种嵌入模型的图像识别错误率均有效降低；②随着隐含层深度的增加，原模型因过度优化导致识别错误率持续上升，而所有层嵌入模型和算法嵌入空间为输出层的模型，因其自身存在半监督正则化矩阵而使识别错误率大大下降，只是后者效能不如前者，这在一定程度上说明了半监督嵌入模型适用于解决更深度的网络结构优化问题。

2010年，加拿大多伦多大学的Krizhevsky等将开发的卷积神经网络应用于ImageNet大规模视觉识别挑战赛中。该模型的特点：①包含6 000万个参数和65万个神经元结构；②使用非饱和神经元和卷积运算的图形处理器来加快运算训练速度；③采用Dropout降低一定比例神经元活性，实现模型平均以防止过度拟合问题。最后的测试结果显示，他们在前一和前五图片选项的识别错误率分别仅为37.5%和17.0%。之后在2012年的该挑战赛中，研究者将该模型变体为AlexNet应用，最终在图像分类任务中前五图片选项测试识别错误率仅为15.3%，远低于第二名（26.2%）。可以看出，深度学习在图像识别领域具有无法比拟的优势。

2012年，瑞士Dalle Molle人工智能研究所的Ciresan等将多个单一深度神经网络组合为全监督的多列深度神经网络（multi-column deep neural network，MCDNN）混合模型。在研究中发现，含35列深度神经网络的多列深度神经网络具有如下特性：①应用于改进的国家标准与技术研究所手写体字库中，首次以约0.2%的错误率接近人类识别性能；②在国家标准与技术研究所特殊数据库（含字母与数字）中，数据多角度随机组合显示其识别率较深度神经网络结果高1.5~5倍；③在汉字识别中，其脱机状态下错误率仅为6.50%（深度神经网络结果为10.01%），而在线状态时仅为5.61%（深度神经网络结果为7.61%）。上述这些特性都暗示了深度神经网络混合模型的应用优势。

2014年，法国巴黎WILLOW团队的Oquab等提出了一种参数迁移学习方法，解决了卷积神经网络无法训练局限数据样本的难题。其方法特点：①移除及替换预训练输出层，使源任务和目标任务之间实现准确再映射从而达到迁移目的；②网络训练中使用滑动窗口物体探测器，解决因识别物体分配不同而产生的数据捕获偏差问题和背景干扰导致的负面数据偏差问题；③分类目标则通过聚合公式来计算采样图像斑块分数而定。之后在该研究中选用 AlexNet 网络模型进行试验,结果显示:只使用 12% ImageNet 数据训练迁移后,在 2012 年的视觉物体的模式分析、统计建模与计算分析数据库中已显示最优识别,证明了该方法适用于小尺度基准数据集,可用于实现对局限于专业特性(如医学)、采样困难的小样本进行深度学习。

2014 年,美国麻省理工学院的 Zhou 等创建了一个新的数据库——Places,同时提出一种深度特征可视化方法,实现了人工与网络提取特征的比较工作。2015 年,英国牛津大学的 Simonyan 等展示了在 2014 年 ImageNet 大规模视觉识别挑战赛中获得图像分类第一的深度神经网络。该网络利用每层含有的极小卷积滤波器,达到持续添加卷积层来增加网络深度(达到 19 层)形成更多层次卷积神经网络的目的,使模型可以应用到大规模图像识别中。同年,Microsoft 团队的 He 等针对随隐含层数增加导致网络图像识别效能下降的退化难题,提出了一种深度残差学习算法,该算法的特点:①带有可跳跃一个或多个隐含层功能的快捷连接;②没有增加额外参数或计算复杂度,整个神经网络依然可以使用传统的随机梯度下降法训练;③优化函数更接近于恒等映射而非零映射,使解算器优化残差映射的能力强于原始映射。之后,采用 ImageNet-2012 图像库比较基于 VGG 网络模型分别设计的普通网络和 ResNet,以及在 CIFAR-10 数据库中检验 ResNet-20、ResNet-32、ResNet-44、ResNet-56、ResNet-110、ResNet-1202(数字指隐含层数目)结构性能,结果均显示:①隐含层数越多,ResNet 图像识别准确率越高,而普通网络与之相反;②整个过程 ResNet 不因层数增加出现退化问题,证明了残差学习更适用于处理大数据。牛津大学及 Microsoft 团队的这两项研究,均为大样本深度学习提供了网络支持。

2014 年,四川大学的余永维等提出一种射线无损智能化检测方法,将卷积神经网络与径向基神经网络(radial basis function neural network,RBFNN)相结合来提高自学习特征分类能力,并且提出一种深度学习网络层自生长式建模方法,最终显示获取注意区域的样本射线图像,直接经过该具有多个隐含层网络模型的智能训练阶段或识别阶段时,识别率均高于浅层学习网络模型。2015 年,百度研究团队的 Wu 等研制出"Deep Image"图像识别系统,该系统通过展示 Deep Image 系统与前 3 年其他系统在 ILSVRC 分类前 5 项识别错误率的比较,以及其与 GoogLeNet、VGG 单一模型前 1 项与前 5 项的识别错误率比较结果,证实了其为当前最优系统。

2015 年,澳大利亚西澳大学的 Shan 等提出了一种迭代深度学习方法模型,首次以无人监督方式来预训练参数初始化,通过合并卷积层学习线性特征,后接人工神经网络学习输入图像库中的非线性特征,有效防止了图像识别中差别信息的丢失。2016 年,南京林业大学的梁鑫等提出一种合成孔径雷达图像目标智能识别方法。通过使用改进后的增强 Lee 滤波算法和梯度方向直方图变换对合成孔径雷达图像进行特征提取,将层叠玻尔兹曼机与广义回归神经网络结合形成新型深度混合神经网络,对梯度方向直方图特征图进行图像分割与识别,结果显示平均识别率可高达 97%,明显优于多尺度的自组织映射神经网络、支持向量机及深度神经网络识别结果。2017 年,山东中医药大学的何雪英等提出一种运用到乳腺癌病理图像自动分类的卷积神经网络模型,实现了乳腺癌病理图像的自动分类。这一研究是国内较早将深度学习运用于医学领域的研究成果。同时,在该研究中利用数据增强和迁移学习方法,有效避免了深度学习模型受样本量限制时,易出现的过拟合问题。研究表明,该方法的识别率可高达 91%。

2017 年,印度 Netaji Subhash 工程学院的 Jain 等针对手写体字符图像识别设计应用程序时,应用 MINIST 数据库通过比对 k-最近邻算法、多层感知器及卷积神经网络的精确度来确定最佳算法,最终显示 k-最近邻算法精确度为 96.8%,多层感知器的精确度为 97.3%,而卷积神经网络的精确度高达 99.1%,这一测试结果再次表明了卷积神经网络用于图像识别的优越性。同年,意大利米兰比可卡大学的 Bianco 等针对商标识别,提出一种识别通道模型,其由以记忆为导向的候补商标提案区与用于图像分类的特定训练卷积神经网络组成。在该实验的通道模型中,研究者使用不同的机器学习技术,在 FlickrLogos-32 库、FlickrLogos-32plus 库及验证集分别进行混合配比调整,得到最佳神经网络,这为今后我们使用深度学习网络在医学图像中查找特定目标提供了解决方案。今年年初,在医学研究领域,美国斯坦福大学的 Esteva 等利用 GoogleNet Inception V3 网络模型,经过迁移学习之后用于含有 129 450 个临床病理图片、分为 2 032 种不同类型皮肤癌疾病的数据库中,通过疾病分割算法进行分类学习。疾病分割算法属于递归算法,利用分类法生成在临床表现和外观形态上相似的个体疾病训练等级类别,迫使平均生成训练等级尺寸相比于其唯一的超参数——MaxClassSize 更小,来保持因样本过度细化导致数据欠缺与因样本处理粗糙导致数据过多和偏差这两者之间的平衡。最后,研究者们将角化细胞癌与良性脂溢性角质对照,以及恶性黑色素瘤与良性瘤对照,分析两组测试检验的分类效能,初步实现了皮肤癌智能化分类功能。

几乎与 Esteva 等的研究同步,意大利卡塔尼亚大学的 Spampinato 等在 2020 年初通过将青少年手腕部 X 线片样本,用于将现有模型(OverFeat、GoogLeNet、OxfordNet)作为"网络特征提取器"的卷积神经网络学习的评估结果比较,以及微调与改进卷积神经网络结构等过程中,得到了一套最佳自动化骨龄评估模型——BoNet。这一研究堪称深度学习与青少年骨龄评估完美结合的里程碑式成果,也是国内外第一篇将深度学习应用于骨龄评估研究的论著。在实验中将 3 个现有模型,分别与各自在 X 线图像数据库中微调之后的评估结果进行比较,结果显示 GoogLeNet 微调之后性能最佳,平均绝对误差仅为 0.82 岁。之后对 BoNet 原模型进行优化灰度图像网络、减少层数目及开发网络学习特定滤波器等研究后,最终确定在 5 个卷积层最后一层前加变形层为最优结构,平均绝对误差仅为 0.79 岁。通过上述针对 X 线图像自动化学习的研究获得以下 4 点经验:①采用来自预训练网络的初始化首层,与用特定应用图像训练的剩余层相结合的混合配置网络,来训练有限数目的图像集可以得到有效的结果;②黑白灰的图像特征决定没有必要用过多的卷积层,在一定程度上网络深度取决于研究领域的特性;③变形层可以通过几何学变换方法,来处理非刚性物体变形以提高评估效能;④深度学习所提取的特征不同于 TW 骨龄计分法人工提取特征,可能会促使人工评定方法加以改善。

将深度学习运用到青少年骨龄评估中的最新成果当数美国哈佛医学院的 Lee 等在 2017 年提出一个全自动的、带有检测与分类卷积神经网络的深度学习平台,以实现骨龄评估,并且能自动生成结构化放射学报告。

我国对深度学习的研究起步较晚,但发展较为迅速。例如,百度成立深度学习研究院,在短短两年时间,深度学习技术被迅速应用到图像识别、广告系统、网页搜索、语音搜索等领域。随着深度学习逐渐被人们所认知,已尝试将其应用于医学领域,协助医师做出临床诊断。但目前国内尚未开展运用深度学习进行图像识别的骨龄研究。

五、人工智能技术与法医学骨龄评估

目前,国内外研究中,与法医学骨龄评估研究结合较为紧密的人工智能技术当数支持向量机、神经网络学说和深度学习等。

(一)支持向量机与法医学骨龄评估

近年来,对支持向量机的研究主要集中在对支持向量机本身性质的研究和完善以及加大支持向量机应用研究的深度和广度两方面。支持向量机是由 Vapnik 于 1995 年提出的一种用于模式分类和非线性回归的统计学习理论,其基本思想是建立一个分类超平面作为决策曲面,使正例与反例的间隔离边缘最大化,并转化为一个凸二次规划问题来求解。其优势在于解决线性不可分问题,通过引入核函数将低维度的特征空间映射到高维度空间上使之线性可分。支持向量机遵循结构风险最小化原则,在处理二分类问题上拥有良好的泛化能力、通用性及鲁棒性,在解决小样本、非线性和高维度等问题时优势明显,在模式识别领域获得了良好的应用效果。

随着法医人类学与计算机技术的应用与发展,骨龄评估目前正逐渐向计算机自动化评估体系转变。近十年来,国内外学者已致力于应用计算机自动化技术完成骨龄评估。支持向量机对于骨骼影像学图像的建模有如此高的准确度,主要有以下几个原因。

(1)由于受个体发育的差异性以及图像质量等因素的影响,骨骺的黑色、白色、灰色不同的色阶图像所涵盖的信息与骨骺发育所对应的分级并非完全线性相关。而支持向量机正是利用了核函数的概念,解决了骨骺图像与所对应分级的非线性关系问题。

(2)骨骺分级样本数据库小,符合支持向量机的小样本建模。有限的样本数量用其他数据挖掘方法较难得到较好的建模及预报结果,而支持向量机在处理小样本数据时有其独特的优势。

(3)个体骨骼骨骺的影像学图片,梯度方向直方图可以将骨骺图像局部出现的方向梯度次数进行计算,同时,梯度方向直方图的计算是基于一致空间的密度矩阵来提高图像识别准确率,梯度方向直方图得到的描述子保持了几何与光学转化不变性。因此,梯度方向直方图尤其适合固定不变的影像学图像的识别与检测。

在目前的骨龄鉴定中,常用的机器学习算法包括回归、神经网络和支持向量机,使用较少的有贝叶斯网络、决策树(如随机森林算法)、k-最近邻算法等。并且学者经过统计发现,X 线片是最常被使用的源数据,其次是 CT 片、MRI 片。而法医学工作者最感兴趣的区域属手部、腕部区域,基于腕关节的支持向量机骨龄研究也是最多的,其他使用较少的还包括膝关节、骨盆、胸锁关节等。

1. 支持向量机与腕关节法医学骨龄评估

手部和腕部区域一直是骨龄研究学者们最感兴趣的区域,因为该解剖区域存在大量可供骨龄评估的骨骼指标,这些掌骨、指骨、腕骨、尺桡骨甚至籽骨等骨骼成熟度具有明显的先后次序性。机器学习在手部区域影像片中的应用也由来已久,早在 1995 年,Pietka 便开发了一种基于指骨和腕骨区域的模糊分类器。2010 年,董娜等依据我国常用的骨龄评估方法 CHN 法,提取手部 X 线图像的骨骺特征作为骨龄特征参数,运用支持向量机进行骨龄识别,提出了一个基于手部 X 线图像骨龄自动评估算法，并设计和实现了骨龄自动评估系统。该评估系统仅采用从北京地坛医院和北京儿童医院收集的 1～16 岁的 X 线手部图像 64 幅，每岁 3 幅图像，对分类算法进行测试，其中训练集 48 幅，验证集 16 幅，但利用该 X 线数据库建立的支持向量机分类器效果仍然欠理想。虽然验证结果显示，91%的图像识别结果与专家识别结果相一致，但其余的图像由于年龄较小、图像噪声较大等仍存在一定的误差，需要经过人工调整特征点后才能够准确分类。王亚辉团队在 2014 年使用支持向量机对华东地区青少年左侧腕关节的 DR 正位摄片进行训练，用留一交叉验证法（leave one out cross validation，LOOCV）和梯度方向直方图分别进行内、外部验证，建立了对尺、桡骨远端骨骺的发育分级的自动化评估。大大提高了阅片者的阅片速率，但仍需要相关专家进行最终的骨龄评估。次年，Kashif 等从南加州大学提供的 1 104 张手部射线照片中各提取 14 个感兴趣的骨骺特征点，分别用尺度不变特征变换与加速稳定特征算法进行稀疏、密集特征描述，以及用二进制鲁棒独立元特征、二进制鲁棒不变尺度特征关键点、快速视网膜关键点算法进行密集特征点描述。后采用支持向量机进行分类，最后进行 5 倍交叉验证。结果显示，尺度不变特征变换的密集特征描述平均误差最小，为 0.617 岁。此外，中指区域特征点的表现要优于其他手腕区域。中指、示指、环指的组合产生的效果最优。该方法鲁棒性强，易实现。相比于 Pietka 等的方法不需要语义特征和地图册的标注。以上均是基于机器学习领域浅层学习方法而进行的骨龄评估。而最近几年深度学习以其独特的优势得到了更为广泛的应用。例如，深度卷积神经网络因为能够从大型训练数据集中自动学习与任务相关的特性，省去了如传统的机器学习方法如支持向量机或射频脉冲所需要的手工特征提取的预处理步骤，其在解决各种机器学习和计算机视觉问题方面取得了巨大的成功。Kim 等亦采用深度学习方法对儿童左手图像进行骨龄评估，结果显示模型评估骨龄与参考骨龄有 69.5%的一致率，有显著相关性（$R=0.992$；$P<0.001$）。并且减少了 18.0%～40.0%的评估时间。

综上可见，虽然机器学习与人工专家评估效能相当，但是卷积神经网络明显更省时间，并且不需要特定的学科知识及特定图像软件工程的辅助，具有明显的优势。

2019 年，Štern 团队分别使用深度卷积神经网络和射频脉冲网络对 328 名白种人男性的手部 3D MRI 图谱进行训练并在二维 X 线片中进行验证。

该方法的优势在于使用的是 3D MRI 图片，不产生辐射。另外，预估误差也得到了明显改善，但是由于手部骨骼基本在 18 岁前完成了骨化，所以 Martin 团队只对 13～18 岁年龄段做了评估。这对于司法审判中的应用尚不够。不过该团队也指出，当再增加一些其他解剖部位来估计时，可以将预估的年龄段拓展至 25 岁。这将是一个值得发展的前景。

此外，Pietka 等从南加利福尼亚大学儿童医院提供的 1 540 张手部射线照片进行方向校正和去除背景噪声后，确保图像内的手部标准位置，增加了手与背景的对比度，从而提高了特征点分割的准确性。随后计算骨骺直径与干骺端直径的比例、骨骺直径与干骺端和骨干之间间隙宽度的比例，以此来选取感兴趣的骨骺特征点，过程分为 4 个步骤：①提取指骨尖端；②粗略估算指骨长轴；③检测干骺端和骨干之间的选择线；④基于骨骺与骨干（或掌骨）的分隔线的位置来选取感兴趣的骨骺特征点位置。这种通过计算机进行特征点选取，提高了提取特征点的准确性，更客观地描述了骨骼发育的阶段，从而提升整体骨龄评估的准确性，据统计其准确率为 75%～90%。

Harmsen 等提出一种(半)自动骨龄评估方法,该方法分 5 个步骤:①从图像检索医学应用(image retrieval in medical application,IRMA)数据集中手部 X 线片中提取 14 个骨骺区域;②使用基于内容的图像检索学习(content based image retrieval,CBIR)保留图像特征;③利用这些特征构建分类器模型(训练阶段);④评估交叉验证方案的性能(测试阶段);⑤对未知的手部 X 线图像进行分类(应用阶段)。使用经过训练的分类模型的支持向量机来确定未知 X 线片的骨龄,其骨龄评估准确度为 0.95~2.15 岁。该方法的优点是完全自动化且具有鲁棒性和通用性,因为所有先验知识都在参考数据库中,但并未建模到图像处理算法中,该方法既不需要 G-P 图谱和 TW 法等语义图集,也不需要 Pietka 等建议的语义特征。

2. 支持向量机与膝关节法医学骨龄评估

膝关节作为六大关节之一,其骺软骨板的骨化程度被证实与年龄显著相关。国内外均有团队对其进行了相关研究。其中广为人知的是 O'Connor 等提出的膝关节骨骼成熟度量表。该量表涉及骨骺形态变化及骨骺闭合程度等 10 个指标,新版量表将其缩略至 7 个。但以上均是基于阅片者的定性比较。近年来,随着机器学习的发展,膝关节的骨龄评估也得到了进一步发展。2019 年,王亚辉团队采集了 500 例 12~19 岁维吾尔族青少年的膝关节 DR 摄片。采用主成分分析法对提取的梯度方向直方图与局部二值模式图像进行降维。最后采用支持向量回归法构建骨龄评估算法模型。结果显示,男、女性年龄误差范围在±0.8 岁的准确率分别为 80.67%、89.33%,在±1.0 岁以内的准确率分别为 80.19%、90.45%。与依赖"大数据、大计算、高性能"的深度学习方法相比,该方法具有较易实现、在小样本数据上学习能力及泛化能力良好的优点。并且关注到了骨龄发育在地区、民族间的差异性,对未来的司法鉴定有着一定的价值。

近年来,对膝关节 MR 图像进行分割来进行自动化评估的方法有着较多的研究,2021 年,万雷等运用深度学习网络算法对我国东部地区 8.0~16.0 周岁男、女性青少年进行骨龄评估,将膝关节 MR 图像切割成多平面图像,同时定位膝关节 T_1WI、T_2WI 序列骨骼边界,并自动融合多个部分分割对象,最终得到完整的骨骼分割。与人工方法分割相比,训练后的深度学习网络获得股骨远端、胫骨近端和腓骨近端图像更为精准。同时,该深度学习网络具有高度的通用性,能够适应其他骨骼、不同的图像方向和不同的输入分辨率。因此,未来研究中,有望将基于深度学习网络算法的图像分割法适用于躯体其他骨关节,以此为图像进入网络结构模型提供更为精准、清晰的影像学图像,有望进一步提高骨龄评估精度和准确性。

3. 支持向量机与骨盆法医学骨龄评估

在法医学领域,骨盆因其成熟期较晚而在对年龄相对较大的青少年进行骨龄鉴定中发挥了重要的价值。最常用于骨盆的骨龄鉴定的包括 Risser 征和髂嵴骨化。其他还包括髂嵴和坐骨结节骨化程度、髋关节和股骨近端的融合程度、耻骨联合骨化程度等。随着机器学习的迅速发展,其也被应用到了骨盆的骨龄评估。

2019 年,邓振华团队收集了一组 1 408 张 10.0~25.0 岁中国西部汉族人群的骨盆 X 线片用于骨龄的机器学习,选择该年龄范围是基于髂嵴骨化过程一般晚于 12.0 岁而早于 24.0 岁的规律。其中髂嵴上方腹部器官明显重叠的图像被从训练集中移除,但仍用于测试集。该研究采用的是微调版卷积神经网络,为基于 ImageNet 数据集预先训练的改良版 AlexNet 网络。其保留了原始 AlexNet 网络卷积层进行特征提取。回归部分则被 3 个新的全连接层所取代。最后一层为预期结果输出层。邓振华团队采用 Pearson 相关系数和 Bland-Altman 图来评估模型的准确性，但并没有给出热力图分布情况，无法与人工研究所关注的反映青少年骨骼发育较为敏感的区域进行比对。与王亚辉等研究相比，邓振华等也采用了平均绝对误差和均方根误差这两个较为常用的比较指标。结果显示，卷积神经网络模型的输出骨龄与参考骨龄显著相关（$R=0.916$；$P<0.05$），且平均绝对误差和均方根误差分别为 0.91 岁和 1.23 岁。优于现有的基于骨盆髂嵴和坐骨结节发育状态分级系统的三元回归模型（平均绝对误差和均方根误差分别为 1.05 岁和 1.61 岁）。并且两性之间没有显著差异。Bland-Altman 图则显示输出骨龄与实际骨龄的平均差异为 0.1 年，95%一致性极限为±2.60 年。

4. 支持向量机与胸锁关节法医学骨龄评估

锁骨胸骨端是构成胸锁关节的重要解剖结构，它是全身次级骨化中心出现和骨骺闭合时间最晚的骨骼，也是青春后期骨龄鉴定的重要指标之一，是判断是否为成年人的重要骨骼指标之一。Schmeling 等提出的锁骨胸骨端骨骺发育分级方法是目前应用较广的分级方法。Schulze、王亚辉等亦提出了锁骨胸骨端骨骺发育的 CT 分级改良标准。与骨盆相同，受伪影（肺部、胸骨、支气管等相互重叠）的影响，锁骨胸骨端在机器学习中的应用要相对较少。

几年前，大多数关于使用锁骨胸骨末端进行活体年龄估计的文章中，本质上仅是描述性的统计，或者某种形式的线性回归。2013 年时，Hillewig 等将贝叶斯网络运用于锁骨的骨龄评估中。2019 年，Stern 等融合了锁骨、手部、牙齿 3 个解剖部位的 MRI 数据信息，利用深度卷积神经网络对 322 名年龄为 13～25 岁的受试者进行训练。每个深度卷积神经网络块由两个连续的 3×3×3 卷积层和一个最大池层组成。最终得到了（1.01±0.74）岁的平均绝对误差。将鉴定年龄范围从单纯使用手部的 19 岁拓展到 25 岁。而为了衡量每个解剖部位对于预测年龄的重要性，该团队计算了特征提取块后全连接层的平均激活值。结果显示，手部的可靠性最高，其次是锁骨、牙齿。但在 16～19 岁青少年骨龄评估中，锁骨和牙齿的协同产生了最高的评估精度（在其他大部分年龄段，均为手部、锁骨、牙齿三者的协同误差最小）。可见，对于不同的年龄段，不同的解剖结构有不同的优势。因此，在实际应用中可根据不同的需求选择不同的解剖结构，并且各解剖结构之间的联合使用能够提高预测的准确度。

近年来，随着计算机科学、图像识别技术及机器学习方法的不断改进，支持向量机已经在众多图像识别领域中成功应用，国内外将该方法运用于骨龄自动化评估领域，研究结果均显示取得了不错的效果，证明了将该方法运用于骨龄自动化评估中的可行性，进一步推动了骨龄自动化评估的发展，为骨龄自动化评估的实现提供了可能。与依赖“大数据、大计算、高性能”的深度学习方法相比，该方法具有较易实现、在小样本数据上学习能力及泛化能力良好的优点，并且关注到了骨龄发育在地区、民族间的差异性，对未来的司法鉴定有一定的价值。同时，支持向量机是一种在统计学习理论的基础上发展起来的机器学习方法，具有适用于小样本量的数据挖掘且训练速度高等优点，但在准确率上一直存在难以突破的瓶颈，对于要求准确率高的任务，难以达到任务要求。另外，对于小样本量的骨骼影像图片，支持向量机难以更深入地挖掘其深部的有效特征。

随着机器学习的迅速发展，在骨龄评估领域的应用也日趋成熟。例如：

（1）机器学习所使用的影像图片从最开始的 X 线片，到 CT 片，再到无辐射的 MRI 片，甚至是三维 MRI 片。随着影像检测技术的不断升级，更复杂的深层特征点有机会被挖掘。并且随着公众健康意识的增强,无辐射的 MRI 检测技术或许是未来骨龄研究的重要发展趋势。

(2) 使用的算法从最开始的浅层算法如支持向量机、随机森林,到现在广泛应用的深度学习,从开始的需要人工提取特征点到后来算法自动学习,算法模型在逐步优化。

(3) 随着各类机器学习网络模型及网络算法的不断改良和优化,今后在骨龄研究中,针对同一类骨骼指标,可以采用多种机器学习手段进行比较研究,从而总结出与人体不同骨骼指标相匹配的机器学习网络模型和网络算法,以期进一步提升机器学习在骨龄评估的应用价值。

(4) 评估部位由最开始的腕关节,再到膝关节、骨盆及胸锁关节等。今后可以考虑运用机器学习针对不同年龄组融合多个解剖部位综合评估骨龄。

综上,机器学习在医学领域及骨龄评估的发展前景可期。但我们也不能忽略其存在的不足之处。正如 Hosny 所说,由于内部机制的非透明性,目前人工智能尚不能完全取代放射学家而进行独立运作。但可以在法医人类学领域发挥着日益重要的辅助作用,大大提高鉴定效能。

(二) 神经网络学说与法医学骨龄评估

随着神经科学、认知科学的发展,我们逐渐知道人类的智能行为都和大脑活动有关。人类大脑是一个可以产生意识、思想和情感的器官,受人脑神经系统的启发,早期的神经科学家构造了一种模仿人脑神经系统的数学模型,称为人工神经网络,简称神经网络。在机器学习领域,神经网络是指由很多人工神经元构成的网络结构模型,这些人工神经元之间的连接强度是可学习的参数。

人类大脑是人体最复杂的器官,由神经元、神经胶质细胞、神经干细胞和血管组成。其中,神经元也称神经细胞,是携带和传输信息的细胞,是人脑神经系统中最基本的单元。人脑神经系统是一个非常复杂的组织,包含近 860 亿个神经元,每个神经元有上千个突触和其他神经元相连接。这些神经元和它们之间的连接形成巨大的复杂网络,其中神经连接的总长度可达数千千米。我们人造的复杂网络,如全球的计算机网络与大脑神经网络相比要“简单”得多。

人工神经网络是为模拟人脑神经网络而设计的一种计算模型,它从结构、实现机制和功能上模拟人脑神经网络。人工神经网络与生物神经元类似,由多个节点(人工神经元)互相连接而成,可以用来对数据之间的复杂关系进行建模。不同节点之间的连接被赋予了不同的权重,每个权重代表了一个节点对另一个节点的影响大小,每个节点代表一种特定函数,来自其他节点的信息经过其相应的权重综合计算,输入一个激活函数中并得到一个新的活性值(兴奋或抑制)。从系统观点看,人工神经元网络是由大量神经元通过极其丰富和完善的连接而构成的自适应非线性动态系统。虽然我们可以比较容易地构造一个人工神经网络,但是如何让人工神经网络具有学习能力并不是一件容易的事情。早期的神经网络模型并不具备学习能力,首个可学习的人工神经网络是赫布网络,采用一种基于赫布规则的无监督学习方法,感知器是最早的具有机器学习思想的神经网络,但其学习方法无法扩展到多层的神经网络上。直到 1980 年左右,反向传播算法才有效地解决了多层神经网络的学习问题,并成为最为流行的神经网络学习算法。人工神经网络诞生之初并不是用来解决机器学习问题,由于人工神经网络可以用作一个通用的函数逼近器(一个两层的神经网络可以逼近任意的函数),我们可以将人工神经网络看作一个可学习的函数,并将其应用到机器学习中。理论上,只要有足够的训练数据和神经元数量,人工神经网络就可以学到很多复杂的函数。我们可以把一个人工神经网络塑造复杂函数的能力称为网络容量(network capacity),这与可以被储存在网络中的信息的复杂度及数量相关。

神经网络方面的研究很早就已出现,神经网络目前已是一个相当大的、多学科交叉的学科领域,各相关学科对神经网络的定义多种多样,本书采用目前使用得最广泛的一种,即神经网络是由具有适应性的简单单元组成的广泛并行互连的网络,它的组织能够模拟生物神经系统对真实世界物体所做出的交互反应。人工神经网络是指一系列受生物学和神经科学启发的数学模型,这些模型主要是通过对人脑的神经元网络进行抽象,构建人工神经元,并按照一定拓扑结构来建立人工神经元之间的连接,进而来模拟生物神经网络。在人工智能领域,人工神经网络也常常简称为神经网络或神经模型。

1995 年,Rucci 等通过使用一个训练好的神经网络提取图像的特征,在神经网络结构中使用了一个注意力聚焦器和一个骨分类器,注意力聚焦器实现像素处理,在像素处理过程中链接了一个隐藏的神经网络以创建一个输出,该输出是与图像骨骼质心相关的 X 值和 Y 值。该研究用 56 张低质量的 X 线图像和 16 张额外的图像对该方法进行了测试。结果表明,准确度分别为 65%和 97%,标准差为 0.85 岁。该方法将神经网络作为一种强有力的技术引入图像处理中,结果显示神经网络是一种有用的分类技术。然而,神经网络系统最主要的缺点是其"黑盒子"性质(即不知道神经网络是如何及为什么会产生某种输出结果)。2001 年,台湾"清华大学"开发出的骨龄自动化评估系统,相对于计算机辅助骨龄评估系统来说,已经有了较大的突破。他们首先寻找腕骨的感兴趣特征点,基本定位出所有骨块的大概位置,再根据腕骨骼骨块之间的灰度直方图信息,得到腕骨各骨块之间的粗略分割线。然后在原图像上进行阈值化,通过图像的灰度信息得到实际的骨块边缘,从而提取需要分析的骨块。再对分割出来的每个骨块计算相应参数并与数据库中已有的信息进行匹配,得到各骨块的相应发育等级。最后他们分别通过最小距离、贝叶斯分类器和神经网络 3 种方法对各骨块的发育等级进行分类,均取得了不错的效果。但该系统使用的算法要求各腕骨骨块间不能紧密相连,否则难以分割开各骨块,因此该骨龄评估系统仅适用于 7 岁以下的儿童。

实际上,上述研究方法基本都是通过先人工提取特征再使用传统分类器进行分类,并不能算是真正实现了骨龄的完全自动化评估。2017 年,意大利卡塔尼亚大学的 Spampinato 等首次将深度学习算法应用到骨龄自动评估领域,同时利用迁移学习的方法创建 3 种基于 ImageNet 上预训练的卷积神经网络模型和一种基于从零开始训练专门针对手部 X 线片的特定卷积神经网络(BoNet)模型以用于骨龄自动化评估。通过将预处理的图像用于网络模型训练,经深度学习网络自动学习并进行特征提取,最终实现自动化输出骨龄值。研究结果显示,BoNet 模型的输出骨龄值与人工读片之间的平均绝对误差仅为 0.79 岁。虽然迁移学习同样能达到较高的准确性(微调 GoogLeNet 骨龄评估的平均绝对误差为 0.82 岁),但以骨龄预测为目的的从零训练算法效果更优。该研究首次在公共数据集上测试了深度学习在骨龄自动化评估中的性能,并将其源代码公开发布,为今后类似的研究提供了一个有价值的参考基准。2017 年,美国哈佛医学院的 Lee 等提出一个全自动、带有检测与分类卷积神经网络的深度学习平台,以实现骨龄评估,该平台能自动生成结构化放射学报告。在研究中选用实际年龄为 5~18 岁的 4 278 例女性样本及 4 047 例男性样本作为数据集,通过组织、骨骼、背景、视准及标记注释 5 个取样点，来训练拓扑结构为 LeNet-5 的检测卷积神经网络。在预处理工具中，在对测试图像归一化处理后，置于已训练的检测卷积神经网络中重建标号映像进一步生成掩模之后，输入视觉通道进行分割、对比增强、降噪及边缘锐化处理实现图像预处理。之后通过比较选择微调的 GoogLeNet 作为合适的迁移学习网络，对训练样本进行数据增强及仿射变换处理来避免过度拟合。实验结果显示如下。

（1）从最后一层至第一层递增微调预训练卷积神经网络的回归测试表明，随着实时数据增强，从全连接层至全层微调的预训练网络测试准确度最高。

（2）在已实现数据增强且预处理的图像中，进行微调后的 ImageNet 预训练卷积神经网络测试准确度最高，女性组准确率为 57.32%，骨龄评估误差在 1 年内的准确率为 90.39%，2 年内为 98.11%，均方根误差为 0.93 岁，而男性组准确率为 61.40%，骨龄评估误差在 1 年内的准确率为 94.18%，2 年内的准确率为 99.00%，均方根误差为 0.82 岁。

（3）利用密封式方法生成注意力图谱，与 G-P 图谱法人工读片兴趣域比较，可视化结果显示，青春期之前其识别部位集中于腕部和指骨中远侧，青春早、中、晚期更多集中于指骨部分，而青春期之后又集中于腕部。

2017 年，Larson 等采用卷积神经网络算法对 14 036 张儿童左手部 X 线片进行骨龄评估（12 611 张作为训练集，1 425 张作为验证集）并与人工专家评估结果进行比对，结果显示，卷积神经网络模型得出的骨龄结果与人工评估结果没有显著差异，并且随着训练集含量增大误差减小。Dodin 等运用 Ray Casting 技术，将 MR 图像分解成多个表面层，对骨骼的边界进行定位，并自动融合多个部分分割对象，最终得到完整的骨骼分割。受此类技术的启发，Pröve 等将图像分割应用到了骨龄鉴定领域。该团队利用卷积神经网络建立了一个基于三维无创 MRI 的全自动膝关节神经网络分割方法，用于 76 个数据集包含 150 名 14~20 岁男性右膝 MRI，分别为训练集（74%）、验证集（13%）和测试集（13%），并采用多个预处理步骤来校正图像强度值及减小图像尺寸。该模型类似用于 U-NET 的编码器-解码器模型。与人工分割相比，训练后的网络获得了 98%的戴斯相似性系数，能够区分股骨、胫骨和腓骨。模型的精度和重复性也达到平衡，误差仅为 1.2%。经过验证集的验证，该方法用于青少年骨龄评估的平均绝对误差可达到（0.48±0.32）岁。该模型切割 MRI 数据集不仅具有很高的准确性，而且能够从不同的方向切割。此外，该模型对训练集的噪声具有鲁棒性。同时，该网络具有高度的通用性，能够适应其他骨骼、不同的图像方向和不同的输入分辨率。当采用合成噪声时，能够获得比其所承受的噪声水平更高的精度。在未来，该无创方法有希望被推广于其骨骼、关节进行骨龄的评估。2019 年，邓振华团队收集了一组 1 408 张 10.0~25.0 岁中国西部汉族人群的骨盆 X 线片用于骨龄的机器学习，选择该年龄范围是基于髂嵴骨化过程一般晚于 12.0 岁而早于 24.0 岁的规律。其中髂嵴上方腹部器官明显重叠的图像被从训练集中移除，但仍用于测试集。该研究采用的是微调版卷积神经网络，为基于 ImageNet 数据集预先训练的改良版 AlexNet 网络。其保留了原始 AlexNet 网络卷积层进行特征提取。回归部分则被 3 个新的全连接层所取代，最后一层为预期结果输出层。在训练过程中，为了避免过度拟合，固定了卷积层的参数，并且仅使用训练集对完全连接层的参数进行了微调。该团队采用 Pearson 相关系数和 Bland-Altman 图来评估模型的准确性。另外，还比较了估计值和真实值的平均绝对误差、均方根误差。结果显示，卷积神经网络模型的输出骨龄与参考骨龄显著相关（$R=0.916$，$P<0.05$），且平均绝对误差和均方根误差分别为0.91岁和1.23岁，优于现有的基于骨盆髂嵴和坐骨结节发育状态分级系统的三元回归模型（平均绝对误差和均方根误差分别为1.05岁和1.61岁），并且两性之间没有显著差异。Bland-Altman图则显示输出骨龄与实际骨龄的平均差异为0.1年，95%一致性极限为±2.60年。

神经网络学习是机器学习的一种重要技术手段，该算法模拟了大脑的神经连接结构，通常包含多个连接层，各层之间在数学上相互关联。骨龄评估多年来一直是计算机视觉和放射学研究的目标，运用神经网络学习实现骨骼图像的识别，是实现人工智能骨龄评估系统的可靠途径之一。

（三）深度学习与法医学骨龄评估

支持向量机、神经网络学说和深度学习有何不同之处？在机器学习的众多研究方向中，表征学习关注如何自动找出表示数据的合适方式，以便更好地将输入变换为正确的输出，而深度学习是具有多级表示的表征学习方法。深度学习模型可以看作是由许多简单函数复合而成的函数。当这些复合的函数足够多时，深度学习模型就可以表达非常复杂的变换。深度学习可以逐级表示越来越抽象的概念或模式，模型能够较容易根据更高级的表示完成给定的任务。与支持向量机不同，深度学习的一个外在特点是端到端的训练，深度学习将整个系统组建好之后一起训练。当人工没有能力来选取更好的特征，自动化的算法反而可以从所有可能的特征中搜寻最佳特征，这也带来了极大的进步。除端到端的训练以外，训练集也正在经历从含参数统计模型转向完全无参数的模型，当数据非常稀缺时，我们需要通过简化对现实的假设来得到实用的模型。当数据充足时，我们就可以用能更好地拟合现实的无参数模型来替代这些含参数模型。使我们可以得到更精确的模型。相对其他经典的机器学习方法而言，深度学习的不同在于对非最优解的包容、对非凸非线性优化的使用，以及勇于尝试没有被证明过的方法。这种在处理统计问题上的新经验主义使得大量实际问题有了更好的解决方案。

近年来，深度学习在骨龄研究方面取得巨大的成功，从根源来讲，深度学习是机器学习的一个分支，是指一类问题以及解决这类问题的方法。首先，深度学习问题是一个机器学习问题，指从有限样例中通过算法总结出一般性的规律，并可以应用到新的未知数据上。其次，深度学习采用的模型一般比较复杂，指样本的原始输入输出目标之间的数据流经过多个线性或非线性的组件。因为每个组件都会对信息进行加工，并进而影响后续的组件，所以当我们最后得到输出结果时，我们并不清楚其中每个组件的贡献是多少。这个问题称作贡献度分配问题。从某种意义上讲，深度学习可以看作一种强化学习，每个内部组件并不能直接得到监督信息，需要通过整个模型的最终监督信息（奖励）得到，并且有一定的延时性。在深度学习中，贡献度分配问题是一个很关键的问题，这关系到如何学习每个组件中的参数。目前，一种可以比较好解决贡献度分配问题的模型是人工神经网络。神经网络和深度学习并不等价，深度学习可以采用神经网络模型，也可以采用其他模型，但是，由于神经网络模型使用误差反向传播算法，可以比较容易解决贡献度分配问题，因此神经网络模型成为深度学习中主要采用的模型。

典型的深度学习模型就是很深层的神经网络。对于神经网络模型，提高容量的一个简单办法是增加隐层的数目。隐层多了，相应的神经元连接权、阈值等参数就会更多。模型复杂度也可通过单纯增加隐层神经元的数目来实现,单隐层的多层前馈网络已具有很强大的学习能力,但从增加模型复杂度的角度来看,增加隐层的数目显然比增加隐层神经元的数目更有效,因为增加隐层数目不仅增加了拥有激活函数的神经元数目,还增加了激活函数嵌套的层数。然而,多隐层神经网络难以直接用经典算法(如标准 BP 算法)进行训练,因为误差在多隐层内逆传播时,往往会“发散”而不能收敛到稳定状态。从理论上来说,参数越多的模型复杂度越高、“容量”越大,这意味着它能完成更复杂的学习任务。但一般情形下,复杂模型的训练效率低,易陷入过拟合,因此难以受到人们青睐。而随着云计算、大数据时代的到来,计算能力的大幅提高可缓解训练低效性,训练数据的大幅增加则可降低过拟合风险,因此,以“深度学习”为代表的复杂模型开始受到人们的关注。近年来,以机器学习、知识图谱为代表的人工智能技术逐渐变得普及。得益于数据的增多、计算能力的增强、学习算法的成熟及应用场景的丰富,越来越多的人开始关注深度学习这个崭新的研究领域。深度学习以神经网络为主要模型,一开始用来解决机器学习中的表示学习问题,但是由于其强大的能力,深度学习越来越多地用来解决一些通用人工智能问题,如推理、决策等。目前,深度学习技术在学术界和工业界取得了广泛的成功,受到高度重视,并掀起新一轮的人工智能热潮。

以往骨龄评估都是基于传统方法人工提取手腕部干骺端兴趣域,而深度学习则将图像作为整体信息直接输入网络进行处理。深度神经网络不同隐含层最活跃神经元所提取的兴趣域,除显示与人工骨骺兴趣域相一致的特征之外,还有其自身深度特征(这些特征所指向的具体人体组织结构部位目前尚不明确),且神经元活跃度显示,部分人工感兴趣区域对深度学习来说并不是显著差别特征。这暗示深度学习在图像特征差异性识别方面可能更精细,性能或许优于人工识别,将来的深入研究可对此加以论证,并可能会在人工骨龄评估方法的指标改进方面取得重大突破。

近几年,深度学习模型取得了突飞猛进的发展,深度学习作为机器学习领域新的研究方向和发展方向,已经成功地应用在计算机视觉、自然语言处理等人工智能领域。与早期的神经网络模型相比,深度学习模型拥有更多的隐藏层,巨大的参数空间使模型具有更强的学习和拟合能力。通过对输入信号(图像、声音或文本)更深层的加工和处理,逐渐完成“低级特征”到“高级特征”“高级特征”到“输出目标”的转化,从而完成更加复杂的科研和生产任务。现有的大多数骨龄自动化评估方法都是基于人工提取手腕部感兴趣特征点,再采用不同的计算机算法分割特定的骨骼,最后用传统的分类器进行分类或回归。而深度学习则将图像作为一个整体进行处理,不需要任何预处理来提取特定的感兴趣特征点,能够自动从感兴趣特征点提取重要特征,很好地克服了以往研究中图像分割的问题。通过针对 X 线图像自动化学习的研究获得以下 4 点经验。

(1) 采用来自预训练网络的初始化首层,与应用特定图像训练的剩余层相结合的混合配置网络,来训练有限数目的图像集,可以得到有效的结果。

(2) 黑白灰的图像特征决定没有必要用过多的卷积层,在一定程度上网络深度取决于研究领域的特性。

(3) 变形层可以通过几何学变换方法来处理非刚性物体变形以提高评估效能。

(4) 深度学习所提取的特征不同于 TW 骨龄计分法人工提取特征,可能会促使人工评定方法加以改善。

2018 年,Koitka 等以来自北美放射学会(Radiological Society of North America,RSNA)儿科骨龄挑战赛的 240 张微调过的人工注释手部 X 线片作为训练集,另外 89 张作为验证集,从远端指骨、中间指骨和近端指骨间以及近端指骨和掌骨之间的骨骺生长区、腕骨、尺桡骨远端分别提取相同类别及数量的感兴趣特征点。所有选定的图像都使用名为 labelImg 的开放源代码工具进行注释。整个实验采用 TensorFlow r1.4 进行,使用 Inception-ResNet-V2 作为底层特征提取器,Faster-RCNN 模型来运行。最后得到的结果精确度为92.92%±1.93%。除了 X 线片外,手部 MRI 片也因其无辐射的优点在骨龄鉴定中得到了重视与发展。2019 年,Štern 等分别使用深度卷积神经网络和射频脉冲网络对 328 名白种人男性的手部 3D MRI 图谱进行训练并在二维 X 线片中进行验证。其中:

(1) 深度卷积神经网络由一个特征提取器、多个 FEE block(每个 FEE block 由两个卷积层和一个最大池层组成)、两个卷积层及一个年龄推断输出层构成。从手部 3D MRI 图谱中各提取 13 个骨骼特征(特征点选取参考 TW2 法)。

(2) 在射频脉冲网络中,根据特征与阈值,将受试者的 3D MRI 骨骼图像推送到左或右子节点,直到达到最大树深,最后通过存储在叶节点中的受试者平均年龄(去掉 5%的最高年龄和 5%的最低年龄值,计算剩余者的平均年龄)来计算估计年龄。

(3) 结果显示,对于 13~18 岁的青年,深度卷积神经网络模型的绝对偏差为(0.37±0.51)岁,射频脉冲模型的绝对偏差为(0.48±0.56)岁,均显著优于放射学家预测的年龄。该方法的优势在于使用的是 3D MRI 图片,不产生辐射。

另外,预估误差也得到了明显改善,但是由于手部骨骼基本在 18 岁前完成了骨化,所以 Halabi 团队只对 13~18 岁年龄段做了评估,这对于司法审判中的应用尚不够。

2019 年,Stern 等将锁骨、手腕部、牙齿 3 个部位的 MRI 数据信息相结合,利用深度卷积神经网络对 322 名年龄在 13~25 岁的受试者进行训练。结果显示,手腕部的可靠性高于锁骨、牙齿。但在 18.0 周岁左右,由于锁骨和牙齿更能够精准地反映青少年年龄发育状况,因此,锁骨和牙齿的协同产生了更高的评估精度。2018 年,斯坦福大学放射科 Larson 等基于 G-P 图谱法通过使用一个深度 ResNet 结构建立了一个骨龄自动化识别的深度学习模型,并采集露西尔·帕卡德儿童医院和科罗拉多州儿童医院共 14 036 张左手 X 线片用于模型训练和验证。该研究通过一个 200 张图像的测试集比较模型估计值与参考标准骨龄之间的均方根误差和平均绝对误差,以评估该模型相对于人类评估者的性能。利用公开可用的数字化手部图谱数据集中的 1 377 张片子组成的第二个测试集与既往自动化模型报告的性能进行比较。结果表明,深度学习神经网络模型和专家的骨龄估计值之间的平均差异为 0 岁,均方根误差和平均绝对误差分别为 0.63 岁和 0.50 岁。该深度学习模型在数字化手部图谱数据集中测试的均方根误差为 0.73 岁,既往模型报告的均方根误差为 0.61 岁。他们认为,基于卷积神经网络的骨龄自动化评估模型具有类似于当前使用特征提取技术获得最先进的自动化模型的精确度。但该模型不能有效预测 2 岁以下幼儿的骨龄,这可能与该年龄组相对较少的训练集图像以及 G-P 图谱法对这个年龄组进行骨龄评估并不那么准确有关。

2018 年,司法鉴定科学研究院王亚辉等将深度学习运用于维吾尔族青少年左腕关节数字化 X 线图像识别中,探索该方法在法医学骨龄鉴定中的应用价值,初步实现了骨龄的自动化评估。该研究在我国新疆维吾尔自治区采集 13.0～19.0 岁维吾尔族男性青少年 245 例、女性青少年 227 例的左腕关节 DR 图像，将预处理后的图像作为研究对象，并应用迁移学习的方法，将 AlexNet 作为图像识别的回归模型。该模型的试验结果表明，误差范围在±1.0 岁及±0.7 岁以内的训练集准确率，女性分别为 80.5%和 74.8%，男性分别为 81.4%和 75.6%。误差范围在±1.0 岁及±0.7 岁以内的测试集准确率，女性分别为 79.4%和 66.2%，男性分别为 79.5%和 71.2%。

2020 年，王亚辉团队调查了我国河南、海南、浙江、上海、吉林五个省（市）11.0～21.0 周岁汉族青少年骨盆 X 线片图像 962 例（男性 481 例，女性 481 例），比较 VGG19、Inception-V3、Inception-ResNet-V2 三种深度学习模型基于骨盆 X 线片图像进行骨龄自动评估的性能。通过比较模型估计值与生活年龄的均方根误差、平均绝对误差及绘制 Bland-Altman 散点图来评估 3 种模型的性能。结果显示，VGG19 模型预测年龄与生活年龄的均方根误差、平均绝对误差分别为 1.29 岁、1.02 岁，Inception-V3 模型预测年龄与生活年龄的均方根误差、平均绝对误差分别为 1.17 岁、0.82 岁，Inception-ResNet-V2 模型预测年龄与生活年龄的均方根误差、平均绝对误差分别为 1.11 岁、0.84 岁；Bland-Altman 散点图显示，Inception-ResNet-V2 模型差值的均值最小。据此认为，在对中国青少年骨盆的自动骨龄评估中，Inception-ResNet-V2 模型性能最优，Inception-V3 模型与 VGG19 模型性能相当。

由此可见，深度学习在一定程度上解决了部分 18 周岁以上青少年（18～22 岁）的骨龄评估问题，弥补了手部、膝关节影像片进行骨龄鉴定的不足。但是，另一方面其评估精度不如基于手部 X 射线图像的深度学习体系。并且髂嵴上腹部器官叠加产生的伪影也可能会影响结果的准确性。这可能是导致精度不足的原因之一。受伪影的影响，模型在自动学习的过程中容易受到干扰而不够准确。因此，目前对骨盆的应用尚少。未来有待通过对模型的改进，或者伪影的有效处理进一步提高骨盆骨龄评估的精度。

综上所述，虽然深度学习在基于 DR 摄片骨龄评估研究领域中推动了法医人类学的发展，但我们的研究思路首先不应局限于单一关节骨骼发育的深度学习，还应该尝试将深度学习应用到评估胸锁、肩、肘、腕、髋、膝、踝七大关节骨发育程度中来综合推断骨龄。另外，我国幅员辽阔，民族众多，人员流动性较大，目前国内尚未统一颁布实施中国多民族青少年法医学骨龄鉴定标准，因此，我们可以考虑扩大采样范围，对我国汉族、维吾尔族、藏族等人口较多地区集中采样，一方面运用深度学习挖掘更有价值的图像信息，另一方面可以纵向比较我国多民族青少年骨骼发育的差异性，为今后制定中国青少年骨龄鉴定标准提供基础数据。再者，目前国内外学者运用深度学习主要基于 X 线片实现骨骼图像识别，一方面 X 线片相对便于采样，另一方面骨骼在 X 线片上显影较为清晰。当然，随着深度学习在青少年骨龄评估中的深入研究，今后还可以考虑将躯体个别关节的 CT、MRI 图像识别与深度学习有机结合，将深度学习这一人工智能方法逐步推广至法医影像学研究领域中。最后，我国精准医学科研项目现阶段已开始实施，运用深度学习的骨龄评估研究，不仅可以将骨关节图像库共享于精准医学大数据平台中，还可以利用深度学习进一步改善并提升精准医学影像技术的诊断价值。

第三节　法医学骨龄鉴定

一、概述

2002年2月21日，最高人民检察院《关于“骨龄鉴定”能否作为确定刑事责任年龄证据使用的批复》规定：“犯罪嫌疑人不讲真实姓名、住址，年龄不明的，可以委托进行骨龄鉴定或其他科学鉴定，经审查，鉴定结论能够准确确定犯罪嫌疑人实施犯罪行为时的年龄的，可以作为判断犯罪嫌疑人年龄的证据使用。”从而确定了骨龄鉴定的法定证据作用。

正常人体骨骼发育过程中骨骼的初级和次级骨化中心出现时间、骨化速度、骨骺与干骺端闭合时间及其形态变化都具有一定的规律性，这种规律性以年或月来表示，称为骨龄。人体206块骨头均可以在不同程度上反映骨龄的变化，法医学工作者较为广泛、重点关注的骨关节当数胸锁、肩、肘、腕、髋、膝、踝等七大关节。躯体七大关节骨骼的骨骺发育状况反映了人体长、短管状骨的骨发育进程，而髂骨翼及锁骨胸骨端骨骺变化则反映了扁骨及不规则骨的发育进程。法医学工作者以骨骼发育的演化过程为依据来评估人体发育程度的实足年龄即为法医学骨龄鉴定，活体骨龄鉴定一般是指借助人体骨发育不同阶段继发骨化中心和骨骺形态的密度变化所表现出来的X线影像学特征进行评估，它在法医学、临床医学、生物学、少儿卫生学及体育领域等方面均有很广泛的应用价值。

二、鉴定程序

（一）案件信息采集

法医学骨龄鉴定的案件大多为刑事案件，如杀人、抢劫、强奸、吸毒、打架斗殴等恶性事件。鉴定时需要向委托人采集以下信息，包括但不限于被鉴定人姓名、性别、籍贯、作案时间、作案经过及案情性质等。了解基本案情包括询问被鉴定人姓名、性别、户籍、自报出生日期、户籍记载出生日期及身份证号码、出生证明、他人陈述被鉴定人出生日期等。

（二）体格检查

对被鉴定人的体格检查应由两名以上司法鉴定人同时进行；检查女性身体时，原则上应由女性鉴定人进行，如果没有女性鉴定人，可由男性鉴定人进行，但须有女性工作人员在场。法医学活体骨龄鉴定主要是基于体格发育正常的青少年，所以在进行骨龄鉴定时鉴定项目应包括被鉴定人的身高、体重、牙齿萌出情况、第二性征发育情况等。

1. 身高、体重测量

采取经校准检验后的在检定期限内的身高、体重检测设备测量被鉴定人的身高（cm）、体重（kg）等，相关参观资料详见中国儿童、青少年身高、体重正常值范围分别见表3-39和表3-40。

除测量身高、体重外，还要注意检查被鉴定人是否患有影响骨发育的疾病，如内分泌性疾病和骨发育障碍性疾病。前者包括生长激素缺乏症、甲状腺功能减退症、甲状旁腺功能减退症、皮质醇增多症、肾上腺皮质增生症、性早熟等。后者包括儿童成骨不全、软骨发育不全、石骨症、骨斑症、条纹状骨病、骨纤维异常增殖症等。同时,鉴定人还须关注被鉴定人是否从事过体育专业训练等,观察其有无先天畸形、是否有外伤史或残疾等情况。

表 3-39 中国汉族青少年标准身高(cm)

年龄(岁)	标准身高[城乡合并(男性)]		标准身高[城乡合并(女性)]	
	平均值	标准差	平均值	标准差
12	152.39	8.86	152.16	7.18
13	159.88	8.66	155.99	6.17
14	165.27	7.81	157.79	5.80
15	168.75	6.96	158.54	5.73
16	170.53	6.43	159.03	5.66
17	171.39	6.29	159.29	5.71
18	171.42	6.32	159.19	5.66
19	172.09	6.19	160.07	5.59
20	172.15	6.16	160.07	5.57
21	171.97	6.20	160.11	5.68
22	172.08	6.23	159.93	5.56
19~22	172.07	6.19	160.05	5.60

表 3-40 中国汉族学生标准体重(kg)

年龄(岁)	标准体重[城乡合并(男性)]		标准体重[城乡合并(女性)]	
	平均值	标准差	平均值	标准差
12	43.98	11.45	42.33	8.88
13	49.37	11.62	46.21	8.56
14	53.84	11.72	48.63	8.10
15	57.22	11.39	50.12	7.85
16	59.20	10.57	51.11	7.32
17	60.97	10.58	51.70	7.33
18	61.46	10.34	51.68	7.32
19	62.57	10.12	51.86	6.71
20	62.81	9.94	51.52	6.79
21	63.05	9.75	51.59	6.81
22	63.63	9.98	51.22	6.61
19~22	63.01	9.95	51.55	6.73

2. 牙齿萌出情况

牙齿萌出情况包括牙齿萌出位置、数量,有无龋齿及有无缺失等。人类乳牙共 20 个,一般 6 个月起开始萌出,2~2.5 岁出齐。6 岁左右开始出恒牙即第一磨牙,7~8 岁之后乳牙按萌出顺序逐个脱落换之以恒牙。12 岁左右出第二磨牙,18 岁以后出第三磨牙,恒牙一般 20~30 岁出齐,共 32 个。

牙齿萌出的年龄顺序,不同个体差异性较大,所以单纯依据牙齿萌出的数量来鉴定个体的年龄其结果并不可靠,实际鉴定中很少单独使用牙龄萌出数量来推断个体年龄。但是对于一个正常发育的个体,牙齿萌出的多少仍然可以帮助我们判断个体的大致年龄范围。

3. 第二性征发育情况

第二性征的发育也与年龄有着密切的关系。男性第二性征出现的年龄顺序是 10 岁以前,睾丸容积仅有 1~3 mL,第二性征不明显。10~11 岁,睾丸和阴囊增大。12~13 岁,阴茎增长,变粗;阴毛由少到多,变黑,变粗,卷曲。14~15 岁,阴茎和阴囊进一步增大,阴囊颜色加深,阴茎头充分发育,阴毛呈菱形或盾形分布。16~17 岁,外生殖器形状和大小近似成年型,接近性成熟。

女性第二性征出现的年龄顺序是 8~10 岁身高开始突增,子宫开始发育;11~12 岁乳房开始发育,出现阴毛,身高突增达到高潮,阴道黏膜出现变化,内外生殖器官发达;13~14 岁月经初潮,腋毛出现,声音变细,乳头色素沉着,乳房显著增大。15~16 岁月经形成规律,皮下脂肪积累增多,臀部变圆,脸上长粉刺;17~18 岁,骨骺闭合,停止长高;19 岁以后体态苗条,皮肤细腻。

在鉴定过程中,应对被鉴定人的体毛分布情况、性征发育(包括性器官和第二性征)情况等进行鉴定,如男性胡须、睾丸、阴毛、外生殖器、腋毛的发育;女性乳房、阴毛、腋毛的发育及月经初潮。和牙齿萌出的情形相似,第二性征出现的时间个体间差异较大,单纯依据第二性征无法准确判断个体年龄。尽管如此,第二性征为我们确定个体发育是否异常提供了一个重要的判断依据。

(三)摄片要求

1. 摄片部位

被鉴定人在接受临床摄片检查前,须去除缝制有金属材料的衣物、各种金属饰物、放下发辫,着防护服。依照《法庭科学　汉族青少年骨龄鉴定技术规程》(GA/T 1583—2019)要求,当前我国法医学活体骨龄鉴定需要对个体胸锁关节进行常规 DR 摄片或断层摄影,必要时需要加摄胸锁关节 CT 薄层扫描;还需要对肩、肘、腕、髋、膝、踝关节进行 DR 摄片。为了全面反映被鉴定人的全身骨骼发育状况,拍摄的部位应该包括上肢的肩,肘,腕关节(包括手,直至末节手指)及锁骨胸骨端,以及下肢髋、膝、踝关节及骨盆等。除肘、膝、踝关节拍摄正、侧位 DR 片外,其他部位只需要拍摄正位 DR 片。除锁骨胸骨端需要拍摄双侧外,其他部位可以拍摄单侧影像片。

2. 摄片仪器

检测所用的 X 线(普通 X 线机、计算机 X 线成像仪-CR、数字 X 线成像仪-DR)、CT 设备须经认证机构检测认可。

3. 摄片方法

对被鉴定人进行骨龄鉴定的 DR 摄片应对照《医学影像检查技术学》中相关 DR 摄片的规范操作,具体操作以本标准为准。

(1) 口腔全景摄片方法(不做常规要求,可用于法医学鉴定书审查参考资料):被鉴定人去除耳环、义眼、发夹、助听器、口内金属物、放下发辫,着防护服。首先,请被鉴定人正立站直,双手抓住把手,目视前方;全景定位时往前走半步,后微倾,确保被鉴定人上、下中切牙切缘位于咬合槽内。严格对准法兰克福线和正中矢状线后嘱被鉴定人闭口,确保 C 形臂转动时不会碰到被鉴定人臂膀和头发。口腔全景片拍摄时嘱咐被鉴定人做吞咽动作(舌头抵住上颚)后屏气,开始曝光。曝光结束后 2~3 s 释放曝光按钮,结束摄片。显示部位为双侧上、下颌骨及口腔内全部可见牙齿,口腔全景片影像见图 3-12。

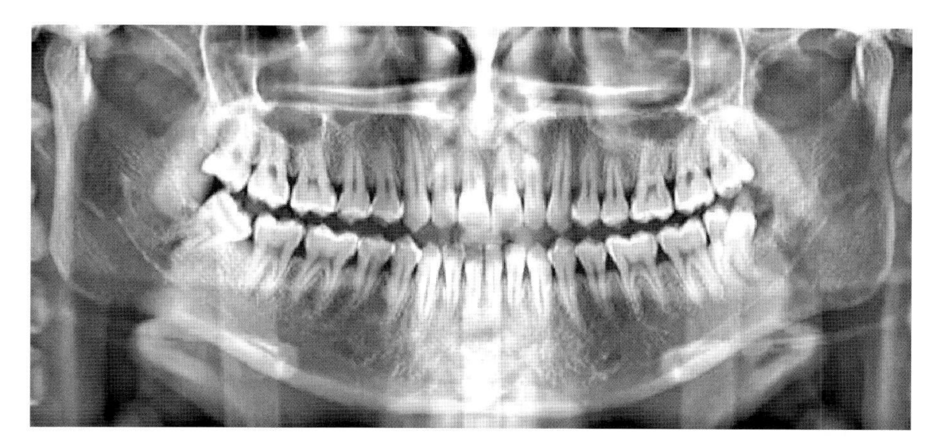

图 3-12 口腔全景片

(2) 锁骨胸骨端摄片方法

1) 锁骨胸骨端后前位普通 DR 摄片方法(曝光 1 次):被鉴定人俯卧于摄影床上,两臂交叉背后,使锁骨胸骨端与床面尽量贴近,身体矢状线对准数字面板的中线,胸骨柄切迹放于数字面板中心,下颌前伸支撑头部;中心线对准第三胸椎;距离为 100~115 cm;曝光时嘱被鉴定人深吸气后屏气。显示部位为双侧锁骨胸骨端骨骺,双侧锁骨胸骨端后前位普通 DR 摄片影像见图 3-13。

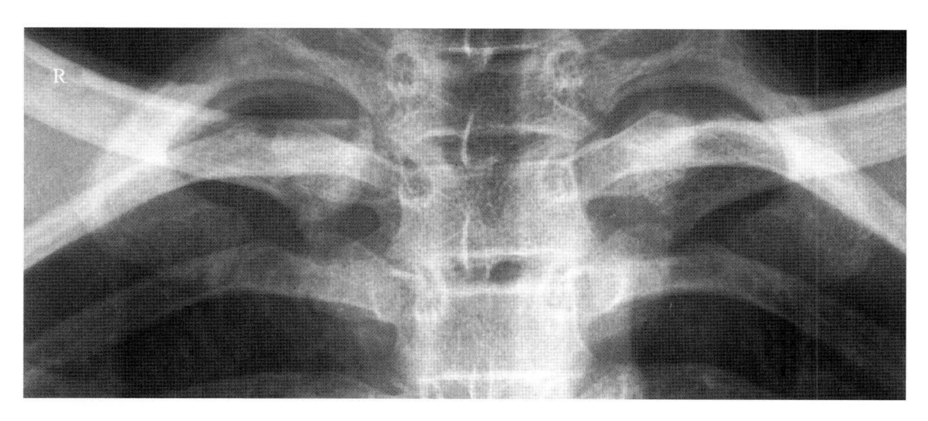

图 3-13 双侧锁骨胸骨端后前位 DR 摄片

也可以采用胸片横拍法,上起第 7 颈椎上缘,下至双侧乳头连线;扩胸位,尽量显示锁骨胸骨端;也可在电透下找到最佳位置后拍摄;也可一侧略转 5°后拍摄,再对侧转 5°后拍摄。

2) 锁骨胸骨端后前位 X 线片断层摄影方法(附带断层装置 CR 或 DR 机)(曝光 2~3 次):被鉴定人俯卧于摄影床上,两臂交叉背后,使锁骨胸骨端与床面尽量贴近,身体矢状线对准数字面板的中线,胸骨柄切迹放于数字面板中心,下颌前伸支撑头部;中心线对准第 3 胸椎;距离为 100~115 cm;体层标高视被鉴定人体格发育情况选择 2~3 cm,选择角度为

8°~30°做直线断层摄影，每隔 0.2 cm 曝光 1 次，连续曝光 2~3 次。显示部位为双侧锁骨胸骨端骨骺，双侧锁骨胸骨端后前位 X 线片断层摄片影像见图 3-14。

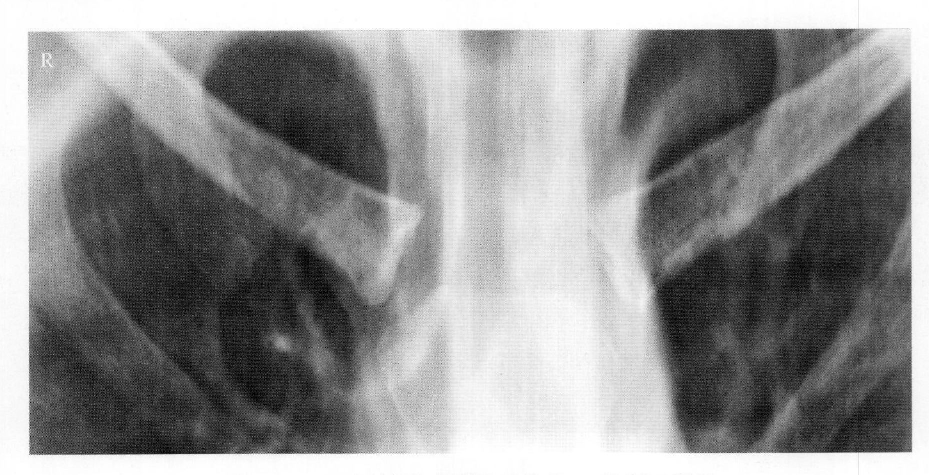

图 3-14　双侧锁骨胸骨端后前位 X 线断层摄片

3）锁骨胸骨端 CT：采用多层螺旋 CT 机对胸锁关节进行扫描。采取头进仰卧位平躺于 CT 床架上，进行双侧胸锁关节 CT 薄层扫描。薄层扫描条件：层厚 1.0 mm，层距 0.5 mm，管电压 120 kV，管电流 80 mA。通过 CT 薄层扫描，然后对扫描图像进行三维图像重组，可以获得多角度、多方位、多形态锁骨胸骨端影像（包括二维、三维图像后处理），显示部位为双侧锁骨胸骨端骨骺，双侧胸锁关节 CT 薄层扫描影像见图 3-15。

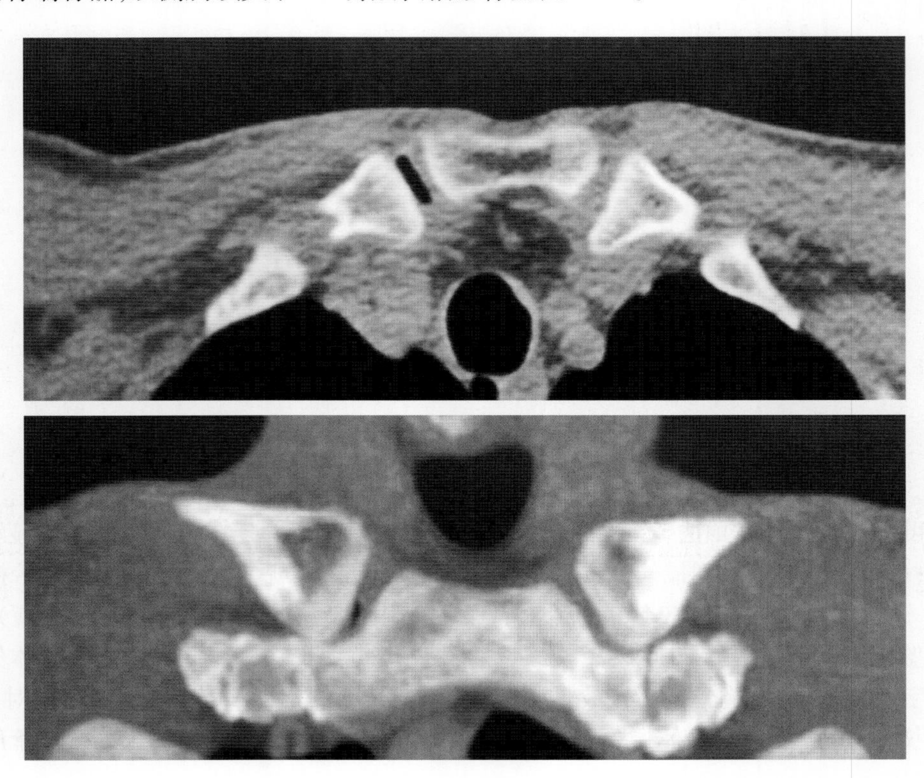

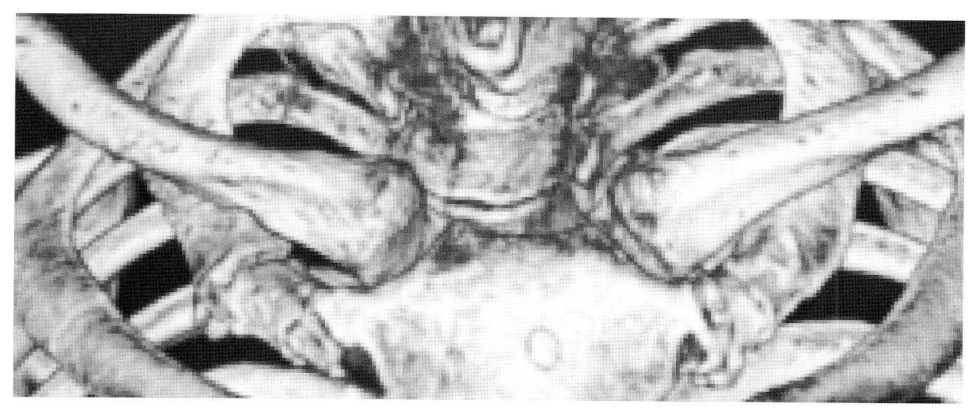

图 3-15
彩图

图 3-15 双侧胸锁关节 CT 薄层扫描+图像重组影像

(3) 肩关节摄片方法

1) 肩关节卧位摄片方法:被鉴定人仰卧于摄影床上,肩胛骨喙突对准数字面板中心。然后将对侧肩部和髋部用枕头稍垫高,头部转向被检侧,使被检侧肩部能紧靠床面。被检侧手臂伸直,掌心朝上,上臂紧贴胸壁。中心线对准喙突,距离 115 cm。曝光时嘱被检者屏气。显示部位为双侧锁骨胸骨端、肱骨上端联合骨骺、肩胛骨峰端骨骺、肩胛骨喙突骨骺等。

2) 肩关节立位摄片方法:被鉴定人直立于摄片架前,背靠数字面板,肩胛骨喙突对准数字面板中心,身体健侧约向前转 35°,使肩胛骨与数字面板平行并紧贴。被检者手臂伸直,掌心向前,上臂紧贴胸壁。中心线对准肩关节中心,距离 180 cm。曝光时嘱被检者屏气。显示部位为双侧锁骨胸骨端、肱骨近端联合骨骺、肩胛骨峰端骨骺、肩胛骨喙突骨骺等。

双侧肩关节 DR 摄片影像见图 3-16。

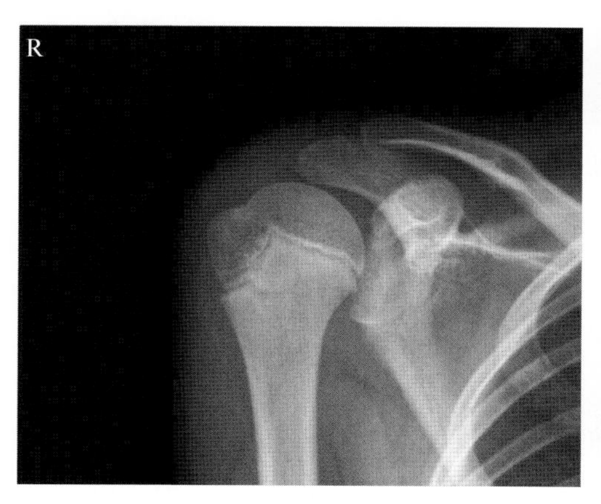

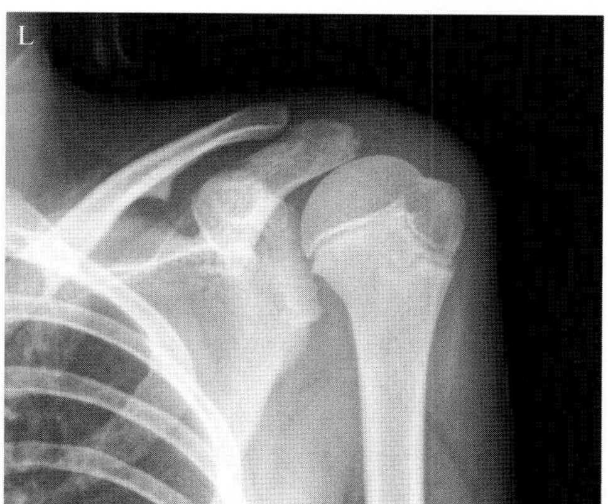

图 3-16 双侧肩关节 DR 摄片

(4) 肘关节摄片方法

1) 双侧肘关节前后位摄片方法:被鉴定人面向摄影床端坐,双侧前臂伸直,手掌朝上前臂略外旋。肘部背侧紧靠床面,肩部放低,尽量与肘关节相平。中心线对准双肘关节连线中点。距离 115 cm。显示部位为双侧肱骨远端联合骨骺、桡骨近端骨骺、尺骨近端骨骺。

2）肘关节侧位摄片方法:被鉴定人在摄影床旁边侧坐,肘部弯曲成直角。手掌面对被鉴定人,拇指向上,肩部放低,尽量与肘关节相平。中心线对准肘关节。距离 115 cm。显示部位为单侧尺骨近端骨骺。

双侧肘关节 DR 摄片影像见图 3-17。

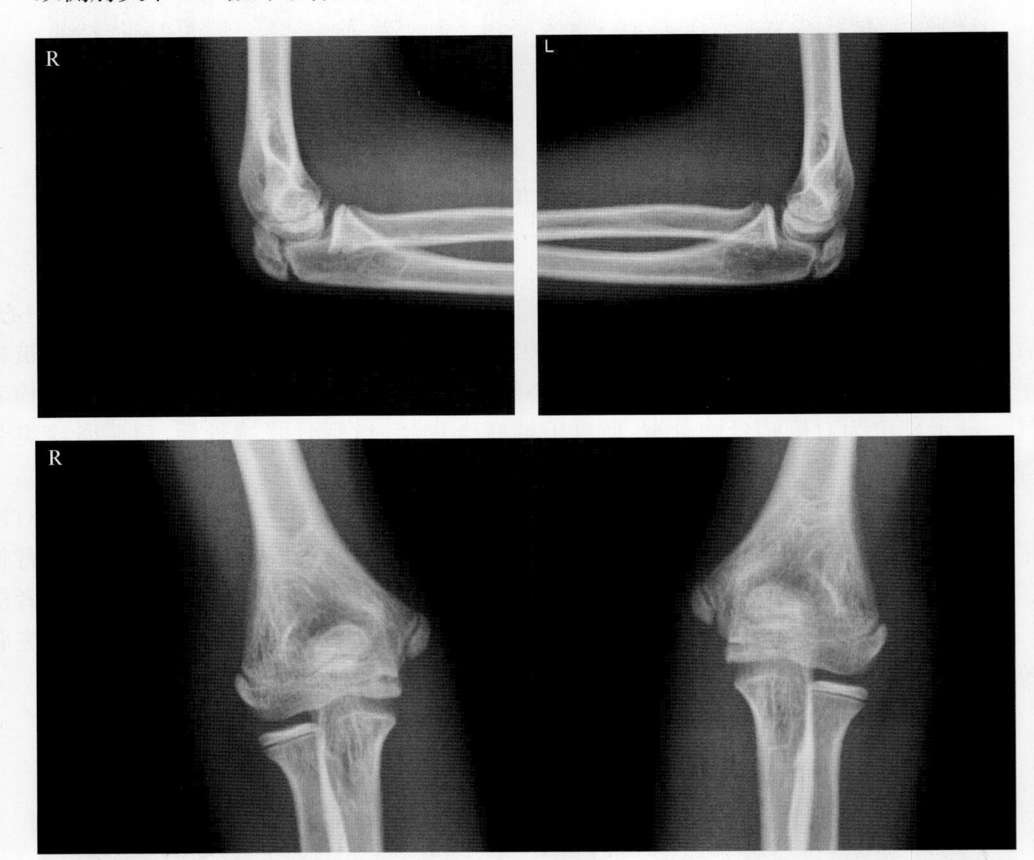

图 3-17　双侧肘关节 DR 摄片

（5）*腕关节摄片方法*:被鉴定人面向摄影床端坐,双前臂伸直,双手各指稍分开,掌心向下,手掌紧贴床面。中心线对准双侧拇指掌指关节连线,距离 115 cm。显示部位为双侧尺、桡骨远端骨骺,腕骨,掌骨,指骨以及第 1 掌骨远端籽骨。双侧腕关节 DR 摄片影像见图 3-18。

（6）*髋关节、骨盆前后位摄片*:被鉴定人仰卧于摄影床上,胸骨-耻骨联合连线对床面中线。两下肢伸直,双足稍内倾,使双足拇趾内侧相互接触,骨盆摆平,两侧髂前上棘与床面的距离必须相等。两侧髂前上棘连线中点下方 3 cm 处放于数字面板中心。中心线对准数字面板中心。距离 115 cm。曝光时嘱被检者屏气。显示部位为双侧髂骨、坐骨结节、股骨近端骨骺。双侧髋关节、骨盆 DR 摄片影像见图 3-19。

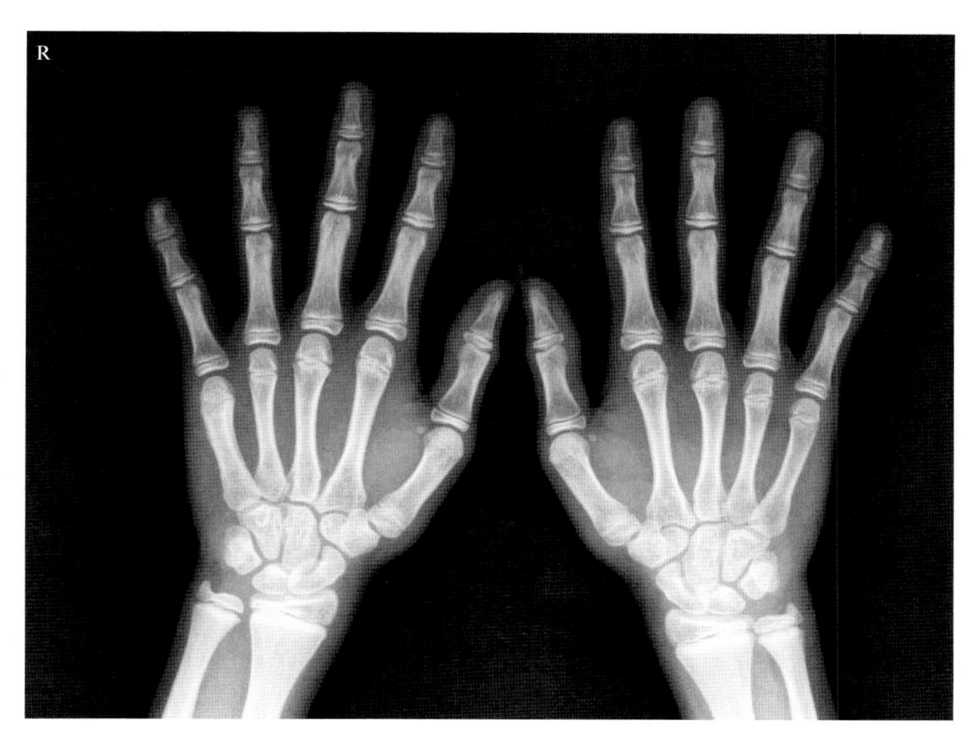

图 3-18 双侧腕关节 DR 摄片

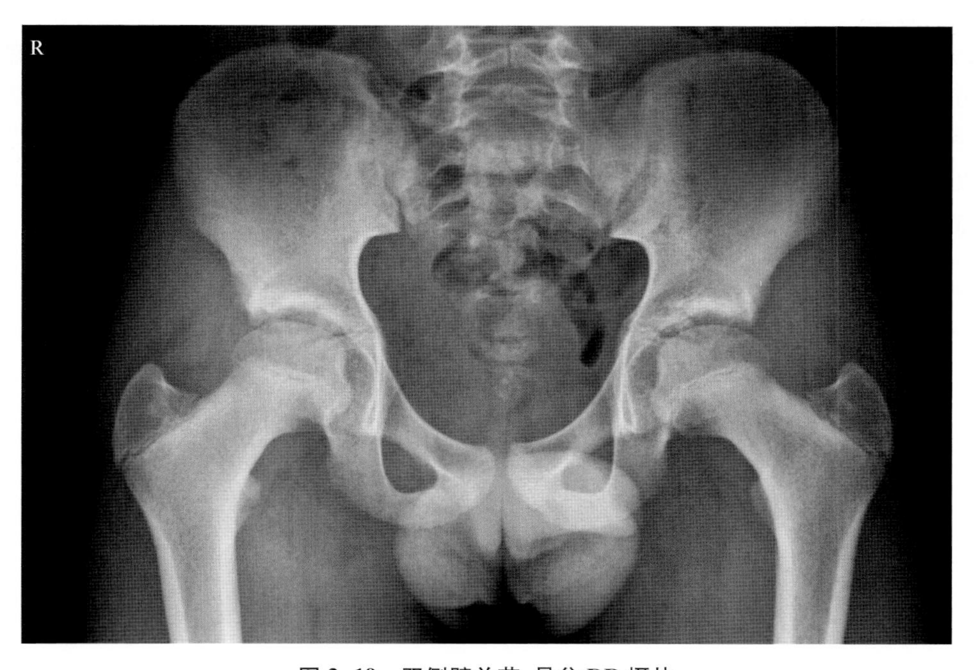

图 3-19 双侧髋关节、骨盆 DR 摄片

（7）膝关节前后位摄片方法：被检者仰卧于摄影床上，下肢伸直并靠拢。小腿长轴于数字面板中线平行。双踝关节呈跖屈位。中心线对准双髌骨下缘连线中点。距离 115 cm。显示

部位双侧股骨远端骨骺、胫骨近端骨骺、腓骨近端骨骺。双侧膝关节 DR 摄片影像见图 3-20。

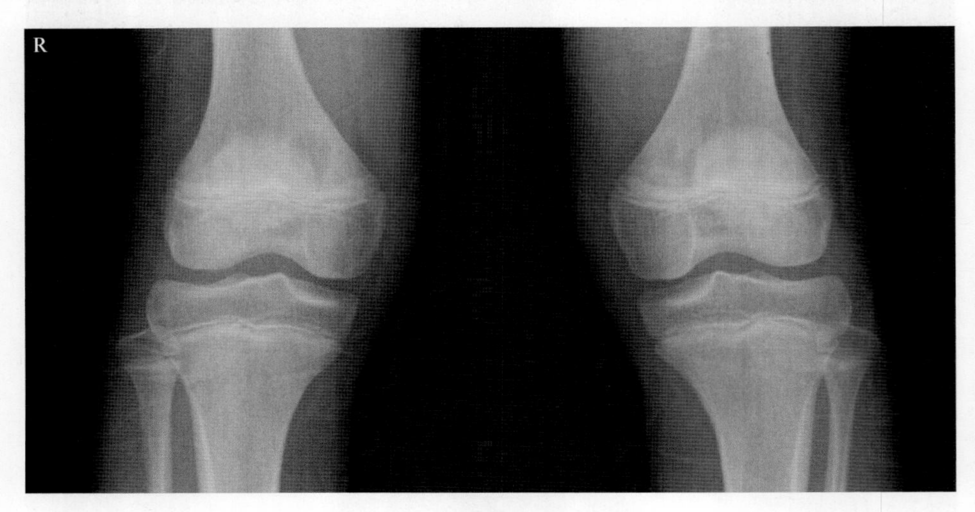

图 3-20　双侧膝关节 DR 摄片

(8) 踝关节前后位摄片方法(尽量包括足背)

1) 双踝关节前后位摄片方法:被鉴定人仰卧于摄影床上,双下肢伸直,双侧踝关节呈跖屈位,双下肢长轴于数字面板中线平行。中心线对准双内踝连线中点。距离 115 cm。显示部位为胫骨远端、腓骨远端骨骺。

2) 双踝关节外侧位摄片方法:被鉴定人侧卧于摄影床上,被检侧靠于床面,对侧膝部向前上方弯曲。被检侧下肢伸直,踝部外侧紧靠床面。足跟摆平使踝关节成侧位。小腿长轴于数字面板中线平行。中心线对准内踝上方 1 cm 处。距离 115 cm。显示部位为跟骨结节骨骺及距骨。

双侧踝关节 DR 摄片影像见图 3-21。

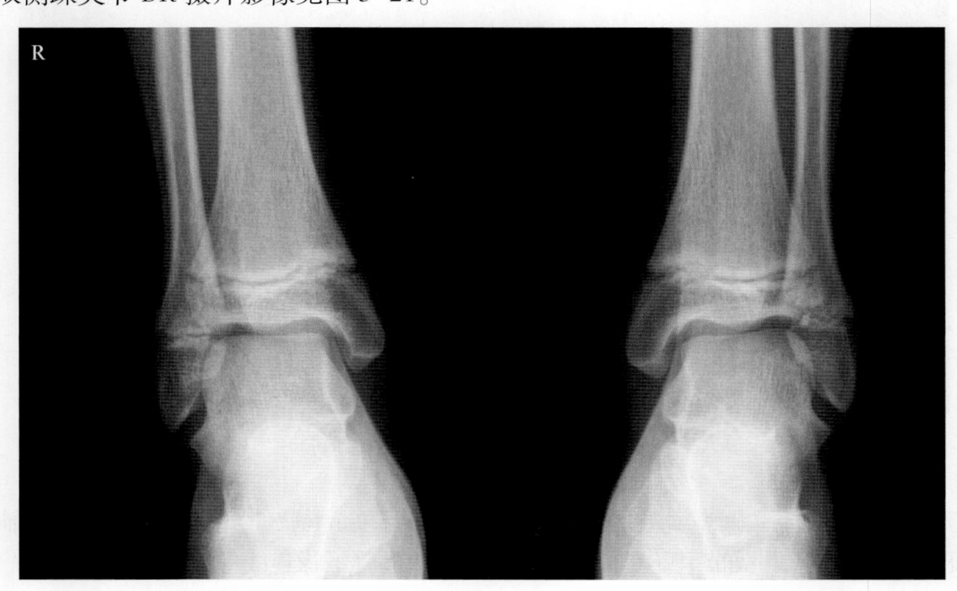

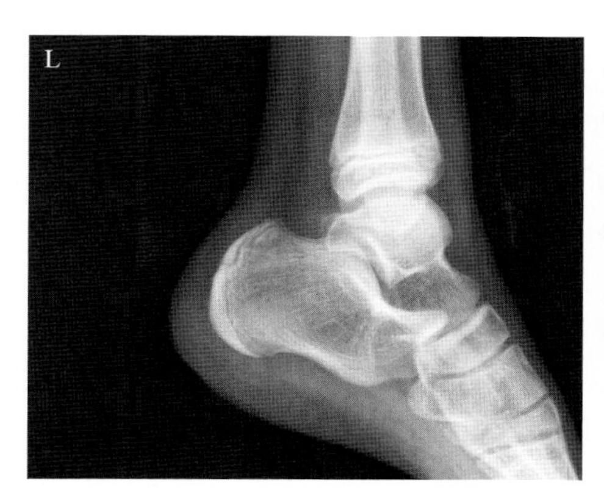

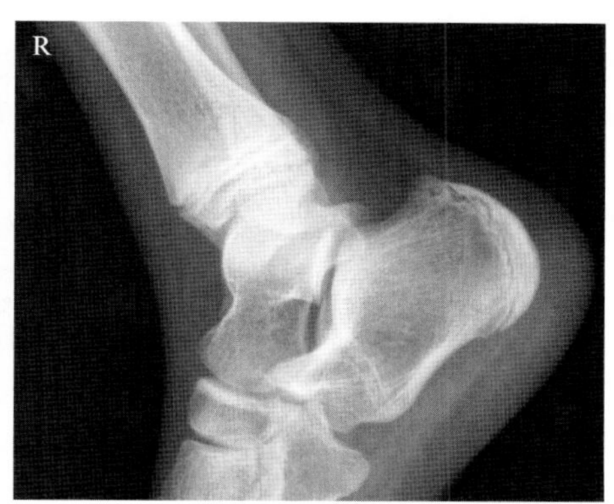

图 3-21　双侧踝关节 DR 摄片

（四）鉴定标准和方法

当前，我国法医学活体骨龄鉴定采用公共安全行业标准——《法庭科学　汉族青少年骨龄鉴定技术规程》（GA/T 1583—2019）、《法医临床检验规范》（SF/T 0111—2021）、《法医临床影像学检验实施规范》（SF/T 0112—2021）。

（五）阅片过程

依照《法庭科学　汉族青少年骨龄鉴定技术规程》（GA/T 1583—2019），鉴定人对所获得的躯体七大关节影像学资料中的 24 个骨骺进行骨发育分级。根据阅片分析，最终获得被鉴定人 24 个骨骺发育程度分级结果，见表 3-41。

表 3-41　被鉴定人 24 个骨骺发育分级结果

部位	分级结果	部位	分级结果
锁骨胸骨端骨骺	（　）	中节指骨骨骺	（　）
肱骨近端骨骺	（　）	远节指骨骨骺	（　）
锁骨肩峰端骨骺	（　）	髂嵴骨骺	（　）
肩胛骨肩峰端骨骺	（　）	坐骨骨骺	（　）
肱骨内上髁骨骺	（　）	髋臼骨骺	（　）
肱骨小头骨骺	（　）	股骨头骨骺	（　）
桡骨头骨骺	（　）	大转子骨骺	（　）
桡骨远端骨骺	（　）	股骨远端骨骺	（　）
尺骨远端骨骺	（　）	胫骨近端骨骺	（　）
第 1 掌骨骨骺	（　）	腓骨近端骨骺	（　）
第 3、5 骨骨骺	（　）	胫骨远端骨骺	（　）
近节指骨骨骺	（　）	腓骨远端骨骺	（　）

（六）分析过程

根据 24 个不同部位继发骨化中心及骨骺闭合程度分级结果，与《法庭科学　汉族青少年骨龄鉴定技术规程》（GA/T 1583—2019）中不同年龄组骨发育标准图谱进行比较，当被鉴定人骨发育分级结果与下列特定年龄所对应的骨发育标准图谱相同或最为接近时（即差异最小时），则该特定年龄即为被鉴定人的骨龄。

（七）鉴定意见

根据王亚辉等前期研究显示，当精度设定为“±0.5”周岁时，汉族男、女性青少年骨龄鉴定的准确性分别为62.5%和70.0%，而当精度设定为“±1.0”周岁时则分别高达87.5%和90.0%。基于该研究结果，建议依照本标准图谱法准确率，推断被鉴定人生活年龄时应给出一定的合理区间，区间范围建议在2岁范围内。

三、影响骨发育的因素

骨的基本形态是由先天遗传因素决定的，然而其形态构造的某些细节，则在整个生长发育过程中，受体内、外环境的影响，不断发生变化。骨组织的生长必须具备两个条件：一是由于成骨细胞的作用，形成细胞的骨基质，骨细胞埋置于其中，形成骨样组织。二是矿物盐在骨样组织上的沉积。与此同时，还由破骨细胞作用进行骨吸收，从而维持正常骨组织的代谢平衡。如果成骨细胞活动、矿物盐沉积和破骨细胞活动发生变化，都将影响骨的发育。影响骨骼发育的因素很多，如自然环境、生活习惯、营养状况、遗传、种族、地区、时代等。

（一）骨发育的种族差异性

1956年，Platt研究了非洲黑种人青少年与美国黑种人同白种人的后裔青少年骨发育差异性，结果显示其差异性显著，最终得出健康状况及营养状况是影响骨骼发育的较大因素。1957年，G-P图谱法创始人著名学者Greulich通过对生活在美国的日本青少年骨发育进行比较，认为营养状况、环境条件和种族因素对骨骼发育有重要影响。

2005年，李春山等对1 496例藏族7~21岁青少年（男743人，女753人）骨发育情况进行了研究，利用CHN法，研究发现拉萨藏族青少年骨发育具有延缓的特点。

2006年，李长勇等同样对1 496例藏族7~21岁青少年（男743人，女753人）骨发育情况进行了研究，利用Fels法（美国Fels研究所1980年提出），同样发现拉萨藏族青少年骨发育具有延缓的特点。

（二）骨发育的地区差异性

1988年，湖北省体育科学研究所杜忠林等利用自制的“HB14-91骨龄评定标准”对湖北与山东青少年骨发育差异性进行研究，样本量共1 259例，男性为6~18岁，女性为6~17岁。结果发现，男性6~12岁湖北青少年骨龄比山东提前，13~16岁无差异，16~18岁湖北青少年骨龄比山东滞后；女性无显著性差异。

1996年，海南省公安厅邓浩等对海南男性青少年骨骺闭合年龄进行了研究，样本量为331例，年龄范围为12~20岁。研究结果与国外及国内北方研究结果比较后发现，海南青少年的骨骺闭合迟于欧洲白种人，也迟于中国北方男性青少年。

2010年，万雷等采集中国东部、中部及西部三地约1 500例12~19岁汉族青少年多部位骨骼X线片，根据朱广友等制订的“青少年骨发育分级标准”对24个骨骼发育指标进行分级。研究结果显示，在12~13岁（不含13周岁）年龄段西部男性青少年骨发育比中部、东部分别提前1.10岁、1.27岁；在13~14岁（不含14周岁）年龄段西部男性青少年骨发育比中部、东部分别提前0.70岁、1.37岁，并且此年龄段中部男性青少年骨发育比东部提前0.67岁；在18~19岁（不含19周岁）年龄段西部男性青少年骨发育比河南滞后0.79岁；在19~20岁（不含20周岁）年龄段西部男性青少年骨发育比中部、东部分别滞后0.71岁、0.95岁；余年龄段无统计学差异。另外,在14~15年龄段中部女性青少年骨发育比东部提前约0.39岁,而在15~16年龄段中部女性青少年骨发育比东部滞后约0.37岁,而在18~19年龄段中部女性青少年骨发育比东部滞后0.38岁,余年龄段无统计学差异。

(三)骨发育的时代差异性

根据吴汝康的研究资料来看,中国女性青少年掌、指骨骨骺完全闭合的时间均为16~17周岁,女性锁骨胸骨端骨化中心在17~19周岁出现,女性髂嵴骨骺在19~23周岁完全闭合。而我们的研究结果显示,中国女性青少年掌、指骨骺完全闭合的年龄已提前至15周岁;锁骨胸骨端继发骨化中心的出现为16~18周岁;髂嵴骨骺完全闭合在17~20周岁。这与顾光官等研究结果基本一致。我们认为,随着人们健康状况的改善和生活水平的提高,中国现代青少年骨骼发育已普遍提前。仍然沿用20世纪50~60年代的研究资料判断中国现代青少年的骨龄是不科学的,其结果也是不可靠的。

四、鉴定案例

(一)案例

××××司法鉴定意见书

×××[2021]临鉴字第×××号

一、基本情况

委 托 人:××市××区公安局

委托事项:对孟某2021年6月9日摄片时的骨龄进行法医学鉴定

受理日期:2021年6月9日

鉴定材料:委托书1份;户籍资料及相关笔录复印件1份;DR摄片14张

鉴定日期:2021年6月9日

鉴定地点:××××鉴定室

在场人员:李某(办案民警),孟某父亲

被鉴定人:孟某,男性,汉族,年龄待查

二、基本案情

摘自送检材料:2021年6月8日,孟某涉嫌伙同他人入室盗窃。2021年6月9日上午,孟某被依法刑事拘留。在审讯过程中,孟某自报出生于2005年9月5日;孟某户籍资料记载其出生于2003年9月5日,男性,汉族,居民身份证号码为41025420030905××××。孟某父亲称孟某出生于2004年9月5日。为正确处理此案,××市××区公安局委托本所(中心)对孟某本次摄片时的活体年龄(骨龄)进行法医学鉴定。

三、鉴定过程

1. 检验方法

按照《法医临床影像学检验实施规范》(SF/T 0112—2021)、《法医临床检验规范》(SF/

T 0111—2021)及《法庭科学　汉族青少年骨龄鉴定技术规程》(GA/T 1583—2019)对被鉴定人影像学资料进行检验和鉴定。

2. 体格检查

步入检查室,神志清楚,营养中等,对答切题,检查合作。经测量:身高 163 cm,体重 58 kg。口腔内共 28 颗牙齿,双侧第三磨牙均未萌出。喉结突出不明显,胡须呈绒毛状,腋毛较浓密。阴毛浓密,趋于男性正态分布;外生殖器发育正常,趋于成人型。

3. 阅片所见

2021 年 6 月 9 日××市人民医院胸锁关节 DR 摄片、口腔全景 DR 摄片及双肩关节正位、双肘关节正侧位、双腕关节(包括双手正位)、双髋关节及骨盆正位、双膝关节正位、双踝关节正侧位 DR 摄片(号××××××)示:口腔共显示 28 颗牙齿影,双侧第三磨牙均已显示(图略);双侧锁骨胸骨端继发骨化中心已出现,呈斑点状高密度影,干骺端略饱满,骨骺尚未开始闭合;双侧锁骨肩峰端开始形成完整的边缘,轮廓渐清晰,双侧肩胛骨肩峰端骨骺大部分闭合;双侧肱骨近端骨骺尚未完全闭合;双侧肱骨头、肱骨滑车及肱骨内上髁骨骺均已闭合,双侧尺桡骨近端骨骺已闭合;双侧尺桡骨远端骨骺边缘残留狭小间隙闭合,双侧腕骨已出齐;双手第 1 掌骨骨骺已闭合,双手第 2~5 掌骨骨骺已闭合;双手指各近、中、远节指骨骨骺均已闭合;双侧髂嵴骨骺基本覆盖髂嵴,骨骺开始闭合,锯齿状缘变模糊;双侧坐骨结节骨骺基本覆盖坐骨支,骨骺部分闭合;双侧股骨头及大、小转子骨骺均已闭合;双侧股骨远端及胫骨近端骨骺已闭合,腓骨近段骨骺尚未完全闭合;双侧胫腓骨远端骨骺均已闭合(图见后文)。

参照《法庭科学　汉族青少年骨龄鉴定技术规程》(GA/T 1583—2019)所介绍的青少年骨骺发育分级方法对孟某躯体各大关节 X 线片影像学资料进行阅片,并对下列 24 个骨骺发育程度进行分级(表 3-42)。

表 3-42　孟某躯体各大关节 DR 摄片中骨骺发育分级

关节	指标	分级	关节	指标	分级
胸锁关节	锁骨胸骨端骨骺	(2)	髋关节	髂嵴骨骺	(5)
肩关节	肱骨近端骨骺	(4)		坐骨骨骺	(4)
	锁骨肩峰端骨骺	(2)		髋臼骨骺	(2)
	肩胛骨肩峰端骨骺	(5)		股骨头骨骺	(4)
肘关节	肱骨内上髁骨骺	(4)		大转子骨骺	(4)
	肱骨小头骨骺	(4)	踝关节	股骨远端骨骺	(4)
	桡骨小头骨骺	(5)		胫骨近端骨骺	(4)
腕关节	桡骨远端骨骺	(4)		腓骨近端骨骺	(4)
	尺骨远端骨骺	(4)	膝关节	胫骨远端骨骺	(5)
	第 1 掌骨骨骺	(4)		腓骨远端骨骺	(5)
	第 3、5 掌骨骨骺	(5)			
	近节指骨骨骺	(4)			
	中节指骨骨骺	(4)			
	远节指骨骨骺	(4)			

四、分析说明

根据委托人送鉴定的案情材料，结合影像学资料等，综合分析认为：

被鉴定人孟某2021年6月9日所拍摄躯体各大关节DR摄片显示：双侧锁骨胸骨端继发骨化中心已出现，呈斑点状高密度影，干骺端略饱满，骨骺尚未开始闭合；双侧锁骨肩峰端开始形成完整的边缘，轮廓渐清晰，双侧肩胛骨肩峰端骨骺大部分闭合；四肢各大关节诸组成骨除双侧肱骨近端、尺桡骨远端、腓骨近端骨骺尚未闭合外，其余骨骺均已闭合；双侧髂嵴、坐骨结节骨骺部分闭合。

将被鉴定人孟某上述躯体各大关节24个骨骺发育分级（表3-42）与《法庭科学 汉族青少年骨龄鉴定技术规程》（GA/T 1583—2019）中青少年男性骨龄标准图谱比对，结果显示，其与16.5（包含）~18.0周岁（不含）男性骨龄标准图谱的分级结果更为接近，且分级结果的吻合率最高。根据人体骨骺发育的基本规律，综合分析，被鉴定人孟某2021年6月9日摄片时的骨龄在16.5周岁以上，未满18.0周岁。

五、鉴定意见

被鉴定人孟某2021年6月9日DR摄片时的骨龄在16.5周岁以上，未满18.0周岁。

六、附件

被鉴定人孟某的DR摄片。

鉴定人：副主任法医师×××
《司法鉴定人执业证》证号：×××××××××

主检法医师×××
《司法鉴定人执业证》证号：×××××××××

二〇二一年六月十六日

（二）附图

本次鉴定过程中，孟某双侧胸锁关节及肩关节、肘关节、腕关节、髋关节、膝关节、踝关节DR摄片如图3-22~3-28所示。

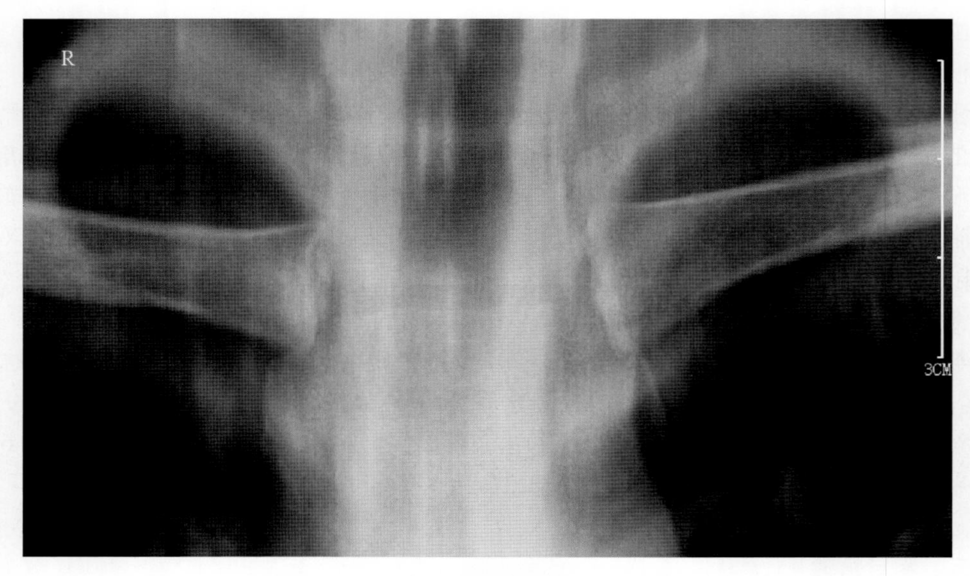

图 3-22　孟某双侧胸锁关节 DR 正位摄片

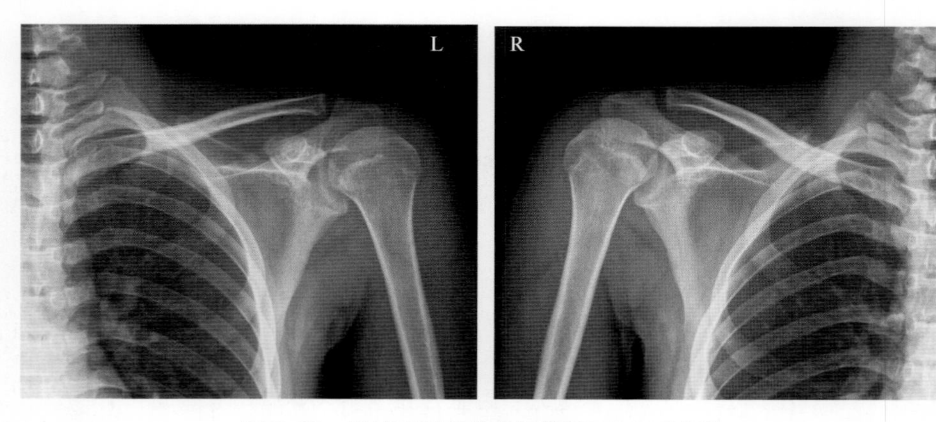

图 3-23　孟某双侧肩关节各骨骺 DR 正位摄片

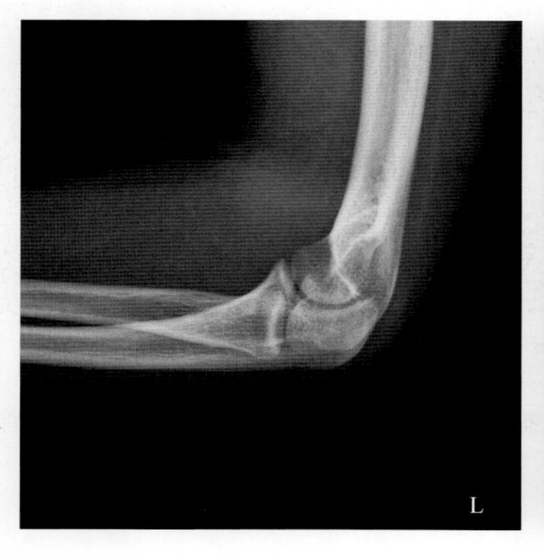

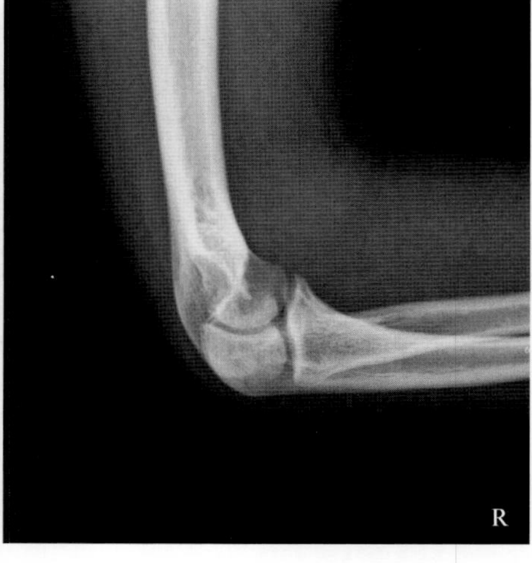

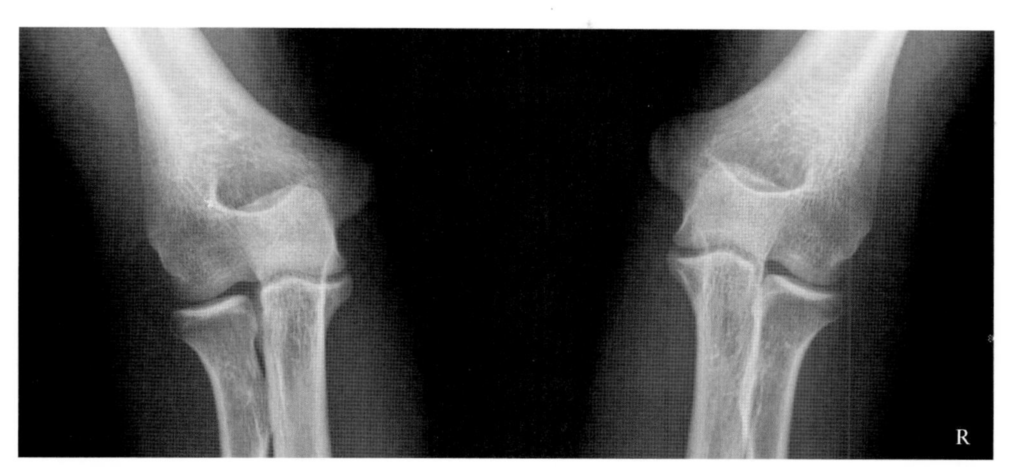

图 3-24 孟某双侧肘关节各骨骺 DR 正侧位摄片

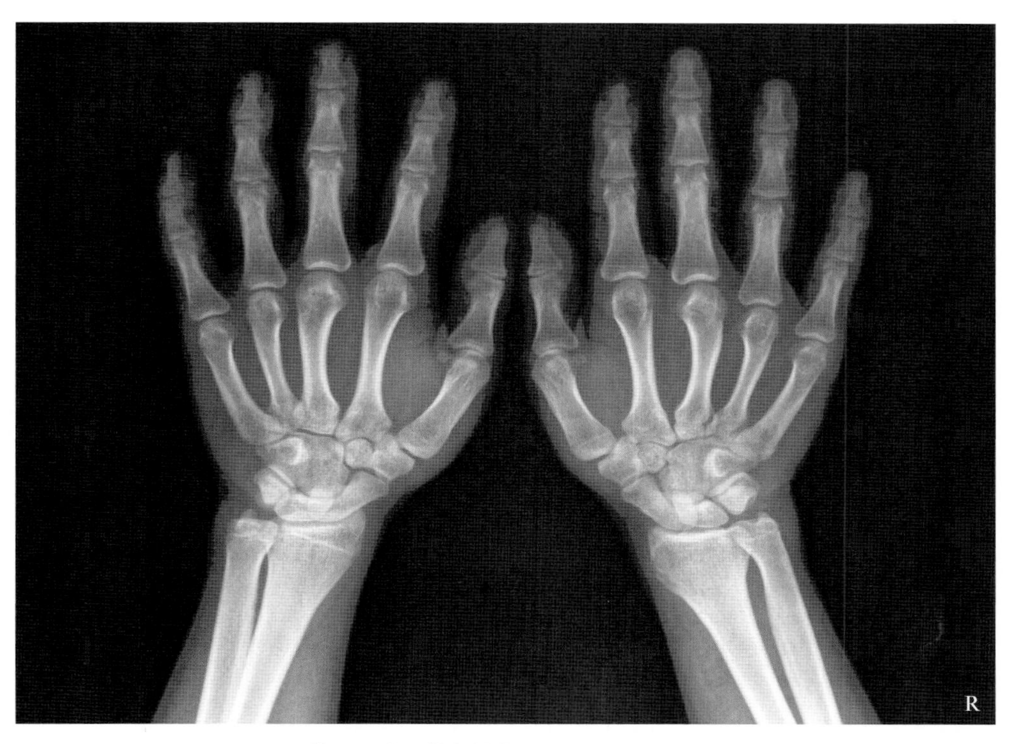

图 3-25 孟某双侧腕关节各骨骺 DR 正位摄片(包括双手正位)

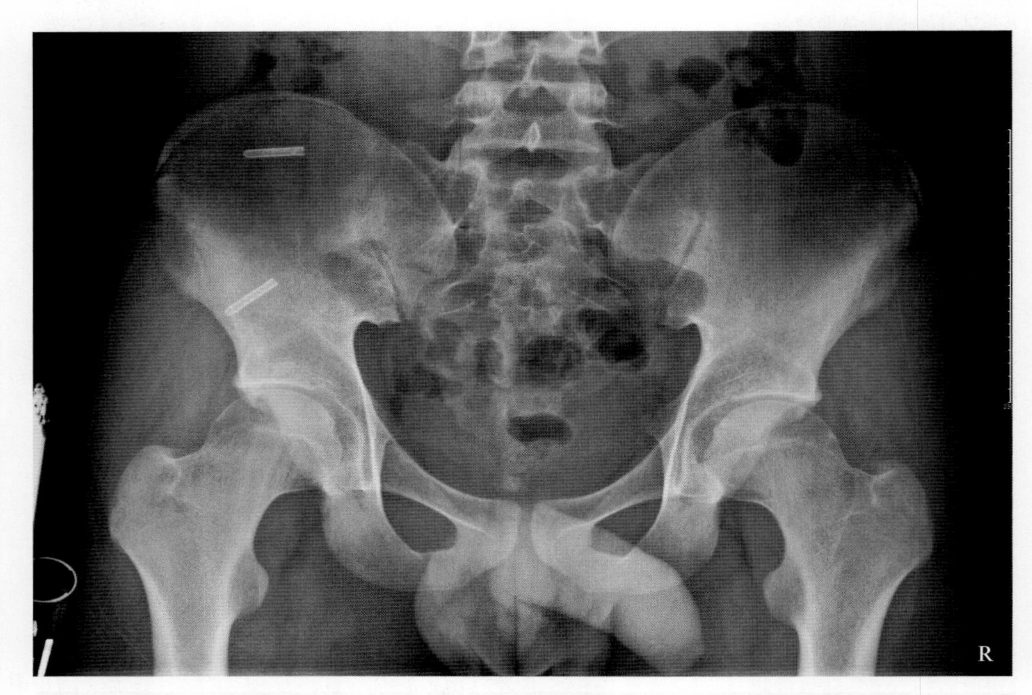

图 3-26 孟某双侧髋关节、骨盆各骨骺 DR 正位摄片

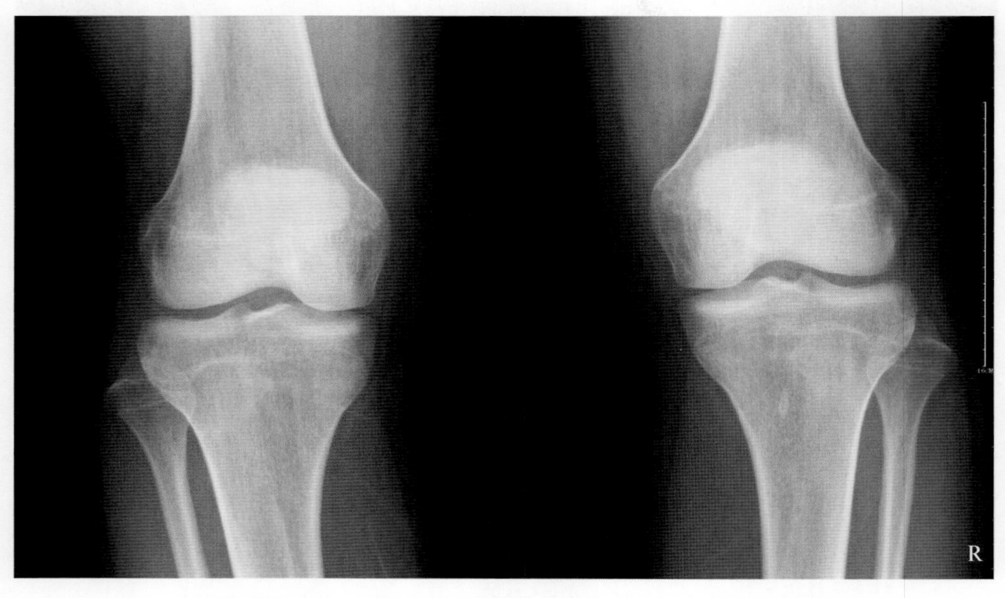

图 3-27 孟某双侧膝关节各骨骺 DR 正位摄片

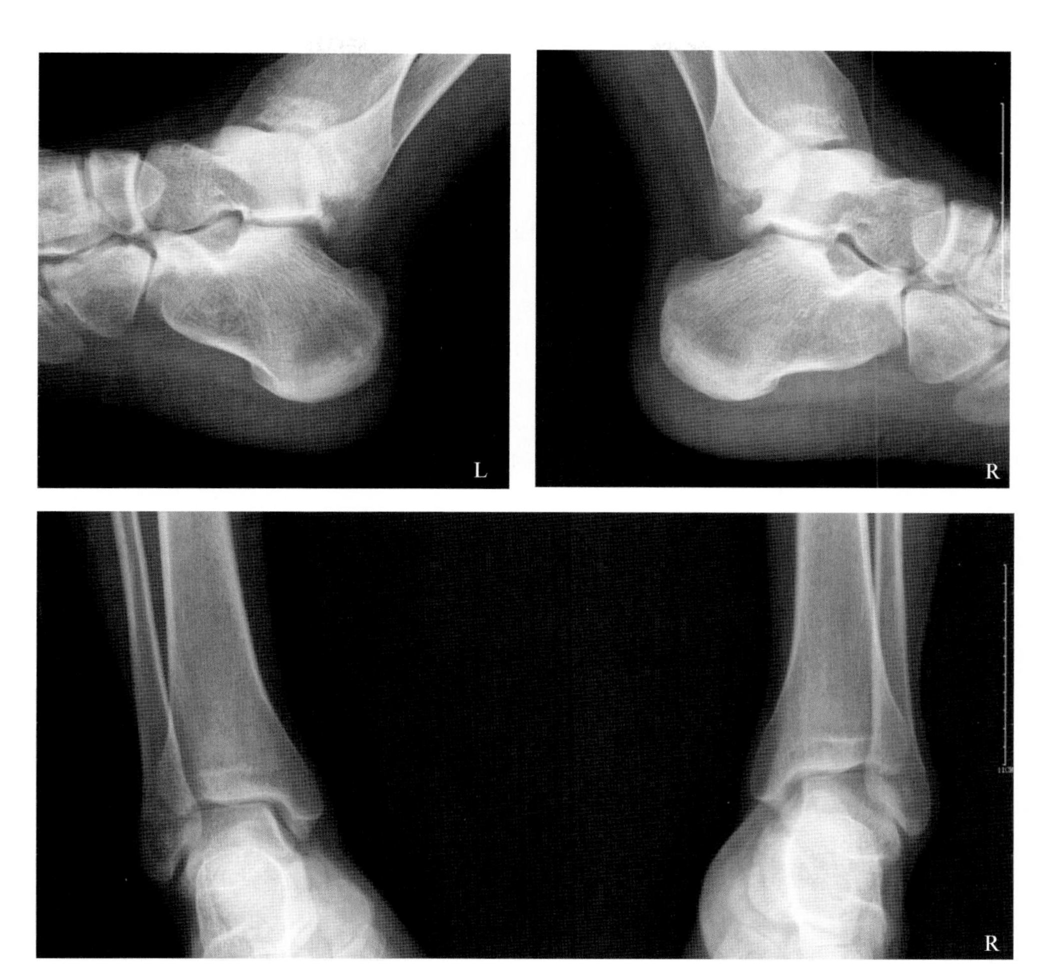

图 3-28 孟某双侧踝关节各骨骺 DR 正侧位摄片

主要参考文献

董晓爱,赵欢,青思含,等,2013.四川汉族青少年骨盆 X 线骨龄评估[J].法医学杂志,29(1):12-16.

范飞,涂梦,骆莹贞,等,2016.锁骨胸骨端骨骺闭合规律的多元影像学技术研究进展[J].法医学杂志,32(4):277-281.

胡婷鸿,万雷,刘太昂,等,2017.深度学习在图像识别及骨龄评估中的优势及应用前景[J].法医学杂志,33(6):629-634,639.

焦俊,2009.X 线骨龄测评[M].贵阳:贵州科技出版社.

雷嘉麟,2014.基于深度学习在骨龄识别上的应用[M].广州:华南师范大学.

雷义洋,申玉姝,王亚辉,等,2019.基于主成分分析和支持向量机实现膝关节骨龄评估回归算法[J].法医学杂志,35(2):194-199.

李长勇,任甫,李春山,等,2006.拉萨藏族青少年手腕部骨龄的 Fels 法评价[J],中国临床康复,10(24):

36-38.
李春山,李长勇,席焕久,等,2005.拉萨藏族青少年手腕部骨龄发育评价[J].中国临床康复,9(23):36-38.
李航,2012.统计学习方法[M].北京:清华大学出版社.
李开,叶可,王建文,等,2007. 14 岁青少年手腕骨发育的研究Ⅰ.男生骨龄标准的制定[J].法医学杂志,23(6):414-417.
李彦明,王力,张继宗,2017.中国汉族成人肱骨近端 CR 片特征与年龄的相关性[J].中国法医学杂志,32(2):141-144.
牛丽萍,王英元,2002.青少年肩关节 X 线片的骨龄研究[J].法医学杂志,18(4):204-206.
彭丽琴,万雷,汪茂文,等,2020.机器学习在骨龄评估中的研究进展及展望[J].法医学杂志,36(1):91-98.
田利新,韩成周,高红,2003.东北地区国人锁骨内侧二次骨化中心的 CT 测定[J].辽宁医学杂志,17(3):142.
田雪梅,张继宗,闵建雄,等,2001.男性青少年 X 线片的骨骺特征及年龄推断[J].中国法医学杂志,16(2):91-94.
田雪梅,张继宗,闵建雄,等,2001.青少年骨关节 X 线片的骨龄研究[J].刑事技术,(2):6-11.
王鹏,朱广友,王亚辉,等,2008.中国男性青少年骨龄鉴定方法[J].法医学杂志,24(4):252-255,258.
王亚辉,王子慎,魏华,等,2014.基于支持向量机实现骨骺发育分级的自动化评估[J].法医学杂志,(6):422-426.
王亚辉,魏华,应充亮,等,2013.薄层 CT 扫描技术在锁骨胸骨端骨龄评估中的应用进展[J].法医学杂志,29(2):130-133.
王亚辉,魏华,应充亮,等,2013.锁骨胸骨端薄层 CT 扫描并图像重组的骨骺发育分级方法[J].法医学杂志,29(3):168-171,179.
王亚辉,朱广友,乔可,等,2007. X 线骨龄评估方法研究进展与展望[J].法医学杂志,23(5):365-369.
王亚辉,朱广友,王鹏,等,2008.中国汉族女性青少年法医学活体骨龄推断数学模型的建立[J].法医学杂志,24(2):110-113.
魏华,特来提·赛依提,万雷,等,2013.基于 CT 扫描并图像重组青少年锁骨胸骨端骨龄数学模型[J].法医学杂志,29(5):340-343.
吴恩惠,2001.医学影像诊断学[M].北京:人民卫生出版社.
叶义言, 2005. 中国儿童骨龄评分法[M]. 北京:人民卫生出版社.
张继宗,2009.法医人类学[M].2 版.北京:人民卫生出版社.
张继宗,舒永康,2007.人体骨骼测量方法[M].北京:科学出版社.
张继宗,田雪梅,2007.骨龄鉴定——中国青少年骨骼 X 线片图库[M].北京:科学出版社.
赵欢,董晓爱,郑涛,等,2011.运用薄层 CT 扫描评估四川汉族青年锁骨胸骨端骨骼年龄[J].法医学杂志,(6):417-420.
中国学生体质与健康研究组,2012. 2010 年中国学生体质与健康调研报告[M].北京:高等教育出版社.
中华人民共和国公安部,2019.法庭科学 汉族青少年骨龄鉴定技术规程:GA/T 1583—2019.北京:中国标准出版社.
中华人民共和国国家体育总局,2006.中国青少年儿童手腕骨成熟度及评价方法:TY/T 3001—2006[S].北京:中国标准出版社.
周志华,2016.机器学习[M].北京:清华大学出版社.
朱广友,2009.法医临床司法鉴定实务[M].北京:法律出版社.
朱广友,范利华,张国桢,等,2008.青少年骨发育 X 线分级方法[J].法医学杂志,24(1):18-24.

Russell S J, Norvig P, 2011.人工智能：一种现代的方法（第3版）[M].殷建平,祝恩,刘克彦,等,译.北京：清华大学出版社.

Bartolini V, Pinchi V, Gualco B, et al., 2018. The iliac crest in forensic age estimation: evaluation of three methods in pelvis X-rays[J]. International Journal of Legal Medicine, 132(4): 279-288.

Bassed R B, Briggs C, Drummer O H, 2011. Age estimation using CT imaging of the third molar tooth, the medial clavicular epiphysis, and the spheno-occipital synchondrosis: a multifactorial approach[J]. Forensic Science International, 212(1-3): 273. e1-273.e5.

Bengio Y, 2009. Learning deep architectures for AI[J]. Foundations & Trends in Machine Learning, 2(1): 1-127.

Bengio Y, Courville A, Goodfellow I, 2016. Deep learning[M]. Massachusetts: The MIT Press.

Bengio Y, Courville A, Vincent P, 2013. Representation learning: a review and new perspectives[J]. IEEE Trans Pattern Anal Mach Intell, 35(8): 1798-1828.

Bi W L, Hosny A, Schabath M B, et al., 2019. Artificial intelligence in cancer imaging: clinical challenges and applications[J]. CA Cancer J Clin, 69(2): 127-157.

Bishop C M, 2006. Pattern recognition and machine learning[M]. New York: Springer.

Bottou L, 2010. Large-scale machine learning with stochastic gradient descent [J]. Physica-Verlag HD, 18: 177-186.

Breen M A, Tsai A, Stamm A, et al., 2016. Bone age assessment practices in infants and older children among society for pediatric radiology members[J]. Pediatric Radiology, 46(9): 1269-1274.

Campanella G, Hanna M G, Geneslaw L, et al., 2019. Clinical-grade computational pathology using weakly supervised deep learning on whole slide images[J]. Nat Med, 25(8): 1.

Chen L C, Papandreou G, Kokkinos I, et al., 2018. Deeplab: semantic image segmentation with deep convolutional nets, atrous convolution, and fully connected CRFs[J]. IEEE Transactions on Pattern Analysis and Machine Intelligence, 2018, 40(4): 834-848.

Chen M C, Ball R L, Yang L, et al., 2018. Deep learning to classify radiology free-text reports[J]. Radiology, 286(3): 845-852.

Dallora A L, Anderberg P, Kvist O, et al., 2019. Bone age assessment with various machine learning techniques: a systematic literature review and meta-analysis[J]. PLoS ONE, 14(7): e220242.

Dallora A L, Berglund J S, Brogren M, et al., 2019. Age assessment of youth and young adults using magnetic resonance imaging of the knee: a deep learning approach[J]. JMIR Med Infor, 7(4): e16291.

Dam E B, Lillholm M, Marques J, et al., 2015. Automatic segmentation of high-and low-field knee MRIs using knee image quantification with data from the osteoarthritis initiative [J]. Journal of Medical Imaging, 2(2): 024001.

De Tobel J, Fieuws S, Hillewig E, et al., 2020. Multi-factorial age estimation: a Bayesian approach combining dental and skeletal magnetic resonance imaging[J]. Forensic Sci Int, 306: 110054.

Dedouit F, Auriol J, Rousseau H, et al., 2012. Age assessment by magnetic resonance imaging of the knee: a preliminary study[J]. Forensic Sci Int, 217(1-3): 232. e1-232. e7.

der Mauer M A, Säring D, Stanczus B, et al., 2019. A 2-year follow-up MRI study for the evaluation of an age estimation method based on knee bone development[J]. Int J Legal Med, 133(1): 205-215.

De Tobel J, Hillewig E, van Wijk M, et al., 2020 Staging clavicular development on MRI: pitfalls and suggestions for age estimation[J]. J Magn Reson Imaging, 51(2): 377-388.

Dodin P, Martel-Pelletier J, Pelletier J P, et al., 2011. A fully automated human knee 3D MRI bone segmentation using the ray casting technique[J]. Medical & Biological Engineering & Computing, 49(12): 1413-1424.

Duda R O, Hart P E, Stork D G, 2004. Pattern Classification[M]. New York: Wiley-Interscience.

Duffy I R, Boyle A J, Vasdev N, 2019. Improving PET imaging acquisition and analysis with machine learning: a narrative review with focus on alzheimer's disease and oncology[J]. Mol Imaging, 18: 1536012119869070.

Dvorak J, George J, Junge A, et al., 2007. Age determination by magnetic resonance imaging of the wrist in adolescent male football players[J]. Br J Sport Med, 41(1): 45-52.

Ebner T, Stern D, Donner R, et al., 2014. Towards automatic bone age estimation from MRI: localization of 3D anatomical landmarks[J]. Med Image Comput Assist Interv, 17(pt2): 421-428.

Ekizoglu O, Hocaoglu E, Can I O, et al., 2015. Magnetic resonance imaging of distal tibia and calcaneus for forensic age estimation in living individuals[J]. Int J Legal Med, 129(4): 825-831.

Ekizoglu O, Hocaoglu E, Can I O, et al., 2016. Spheno-occipital synchondrosis fusion degree as a method to estimate age: a preliminary, magnetic resonance imaging study[J]. Aust j Forensic Sci, 48(2): 159-170.

Ekizoglu O, Hocaoglu E, Inci E, et al., 2016. Forensic age estimation via 3-T magnetic resonance imaging of ossification of the proximal tibial and distal femoral epiphyses: use of a T2-weighted fast spin-echo technique [J]. Forensic Sci Int, 260: 102. e1-102. e7.

Ekizoglu O, Inci E, Ors S, et al., 2019. Applicability of T1-weighted MRI in the assessment of forensic age based on the epiphyseal closure of the humeral head[J]. I Int J Legal Med, 133(1): 241-248.

Ekizoglu O, Inci E, Ors S, et al., 2019. Forensic age diagnostics by magnetic resonance imaging of the proximal humeral epiphysis[J]. Int J Legal Med, 133(1): 249-256.

El-Din E A A, Mostafa H E S, Tantawy E F, et al., 2019. Magnetic resonance imaging of the proximal tibial epiphysis: could it be helpful in forensic age estimation? [J]. Forensic Sci Med Pat, 15(3): 352-361.

Er A, Bozdag M, Basa C D, et al., 2020. Estimating forensic age via magnetic resonance imaging of the distal radial epiphysis[J]. Int J Legal Med, 134(1): 375-380.

Erickson B-J, Korfiatis P, Akkus Z, et al., 2017. Machine learning for medical imaging[J]. Radiographics, 37 (2): 505-515.

Fan F, Dong X A, Wu X M, et al., 2020. An evaluation of statistical models for age estimation and the assessment of the 18-year threshold using conventional pelvic radiographs[J]. Forensic Science International, 314: 110350.

Fan F, Tu M, Li R, et al., 2020. Age estimation by multidetector computed tomography of cranial sutures in Chinese male adults[J]. American Journal of Physical Anthropology, 171(3): 550-558.

Fan F, Zhang K, Peng Z, et al., 2016. Forensic age estimation of living persons from the knee: comparison of MRI with radiographs[J]. Forensic Sci Int, 268: 145-150.

Flach P, 2012. Machine learning: the art and science of algorithms that make sense of data[M]. New York: Cambridge University Press.

Franklin J, 2005. The elements of statistical learning: data mining, inference and prediction [J]. The Mathematical Intelligencer, 27(2): 83-85.

Garamendi P M, Landa M I, Botella M C, et al., 2011. Forensic age estimation on digital X-ray images: medial epiphyses of the clavicle and first rib ossification in relation to chronological age [J]. J Forensic Sci, 56 (Suppl 1): S3-S12.

Gelbrich B, Frerking C, Weiß S, et al., 2015. Combining wrist age and third molars in forensic age estimation:

how to calculate the joint age estimate and its error rate in age diagnostics[J]. Ann Hum Biol, 42(4): 389-396.

George J, Nagendran J, Azmi K, 2012. Comparison study of growth plate fusion using MRI versus plain radiographs as used in age determination for exclusion of overaged football players[J]. Br J Sports Med, 46(4): 273-278.

Ghahramani Z, 2015. Probabilistic machine learning and artificial intelligence[J]. Nature, 521(7553): 452-459.

Glorot X, Bordes A, Bengio Y, 2011. Deep Sparse Rectifier Neural Networks[C]. Piscataway: International Conference on Artificial Intelligence and Statistics.

Gould M K, Ananth L, Barnett P G, 2007. A clinical model to estimate the pretest probability of lung cancer in patients with solitary pulmonary nodules[J]. Chest, 131(2): 383-388.

Graves A, Wayne G, Danihelka I, 2014. Neural turing machines[J]. Computer Science.

Greutich W W, Pyle S I, 1950. Radiogaphic atlas of skeletal development of hand and wrist[J]. Stanford University Press, 108(2): 335-336.

Halabi S-S, Prevedello L-M, Kalpathy-Cramer J, et al., 2019. The RSNA pediatric bone age machine learning challenge[J]. Radiology, 290(2): 498-503.

Harmsen M, Fischer B, Schramm H, et al., 2013. Support vector machine classification based on correlation prototypes applied to bone age assessment[J]. IEEE Journal of Biomedical & Health Informatics, 17(1): 190-197.

Haykin S S, Gwynn R, 2009. Neural networks and learning machines[M]. Ottawa: Prentice Hall.

He K, Zhang X, Ren S, et al., 2015. Delving deep into rectifiers: surpassing human-level performance on ImageNet classification[C]. Santiago: International Conference on Computer Vision.

He K, Zhang X, Ren S, et al., 2016. Deep residual learning for image recognition[C]. New York: Proceedings of the IEEE conference on computer vision and pattern recognition.

Hillewig E, De Tobel J, Cuche O, et al., 2011. Magnetic resonance imaging of the medial extremity of the clavicle in forensic bone age determination: a new four-minute approach[J]. Eur Radiol, 21(4): 757-767.

Hillewig E, Degroote J, Van der Paelt T, et al., 2013. Magnetic resonance imaging of the sternal extremity of the clavicle in forensic age estimation: towards more sound age estimates[J]. Int J Legal Med, 127(3): 677-689.

Hinton G, Deng L, Yu D, et al., 2012. Deep neural networks for acoustic modeling in speech recognition: the shared views of four research groups[J]. IEEE Signal Processing Magazine, 29(6): 82-97.

Hojreh A, Gamper J, Schmook M T, et al., 2018. Hand MRI and the Greulich-Pyle atlas in skeletal age estimation in adolescents[J]. Skeletal Radiol, 47(7): 963-971.

Hosny A, Parmar C, Coroller T, et al., 2018. Deep learning for lung cancer prognostication: a retrospective multi-cohort radiomics study[J]. PLoS Medicine, 15(11): e1002711.

Hosny A, Parmar C, Quackenbush J, et al., 2018. Artificial intelligence in radiology[J]. Nat Rev Cancer, 18(8): 500-510.

Hua W, Guang-You Z, Lei W, et al., 2014. Correlation between age and the parameters of medial epiphysis and metaphysis of the clavicle using CT volume rendering images[J]. Forensic Sci Int, 244: 311-316.

Jopp E, Schröder I, Maas R, et al., 2010. Proximale tibiaepiphyse im magnetresonanztomogramm[J]. Rechtsmedizin, 20(6): 464-468.

J-O'Connor J E, Coyle J, Bogue C, et al., 2014. Age prediction formulae from radiographic assessment of skeletal maturation at the knee in an Irish population[J]. Forensic Science International, 234: 181-188.

Kashif M, Deserno T-M, Haak D, et al., 2016. Feature description with SIFT, SURF, BRIEF, BRISK, or FREAK? A general question answered for bone age assessment[J]. Computers in Biology & Medicine, 68(C): 67-75.

Kellinghaus M, Schulz R, Vieth V, 2010. Forensic age estimation in living subjects based on the ossification status of the medial clavicular epiphysis as revealed by thin-slice multidetector computed tomography[J]. Int J Legal Med, 124(2): 149-154.

Kellinghaus M, Schulz R, Vieth V, et al., 2010. Enhanced possibilities to make statements on the ossification status of the medial clavicular epiphysis using an amplified staging scheme in evaluating thin-slice CT scans[J]. Int J Legal Med, 124(4): 321-325.

Khan K, Elayappen A S, 2012. Bone growth estimation using radiology (Greulich-Pyle and Tanner-Whitehouse Methods)[M]. New York: Springer.

Kim J R, Shim W H, Yoon H M, et al., 2017. Computerized bone age estimation using deep learning based program: evaluation of the accuracy and efficiency[J]. Ajr American Journal of Roentgenology, 209(6): 1374-1380.

Koitka S, Demircioglu A, Kim M S, et al., 2018. Ossification area localization in pediatric hand radiographs using deep neural networks for object detection[J]. PLoS ONE, 13(11): e0207496.

Krämer J A, Schmidt S, Jürgens K U, et al., 2014. Forensic age estimation in living individuals using 3.0 T MRI of the distal femur[J]. Int J Legal Med, 128(3): 509-514.

Krämer J A, Schmidt S, Jürgens K U, et al., 2014. The use of magnetic resonance imaging to examine ossification of the proximal tibial epiphysis for forensic age estimation in living individuals[J]. Forensic Sci Med Pat, 10(3): 306-313.

Larson D B, Chen M C, Lungren M P, et al., 2017. Performance of a deep-learning neural network model in assessing skeletal maturity on pediatric hand radiographs[J]. Radiology, 287(1): 313-322.

Li Y, Huang Z, Dong X, et al., 2019. Forensic age estimation for pelvic X-ray images using deep learning[J]. European Radiology, 29(5): 2322-2329.

Liu Y, Balagurunathan Y, Atwater T, et al., 2017. Radiological image traits predictive of cancer status in pulmonary nodules[J]. Clin Cancer Res, 23(6): 1442-1449.

Lu T, Shi L, Zhan M J, et al., 2020. Age estimation based on magnetic resonance imaging of the ankle joint in a modern Chinese Han population[J]. International Journal of Legal Medicine, 134(5): 1843-1852.

Mansourvar M, Raj R G, Ismail M A, et al., 2012. Automated web based system for bone age assessment using historam technique[J]. Malaysian Journal of Computer Science, 25(3): 107-121.

Mirzaei G, Adeli A, Adeli H, 2016. Imaging and machine learning techniques for diagnosis of Alzheimer's disease[J]. Rev Neurosci, 27(8): 857-870.

Nair V, Hinton G E, 2010.Rectified linear units improve restricted boltzmann machines[C]. Haifa: International Machine Learning Society.

Nemirovski A S, Juditsky A, Lan G, et al., 2009. Robust stochastic approximation approach to stochastic programming[J]. SIAM Journal on Optimization, 19(4): 1574-1609.

Niazi M, Parwani A V, Gurcan M N, 2019. Digital pathology and artificial intelligence[J]. Lancet Oncol, 20(5): e253-e261.

Ottow C, Schulz R, Pfeiffer H, et al., 2017. Forensic age estimation by magnetic resonance imaging of the knee:

the definite relevance in bony fusion of the distal femoral-and the proximal tibial epiphyses using closest-to-bone T1 TSE sequence[J]. Eur Radiol, 27(12): 5041-5048.

O'Connor J E, Coyle J, Spence L-D, et al., 2013. Epiphyseal maturity indicators at the knee and their relationship to chronological age: results of an Irish population study[J]. Clinical Anatomy, 26(6): 755-767.

Payer C, Tern D, Bischof H, et al., 2019. Integrating spatial configuration into heatmap regression based CNNs for landmark localization[J]. Medical Image Analysis, 54: 207-219.

Pietka E, Gertych A, Pospiech S, et al., 2001. Computer-assisted bone age assessment: image preprocessing and epiphyseal /metaphyseal ROI extraction [J]. IEEE Transactions on Medical Imaging, 20(8): 715-729.

Qiu X, Huang X, 2015. Convolutional neural tensor network architecture for community-based question answering [J]. Journals & Magazines, 8: 1305-1311.

Rajkomar A, Dean J, Kohane I, 2019. Machine learning in medicine[J]. N Engl J Med, 380(14): 1347-1358.

Rampasek L, Goldenberg A, 2016. Tensorflow: biology's gateway to deep learning? [J]. Cell Syst, 2(1): 12-14.

Saint-Martin P, Rérolle C, Dedouit F, et al., 2013. Age estimation by magnetic resonance imaging of the distal tibial epiphysis and the calcaneum[J]. Int J Legal Med, 127(5): 1023-1030.

Saint-Martin P, Rérolle C, Dedouit F, et al., 2014. Evaluation of an automatic method for forensic age estimation by magnetic resonance imaging of the distal tibial epiphysis—a preliminary study focusing on the 18-year threshold[J]. Int J Legal Med, 128(4): 675-683.

Saint-Martin P, Rérolle C, Pucheux J, et al., 2015. Contribution of distal femur MRI to the determination of the 18-year limit in forensic age estimation[J]. Int J Legal Med, 129(3): 619-620.

Sasaki T, Ishibashi Y, Okamura Y, et al., 2002. MRI evaluation of growth plate closure rate and pattern in the normal knee joint[J]. J Knee Surg, 15(2): 72-76.

Schmeling A, Grundmann C, Fuhrmann A, et al., 2008. Criteria for age estimation in living individuals[J]. Int J Legal Med, 122(6): 457-460.

Schmeling A, Schulz R, Reisinger W, et al., 2004. Studies on the time frame for ossification of the medial clavicular epiphyseal cartilage in conventional radiography[J]. Int J Legal Med, 118(1): 5-8.

Schmidt S, Henke C A, Wittschieber D, et al., 2016. Optimising magnetic resonance imaging-based evaluation of the ossification of the medial clavicular epiphysis: a multi-centre study [J]. Int J Legal Med, 130(6): 1615-1621.

Schmidt S, Mühler M, Schmeling A, et al., 2007. Magnetic resonance imaging of the clavicular ossification[J]. Int J Legal Med, 121(4): 321-324.

Schmidt S, Ottow C, Pfeiffer H, et al., 2017. Magnetic resonance imaging-based evaluation of ossification of the medial clavicular epiphysis in forensic age assessment[J]. Int J Legal Med, 131(6): 1665-1673.

Schulz R, Mühler M, Reisinger W, 2008. Radiographic staging of ossification of the medial clavicular epiphysis [J]. Int J Legal Med, 122(1): 55-58.

Schulze D, Rother U, Fuhrmann A, et al., 2006. Correlation of age and ossification of the medial clavicular epiphysis using computed tomography[J]. Forensic Science International, 158(2-3): 184-189.

Schölkopf B, Alexander J, Smola, 2003. Learning with kernels: support vector machines, regularization, optimization, and beyond[M]. London: MIT Press.

Semelka R C, Nissman D, 2014. Text-atlas of skeletal age determination: MRI of the hand and wrist in children [M]. New Jersey: Wiley Blackwell.

Serin J, Rérolle C, Pucheux J, et al., 2016. Contribution of magnetic resonance imaging of the wrist and hand to forensic age assessment[J]. Int J Legal Med, 130(4): 1121-1128.

Serinelli S, Panebianco V, Martino M, et al., 2015. Accuracy of MRI skeletal age estimation for subjects 12-19. Potential use for subjects of unknown age[J]. Int J Legal Med, 129(3): 609-617.

Soffer S, Ben-Cohen A, Shimon O, et al., 2019. Convolutional neural networks for radiologic images: a radiologist's guide[J]. Radiology, 290(3): 590-606.

Stern D, Ebner T, Bischof H, et al., 2014. Fully automatic bone age estimation from left hand MR images[J]. Med Image Comput Assist Interv, 17(pt2): 220-227.

Stern D, Payer C, Giuliani N, et al., 2018. Automatic age estimation and majority age classification from multi-factorial MRI data[J]. IEEE Journal of Biomedical & Health Informatics, 23(4): 1392-1403.

Sullivan S, Flavel A, Franklin D, 2017. Age estimation in a sub-adult Western Australian population based on the analysis of the pelvic girdle and proximal femur[J]. Forensic Science International, 281: 185. e1-185. e10.

Summers R M, 2010. Improving the accuracy of CTC interpretation: computer-aided detection[J]. Gastrointest Endosc Clin N Am, 20(2): 245-257.

Tangmose S, Jensen K E, Villa C, et al., 2014. Forensic age estimation from the clavicle using 1.0 T MRI—preliminary results[J]. Forensic Sci Int, 234(1): 7-12.

Tanner J M, Healy M J R, Goldstein H, et al., 2001. Assesment of skeletal maturity and precdiction of adult height[M]. 3 Edition. London: Springerlink.

Terada Y, Kono S, Tamada D, et al., 2013. Skeletal age assessment in children using an open compact MRI system[J]. Magn Reson Med, 69(6): 1697-1702.

Thapa M M, Iyer R S, Khanna P C, et al., 2012. MRI of pediatric patients: part 1, normal and abnormal cartilage[J]. Am J Roentgenol, 198(5): W450-W455.

Timme M, Ottow C, Schulz R, et al., 2017. Magnetic resonance imaging of the distal radial epiphysis: a new criterion of maturity for determining whether the age of 18 has been completed? [J]. Int J Legal Med, 131(2): 579-584.

Tomei E, Sartori A, Nissman D, et al., 2014. Value of MRI of the hand and the wrist in evaluation of bone age: preliminary results[J]. J Magn Reson Imaging, 39(5): 1198-1205.

Urschler M, Grassegger S, Štern D, 2015. What automated age estimation of hand and wrist MRI data tells us about skeletal maturation in male adolescents[J]. Ann Hum Biol, 42(4): 358-367.

Urschler M, Krauskopf A, Widek T, et al., 2016. Applicability of Greulich-Pyle and Tanner-Whitehouse grading methods to MRI when assessing hand bone age in forensic age estimation: a pilot study[J]. Forensic Sci Int, 266: 281-288.

Utczas K, Muzsnai A, Cameron N, et al., 2017. A comparison of skeletal maturity assessed by radiological and ultrasonic methods[J]. Am J Hum Biol, 29(4): e22966.

Vera N P M, Höller J, Widek T, et al., 2017. Forensic age estimation by morphometric analysis of the manubrium from 3D MR images[J]. Forensic Sci Int, 277: 21-29.

Vieth V, Schulz R, Brinkmeier P, et al., 2014. Age estimation in U-20 football players using 3.0 tesla MRI of the clavicle[J]. Forensic Sci Int, 241: 118-122.

Wang Y H, Liu T A, Wei H, et al., 2016. Automated classification of epiphyses in the distal radius and ulna using a support vector machine[J]. Journal of Forensic ences, 61(2): 409-414.

Wang Y H, Ying C L, Lei W, et al., 2012. Long-term trend of bone development in the contemporary teenagers of

Chinese Han nationality[J]. Journal of Forensic Medicine, 28(4): 269-274.

Wang Y, Ying C, Wan L, et al., 2012. Long-term trend of bone development in the contemporary teenagers of Chinese Han nationality[J]. Journal of Forensic Medicine, 28(4): 269-274.

Wei H, Zhu G Y, Wan L, et al., 2014. Correlation between age and the parameters of medial epiphysis and metaphysis of the clavicle using CT volume rendering images[J]. Forensic Science International, 244: 316. e1-316. e7.

Wink A E, 2014. Pubic symphyseal age estimation from three-dimensional reconstructions of pelvic CT scans of live individuals[J]. J Forensic Sci, 59(3): 696-702.

Witten I H, Frank E, 2011. Data mining: practical machine learning tools and techniques[J]. Acm Sigmod Record, 31(1): 76-77.

Wittschieber D, Vieth V, 2013. The iliac crest in forensic age diagnostics: evaluation of the apophyseal ossification in conventional radiography[J]. International Journal of Legal Medicine, 127(2): 473-479.

Wittschieber D, Vieth V, Timme M, et al., 2014. Magnetic resonance imaging of the iliac crest: age estimation in under-20 soccer players[J]. Forensic Sci Med Pat, 10(2): 198-202.

Wittschieber D, Vieth V, Wierer T, et al., 2013. Cameriere's approach modified for pelvic radiographs: a novel method to assess apophyseal iliac crest ossification for the purpose of forensic age diagnostics[J]. International Journal of Legal Medicine, 127(4): 825-829.

Zhang B, He X, Ouyang F, et al., 2017. Radiomic machine-learning classifiers for prognostic biomarkers of advanced nasopharyngeal carcinoma[J]. Cancer Lett, 403: 21-27.

Zhang K, Chang Y F, Fan F, et al., 2015. Estimation of stature from radiologie anthropometry of the lumbar vertebr dimensions in Chinese[J]. Leg Med, 17(6): 483-488.

Zhang K, Dong X A, Chen X G, et al., 2014. The ossification of the ischial tuberosity for forensic age diagnostics in conventional radiography[J]. Australian Journal of Forensic Sciences, 46(4): 455-462.

Zhang K, Dong X A, Chen X G, et al., 2015. Forensic age estimation through evaluation of the apophyseal ossification of the iliac crest in Western Chinese[J]. Forensic Sci Int, 252: 192.

Zhang K, Dong X A, Fan F, et al., 2016. Age estimation based on pelvic ossification using regression models from conventional radiography[J]. Int J Legal Med, 130(4): 1143-1148.

Zhang K, Dong X A, Fan F, et al., 2016. Age estimation based on pelvic ossification using regression models from conventional radiography[J]. International Journal of Legal Medicine, 130(4): 1143-1148.

Zhou M, Scott J, Chaudhury B, et al., 2018. Radiomics in brain tumor: image assessment, quantitative feature descriptors, and machine-learning approaches[J]. AJNR Am J Neuroradiol, 39(2): 208-216.

Štern D, Payer C, Giuliani N, et al., 2018. Automatic age estimation and majority age classification from multi-factorial MRI data[J]. Ieee J Biomed Health, 23(4): 1392-1403.

Štern D, Payer C, Urschler M, 2019. Automated age estimation from MRI volumes of the hand[J]. Med Image Anal, 58: 101538.

第四章

法医学牙龄

年龄推断是法医人类学的研究重点之一，同时也是近年来的研究热点。准确获取年龄信息对于个体身份的鉴定和识别具有重要意义。法医人类学的观点认为，人体发育过程中的结构，如颅骨、长骨、耻骨联合、胸锁骨、腕关节、牙齿等都可用于年龄推断。2008年，国际法医年龄推断研究小组（Study Group on Forensic Age Diagnostics, SGFAD）提出活体年龄推断的标准方法应该包括一般体格检查、牙齿检查、左腕关节和口腔曲面断层影像学检查，如果骨骼发育完成，应额外拍摄锁骨胸骨端薄层CT，并建议同时应用多种方法以提高年龄推断的准确性。

与骨骼类似，牙齿在年龄推断中的应用也很广泛。牙齿是人体最坚硬的器官，其表面的牙釉质是最坚硬、最致密的组织，不论在活体还是死后很长时间，均可以完整地保存下来。此外，牙齿的生理结构不易因外界理化因素的变化而发生降解、变形，且牙齿发育和行使功能过程中有多个生理性变化与年龄有相关性，是年龄推断的基础。因此，在法医实践工作中，利用牙齿来推断年龄是法医学个体识别的重要方法之一。

随着影像学技术在口腔医学领域的不断发展，以牙齿影像学作为手段来推断年龄的方法在近年来得到了快速发展。基于根尖片、曲面断层片、锥形束CT和MRI等影像学技术判断牙齿发育过程或进行定量测量逐渐成为牙龄推断的重要方法。目前，以牙齿为研究对象的法医学年龄推断可以分为儿童年龄推断、具有特殊法律意义的年龄推断和成人年龄推断。

（1）儿童年龄推断主要是依据生长发育过程中不同牙齿发育至不同阶段的形态学变化，因为牙齿在14岁左右基本发育完成（第三磨牙除外），因此基于牙齿发育推断儿童年龄（14岁以下）准确性较高。

（2）具有特殊法律意义的年龄推断多是判断个体是否年满16周岁或18周岁，因为《刑法》规定年满16周岁的公民犯罪要承担刑事责任，未满18周岁的公民犯罪可以减轻刑事处罚。而此时骨骼发育基本完成，骨龄推断准确性急剧下降，而第三磨牙发育可以持续到20岁左右，因此是判断个体是否年满16、18周岁的重要手段。

（3）成人年龄推断因为骨骼和牙齿发育基本完成，一直是年龄推断的难点。而牙髓腔内继发性牙本质的增龄性沉积或者牙齿磨耗等都与年龄密切相关，为成人年龄推断提供了依据和方法，但是此类变化易受个体差异、饮食习惯、环境因素等影响，判断年龄的误差相对较大。

近年来，随着计算机技术的发展，尤其是支持向量机、深度学习等机器学习方法的发展，为完善和辅助实现牙龄的高精度智能评估提供了新的契机。本章节将通过传统方法、人工智能方法和法医学牙龄鉴定对法医学牙龄推断进行介绍。

第一节　传统方法

一、概述

（一）牙齿结构特征和发育规律

1. 基于外部形态

牙齿的结构可以分为牙冠、牙根和牙颈3个部分。

（1）牙冠（dental crown）：是指牙体被牙釉质覆盖的部分，它是牙齿发挥咀嚼功能的主要部分，牙冠的形态与功能相辅相成，前牙主要行使切割食物及美观、发音的功能，形态较为简单，后牙主要行使咀嚼功能，形态较复杂。

（2）牙根（dental root）：是指牙体被牙骨质覆盖的部分，主要起稳固牙体的作用，是牙体的支持部分，其形态、数目与牙齿的功能密切相关，前牙多为单根牙，后牙则多有2~3个根且具有一定分叉度，可增强牙齿的稳固性；牙根尖端称为根尖，并存在根尖孔供神经血管通行。

（3）牙颈（dental cervix）：牙冠与牙根交界处形成一弧形曲线，又称为颈线。以牙颈为界，牙齿分为解剖牙冠与解剖牙根两部分；而以龈缘为界，牙齿则分为临床牙冠与临床牙根两部分。通常对于健康人的牙齿，临床牙冠小于解剖牙冠，但随着年龄的增长或牙周病变，牙龈不断退缩，则临床牙冠可能等于甚至大于解剖牙冠。

2. 基于剖面形态

牙齿的结构可以分为牙釉质、牙本质、牙骨质和牙髓4个部分，其中牙釉质、牙本质和牙骨质组成了牙体硬组织，牙髓组成了牙体的软组织部分。

（1）牙釉质（enamel）：为牙齿最坚硬的组织，也是矿化组织中最坚硬的部分，是覆盖在牙冠表面的半透明白色硬组织，可高度耐受咀嚼压力和摩擦力。牙釉质的厚度因牙齿种类和牙齿部位而异，切牙切端、磨牙牙尖处最厚，牙颈部处最薄。牙釉质的颜色则与釉质的矿化程度相关，矿化程度越高则透明度越高，呈淡黄色；反之，若矿化程度低则透明度差，呈乳白色。

（2）牙本质（dentin）：是构成牙齿主体的硬组织，主要行使保护牙髓和支持表面牙釉质、牙骨质的功能，其硬度比牙釉质低，但高于牙骨质，呈淡黄色。牙本质冠部表面覆盖有牙釉质，根部表面则为牙骨质，并在内部围成一腔隙容纳牙髓组织。

（3）牙骨质（cementum）：为覆盖在牙根表面的矿化硬组织，是维持牙和牙周组织联系的重要组织，其结构与密质骨相似，硬度低于牙本质，颜色较牙本质更深，呈淡黄色。牙骨质厚度与牙齿部位相关，根尖和磨牙根分叉区较厚，牙颈部较薄。

（4）牙髓（dental pulp）：牙体组织中唯一的软组织，位于牙本质围成的髓腔内，是一种疏松结缔组织，具有形成牙本质，以及营养、感觉、防御、修复的功能。牙髓中的血管、神经、淋巴管通过根尖孔与根尖部的牙周组织相连通。

牙的发育是一个连续过程,可分为牙胚的发生及分化、牙体组织的形成、牙的萌出及替换3个阶段。来自外胚叶的成釉器和来自外胚间叶的牙乳头、牙囊构成牙胚,并包埋于上下颌骨内;牙胚随着颌骨的生长发育,成釉器形成牙釉质,牙乳头形成牙本质和牙髓,牙囊则形成牙骨质、牙周膜和牙槽骨,牙体组织发生钙化后穿破牙囊和牙龈显露于口腔,通常将后者称为出龈。牙齿的萌出即指从牙冠出龈到上下牙达到咬合接触的全过程,而萌出时间则指牙冠出龈的时间。牙齿萌出主要分为3个阶段:第一阶段为萌出前期,主要表现为牙根形成和颌骨发育过程中牙胚在牙槽骨中的移动;第二阶段为萌出期,这一阶段开始于牙根的形成,持续至牙齿进入口腔并达到咬合接触;第三阶段为萌出后期,包括牙周组织的改建和根尖孔的形成。

人类拥有两副牙列,根据牙齿在口腔内存留时间的差异可将人类的牙齿分为乳牙列和恒牙列两种,尽管二者存在于口腔内的时间、形态特点存在差异,但萌出过程具有一定的相似性。

(1)牙齿萌出具有一定的次序性,萌出的先后顺序基本与牙胚发育的顺序一致,但也存在少数例外情况,其差异主要与牙位相关,与性别无关。

(2)牙齿萌出具有固定的时间性,但其生理范围较宽,牙齿萌出时间与性别具有相关性,乳牙列中男孩乳牙比女孩早萌出,而恒牙列与之相反。

(3)左右同名牙齿基本同时出龈。

(4)下颌牙齿萌出稍早于上颌同名牙齿。

(5)牙齿从出现在口腔到萌出至咬合平面一般需要1.5~2.5个月,其中尖牙需要更长的时间。

乳牙的牙胚发生于胚胎第2个月,胚胎5~6个月开始钙化,至出生时形成20个乳牙胚。婴儿出生后约6个月乳牙开始萌出,两岁半左右全部萌出。一般乳牙的萌出顺序依次为乳中切牙、乳侧切牙、第一乳磨牙、乳尖牙、第二乳磨牙。恒牙的牙胚形成于乳牙胚形成后,位于其舌侧或牙板远端。恒牙中最早形成的是第一恒磨牙的牙胚,约在胚胎第4个月,随后依次形成恒切牙、恒尖牙、恒前磨牙、第二恒磨牙的牙胚,第三恒磨牙牙胚形成最晚,在4~5岁。婴儿出生后,恒牙胚相继钙化,其顺序与牙胚形成顺序相似,但尖牙钙化时间较晚,与第二恒磨牙的钙化时间相似。恒牙的萌出时间同样遵循一定的规律,萌出顺序大多为第一磨牙、中切牙、侧切牙、第一前磨牙、尖牙、第二前磨牙、第二磨牙,但有时上颌牙列中第二前磨牙会优先于尖牙萌出,下颌牙列中第一前磨牙会晚于尖牙萌出。第三磨牙俗称“智齿”,约在20岁萌出,常因下颌骨宽度不足引起萌出变异,有时甚至终生不能萌出,有时可因遗传因素发生第三磨牙先天缺失。

(二)牙龄推断历史

由于牙齿结构特点及发育规律与年龄具有高度相关性,因此法医学中常借助牙齿进行个体年龄推断。对于婴幼儿至14岁(不包括14岁)的儿童,可根据乳牙和恒牙的萌出、替换等特点推断个体年龄,但牙齿萌出时间较难捕捉、牙齿替换受多种外界因素影响,其年龄推断结果的准确性较差。而牙齿矿化过程包括牙冠和牙根的形成,比牙齿萌出与年龄的相关性更大,且矿化过程主要受基因调控、较少受到外界因素影响,因此近年来逐渐成为推断牙龄的重要标准,现已有多位学者基于牙齿发育矿化建立牙龄推断方法,如Gleiser和Hunt法、Demirjian法、Nolla法、Willems法和Cameriere法等。

成年人牙根发育完成后，仍不断形成的牙本质称为继发性牙本质，其随着年龄增长不断增厚，沉积在髓腔周围，Kvaal 等基于牙髓腔增龄性变化建立的年龄推断公式成为推断成年人牙龄的重要方法之一。随着牙齿的逐渐磨损和龋齿刺激，矿物质沉淀并封闭牙小管，形成透明牙本质，该结构仅能在牙根处观察透明度，同时牙冠部位易受磨损或龋齿等外界因素影响，因而不适用于冠部，因此通过测量根 1/3 处的牙本质小管数量，可间接反映牙根的硬化程度，从而推断年龄。除此以外，牙周膜的退行性变化、牙齿磨耗、牙骨质粘连和牙根吸收等众多特征都被证实与年龄具有相关性，可以用来推断成年人牙龄。

在 1836 年，英国法律就明文规定不满 7 岁的儿童犯罪后不承担任何法律责任。在刑事案件中，如果犯罪嫌疑人的实际年龄没有直接证据获知，那么医生可以通过观察牙齿来推断“如果第三颗磨牙(第一恒磨牙)没有萌出，那么可以断定被检查者未满 7 周岁”。为保护儿童的权益，英国于 1833 年通过工厂管理的相关法律，规定工厂不得雇佣未满 9 周岁的儿童，如果雇佣未满 13 周岁的儿童从事生产活动，必须限定其劳动时间。因为贫困的人群多数没有出生登记，常常没有办法确定其真实年龄。Saunders 于 1837 年第一次报道了通过牙齿萌出推断年龄的方法，之后牙齿萌出与年龄的相关性研究逐渐受到关注，且在很长一段时间里，牙齿萌出一直被作为年龄推断的唯一方法。但是这种方法的可靠性比较差，不同个体在牙齿萌出时间上变异较大。除此以外，颌骨大小、颞下颌关节、乳牙的早失或滞留等因素都会影响牙齿的正常萌出。

目前，应用最广泛的通过牙齿推断年龄的方法是基于 X 线片判断牙齿的发育阶段从而推断年龄。而对牙齿发育阶段的分类也是有 3~22 段。经典的描述牙齿发育时序性的图谱由 Schour 和 Massler 在 1941 年绘制，他们将牙齿的发育从妊娠期至 35 岁分为 22 个不同的阶段。1955 年，Gleiser 和 Hunt 根据不同年龄美国白种人青少年 X 线片上第一磨牙的发育过程分为 15 个阶段(其中第 8 阶段又细分为两个亚级)，开创了利用放射影像学对牙齿发育程度分级后再进行牙龄推断的先河。1960 年，Nolla 将恒牙的矿化过程分为 10 个阶段，每个阶段设立一个分值，每颗牙赋予一个值后，上颌和下颌牙齿总得分与 Nolla 给出的表进行比较从而获得预测年龄。该方法的优点是男性和女性的年龄分开进行评估，并且第三磨牙的缺失与否不影响该方法的使用。Moorrees 等于 1963 年将恒牙列的发育从牙尖的形成到根尖孔的闭合分为 14 个阶段。因为图像的清晰度问题，他们只研究了下颌全部牙齿及上颌切牙并得出这些牙齿发育到各个阶段的具体时间表。这样，通过判断牙齿发育到某一个阶段，就可以从相对应的牙齿发育时间表中找出被检查对象最有可能的年龄。1973 年，Demirjian 等在研究了 2 928 名加拿大儿童曲面断层片后提出依据牙胚在发育过程中的影像学变化将切牙、尖牙、前磨牙和磨牙的发育分为 A~H 8 个阶段，依据发育阶段分别对一侧中切牙至第二磨牙赋予数值，7 颗恒牙的分值之和即为牙齿成熟度，然后根据 Demirjian 等提供的转换表，可以将该发育值转化为牙龄。因该方法判断标准清晰、重复性好、准确性高，现在已经成为世界上牙龄推断最常用的方法之一。2001 年，Willems 等发现将 Demirjian 法应用于比利时人群时准确性欠佳。他们选取了 2 523 名 8~18 岁比利时儿童的曲面断层片，通过调整不同牙齿发育至不同阶段对应的分值对 Demirjian 法进行了改良。并同时运用改良 Demirjian 法和 Demirjian 法推断 355 名比利时儿童牙龄，结果发现改良后的 Demirjian 法更准确。此外，Cameriere 在 2006 年首次尝试通过测量 455 名年龄介于 5~15 岁的意大利白种人左侧下颌7颗恒牙根尖孔距离与牙齿高度,建立了年龄推断的多元线性回归方程,通过该公式进行年龄推断误差仅为0.035岁。

大部分恒牙在12岁左右基本发育完成,而恒牙列中第三磨牙在大小、形状及发育上变异最大,它是未成年人青春期后唯一还在发育的牙齿,因此,第三磨牙的发育被认为是青少年年龄推断的重要方法之一。第三磨牙萌出与否仅仅通过临床检查就可以判定,很早之前,国外许多学者已经开始尝试寻找第三磨牙的萌出时间与年龄之间的相关性。1962年,哈佛大学的Fanning等研究了3 423名13~22岁的波士顿学生第三磨牙的萌出情况,发现如果牙列完整,其上颌第三磨牙萌出的平均年龄为20.5岁,下颌第三磨牙萌出的年龄,男性和女性分别为19.8岁和20.4岁。然而这种方法虽然容易掌握,临床操作便利,但是因为它仅仅关注牙齿露出牙龈的时间,牙龄评估的准确性较差,实际应用也受到限制。2007年,Olze等以牙槽骨、牙龈为界,通过观察第三磨牙的X线片影像将其萌出阶段分为4个时期:𬌗面位于牙槽骨以下、牙槽萌出阶段、牙龈萌出阶段和完全萌出至𬌗平面。该分类方法从牙龈萌出阶段到完全萌出阶段,中间的时间跨度比较长,影响了年龄推断的准确性。2008年,Cameriere等提出了通过测量第三磨牙根尖孔闭合程度判断个体是否年满18周岁的方法。通过在曲面断层片上测量第三磨牙未完全闭合的根尖孔距离和整个磨牙高度,计算出第三磨牙成熟指数(I_{3M}),并以0.08作为切割值判断个体是否成年。

牙齿发育完成后如何推断年龄一直是牙龄推断的难点。早在1925年,Bodecker就发现继发性牙本质与年龄的关系。随着继发性牙本质的形成,牙髓腔体积逐渐减小,并且可能导致部分根管的闭合。1947年,Gustafson提出联合牙齿磨耗、牙周膜附着等6项指标来推断年龄,其中每一项指标都给予0~3四个分期,6项指标得分相加得出与年龄的线性回归方程:$y=11.43+4.56X$,其中y代表年龄,X代表6项增龄性指标得分之和。此公式推断年龄的相关系数为0.98,误差为±3.63岁。其中,根牙本质透明度和继发性牙本质两个指标的敏感性最高。1993年,Solheim在Gustafson法的基础上提出了一种新的利用牙齿增龄性变化的特征推断年龄的方法。他通过研究分别来自临床拔除牙齿、尸体和法庭案件的1 000颗离体牙在牙周膜退缩、牙齿磨耗、继发性牙本质、牙齿颜色、牙骨质厚度、根牙本质透明度及牙根表面的粗糙程度等方面的变化,建立了年龄推断的多元线性回归方程。但是,鉴于拔除的牙齿容易出现牙周膜退缩现象,这应该是由于大多数需要拔除的牙齿都是由牙周疾病引起的;同时,从尸体上拔除的牙齿大多颜色较深,而颜色较深的牙齿更容易出现根牙本质透明现象;此外牙根表面粗糙的样本更容易发现牙骨质粘连和较多的继发性牙本质,因此Solheim分别建立了不同类型离体牙推断年龄的公式,并发现下颌尖牙和上颌第二前磨牙的增龄性指标与年龄的相关性最低。2012年,Olze等首次在曲面断层片上使用Gustafson法推断1 299名15~40岁患者的年龄。不同于离体牙,通过无创伤的影像学资料进行评估,牙根吸收和根牙本质透明度这两种增龄性变化无法在曲面断层片中清楚呈现,因此,Olze等通过评估下颌前磨牙的继发性牙本质、牙骨质粘连、牙周膜退缩以及牙齿磨耗这4个指标采用0~3级评分系统建立了年龄推断的多元线性回归方程。此外,Kvaal在1995年还报道了通过测量单根牙牙齿的长度、牙髓的长度、釉牙骨质界到根尖的长度、釉牙骨质界水平牙髓和牙齿的宽度及其相应的比值来建立与牙龄的函数关系推断年龄的方法。该方法理论基础为随着年龄的增长,继发性牙本质增生,牙冠及牙髓腔缩小,通过测量这些变化即可推断年龄,该方法可用于推断成年人的年龄。

综上所述,儿童和青少年早期年龄推断主要依据乳牙和恒牙的萌出、牙齿发育矿化程度;青少年晚期和成人早期则主要根据第三磨牙的萌出和发育矿化程度推断年龄;成人年龄推断主要依据牙齿磨耗度、牙釉质和牙本质硬度变化、牙齿颜色变化和牙髓腔形态改变等增龄性变化特征。

(三)牙龄推断常用技术

传统基于牙齿推断年龄的研究主要集中在牙齿生长发育过程评价(诸如牙齿的萌出与替换、牙齿磨耗度)及离体牙齿观察等。这些方法存在一定的局限性。

(1)容易受到外界环境因素影响从而制约年龄推断的准确性。

(2)有些方法费时、昂贵,要求较高的实验操作技术,并且还需要拔出牙齿,这在活体年龄推断时不符合伦理学原则。

随着影像学技术在口腔医学领域的不断发展,运用牙齿影像学手段来推断年龄近年来得到了快速发展,基于根尖片、曲面断层片、锥形束 CT 和 MRI 等影像评估牙齿发育过程或进行测量逐渐成为牙龄推断重要的方法。另外,生化技术和分子生物学技术在牙龄推断中的应用也逐渐受到关注。牙龄推断常用技术根据是否对牙体组织或者人体形成损伤分为非侵入性技术和侵入性技术两类。

1. 非侵入性技术

(1)*牙齿萌出*:人的乳牙和恒牙萌出规律相似,均在一定时间内按照一定的顺序形成并萌出。对于婴幼儿和儿童,根据乳、恒牙的萌出和替换推断个体年龄是最早的牙龄推断方法,国内外多位学者对不同时间、不同地区、不同种族的儿童乳牙及恒牙萌出情况进行了调查研究,分别制订了不同人群的牙齿萌出图表,用于牙龄推断,并且发现恒牙的萌出变异性小于乳牙。该方法的优点是不需要借助其他设备,仅通过临床检查就可以完成,容易掌握。且牙齿在萌出之前受口腔及外界环境影响较小,因此在不同个体中的变异性较小。但该方法的局限性在于牙齿萌出过程中容易受到颌骨大小、乳牙早失、错颌畸形和外伤等外界因素影响,准确性较差,目前已经很少在司法实践中使用。

(2)*牙齿矿化和牙根形成*:得益于 X 线数字成像技术的发展,观察牙齿矿化和牙根发育过程成为可能。而基于牙齿发育矿化过程推断年龄是目前公认的较为准确的牙龄推断方法。牙齿的发育矿化是一连续过程,不同学者通过观察 X 线片中牙齿的发育矿化过程,将这一连续的发育过程人为地划分为具有明显特征的不同阶段,并对每个阶段赋予一定的数值,以多颗牙齿的数值之和作为牙齿成熟度评价要素,最后通过牙齿成熟度-牙龄转换表实现牙龄推断。具有代表性的该类牙龄推断方法主要有 Nolla 法(1960 年)、Moorrees 法(1963 年)、Demirjian 法(1973 年)、Haavikko 法(1974 年)、Willems 法(2001 年)等。近年来,随着 CBCT 和 MRI 等成像技术的发展,高质量、高清晰度牙齿图像的获得为基于牙齿矿化和牙根发育推断年龄提供了新的发展机遇。牙齿在矿化和牙根形成的过程中,未受口腔环境及咀嚼因素的影响,因此在不同个体中普遍适用。但是很多研究表明,在不同种族、性别、地区的人群中,牙齿矿化和牙根形成的发育过程变异性较大。这就提示对于不同种族、环境、性别的人群,需要针对性地建立特异性的评断标准来进行年龄推断,否则会降低年龄推断的准确性。

(3) 其他形态学变化:牙齿发育完成后,利用观测牙齿萌出、矿化或牙根形成的方法预测年龄变得不再适用。但牙齿仍存在一些结构上的增龄性变化,其与年龄具有相关性。

1) 牙齿磨耗程度:随着年龄的增长,个体牙齿的咬合面都会因为咀嚼作用而发生渐进性生理性硬组织丧失。既往很多研究都证实了牙齿磨耗程度与年龄之间的相关性。1962年,Miles 等提出了通过观察萌出磨牙的磨耗速度和方式来推断年龄的方法,并且给出了英国人群不同年龄段所对应的3颗磨牙的磨耗图谱。1984年,Smith 提出了 TW_1 5级牙齿磨耗分度标准,他将切牙、尖牙、前磨牙及磨牙的磨耗过程都分为了5个阶段,并且详细描述了各个阶段的特征。Chatterjee 等在2011年通过对50颗中切牙和50颗第一磨牙的研究,建立了牙本质厚度与年龄之间的回归方程,但使用此方程推断年龄的误差高达10岁甚至以上,因此他认为单独使用牙齿磨耗判定年龄的准确性不高。在我国,宋宏伟等于1987年也提出了适合中国人群的牙齿磨耗程度判断标准(0~6度)。他将牙齿磨耗程度量化后研究其与个体年龄之间的相关性,提出了"牙齿磨耗度相关矩阵表",为缺失牙齿磨耗度的补充判断提供了相关的参考标准。然而,牙齿的磨耗程度不仅与年龄和咀嚼力的大小相关,还与牙齿的健康状况、遗传性疾病、是否患有夜磨牙症及饮食习惯等其他因素密切相关。因此,在司法实践中,应用牙齿磨耗程度判定个体年龄的准确性较低,现在多作为辅助方法与其他方法共同使用以提高年龄推断的准确性。

2) 牙齿颜色:随着年龄的增长,牙齿逐渐变为黄褐色。这种颜色的变化主要是由牙体硬组织中有机物的降解,色素在牙釉质和牙本质中的沉积,是由牙齿矿化及屈光度的改变等因素引起的。Brudevold 等在1957年认识到牙齿颜色的变化与年龄之间存在关联,但是并没有继续深入研究。1977年,Ten Cate 等研究了牙齿颜色与年龄的关系,并且将观察者分为3组:未训练肉眼观察组、颜色密度组及训练后肉眼观察组。结果表明,牙齿颜色的变化与年龄之间关联性更高,并且训练后肉眼观察组的结果准确性最高。通过牙齿颜色来判定年龄的研究其结果都不是特别理想,问题的关键是如何量化牙齿颜色的渐进性变化。此外,牙齿颜色的变化也与个体生活习惯及所处的周围环境息息相关,因此在法医实践中,该种方法的准确性并不是很高。

3) 牙本质-牙髓复合体的改变:与牙釉质不同,随着生理年龄增长,牙本质因为对外界咀嚼压力和温度刺激的生物学反应一生中可以不断形成,髓腔体积逐渐减小。当牙齿发育完成以后形成的牙本质,称为继发性牙本质。法医牙科学家据此提出可以通过牙本质-牙髓复合体的增龄性变化推断年龄。1925年,Bodecker 首次阐述了继发性牙本质和生理年龄的相关性。1961年,Philippas 首次利用放射学技术研究了继发性牙本质和生理年龄的相关性。1985年,Ikeda 等基于牙髓腔的变化首次提出用冠髓腔指数来推断个体年龄的方法。冠髓腔指数计算方法为冠部牙髓腔高度与牙冠高度之比。1997年,Drusini 等学者选择了433名年龄介于9~76岁的意大利白种人的曲面断层片进行研究。通过测量425颗第一前磨牙和421颗磨牙的冠髓腔指数,建立了年龄推断的多元线性回归方程,实际年龄与推断年龄误差为5.88~6.66岁。2013年,Karkhanis 等重新验证此方法并将其用于澳大利亚人群,虽然结合多颗牙齿的测量结果进行推断,得到的结果仍然误差较大。

1994年,Kvaal 和 Solheim 首次报道了通过测量单根牙牙髓腔、牙根长度与宽度的比值评价牙本质牙髓复合体变化的方法。他们使用该方法测量了100颗单根牙的根尖片,发现与年龄的相关系数为0.56~0.76。Paewinsky等在2005年将此方法应用于168名年龄在14~81岁的德国人群，通过测量6类单根牙的牙髓/牙根长度与宽度比，发现上颌侧切牙牙髓/牙根宽度比与年龄的相关性最高，相关系数为0.913。Cameriere等测量了西班牙人群曲面断层片中的中切牙、侧切牙及尖牙的牙髓/牙根长度与宽度比，得出年龄推断的多元线性回归方程，相关系数介于0.513~0.86，其中尖牙和上颌切牙敏感性最高。在我国，郭昱成等在2019年使用Kvaal法测量了360名年龄在20~65岁的中国北方人群，得出适合中国人群的年龄推断多元线性回归方程，相关系数介于0.39~0.48。近年来，随着CT、微计算机断层扫描(micro-CT)及CBCT等技术在口腔领域的应用，使获得牙齿的三维影像成为可能。Vandevoort等在2004年首次使用micro-CT测量了25名24~66岁个体的43颗离体单根牙的牙髓/牙体容积比，证实其与个体年龄之间存在较高的关联性。micro-CT仅能用于离体牙齿的测量，因此不能广泛使用，而CBCT的出现却很好地解决了这一问题。2006年，Yang等首次基于CBCT影像评价单根牙牙髓腔的体积变化从而推断年龄。他们从19个年龄范围在23~70岁的个体中选择了28个CBCT的牙齿影像，发现牙髓/牙体容积比与个体年龄有一定的相关性，并且建立了推断年龄的回归方程。

Star等在2011年测量了111名10~65岁比利时患者的214颗单根牙的CBCT影像，发现中切牙的牙髓/牙体容积比与年龄的相关性最高，其次是前磨牙和尖牙，而不同性别在年龄推断中并无明显区别。在我国，阎春霞等在2019年通过测量414名年龄介于20~65岁的中国北方人群阻生第三磨牙牙髓/牙体容积比，建立了适合我国人群的基于牙本质牙髓增龄性变化的多元线性回归方程，相关系数介于0.632~0.687。

2. 侵入性技术

(1) 生化技术：1955年，Bhussry和Emmel发现，牙齿中氮化合物的含量也随着年龄的增长而增加，并认为这是导致牙齿颜色发生渐进性变化的因素之一。Bang和Monsen在1968年评估了牙齿中钙化合物的含量，并发现牙冠中钙化合物含量高于牙根。牙齿中钙化合物含量也随着年龄的增长而增加，并且不同部位的钙化合物有均质化现象。另一种与年龄相关的牙质中化学成分的变化是天冬氨酸的外消旋性。人体中合成的天冬氨酸通常是*L*型光学异构体，随着年龄的增长，逐渐向*D*型光学异构体转化，称为外消旋性，这一过程与温度、pH及湿度等因素相关。Helfman和Bada在1975年首次发现牙釉质中氨基酸外消旋性与年龄的关联，并且随后证实牙本质和牙骨质中的*D*-氨基酸也与年龄相关。Ohtani在2010年将离体牙齿使用低速切片锯沿唇舌方向切为厚度为1 mm的剖面，并将其浸泡在盐酸、蒸馏水、乙醇和乙醚混合液中5 min，收集牙本质粉末，使用气相色谱法测量外消旋性氨基酸的含量，并建立与年龄的线性回归方程。最后使用该公式在5名个体中进行验证，误差在±3岁以内。此外，在1998年，Atsu等通过扫描电镜和能谱仪测量牙组织不同部位的钙磷比(钙/磷)来推断年龄，发现根尖部管周牙本质的钙磷比与年龄之间的相关系数较大，可用于牙龄推断。这些年龄推断技术的使用都依赖于离体牙实施，在活体年龄推断中应用受到限制。

(2) 牙本质半透明度：Gustafson最先把它作为推断年龄的指标之一，但只观察的是牙根的透明度，由于冠部易受磨损或龋齿的影响，所以此方法不适用于牙齿冠部。1970年，Bang和Ramm将牙根牙本质透明度作为一个单一参数，对挪威人预测年龄的方法和公式进行了修正，研究结果显示随着年龄的增长，牙根透明度呈现显著增加趋势，但超过一定临界值时，透明度的进一步增加会受到限制，在大约 60 岁后，透明度开始下降。Thomas 等在 1994 年使用了 104 颗新鲜离体牙齿在 2%戊二醛溶液中固定，制作牙齿切片观察并绘制出半透明的牙本质，分别测量长度、长度占根长的百分比、面积、面积占根面积的百分比，结果证实半透明牙本质与年龄具有相关性。Acharya 和 Vimi 在 2009 年通过对牙本质透明度变化的研究绘制了牙龄相关性曲线，曲线结果显示牙本质透明度在 60 岁左右变化趋势出现改变。但与 Bang 和 Ramm 不同的是，该学者认为牙本质透明度本身并没有减少的趋势，而是在 60 岁后增长变慢，提示牙本质透明度在老年时趋于稳定。Kavitaa 等选取了 70 例 11~80 岁人群的牙齿样本，制作牙齿切片并应用扫描仪扫描成电子图像，观察并测量牙齿不同部位的透明牙本质，结果证明年龄与牙根牙本质透明度呈正相关关系，相关系数为 0.69，与 Bang 和 Ramm（相关系数=0.70）、Thomas 等的（相关系数=0.59）基本一致。目前，关于牙本质透明度的相关研究多可证明牙本质透明度与年龄之间具有正相关性，但关于年龄推断准确性的研究相对较少。该方法由于其操作过程复杂仅可用于 30 岁以上、60 岁以下人群且准确率尚无明确定论，现尚未广泛应用于法医学实践中。

（3）牙骨质环：牙骨质是包绕在牙根表面的一薄层骨样组织，借牙周膜纤维与牙槽骨紧密相连。牙骨质的形成过程不同于骨组织这种连续性发育，它是一层一层堆积而成。随着年龄的增长，牙骨质也不断增厚并形成明暗相隔的状似年轮的环状，称为牙骨质环。牙骨质环形成的原因可能是环境因素的影响导致生长激素水平改变，从而影响牙骨质的沉积。Zander 和 Hurzeler 在 1958 年通过研究 233 颗 11~76 岁个体的离体牙首先发现牙骨质的厚度与年龄之间的线性关系。Stott 等在 1982 年首次发表了通过牙骨质环推断年龄的研究。Charles 等通过研究 42 对离体的下颌尖牙与第一前磨牙，也发现了牙骨质环的数量与年龄的线性关系，证明牙骨质环的可重复性高，建立的年龄推断公式总体相关系数为 0.78。2004 年，Wittwer-Backofen 等测量了 363 颗离体牙齿，发现使用此方法推断年龄的误差不超过±2.5 岁，并且性别及是否患有牙周疾病对结果没有明显影响。然而，另有一些研究却没有发现牙骨质环与年龄之间存在明显的关联。Renz 和 Radlanski 研究了 8 颗牙齿牙根中 1/3 处近中、远中、颊侧及舌侧牙骨质环，发现同一颗牙齿不同部位的牙骨质环数量并不一致，甚至同一颗牙齿同一部位所取切片的不同区域的牙骨质环数量也不尽相同，因此他们认为使用这种方法推断年龄的准确性还有待商榷。Kasetty 等研究了 200 颗离体牙，发现虽然牙骨质的厚度与牙骨质环的数量与年龄存在相关性，但是仅仅有 1%~1.5%的样本能够相对准确地判定年龄，使用该方法推断年龄的平均误差高达±12 岁。目前，通过量化牙骨质环来判定年龄的方法应用比较少，一方面是由于目前这种方法的准确性还有待商榷，另一方面也可能是因为牙骨质环形成的具体原因尚不清楚，这些都限制了其推广使用。

（4）分子生物学技术

1）端粒 DNA 长度：端粒是存在于真核细胞染色体末端的一段 DNA-蛋白质复合体。细胞每分裂 1 次，由于 DNA 在复制过程中末端不能完全复制，端粒就会缩短一点。一旦端粒消耗殆尽，细胞即会走向凋亡。之后，Tsuji 等在 2002 年通过研究 60 名 0~85 岁健康个体，发现端粒长度与年龄之间存在相关性，并得出年龄推断的公式，其相关系数为 0.692 2，因此，他们认为如果个体DNA保存完好，可以通过测量端粒长度粗略判断个体年龄从而应用于法医实践。2003年，Takasaki等通过检测100位16～70岁个体离体磨牙的牙髓DNA，也发现了年龄与端粒长度之间存在线性关系。2014年，泰国学者Srettabunjong等过检测100份尸源血样中端粒DNA的长度，发现年龄与端粒长度的相关系数为0.625，并且性别对年龄的推断没有影响。但同时他也指出因为年龄与端粒长度相关性比较低，因此该方法并不能用来准确判断个体年龄。

2）DNA甲基化：是表观遗传的一种变化形式，个体发育和衰老都受到表观遗传变化的影响，而DNA甲基化是其中最重要的表现之一。DNA甲基化是哺乳动物细胞核苷酸的胞嘧啶中添加1个甲基（$—CH_3$）至其5′碳（C5）上，主要发生在CpG位点，尤其是在CpG岛。在人类基因组中基因的甲基化率占70%～80%。1967年，Berdyshev等最早研究DNA甲基化与衰老的关系。2013年，Horvath等提出了能体现人类衰老的“老化时钟”的概念，并建立353个年龄相关的CpG位点组成的多组织年龄预测模型，从而奠定了使用DNA甲基化进行年龄推断的基础。在此之后，关于研究DNA甲基化与衰老机制，以及筛选年龄相关的甲基化位点、年龄相关性DNA甲基化位点在不同组织间的差异等研究逐步开展起来。美国学者Hannum等在2013年发表了全基因组甲基化谱与人类衰老率的相关研究，他们利用全基因组甲基化测试芯片，从全血的450 000个CpG中筛选出71个年龄相关的甲基化位点并建立模型，模型相关性为96.3%，预测年龄误差为3.88岁。Weidner等在2014年通过亚硫酸氢盐焦磷酸测序技术分析了151个血液样品的DNA甲基化程度，筛选出3个包含随龄性甲基化CpG位点的基因（*ITGA2B*、*ASPA* 和 *PDE4C*），并且预测年龄与实际年龄平均绝对偏差小于5岁。随着DNA甲基化年龄推断的研究，年龄推断的精确度、灵敏度、可靠性越来越高，而所用时间、检验成本越来越低。

二、儿童和青少年牙龄推断常用方法

针对青少年儿童牙龄推断，目前应用最广泛的方法是基于DR摄片进行的。通过牙齿在发育矿化过程中的形态不同，建立推断年龄的关系式。因此，如果发育阶段的分类较少，则能获得较小的组间差异，可靠性高，但是准确性低。相反，如果发育阶段分类较多，能提高年龄推断的准确性，但是结果的重复性较差。所以问题的难点就在于如何在实践中找到准确性和可靠性两者间的平衡点。

（一）Demirjian法

牙齿的矿化程度在儿童和青少年时期受到内分泌和营养状况的影响较小，因而使得牙龄推断的准确性较高。牙龄的推断方法有多种，其中Demirjian法因其准确性高、判定标准清晰准确、较少受摄片因素的干扰、可操作性强等特点而受到广泛关注，成为评估牙龄最常用的方法之一。

在实际应用中，由于上颌后牙受上颌结节等结构的影响，在口腔曲面断层片上很难清晰显示其牙根形态，而下颌区域的影像则不受干扰，加之人类的牙齿发育有左右对称的特点，故仅需要测量左侧下颌7颗恒牙即可判断牙龄。对于处于青春期晚期和成年后早期的青年，其他牙齿都已矿化发育完成，只有第三磨牙还处于发育过程中，因而多数研究将第三磨牙纳入牙龄判断体系，以便更准确地推断年龄。

Demirjian 将牙齿的发育过程人为地分为 8 个阶段,具体分期如下(图 4-1)。

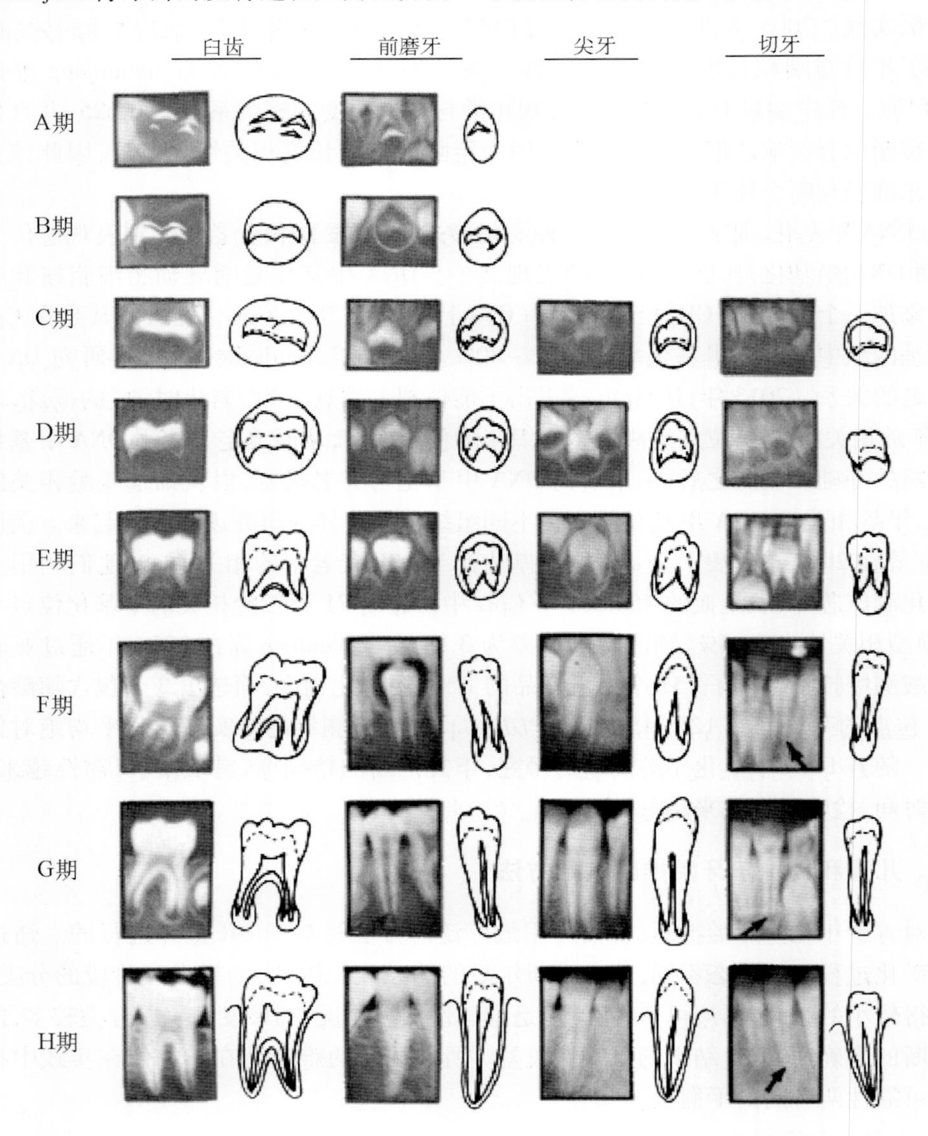

图 4-1 Demirjian 法分期示意图

Demirjian A, Glodstein H, Tanner J M, 1973. A new system of dental age assessment[J]. Hum Biol,45(2):211-227

A 期:不论单根牙还是多根牙,最早的钙化呈倒锥形出现在牙囊的顶端,但这些钙化点没有融合。

B 期:钙化点融合成一个或者多个牙尖,这些牙尖勾勒出殆面轮廓。

C 期:殆面的牙釉质完全形成,延伸并覆盖至牙颈部;牙本质开始沉积,牙髓腔在殆面边缘呈弯曲状。

D 期:牙冠釉质完全形成并延伸至釉质牙骨质界;单根牙的牙髓腔顶部边缘弯曲,呈弓状突入牙颈部;如果出现牙髓角,其投影呈伞状;磨牙的髓腔呈梯形,针状的牙根开始形成。

E 期：单根牙髓腔壁形成直线，但被牙髓角隔断，牙根比牙冠短；磨牙牙根分叉开始形成，呈钙化点或者半月形，牙根仍比牙冠短。

F 期：单根牙髓腔壁近似等腰三角形，根尖部呈漏斗状，牙根比牙冠长或者与之相等；磨牙牙根分叉处的钙化从半月形发展到有明确的根的外形，呈漏斗状，牙根的长度比牙冠长或者相等。

G 期：根管壁相互平行，根尖孔未闭合（包括磨牙的远中牙根）。

H 期：根管的根尖孔完全闭合（包括磨牙的远中牙根）；牙根和根尖周围的牙周膜宽度均匀一致。

Demirjian 法因准确性高、判定标准清晰准确，利用其进行年龄推断的研究人群涉及欧洲、亚洲、非洲、美洲等不同大洲的多个国家和地区。总体来看，应用 Demirjian 法推断的牙龄普遍存在高估现象，仅在对突尼斯青少年的研究中出现了低估现象。研究样本大多选择5~14 岁年龄段的儿童和青少年，结果显示，年龄推断高估的误差范围主要集中在0.20~1.00 岁，仅个别研究结果差异较大，可达到 1.00 岁以上。低估的误差范围则主要集中在0.32~0.45 岁，差异不显著。

针对应用 Demirjian 法出现高估生理年龄的现象，有学者提出了修正方法并进行准确性探究。Leurs 等收集了荷兰 451 名 3~17 岁儿童及青少年的口腔曲面断层片，应用 Demirjian 法进行年龄推断，结果显示推断年龄基本高于实际年龄，男性平均高 0.40 岁，女性平均高0.60岁；通过实验数据拟合得到的结果较修正前准确性有所提高，男性平均牙龄比实际年龄高 0.17 岁，女性平均牙龄比实际年龄高 0.22 岁，拟合后得到的结果明显更适合当地人群的牙齿发育和生理年龄之间的关系。Hegde 等根据 Demirjian 法对印度 5.0~15.9 岁儿童和青少年所拍摄的口腔曲面断层片的左下区恒牙发育情况进行分期，随后分别应用 Demirjian 法及修改权重后的 Demirjian 法推断牙龄，修正前推断牙龄相较于实际年龄高估了(0.69±1.46)岁，而使用修正后的 Demirjian 法得到的总体牙龄较实际年龄高估（0.19±0.80）岁，修正后的 Demirjian 法的准确性得到改善。Ksenija 等学者在塞尔维亚人群的研究中显示，Demirjian 方法会高估年龄，其在男孩和女孩中的平均误差为 0.45 岁和 0.42 岁，而 Willems 法的准确度相对较高，男孩和女性推断年龄误差分别为 0.12 岁和 0.16 岁。

Demirjian 法的应用在国内也有报道。李虎等于 2013 年收集了南京 664 名 3~16 岁青少年的口腔曲面断层片，应用 Demirjian 法进行年龄推断，结果显示推断年龄存在高估现象，男性年龄平均高估 0.9 岁，女性年龄平均高估 1.0 岁，且推断年龄和实际年龄之间差异具有统计学意义（$P<0.05$）。而通过对实际年龄和推断年龄进行非线性拟合，通过函数对牙龄进行调整修正后得到的牙龄与实际年龄的平均偏差男性和女性均降低了 0.6 岁，差异无统计学意义（$P<0.05$）。尽管多数学者的研究结果表明，Demirjian 法推断中国人群的牙龄存在高估现象，仍有部分研究结果表明使用该方法存在低估现象。Yang 等应用 Demirjian 法对湖南 8~16 岁的青少年进行年龄推断，结果发现推断年龄既存在高估现象，又存在低估现象。在男性中，其推断年龄较实际年龄平均高估 0.03 岁；而女性的研究结果显示，推断年龄较实际年龄平均低估 0.03 岁。周勤等对 Demirjian 法在贵州青少年应用的准确性进行了探究，发现女性年龄推断结果存在高估现象，比实际年龄平均高 0.07 岁，而男性则存在低估现象，

比实际年龄平均低 0.07 岁，但该差异无统计学意义（$P>0.05$）。也有学者的研究结果显示，无论男性还是女性，推断年龄均呈低估现象。Wang 等选择了上海市 11.00~18.99岁青少年进行研究，发现应用 Demirjian 法进行年龄推断存在低估现象，其中男性年龄推断平均低估（0.66±1.45）岁，女性年龄推断平均低估（0.62±1.61）岁。陶疆等学者利用 Demirjian 法测定上海地区 828 名 11~19 岁青少年的牙龄，研究结果显示在 11~14 岁年龄段推断年龄高于实际年龄，15~16 岁年龄段出现低估现象，17 岁以上人群使用该方法具有一定的局限性。也有学者在中国人群中将 Demirjian 法和 Willems 法两种年龄推断方法做了比较。Yang 等在中国南方人群的研究中显示，Demirjian 法的准确性高于 Willems 法，该研究中 Demirjian 法推断男性、女性年龄平均低估 0.03 岁，而 Willems 法在男性年龄推断中平均低估 0.44 岁，在女性中则低估 0.54 岁。而 Ye 等通过在上海人群中比较 Demirjian 法和 Willems 法准确性，得出 Willems 法在男性、女性中的年龄推断误差分别为 0.36 岁和 0.02 岁，而使用 Demirjian 法在男性、女性中的推算误差可以达到 1.68 岁和 1.28 岁。因此，尽管 Willems 法简化了 Demirjian 法的年龄推断计算过程，但二者的准确性问题尚存在争议，有待进一步研究证实。

在多种牙龄推断法中，Demirjian 法是目前评估牙龄最常用的方法之一，但其仍然存在一些局限性。在以往的研究结论中，种族、地域、性别、咀嚼习惯等因素对 Demirjian 法年龄推断的准确性具有不同程度的影响。该方法仍受到种族、地域等因素不同程度的影响，因此不同人群使用该方法的准确性欠佳，因而需要建立基于特定人群的特异性相关数学模型，从而提高年龄推断的准确性。除了上述影响 Demirjian 法准确性的因素外，尚有其他可能影响准确性的因素仍未被发现，还有待进一步的实验探究。

（二）Gleiser 和 Hunt 法

20 世纪初期，基于 X 线片的牙齿生长发育研究十分有限。自 1930 年起，在哈佛大学公共卫生学院 Harold C. Stuart 博士的指导下，美国开始对儿童成长发育进行纵向研究，通过这项调查中关于牙齿发育的研究结果，Gleiser 和 Hunt 在 1955 年创建了第一个利用放射影像学对牙齿发育程度分级后再进行牙龄推断的方法。他们在波士顿地区随机选择了 25 名男孩和 25 名女孩：从出生到 18 个月，每隔 6 个月拍摄 1 次右侧面部 X 线片；从 18 个月到 10 岁，则改为每隔 6 个月拍摄 1 次，并在拍摄同时进行临床口腔检查。由于大多数人第一磨牙钙化是在出生后开始的，且牙齿最活跃的生长发育过程会持续到 9 岁；同时，第一磨牙位于或接近 X 线片的中心位置，可以减少因胶片位置摆放不佳而造成牙齿在影像中模糊不清的情况发生，进而可能影响对牙齿发育细节的判断，因此，Gleiser 和 Hunt 选择下颌右侧第一磨牙作为研究对象，用收集的上述 50 例被观察者的样本制作了下颌第一磨牙发育的影像学图谱，并根据不同年龄青少年 X 线片上第一磨牙的发育情况将其分为 15 个阶段，其中第 8 个阶段又细分为 A、B 两个亚阶段。各阶段的具体分期标准如下（图 4-2）。

Ⅰ期：未钙化。

Ⅱ期：钙化中心形成。

Ⅲ期：钙化中心融合。

Ⅳ期：牙尖轮廓形成。

Ⅴ期：牙冠发育至 1/2。

Ⅵ期：牙冠发育至 2/3。

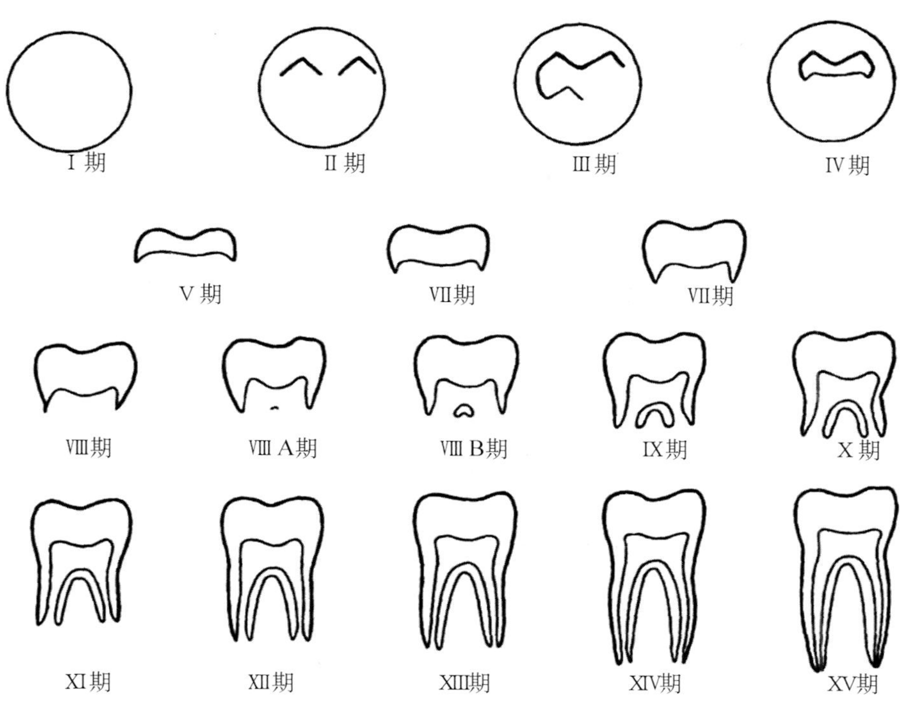

图 4-2　Glesier 和 Hunt 第一磨牙发育阶段示意图

Gleiser I, Hunt E E , 1955. The permanent mandibular first molar: it's calcification, eruption and decay[J]. American Journal of Physical Anthropology, 13(2): 253-283

Ⅶ期：牙冠发育完成。

Ⅷ期：牙根开始形成。

ⅧA 期：根间隔开始形成。

ⅧB 期：根间隔迅速扩大。

Ⅸ期：牙根长度发育至 1/4。

Ⅹ期：牙根长度发育至 1/3。

Ⅺ期：牙根长度发育至 1/2。

Ⅻ期：牙根长度发育至 2/3。

ⅩⅢ期：牙根长度发育至 3/4。

ⅩⅣ期：牙根长度发育完成，根尖孔未完全闭合。

ⅩⅤ期：牙根长度发育完成，根尖孔完全闭合。

该方法评估牙冠的发育完成主要通过近、远、中（牙冠）宽度，而牙根的发育完成阶段则参考牙冠的高度，因此具有一定的主观因素。另外，该图谱仍存在一些不确定因素。例如，被观察者的 X 线片间隔拍摄时间为 3 个月或 6 个月，可能并未捕捉到不同钙化阶段之间的分界点；同时，通过观察 X 线片，仅能评价当前钙化程度更接近于 15 个发育分期中的某一个，其准确性仍有待进一步提高。

（三）Nolla 法

1960 年,Nolla 提出了牙齿发育分期的新方法。Nolla 对于牙齿发育分期的分类描述相对简单(图 4-3)。

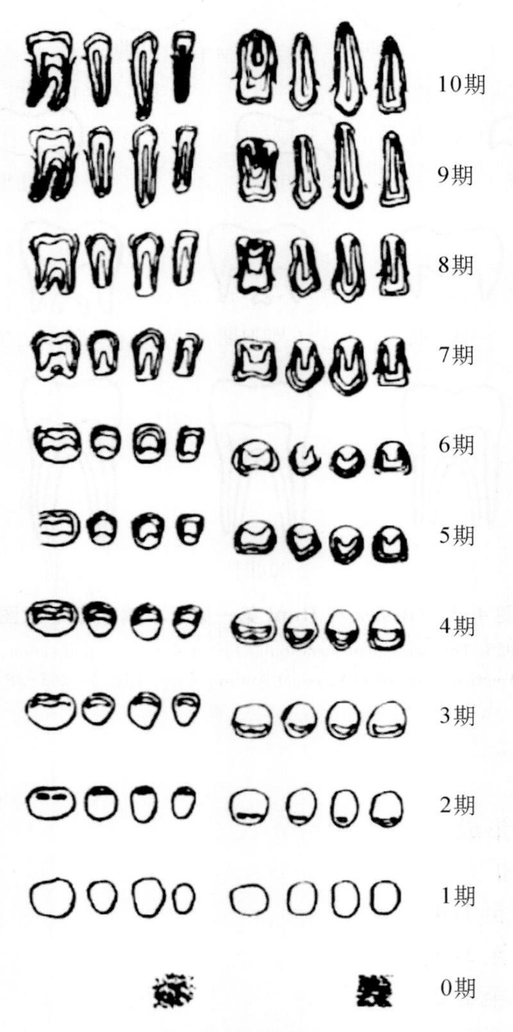

图 4-3 Nolla 法分期示意图

Nolla CM, 1960. The development of the permanent teeth[J]. Dent Child, 27: 254-266

0 期:牙胚尚未出现。

1 期:牙胚恰好出现或可以观测到。

2 期:牙冠开始矿化。

3 期:牙冠矿化完成 1/3。

4 期:牙冠矿化完成 2/3。

5 期:牙冠即将矿化完成。

6 期:牙冠完全矿化。

7 期:牙根矿化完成 1/3。

8 期:牙根矿化完成 2/3。

9 期:牙根即将矿化完成(根尖开口)。

10 期:矿化完成,根尖闭合。

在 Nolla 法中,为了更加准确地评估每颗恒牙的发育分期,引用了非整数的分期记录方法。若发育矿化略不及某个标准发育分期,则引入发育分期 0.7 期。

与 Demirjian 法相比,Nolla 法所定义的发育分期更多,理论上使得在判断年龄时牙齿的发育分期更加准确,同时引入的小数分期进一步提高了分期判断的准确性。然而,发育分期的增加一定程度上增加了对识片者的专业要求,同时更加烦琐,降低了发育分期的识别效率。

Nolla 法年龄推断在国际上也得到了广泛的应用。Miloglu 等学者于 2011 年研究了土耳其 719 名年龄介于 6~18 岁儿童的曲面断层片,在将估算年龄与实际年龄对比之后,发现男、女性儿童预测年龄平均低估了 0.3 岁。在女性儿童中除了 7~7.9 岁组外,所有年龄段女性儿童预测年龄与实际年龄均有明显差异;男性儿童中,除 7~7.9 岁组和 8~8.9 岁组外,所有年龄段的预测年龄与实际年龄均无明显差异。因此他们认为,该方法的年龄推断更适用于男性儿童。Seo 等使用 Nolla 法对 1 200 名 4~15 岁的韩国儿童的牙龄研究中发现,中切牙、侧切牙、尖牙、第一前磨牙、第二前磨牙、第一磨牙和第二磨牙的牙冠发育完成(Nolla 法中第 6 期)年龄,男性儿童上颌牙齿发育至第 6 期的时间分别为 5.4 岁、6.4 岁、6.7 岁、7.5 岁、7.8 岁、4.6 岁和 8.1 岁,下颌发育至第 6 期的时间分别为 4.8 岁、5.1 岁、6.0 岁、6.5 岁、7.2 岁、4.5 岁和 8.0 岁。而在女性儿童中,上下颌牙齿牙冠发育完成的年龄分别为 5.3 岁、6.0 岁、6.3 岁、7.3 岁、7.7 岁、4.8 岁、8.1 岁以及 4.8 岁、5.1 岁、5.9 岁、6.5 岁、7.2 岁、5.0 岁、7.9 岁。而 Cortes 等在西班牙儿童的研究中发现,使用 Nolla 法推断年龄较实际年龄偏低。在整个 4~14 岁的研究样本中,仅 4~6.9 岁组的儿童年龄预测中出现了高估的现象。同时他们认为,相较于女性儿童,该方法更加适用于男性儿童的年龄推断。

也有一些学者比较了 Nolla 法和 Demirjian 法在年龄推断中的准确性差别。Luis 等研究了 4~34 岁的 270 名葡萄牙人和 551 名西班牙人的曲面断层片,发现 Demirjian 法普遍存在年龄高估现象,而 Nolla 法往往出现年龄低估现象,且两种方法预测年龄的准确性在性别和年龄组中差异性较大。同时,两种方法中男性年龄预测的准确性均高于女性,而随着年龄的增加,两种方法预测的准确性均呈下降趋势。而且无论在男性中还是在女性中,Nolla 法在儿童早期和晚期都比 Demirjian 法要更加准确。Maria 等研究了年龄介于 7~21 岁 1 322 名西班牙男性和 1 319 名西班牙女性的曲面断层片,并分别比较 Nolla 法、Demirjian 法及综合两种方法在年龄推断中的准确性。结果表明,使用 Nolla 法推断的年龄比实际年龄小 0.213 岁,而基于 Demirjian 法推断的年龄比实际年龄大 0.853 岁,男性的预测误差大于女性。而综合两种方法建立的年龄推断模型可以提高年龄推断的准确性。Sevcihan 等使用 Nolla 法推断 717 名土耳其儿童的牙龄,研究表明与其他牙齿相比,下颌第二前磨牙在儿童年龄推断中准确性最高。

与 Gleiser 和 Hunt 法类似,Nolla 法在判断牙齿发育时,也需要猜测牙冠和牙根发育完成的形态,受评估者主观经验影响较大,客观性略显不足。同时与 Demirjian 法的 8 个分期相比，更多的分期降低了分期结果的可重复性、可靠性和一致性。

（四）Moorrees 法

1963 年，Moorrees 等将恒牙列的发育从牙尖的形成到根尖孔的闭合分为 14 个阶段，其各阶段的具体分期标准如下（图 4-4）。

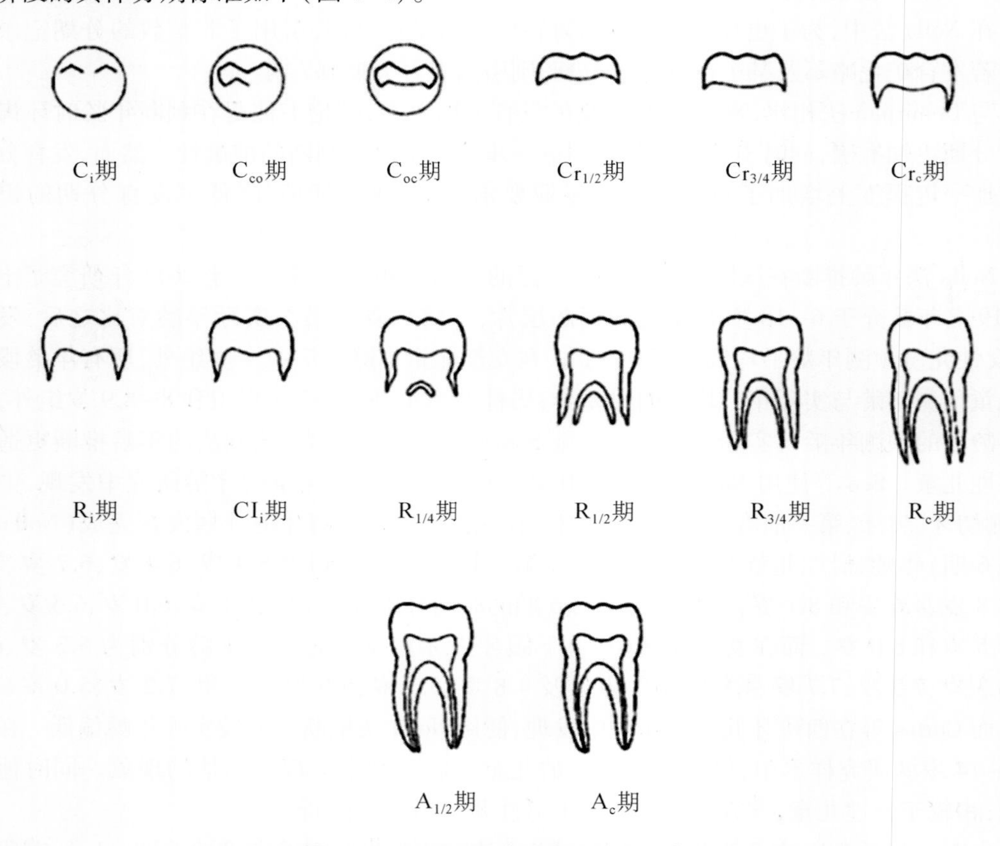

图 4-4 Moorrees 磨牙发育阶段示意图

Moorres CFA, Fanning EA, Hunt HH, 1963. Age variation of formation stages for ten permanent teeth[J]. Dent Res, 42: 1490-1502

C_i 期：牙尖开始形成。

C_{co}期：可见部分牙尖融合。

C_{oc}期：牙尖轮廓形成。

$Cr_{1/2}$期：牙冠发育至 1/2。

$Cr_{3/4}$期：牙冠发育至 3/4。

Cr_c期：牙冠发育完成。

R_i 期：牙根开始形成。

CI_i期：牙根进一步发育，可见根分叉形成。

$R_{1/4}$期：牙根长度发育至总长度的 1/4。

$R_{1/2}$期：牙根长度发育至总长度的 1/2。

$R_{3/4}$期:牙根长度发育至总长度的3/4。

R_c 期:牙根长度发育完成。

$A_{1/2}$期:根尖孔闭合1/2。

A_c 期:根尖孔完全闭合。

基于该研究,Moorrees 等获得了下颌后牙(尖牙~第三磨牙)形成的时间表,另外上、下颌中切牙、侧切牙发育的后期阶段以图4-4中的形式呈现。除了早期成熟的第一磨牙外,恒牙(尖牙~第三磨牙)牙胚是在出生后形成的。尖牙牙冠开始形成的年龄约为6个月,第一前磨牙为1.8岁,第二前磨牙为3.0岁,第二磨牙为3.5岁,第三磨牙约为9.4岁。小学一年级(即6~6.5岁)的儿童通常刚刚完成第二磨牙和第二前磨牙的牙冠形成;12岁左右的儿童,除第三磨牙外的所有恒牙的根长均已发育成熟,而第三磨牙的牙冠已形成。第一磨牙的牙冠形成所需的时间为2.1年,第二磨牙和第三磨牙的牙冠形成所需时间为2.8年,前磨牙牙冠形成期较磨牙长,为3.1~3.4年,尖牙则为3.5年。上颌中切牙的牙根形成时间约为3.3年,下颌第一磨牙为3.6年,第二磨牙为4.8年,第三磨牙约为4.5年。以上牙根形成所需时间均是依据3个磨牙的近中根的形成时间获得,其远中根的发育时间相较于近中根要长0.2~0.3年。女性尖牙和两个前磨牙牙根形成的时间为4.6~4.9年,而男性平均需要5.3~5.4年才能形成第一和第二前磨牙牙根,男性尖牙牙根形成时间更长,需要6.2年。对于上颌侧切牙牙根形成所需时间,男性约为4年,而女性相较于男性时间短0.6年。对比发现,牙冠的发育与牙根发育差异较大,牙冠发育所需的时间在男性和女性中基本是相同的,仅差0.02~0.10岁。但是,不同阶段的牙冠形成时间在男性和女性中偶尔存在明显差异。

Anderson 等通过对加拿大儿童的研究对 Moorrees 法进行了改良,将上颌全部牙齿纳入评价系统中。Saunders 等在1993年对19世纪墓地的579具人类遗骸样本进行研究,对其中282例青少年样本进行曲面断层片拍摄,并应用 Moorrees 法进行牙龄推断,将推断结果与墓地记录进行对比,结果显示应用 Moorrees 法推断年龄的误差仅为1.5岁。为探究 Moorrees 法在实际应用过程中的可重复性,2006年 Dhanjal 等选取了73例年龄介于8.97~23.79岁的全口曲面断层片,分别应用 Demirjian 法和 Moorrees 法对左侧第三磨牙的牙冠或牙根发育进行评价分期,以比较两种方法在评价过程中的组间、组内检验一致性,结果发现 Demirjian 法的一致性结果较好,而 Moorrees 法因发育阶段划分较多,一致性结果相对较差,二者一致性最高的阶段分别为 Demirjian 法的E期和 Moorrees 法的全冠期(Cr_c期),说明对于牙根发育的早期判断比晚期更可靠。在2013年,Seselj 等为提高 Moorrees 法推断年龄的准确性,选取了1 393名3~17岁捷克人群,对其拍摄的全口曲面断层片中的下颌牙齿应用 Moorrees 法进行发育阶段评估,由于年龄与牙齿分期之间为非线性关系,他们认为与其他经验性预测模型相比,博弈法预测年龄的准确率最高,且第二磨牙显示出最佳的年龄预测能力。

1970年,Haavikko 等对 Moorrees 法进行了改良,去除了原分类当中不易区分的分期,并增加了0期代表牙尖未开始矿化,最终通过研究1 162名年龄范围为2~20岁的芬兰儿童的曲面断层片,得出了处于不同发育阶段的儿童年龄的中位数,其各阶段的具体分期标准如下。

0期:牙囊形成,但未看到牙尖钙化点。

C_i 期：牙尖开始形成。

C_{co}期：可见部分牙尖融合。

$Cr_{1/2}$期：牙冠发育至 1/2。

$Cr_{3/4}$期：牙冠发育至 3/4。

Cr_c期：牙冠发育完成。

R_i 期：牙根开始形成。

$R_{1/4}$期：牙根长度发育至总长度的 1/4。

$R_{1/2}$期：牙根长度发育至总长度的 1/2。

$R_{3/4}$期：牙根长度发育至总长度的 3/4。

R_c 期：牙根长度发育完成。

A_c 期：根尖孔完全闭合。

使用该方法时对曲面断层片中根尖孔未完全闭合的恒牙（不包括第三磨牙）进行发育阶段的评估，并结合牙龄转换表计算出每颗牙齿对应的分值，再将分值相加求出均数，所得均数数值即为牙龄。该方法采用对单个牙赋值再相加求均数的牙龄计算方法，因而 Haavikko 法在先天缺牙患儿牙齿发育的研究中具有明显的优势。

（五）Cameriere 法

2006 年，Cameriere 提出可以依据牙齿发育过程中根尖孔闭合情况进行年龄推断。具体测量方法如下（图 4-5）。

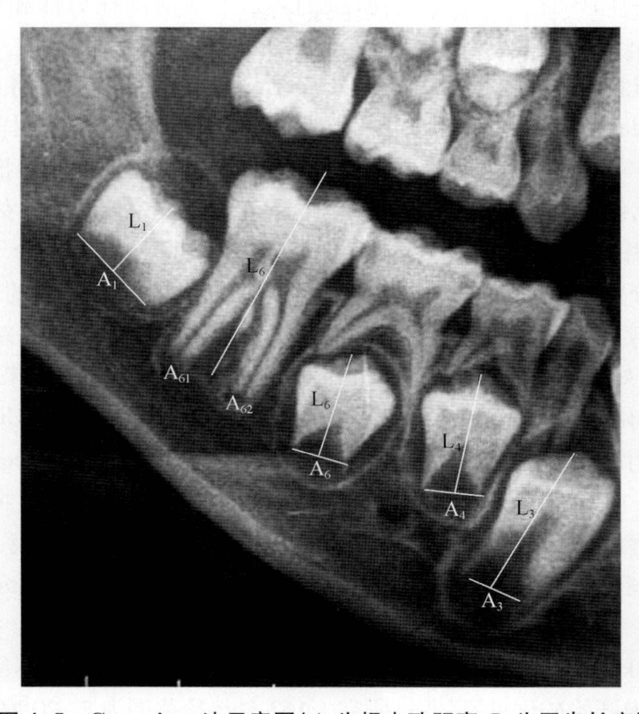

图 4-5 Cameriere 法示意图（A_i为根尖孔距离，L_i为牙齿长度）

Roberti C, Luigi F, Mariano C, 2006. Age estimation in children by measurement of open apices in teeth[J].Int J Legal Med, 120(1): 49-52

最后建立的年龄推断公式为

$$年龄 = 8.971 + 0.375g + 1.631X_5 + 0.674N_0 - 1.034s - 0.176s \cdot N_0$$

式中，g 为性别，男性记为 1，女性记为 0。N_0 表示下颌左侧 7 颗恒牙中根尖孔完全关闭，牙根发育完成的牙齿数量。

$$X_i = A_i / L_i$$

式中，$A_i(i = 1, \cdots, 5)$ 表示单根牙根尖孔距离；$A_i(i = 6, 7)$ 表示双根牙两根尖孔距离之和。$L_i(i = 1, \cdots, 7)$ 表示牙齿长度。$X_i(i = 1, \cdots, 7)$ 表示牙齿发育成熟度。s 表示标准化的根尖孔距离之和($X_1 +, \cdots, +X_7$)

研究结果表明，生理年龄与根尖孔形态变量之间显著相关，推断年龄与实际年龄平均误差仅为−0.035 岁，误差范围为 1.18 岁。且所有年龄段的女性相较于男性，其牙齿发育成熟度更高，因此性别是需要纳入模型方程的变量因素之一。

2007 年，他们使用同样的方法又增加了克罗地亚、德国、西班牙、英国、科索沃和斯洛文尼亚等欧洲其他国家的儿童作为研究人群，得出了适用于欧洲儿童年龄推断的线性回归方程。2010 年，EI-Bakary 等选择了 286 名年龄介于 5～16 岁的埃及人曲面断层片进行研究，其中男性 134 名，女性 152 名。该研究基于左侧下颌 7 颗恒牙的发育比较了 Cameriere 法和 Willems 法两种方法推断年龄的准确性。结果发现，两种方法与年龄的相关性都较高，其中 Willems 法推断年龄准确性为 98.62%，Cameriere 法推断年龄的准确性为 98.02%，因此两种方法都可以用来推断埃及儿童和青少年的生理年龄。Galic 等在 2011 年选择了 1 089 名年龄介于 6～13 岁的波斯尼亚和黑塞哥维那人拍摄的曲面断层片，比较 Cameriere 法、Haavikko 法和 Willems 法推断年龄的准确性。结果发现，Cameriere 法推断男性年龄会低估 0.02 岁，推断女性年龄会高估 0.09 岁，推断年龄和实际年龄之间的绝对误差男性和女性分别为 0.55 岁和 0.53 岁；Haavikko 法推断男性年龄会低估 0.09 岁，推断女性年龄会低估 0.29 岁，推断年龄和实际年龄之间的绝对误差男性和女性分别为 0.62 岁和 0.59 岁；Willems 法推断男性和女性年龄会分别高估 0.42 岁和 0.24 岁，推断年龄和实际年龄之间的绝对误差男性和女性分别为 0.67 岁和 0.69 岁。因此可以得出，Cameriere 法推断波斯尼亚和黑塞哥维那人生理年龄的准确性最高，Haavikko 法和 Willems 法则次之。2011 年，Fernandes 等基于 Cameriere 法对 160 张年龄介于 5～15 岁的巴西儿童曲面断层片进行测量，发现建立的年龄推断公式的推断误差为−0.014 岁，其中 5～10 岁年龄段出现高估现象，11～14 岁年龄段出现低估现象。De Luca等在 2012 年选择了 502 名年龄介于 5～15 岁的墨西哥人曲面断层片，通过使用 Cameriere 法对左侧下颌 7 颗恒牙根尖孔距离测量建立了年龄推断的多元线性回归方程，结果发现实际年龄与推断年龄的误差在男性和女性中分别为 0.00 岁和 0.10 岁，标准误分别为 0.52 岁和 0.63 岁，因此认为该方法用来推断墨西哥儿童和青少年年龄准确性较高。2016 年，Cameriere 等为了克服基于根尖孔距离建立年龄推断的多元线性回归方程产生的偏倚，提出通过贝叶斯校正方法来评价左侧下颌 7 颗恒牙的发育。该研究选取了 2 630 张年龄介于 4～17 岁意大利健康人群的曲面断层片，通过测量左侧下颌 7 颗恒牙根尖孔距离和获得牙齿发育成熟度并建立贝叶斯模型来推断年龄，结果表明该模型推断年龄和实际年龄平均绝对误差男性和女性分别为 0.72 岁和 0.73 岁，平均四分位间距男性为 1.37 岁，女性为 1.51

岁。男性和女性贝叶斯偏倚系数分别为-0.005和0.003。因此认为,该贝叶斯校正模型可以克服传统多元线性回归法方程的偏倚误差,可以同时用来推断年龄和评价年龄分布可能造成的偏倚。

在我国,郭昱成等于2014年使用Cameriere法对785名年龄介于5~15岁的中国北方儿童曲面断层片进行研究,发现Cameriere法得出的欧洲年龄推断公式应用于中国儿童会低估男性实际年龄0.43岁,低估女性实际年龄0.03岁,推断年龄和实际年龄绝对误差的平均值男性和女性分别为1.12岁和0.86岁,但统计学差异仅见于男性。在该研究中他们还建立了适用于中国人群的年龄推断公式:

$$\text{年龄} = 10.202 + 0.826g - 4.068X_3 - 1.536X_4 - 1.959X_7 + 0.536N_0 - 0.219s \cdot N_0$$

式中,g为性别,男性记为1,女性记为0,N_0表示下颌左侧7颗恒种根尖孔完全关闭,牙根发育完成的牙齿数量。s表示标准化的根尖孔距离之和($x_1+\cdots+x_7$)。

该公式可以提高中国北方儿童年龄推断的准确性。

三、成人早期(18周岁)牙龄推断常用方法

国内外很多法律将16岁、18岁和22岁作为重要的刑事和民事处罚的年龄节点,它是确认是否承担刑事或民事责任的重要依据。然而14岁之后,除第三磨牙以外的所有恒牙均已发育完成。第三磨牙牙胚发生在5岁以前,上、下颌牙尖矿化形成时间为7~10岁,萌出年龄在上、下颌均为17~21岁。第三磨牙的发育过程可以持续10年之久(7~20岁)。因此,第三磨牙的发育被认为是成人早期年龄推断的重要方法之一。

(一) Gleiser和Hunt法

2010年,van Vlierberghe等在波兰青少年中应用Gleiser和Hunt法,对介于12~26岁的644名女性和404名男性进行研究,基于全口曲面断层片对上下颌双侧的第三磨牙进行发育阶段评估,分别建立了传统回归和支持向量回归两种模型推断年龄,结果显示男性和女性的最小标准误差分别为1.51岁和1.75岁,其中传统回归模型的标准误差为1.49岁,而支持向量回归模型的标准误差为1.75岁。同年,Thevissen等学者则主要关注于不同人种对于Gleiser和Hunt法推断年龄的准确性有无明显影响,他们分别建立了比利时人群、不同国家各自人群和多个国家混合人群3个样本人群,分别应用Gleiser和Hunt法对第三磨牙进行发育评价,结果如下:3个样本人群年龄推断结果的中位数绝对偏差分别为0.92~1.24岁、0.89~1.29岁、0.87~1.24岁,平均绝对误差分别为1.24~2.30岁、1.28~2.68岁、1.29~2.32岁。不同人种的年龄推断结果无明显统计学差异,但在区分未成年人和成年人时,多个国家混合人群获得的结果优于不同国家各自组成的样本人群,而在比利时人群中识别未成年人的正确率相对较高,而识别成年人的正确率相对较低。2012年,Bagherpour等为探究第三磨牙发育与未成年人、成年人分界点18岁之间的相关关系,在伊朗人群中应用Gleiser和Hunt法改良版,基于15~22岁的1 274张(男性389名,女性885名)全口曲面断层片中第三磨牙的发育阶段进行年龄推断,通过对比不同部位第三磨牙的发育阶段与年龄之间的相关性发现,上颌双侧第三磨牙的发育与年龄的相关系数最大,若4颗第三磨牙均发育完成,男性年满18周岁的概率为95.6%,女性年满18周岁的概率则为100.0%。Mohd等在

2015年选择14~23岁马来西亚人的曲面断层片应用Gleiser和Hunt法对第三磨牙发育进行评价,以确定第三磨牙发育和第三磨牙萌出的发育阶段,并建立回归方程预测个体是否年满18周岁。研究结果发现,男性第三磨牙发育4~6期和第三磨牙萌出a~b期,女性第三磨牙发育4期和第三磨牙萌出a期被认为是不满18周岁的标志;无论男性还是女性,第三磨牙发育9~10期和第三磨牙萌出d期可以作为判断受试者年满18周岁的标准,其预测准确率男性和女性分别为94.74%~100%和85.88%~96.38%,因此基于Gleiser和Hunt法评估第三磨牙发育阶段可以较容易地判断个体年龄是否达到或者超过18周岁,且准确性相对较高。

(二)Mincer法

Mincer等学者认为,牙龄推断的准确性从出生到成熟的过程中变异性较大,很难统一。一般来说,青少年的牙龄推断会更加准确是因为此时大部分的牙齿都处于发育阶段,并且不同发育阶段的牙齿其间隔的时间很短,因此年龄推断相对容易。而青少年晚期,尖牙和前磨牙基本发育完成,此时仅有第三磨牙还处于发育阶段,因此第三磨牙的发育判断对年龄推断意义重大。1993年,Mincer等通过选择823名(其中54%为女性,46%为男性)年龄介于14.1~24.9岁的美国青少年拍摄的曲面断层片进行研究,人种组成白种人占80%,黑种人占19%,剩余1%为其他种族或未指明种族的人群。第三磨牙的发育过程依据Demirjian法划分为8个阶段,并完善了Demirjian法的发育分期定义,同时尽可能将所有4颗第三磨牙纳入研究以检验其上下颌、左右侧发育是否存在差异。第三磨牙发育具体分期如下。

A期:牙尖开始钙化,但尚未融合。

B期:牙尖融合,且勒出殆面轮廓。

C期:牙冠大概形成一半,髓腔可见且牙本质开始沉积。

D期:牙冠发育至釉牙骨质界,髓腔呈四边形。

E期:根分叉已经形成,但根长短于冠长。

F期:根长短于或大于冠长,根尖部呈漏斗状。

G期:根管壁相互平行,根尖孔未闭合。

H期:根管的根尖孔完全闭合,牙根和根尖周围的牙周膜宽度均匀一致。

与Demirjian法相比,Mincer法的定义更加简单明确,该分期仅针对第三磨牙,因此适用性更强。Mincer将该方法用于14~24岁的美国白种人青少年,并提出将上下颌4颗第三磨牙同时纳入观察。他们发现所有样本的第三磨牙分期均处于D期、E期、F期、G期和H期,同时列出了上下颌第三磨牙发育完成的均值和中位数,并建立了年龄推断的回归公式。

同时,他们研究了第三磨牙发育分期与是否年满18岁的关系。因此,鉴于不同位置的第三磨牙发育并不是完全同步,年龄推断过程中结合多颗第三磨牙相较于单独评价1颗第三磨牙准确性更高。另外,根据性别和种族将样本划分后发现,白种人第三磨牙的发育有显著的性别二态性,但在黑种人中没有明显的性别二态性,这一差异可能是由于黑种人人群样本量较少造成的。

De Tobel J等在2017年基于Mincer提出的第三磨牙分类比较了MRI影像和曲面断层片中第三磨牙的发育。该研究选择了52名年龄介于14~26岁高加索人拍摄的牙齿MRI影像,发现下颌第三磨牙发育情况成功评估比例在X线片和MRI影像中基本一致,分别为

98.4%和93.8%。2011年,Pechnikova等选择了167名来自18个不同国家的4~15.5岁儿童的曲面断层片,比较Demirjian法和Mincer法在年龄推断中的准确性,结果发现与Demirjian法相比,Mincer法的年龄推断误差较大,且变异性也较高,这与Mincer法只关注第三磨牙的发育相关。

(三) Demirjian法及其改良版

Demirjian等在1973年提出的根据牙齿矿化程度推断年龄的方法并没有包含第三磨牙,然而有很多学者通过Demirjian法当中磨牙发育的分类方法来评估第三磨牙,从而用于判定年龄。2004年,Olze等研究了3 611名不同种族人群(1 430名德国人,1 597名日本人以及584名南非黑种人)的曲面断层片,应用Demirjian法评估第三磨牙的发育,结果发现在第三磨牙发育到D~F期,日本人群比德国人群晚1~2岁,而南非人群又比德国人群早1~2岁,因此为了提高应用第三磨牙推断年龄的准确性,Olze等建议应该建立不同人群的第三磨牙发育图谱。

Orhan等在2007年同样将Demirjian法应用于第三磨牙来推断土耳其人群的年龄。在该研究中,增加了0期和1期(图4-6)。0期表示牙齿的矿化尚未发生或者磨牙缺失,1期表示可见圆形透射影,未见牙胚,为矿化前期。通过研究1 134名4~20岁土耳其人群的曲面断层片,未发现土耳其人群两侧第三磨牙在发育时间上的差别,男性和女性第三磨牙在总体发育时间上也未见统计学差异。但在8岁、14岁时男性下颌第三磨牙发育早于女性,而12岁时女性上颌第三磨牙发育早于男性。上颌与下颌第三磨牙圆形透射影(1期)的形成均最早见于7岁儿童。若14岁时尚未发现第三磨牙的牙胚,则可以断定第三磨牙先天缺失。另外,用多元回归系数评估第三磨牙发育与真实年龄之间的关系,发现生理年龄与第三磨牙的发育之间有很强的相关性,男性相关指数为0.57,女性为0.56。

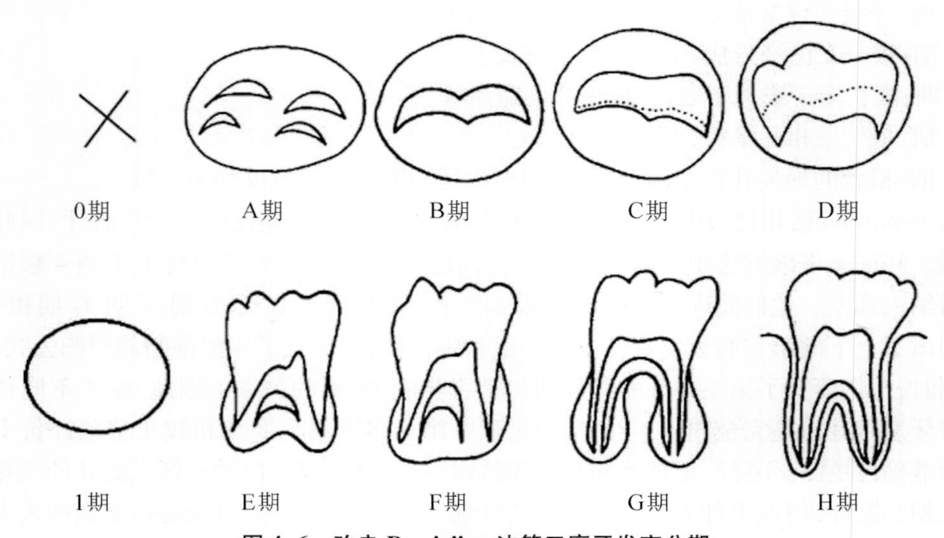

图4-6 改良Demirjian法第三磨牙发育分期

Orhan K, 2007. Radiographic evaluation of third molar development in relation to chronological age among Turkish children and youth[J]. Forensic Sci Int, 165:46-51

近年来,西班牙、瑞典、比利时、澳大利亚、巴西、韩国及泰国等不同国家的学者都利用 Demirjian 法或其改良版建立了当地人群第三磨牙发育的时间图谱。2008 年，Stella 等选取了 572 张西班牙人的曲面断层片，对其中第三磨牙的发育阶段应用 Demirjian 法进行划分。结果发现在该样本人群中，18 岁及以上的个体男性下颌左侧的第三磨牙矿化程度高于女性，这可能是由社会、地理等因素导致而非种族差异引起，依据该研究，该学者认为性别和社会地理是影响年龄推断准确性的两个非遗传因素。Knell 等在 2009 年选取了 1 260 名年龄介于 15～22 岁拍摄曲面断层片的患者，其中 1 137 名拥有瑞士国籍，剩余 123 名则来自欧洲其他国家，基于 Demirjian 法通过评估下颌第三磨牙的发育判断个体年龄是否年满 18 周岁。结果显示部分个体尚未年满 18 周岁时，其第三磨牙已经发育完成；考虑到地域方面的差异，东南部欧洲人第三磨牙发育至 H 期的时间比瑞士人早约 6 个月；性别方面，男性个体第三磨牙发育到 H 期的时间比女性早 1 年左右。在 2009 年，Rai 等在 250 名已知年龄的北印度人群中依据 Demirjian 法的 8 个发育阶段对曲面断层片中第三磨牙进行划分，并建立基于第三磨牙发育的年龄推断方程，结果发现第三磨牙发育至 D 期和 G 期时，男性和女性具有明显的差异，女性第三磨牙的形成早于男性；年龄与第三磨牙发育之间具有很强的相关性。但 2011 年，Sang-Seob 等在韩国人群中的类似研究在性别差异方面却出现了不同的结果，他们在 2 087 名 3～23 岁的韩国男性和女性拍摄的曲面断层片中对第二磨牙和第三磨牙的发育阶段进行分期，发现男性和女性的磨牙发育基本一致。在 2013 年，Lopez 等选择了 659 名 15～22 岁巴西人群拍摄的曲面断层平进行研究，发现依据 Demirjian 法评价第三磨牙的发育，左右两侧牙齿在发育时间上没有差异，但男性和女性之间存在差异。另外，应用 Demirjian 法推断年龄较实际年龄低估了约 6 个月。

同样，国内亦有多位学者基于 Demirjian 法评价第三磨牙的发育来推断年龄。2010 年，曾东林等应用 Demirjian 法首次评估了 3 100 名 4.1～26.9 岁中国南方汉族人群的第三磨牙的发育，发现中国男性第三磨牙的发育早于女性 5～9 个月。然而与日本人群相比，中国南方汉族人群第三磨牙的发育要早 1～4.6 岁。王虎等在 2012 年也研究了 2 078 名 5～23 岁的中国西部人群，发现 C 期和 D 期可以用来判断个体年龄是否低于 14 岁或者 16 岁。卿茂峰等在 2014 年通过研究 2 192 例 8～25 岁中国重庆人群的曲面断层片，发现中国重庆人群第三磨牙发育时间与土耳其和日本人群相似，比奥地利和中国南方汉族人群早，比西班牙人群晚。2015 年，郭昱成等基于改良 Demirjian 法研究了 3 212 名年龄介于 5～25 岁中国北方人群的第三磨牙发育，发现右侧上颌第三磨牙发育到 D 期，左侧上颌第三磨牙发育到 D 期，左侧下颌第三磨牙发育到 D 期以及右侧下颌第三磨牙发育到 B 期、G 期，男性均早于女性，且两者间具有统计学差异。Wilcoxon 检验结果表明，左侧和右侧第三磨牙发育无统计学差异。通过比较不同人群右侧下颌第三磨牙的发育时间，我国北方人群第三磨牙发育到 D 期的年龄平均值比日本人群早大约 5 岁，比德国人群早约 3.2 岁，而比南非人群早 1 岁左右。

此外，因为中国人群第三磨牙阻生发生率较高，郭昱成等对阻生是否会影响中国北方人群第三磨牙的发育过程从而影响年龄推断进行了研究。该研究选择了 3 512 名年龄介于 11～26 岁的中国北方人群曲面断层片进行研究，其中第三磨牙阻生和非阻生的样本量分别为 1 534 名和 1 978 名。结果发现，在中国北方人群中，阻生第三磨牙发育要晚于非阻生第三磨牙。尤其是第三磨牙发育到 D 期和 E 期,第三磨牙阻生和非阻生具有明显的统计学差异,因此建议今后在使用改良 Demirjian 法判断第三磨牙矿化阶段来推断年龄时,应该考虑第三磨牙的阻生状态,从而提高年龄推断的准确性。

尽管 Demirjian 法分期的提出是基于 X 线片,近年来随着影像学技术的发展,基于 CBCT 或者 MRI 技术获得牙齿三维影像为更加科学、客观、可靠地推断牙龄提供了新的方法。2011 年,Bassed 等基于 Demirjian 法比较了 CBCT 牙齿三维影像和传统曲面断层片中下颌第三磨牙的发育情况,发现不同影像之间第三磨牙发育评价一致性较高。该研究选择了 667 名年龄介于 15~25 岁澳大利亚人拍摄的 CBCT 影像,结果发现下颌第三磨牙牙根发育完成(H 期)的最小年龄男性和女性分别为 17 岁和 18 岁。男性年龄为 21 岁时,89%的样本第三磨牙发育完成。女性年龄为 21 岁时,只有约 50%的样本第三磨牙发育完成。当年龄达到 25 岁时,仍有 2%的个体下颌第三磨牙牙根未发育完成。因此,认为基于 CBCT 影像中下颌第三磨牙的发育分期可以帮助判定个体年龄是否年满 18 周岁。Cantekin 等在 2013 年选择了 752 名年龄介于 9~25 岁土耳其人的 CBCT 影像进行研究,该研究基于 Demirjian 法对下颌第三磨牙的发育进行分期后建立了男性和女性年龄推断的多元线性回归方程,相关系数分别为 0.80 和 0.78。因此认为,基于 CBCT 技术的下颌第三磨牙发育分期可以用来推断儿童和青少年的年龄。近年来,国外的法律对 X 线和 CT 等有辐射的影像技术拍摄条件的要求越来越严格,为了能够有效地进行年龄推断,越来越多的学者关注无放射性损害的检查手段。在 2015 年,郭昱成等首次使用大样本的第三磨牙的 MRI 影像,通过 Demirjian 法对第三磨牙的矿化过程进行评价从而验证牙齿的 MRI 影像是否可以用来进行年龄推断。该研究选择了 613 例年龄介于 12~24 岁的德国高加索人拍摄的牙齿 MRI 影像,通过 Demirjian 法对第三磨牙发育进行评价。结果发现,男性和女性第三磨牙发育完成的最小年龄分别为 17.77岁和 19.57 岁。男性第三磨牙发育早于女性,这与许多其他研究结果一致。他们认为,与同曲面断层片相比,MRI 是一种无辐射的检查手段,可以用来判定第三磨牙的发育进程从而应用于年龄推断。De Tobel J 等在 2017 年比较了 MRI 影像和曲面断层片中第三磨牙的发育发现,MRI 影像在年龄推断中具有重要的价值。该研究选择了 52 名年龄介于 14~26 岁高加索人拍摄的牙齿 MRI 影像,由两名观察者基于 Demirjian 法来判断第三磨牙的发育情况,结果发现因为影像质量问题,传统曲面断层片中有 57%的上颌第三磨牙发育情况无法评估,而 MRI 影像这一数据仅为 3.1%。下颌第三磨牙发育情况成功评估比例在 X 线片和 MRI 影像中基本一致,分别为 98.4%和 93.8%。另外,基于 MRI 影像的第三磨牙发育评估中,两名评估者的组内检验和组间检验相比传统 X 线片一致性都更高。

值得注意的是,通常除第三磨牙以外,牙齿的发育在 15 岁左右基本完成,因此上述研究都是基于 Demirjian 法推断第三磨牙发育,进而判断青少年个体是否年满 18 周岁。国内学者郭昱成等研究发现,第二磨牙在 12 岁左右萌出,根尖孔在 15 岁左右完全闭合,但部分研究对象的牙根发育可以持续至 23 岁,这对于判断青少年个体年龄是否年满 18 周岁具有重要意义。因此,在 2019 年,他们通过收集 960 例年龄介于 10~25 岁的中国北方人群的曲面断层 X 线片,利用 Demirjian 法对左侧下颌第二、第三磨牙的发育阶段进行分期,分别建立中国北方人群下颌第二、第三磨牙发育分期与年龄的多元线性回归方程,并在验证组内对该方程准确性进行检验。结果发现，基于第三磨牙建立的年龄推断方程判断青少年年满 18 周岁的准确率在男性和女性中分别为 88.0%和 85.0%；而基于第二、第三磨牙建立的年龄推断方程推断个体是否年满 18 周岁的准确率在男性和女性中分别提高为 92.%和 88.%。因此，建议联合第二、第三磨牙的发育共同推断青少年牙龄可以提高年龄推断的准确性。韩国学者 Lee 等于 2010 年选择了 2 087 张年龄介于 3～23 岁的韩国男性和女性曲面断层片研究第二和第三磨牙发育与年龄的相关性，结果表明第二磨牙的发育在男性和女性中都可以持续到 23 岁，该研究结果与中国人群第二磨牙发育规律相似。

（四）Mesotten 法

2002 年，Mesotten 等依据 Gleiser 和 Hunt 法中磨牙的牙齿发育分期，将第三磨牙的发育过程由 15 个阶段改良为 10 个阶段，每个阶段对应一个特定的分数，分数范围为 1～10，若第三磨牙为多根时，则依据发育最晚的牙根进行阶段划分（图 4-7）。该方法各阶段的具体标准如下。

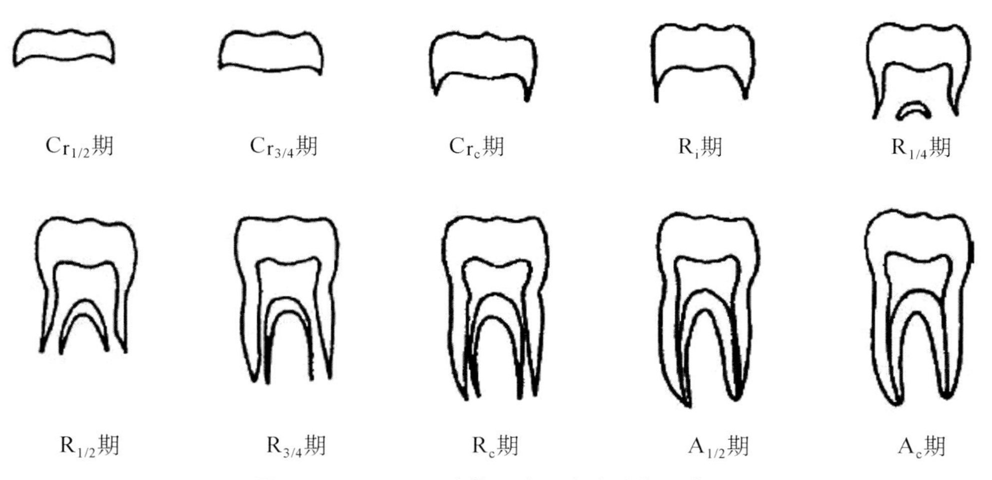

图 4-7 Mesotten 法第三磨牙发育分期示意图

Mesotten K, Gunst K, Carbonez A, 2002. Dental age estimation and third molars: a preliminary study[J]. Forensic Sci Int, 129:110-115

$Cr_{1/2}$期：牙冠发育至 1/2。

$Cr_{3/4}$期：牙冠发育至 3/4。

Cr_c期：牙冠发育完成。

R_i 期：牙根开始形成。

$R_{1/4}$期：牙根长度发育至总长度的 1/4。

$R_{1/2}$期：牙根长度发育至总长度的 1/2。

$R_{3/4}$期：牙根长度发育至总长度的 3/4。

R_c 期：牙根长度发育完成，根管末尾分叉。

$A_{1/2}$期：牙根长度发育完成，根管末尾平行。

A_c 期：牙根长度发育完成，根尖孔完全闭合。

Mesotten 等选择了 1 175 名(其中男性 498 名,女性 677 名)年龄介于 16~22 岁的比利时白种人的曲面断层片进行研究,共计 4 155 颗第三磨牙纳入评估。基于每张曲面断层片中的第三磨牙发育分期对应的分值,建立了牙龄推断的多元回归方程。男性年龄推断公式为年龄=10.200 0+0.512 2UL+0.527 3LL(UL 代表左侧上颌第三磨牙发育阶段,LL 代表左侧下颌第三磨牙发育阶段);女性年龄推断公式为年龄=13.620 6+0.193 3UR+0.508 0LR(UR 代表右侧上颌第三磨牙发育阶段,LR 代表右侧下颌第三磨牙发育阶段)。结果表明,上颌第三磨牙的发育较下颌第三磨牙稍早,且男性第三磨牙的发育早于女性。利用该方法获得的牙龄推断结果与真实年龄之间的误差在男性和女性中分别为 1.52 岁和 1.56 岁。当 4 颗第三磨牙均存在时,其牙齿发育程度与年龄之间的相关系数在男性和女性中分别为 0.48 和 0.37,说明与基于手腕骨发育的年龄推断相比,基于 4 颗第三磨牙对白种人群 18~22 岁年龄推断的可靠性表现得更好;另外,该研究还发现部分个体未满 18 周岁就出现第三磨牙牙根已完成发育的情况,因此仅仅依据第三磨牙的牙根是否发育完成作为判断个体是否年满 18 周岁的标准具有一定的局限性。

Gunst 等于 2003 年对 Mesotten 法进行了改良,进一步探究第三磨牙牙根发育完成能否作为判断个体是否年满 18 周岁的标准。该研究选取 2 513 例 15.7~23.3 岁的比利时白种人群,通过对其拍摄的全口曲面断层片中第三磨牙的发育情况进行评估,根据性别、第三磨牙数量和位置等类别进行细分,以实际年龄为因变量、第三磨牙牙根发育为自变量建立多个回归方程进行年龄推断。结果发现,在 4 颗第三磨牙均存在的情况下,男性和女性年龄推断的标准偏差分别为 1.49 岁和 1.50 岁;年龄与第三磨牙发育阶段的 Pearson 相关系数显著,其中年龄与右侧上颌与左侧上颌第三磨牙发育相关系数最大,男性和女性均为 0.97,年龄与右侧下颌和左侧下颌第三磨牙发育的相关系数相似,男性为 0.93,女性为 0.95;另外,在判断个体是否年满 18 周岁的分析中,当牙齿发育基本完成时,白种人男性和女性年满 18 周岁的概率分别为 96.3%和 95.1%。

(五) 第三磨牙成熟指数(I_{3M})

Cameriere 等在 2006 年提出通过测量左侧下颌中切牙到第二磨牙根尖孔距离和牙齿高度推断年龄方法之后,于 2008 年又提出可以通过该方法测量第三磨牙推断个体年龄是否年满 18 周岁,并定义了第三磨牙 I_{3M}:根尖孔内表面间距(A)除以牙齿长度(L);若第三磨牙有双根,则 I_{3M}为两根尖孔内表面间距之和(A_1+A_2)除以牙齿长度(L)(图 4-8)。如果根尖孔完全闭合,则 $I_{3M}=0$。Cameriere 在研究中选择了 906 名年龄介于 14~23 岁的高加索人的曲面断层片进行观察,通过比较 Cameriere 法和 Demirjian 法探究基于第三磨牙发育能否准确判断个体是否年满 18 周岁这一重要年龄节点。应用第三磨牙 I_{3M}选择 0.08 作为成年与否的判断值,则准确判断个体年满 18 周岁的概率为 83%,灵敏度和特异度分别为 70%和 98%。而使用 Demirjian 法评估第三磨牙处于 H 期的个体,其年龄达到 18 岁的概率仅为 58%;为提高 Demirjian 法的灵敏度,有时选择第三磨牙发育到 G 期作为成年的标志,但这种方法在提高灵敏度的同时也显著降低了方法的特异性,即降低了第三磨牙发育达到 G 期以后的个体年龄达到 18 岁以上的概率。相反,若将 I_{3M}的临界值设置为 0.08,不但可以显著提高灵敏度,而且不会增加假阳性的数量。因此,第三磨牙 $I_{3M}<0.08$ 可以用来鉴定个体是否年满 18 周岁。

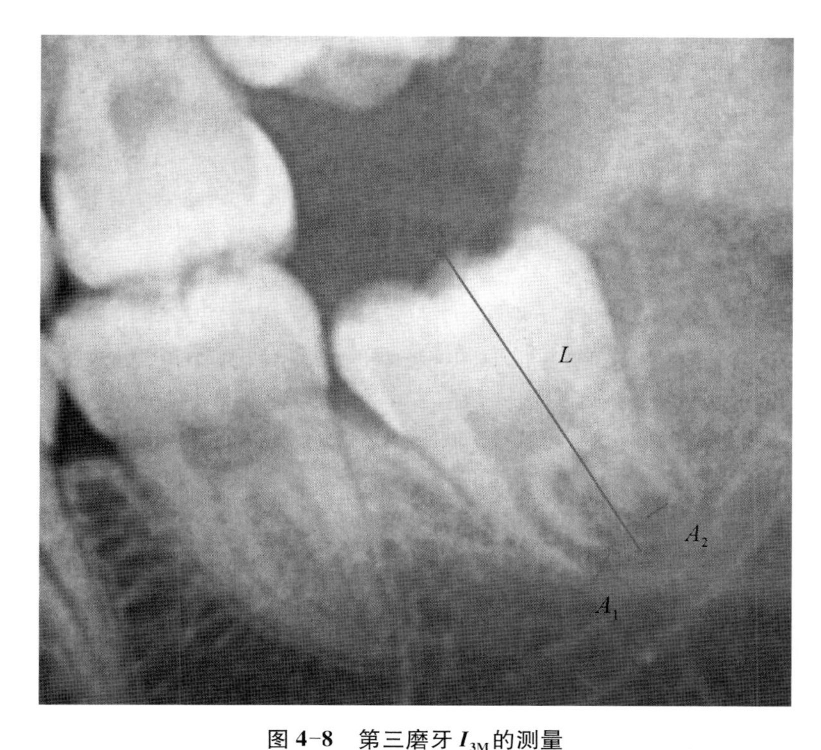

图 4-8　第三磨牙 I_{3M} 的测量

郝瑞，储光，韩梦琪，等，2019.Cameriere 法判定中国北方人年满 18 周岁的准确性研究[J].中国法医学杂志，34(01)：21-25

2018 年，Angelakopoulos 等基于 Cameriere 法回顾性评价了 833 例南非健康黑种人的全口曲面断层片，年龄范围为 14～24 岁，通过 I_{3M} 建立年龄推断的 Logistic 回归模型，发现 I_{3M} 随实际年龄的增长而逐渐减小，在区分个体年龄是否大于或等于 18 周岁时，性别这一变量无统计学意义，且 $I_{3M}=0.08$ 是区分未成年人和成年人的有价值的切割值，其敏感性为 80%，特异性为 95%。2019 年，Medeiros 等选取 394 例 14～23 岁巴西东北部人群拍摄的曲面断层片进行了类似研究，基于第三磨牙 I_{3M} 对第三磨牙进行测量及评价建立年龄推断公式，以 $I_{3M}=0.08$ 为切割值发现年龄推断的敏感性为 88.4%，特异性为 73.2%；正确推断个体年龄满 18 周岁的准确率为 73.7%，正确推断个体年龄不足 18 周岁的准确率为 88.1%；在性别方面，该方法的年龄推断正确率在男性中为 84.3%，在女性中为 76.6%，差异无统计学意义。同年，Balla 等为验证第三磨牙 I_{3M} 在南印度人群的适用性，选取了 1 283 例7～22 岁的南印度青少年进行研究，以 I_{3M} 为自变量，年龄为因变量建立了 Logistic 回归方程，结果显示其推断年龄结果存在高估现象，其中男性推断年龄结果比实际年龄平均高 0.2 岁，女性推断年龄结果比实际年龄平均高 0.13 岁，证明根据南印度样本人群数据建立的回归模型可以为南印度人群提供更好的年龄预测结果。Santiago 等在 2018 年对 16 篇基于 Cameriere 法判断个体年龄是否年满 18 周岁的文献进行了综述和 Meta 分析，发现选择第三磨牙 $I_{3M}=0.08$ 作为成年与否的判断值，不同人群准确判断个体年满 18 周岁的概率介于 72.4%～96%，总体敏感度为 86%，特异度为 93%。另外与女性相比，男性判断正确的概率更高。因此认为,第三磨牙 I_{3M} 可以作为判断个体是否年满 18 周岁的重要方法,且性别之间没有明显差异。

2018 年,郭昱成等选择了 840 名年龄介于 12~25 岁的中国北方人群的曲面断层片进行研究,该研究对比了不同第三磨牙 I_{3M}(0.04、0.06、0.08、0.10、0.12 和 0.14)在判断个体年龄是否年满 18 周岁时的准确率、敏感度和特异度。从准确性来看,该研究基于中国北方人群预测的准确性(91.7%)高于沙特阿拉伯人群(男性 75.6%,女性 72.4%),巴西人群(男性 87.3%,女性 76.1%);但低于秘鲁人群(男性 96.0%,女性 90.0%),南印第安人群(男性 93.1%,女性 91.2%)和土耳其人群(男性 97.6%,女性 92.7%);与阿尔巴利亚人群结果较为接近(男性 92.5%,女性 87.5%)。2019 年,Wang 等为研究第三磨牙 I_{3M} 在中国东部人群中的适用性,选取了 556 张年龄介于 14~24 岁 (男性 276 名,女性 280 名)曲面断层片,以是否成年(18 周岁)为二分类的因变量,以 I_{3M} 和性别为自变量建立 Logistic 回归模型,结果发现性别在区分成年人和未成年人方面无统计学意义;$I_{3M}=0.08$ 是区分未成年人和成年人的最佳分割值。其中,男性的判断正确率为 90.22%,女性判断正确率为 86.43%,男性的敏感性和特异性分别为 88.00%和 94.06%,女性的敏感性和特异性分别为 83.71%和 91.18%。

在既往研究中,多基于二维曲面断层片应用 Cameriere 法进行年龄推断,2019 年,Asif 研究建立了基于牙齿根尖三维图像进行年龄推断的方法,对 Cameriere 法进行了拓展。他选取了 183 个 CBCT 影像,包括 93 名马来西亚人和 90 名中国人,年龄介于 13~24 岁,利用 Mimics 和 3-Matics 软件对发育中的下颌第三磨牙根尖进行三维图像重建,并测量根尖孔表面积,以年龄为因变量,以未闭合根尖孔表面积、种族、性别和根尖孔闭合状态为自变量,建立多元线性回归模型,结果显示年龄与所有预测变量之间呈显著负相关($R=0.95$,$SD=1.144$),且在独立验证样本上对建立的回归模型进行检验,其平均绝对误差为 0.822 3。因此,基于 CBCT 测量下颌第三磨牙根尖孔表面积可以作为一种可靠的年龄推断方法。

同时,Cameriere 法也存在着一些不足。该方法在判断 17~19 岁人群时准确性较低。如果提高分割值,灵敏度上升,这将会在一定程度上将成年人判断为未成年人,在司法审判中给成年罪犯带来不公正的益处。而降低分割值,将会导致一部分未成年人被错误地判定为成年人,给未成年人的利益带来极大损害。另外,种族、生活环境、营养条件、食物种类、受教育程度等诸多因素都会一定程度影响到牙齿的发育,导致该方法测量结果准确性的差异。

(六) 第三磨牙牙周膜可视程度

Olze 等在 2010 年首次提出第三磨牙牙周膜的可视程度(图 4-9)推断个体年龄是否年满 18 周岁。各阶段的具体标准如下。

0 期:所有牙根的牙周膜清晰可见。

1 期:其中一个牙根超过一半牙周膜不可见。

2 期:其中一个牙根牙周膜完全不可见或者两个牙根均有部分牙周膜不可见。

3 期:两个牙根的牙周膜均几乎不可见。

0期

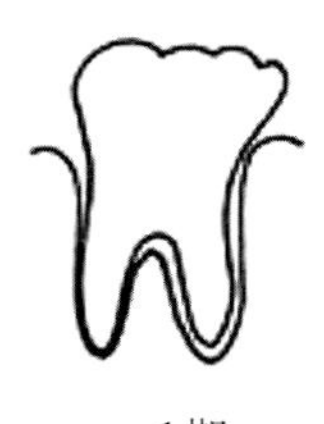
1期

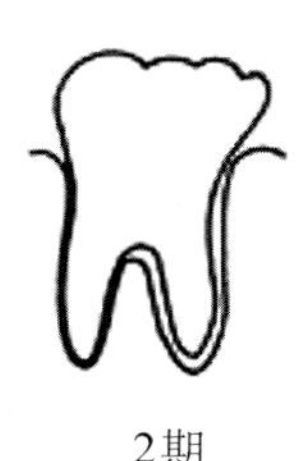
2期

3期

图 4-9 第三磨牙牙周膜可视程度分期

Olze A, Solheim T, Schulz R, 2010. Assessment of the radiographic visibility of the periodontal ligament in the lower third molars for the purpose of forensic age estimation in living individuals[J]. Int J Legal Med, 124(5): 445-448

研究结果发现,男性和女性 0 期出现的最小年龄分别为 17.6 岁和 17.2 岁;1 期出现的最小年龄分别为 20.1~20.2 岁和 18.9~20.0 岁;2 期出现的最小年龄分别为 22.3 岁和 22.5~23.1 岁;3 期出现的最小年龄分别为 25.4~26.2 岁和 24.6~25.2 岁。Olze 等认为,牙周膜在 X 线片中不可见是一种光学现象,当牙周膜间隙变窄到一定程度时,即不可见。另外,随着年龄的增长,牙根表面会逐渐粗糙且容易发生牙槽骨粘连,这些都可能导致牙周膜不可见。

Sequeira 等在 2014 年选择了 487 张年龄介于 17~31 岁的葡萄牙人曲面断层片,依据 Olze 法对下颌牙根发育完成的第三磨牙牙周膜可视程度进行分期进而推断个体年龄。结果发现,0 期出现的最小年龄男性为 18 岁,女性为 17 岁;1 期出现的最小年龄在男性和女性均为 18 岁;2 期出现的最小年龄在男性和女性中分别为 18 岁和 17 岁;3 期出现的最小年龄男性和女性均为 19 岁。因此,他们认为 3 期可以用来判定男性个体年龄超过 18 周岁,女性的年龄推断准确性欠佳,需要寻找别的方法进行年龄推断。

在 2017 年,Lucas 等依据 Olze 法研究 2 000 名年龄介于 16~25 岁的英国人群曲面断层片中第三磨牙牙周膜的可视程度,发现男性和女性出现 0 期和 1 期的最小年龄都未满 18 周岁;出现 2 期的最小年龄分别为 18.10 岁和 18.08 岁;出现 3 期的最小年龄分别为 18.67 岁和 18.58 岁。因此,他们认为当第三磨牙牙周膜可视程度为 2 期或者 3 期时,可以推断个体很可能已经年满 18 周岁。2017 年,Timme 等基于 Olze 法研究了 2 346 名年龄介于 15~70 岁的德国人曲面断层片中下颌第三磨牙的可视程度,其中男性 1 179 名,女性 1 167 名。结果表明,男性和女性出现 1 期的最小年龄分别为 20.2 岁和 20.1 岁,出现 2 期的最小年龄分别为 26.3 岁和 21.4 岁,出现 3 期的最小年龄分别为 29.5 岁和 23.1 岁。因此认为,当下颌第三磨牙牙周膜可视程度为 1 期时,可以推断个体年龄年满 18 周岁;当牙周膜可视程度为 2 期或 3 期时,可以推断个体年龄年满 21 周岁。同时该研究指出,46%~60%的样本出现第三磨牙缺失的情况,因此该方法推广应用具有一定的局限性。

我国学者郭昱成等在 2018 年使用 Olze 法对 1 300 名年龄介于 15~40 岁中国北方人群曲面断层片中的第三磨牙牙周膜进行研究,发现中国北方男性和女性出现 0 期的最小年龄分别为 17.05 岁和 18.76 岁;出现 1 期的最小年龄分别为 18.52 岁和 19.59 岁;出现 2 期的最小年龄分别为 22.33 岁和 21.37 岁;出现 3 期的最小年龄分别为 26.85 岁和 24.92 岁。因此,如果发现第三磨牙牙周膜可视程度为 1 期时,就可以推断个体年龄很可能年满 18 周;如果牙周膜可视程度为 2 期或者 3 期,个体年龄很可能已经超过 21 岁。然而,该研究还发现与高加索人不同的是,样本中有 271 例无法给出左侧下颌第三磨牙牙周膜可视程度分期,255 例无法给出右侧下颌第三磨牙牙周科可视程度分期,原因是这些第三磨牙出现了融合牙根或者根尖距离过窄,牙周膜可视程度无法归入 Olze 法分期的任何一个类别。因此,该分类方法在中国人群中应用受到一定程度的限制。针对该分期方法的弊端,郭昱成等在 2019 年通过研究 1 300 名 15~40 岁中国北方人群第三磨牙牙周膜的可视化程度,提出了新的分类方法。该方法不考虑牙根之间的牙周膜可视化程度,也就是说仅考虑第三磨牙近中根的近中牙周膜和远中根的远中牙周膜可视化程度进行分期(图 4-10),各阶段的具体判断标准如下。

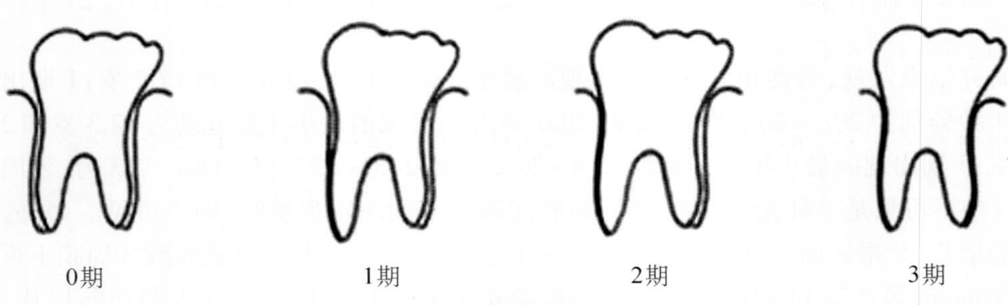

图 4-10　第三磨牙牙周膜可视程度改良分期

Guo YC, Wang YH, Olze A, 2020. Dental age estimation based on the radiographic visibility of the periodontal ligament in the lower third molars: application of a new stage classification[J]. Int Legal Med, 134(1): 369-374

0 期:所有牙根的牙周膜清晰可见。

1 期:其中一个牙根超过一半牙周膜不可见。

2 期:其中一个牙根牙周膜完全不可见或者两个牙根均有部分牙周膜不可见。

3 期:两个牙根的牙周膜均几乎不可见。

研究结果,发现基于新的分类方法,0 期在男性和女性中出现的最小年龄分别为 17.05 岁和 17.46 岁;1 期在男性和女性中出现的最小年龄为 17.47 岁和 17.86 岁;2 期出现的最小年龄男性为 21.43 岁、女性为 21.96 岁;3 期出现的最小年龄男性为 25.83 岁,女性为 23.14 岁。如果第三磨牙牙周膜可视程度为 2 期或者 3 期,个体年龄很有可能超过 18 岁和 21 岁。与使用 Olze 法相比,样本中仅有 139 例(10.69%)左侧下颌第三磨牙和 154 例(11.85%)右侧下颌第三磨牙牙周膜可视程度因为图像质量问题无法判断分期。而使用 Olze 法进行判断,则有 575 例(44.23%)左侧下颌第三磨牙和 582 例(44.77%)右侧下颌第三磨牙牙周膜可视程度因为图像质量或者根尖融合、根尖距离过窄等问题无法给出明确分期。

(七)第三磨牙牙髓腔可视程度

Olze 等在 2010 年同时提出可以根据牙根发育完成的第三磨牙牙髓腔的可视程度推断个体年龄是否年满 18 周岁。Olze 等认为牙髓腔不可见也是一种光学现象,当牙髓腔变窄到一定程度时即在 X 线片中不可见。牙髓腔随着年龄增长逐渐变窄与继发性牙本质随着磨耗不断形成这一生理现象密切相关。该研究选择了 1 198 名年龄介于 15~40 岁的德国人曲面断层片进行观察。Olze 等根据第三磨牙牙髓腔可视程度为 4 个阶段(图 4-11),各阶段的具体分期标准如下。

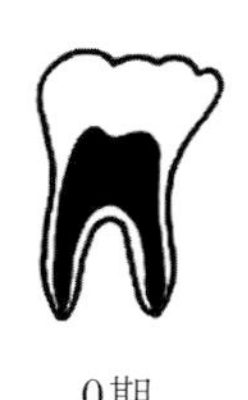
0期

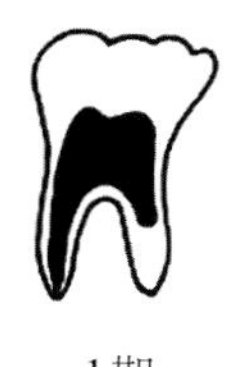
1期

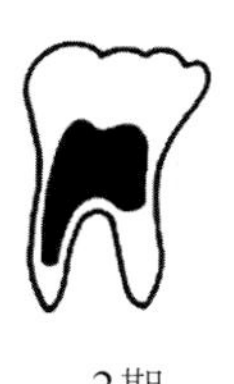
2期

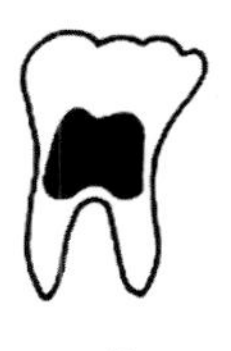
3期

图 4-11 第三磨牙牙髓腔可视程度分期

Olze A, Solheim T, Schulz R, 2010. Evaluation of the radiographic visibility of the root pulp in the lower third molars for the purpose of forensic age estimation in living individuals[J]. Int J Legal Med, 123(3): 183-186

0 期:所有牙根的牙髓腔清晰可见。

1 期:其中一个牙根的部分牙髓腔不可见。

2 期:其中一个牙根牙髓腔完全不可见或者两个牙根均有部分牙髓腔不可见。

3 期:两个牙根的牙髓腔均几乎不可见。

研究结果表明,当第三磨牙牙髓腔可视程度为 0 期时,男性最小年龄为 17.6 岁,女性最小年龄为 17.2 岁;男性和女性 1 期出现的最小年龄均为 21.0~22.4 岁;2 期出现的最小年龄分别为 22.3~22.7 岁和 23.4~24.7 岁;3 期出现的最小年龄在男性和女性中分别是 25.1 岁和 25.9 岁。因此,当下颌第三磨牙牙髓腔可视程度为 1 期时,个体年龄可以判定为超过 18 周岁,并且很可能已经超过 21 周岁;而当下颌第三磨牙牙髓腔可视程度为 2 期以上时,个体年龄可以判定超过 21 周岁。

2017 年,Lucas 等依据 Olze 法研究 2 000 名年龄介于 16~25 岁的英国人群曲面断层片中下颌第三磨牙牙髓腔的可视程度,发现男性和女性出现 0 期和 1 期的最小年龄都未满 18 周岁;出现 2 期的最小年龄男性和女性分别为 18.16 岁和 18.58 岁;出现 3 期的最小年龄分别为 20.19 岁和 22.45 岁。因此,他们认为当下颌第三磨牙牙髓腔可视程度为 2 期或者 3 期时,可以基本判定个体已经年满 18 周岁。

Timme 等在 2017 年通过选择 2 346 张年龄介于 15~70 岁德国高加索人曲面断层片,基于 Olze 法对下颌第三磨牙的牙周膜可视程度和牙髓腔可视程度同时进行研究,发现两种方法的 1 期都可以用来推断个体年满 18 周岁,2 期都可以用来推断个体年龄超过 21 周岁。但是需要注意的是,高达 46%~60%的研究样本都出现下颌第三磨牙缺失的情况,这在一定程度上也限制了该方法的应用。

2019 年,Qattan 等选择了 1 600 张年龄介于 16~30 岁的马耳他人曲面断层片进行研究,基于 Olze 提出的牙髓腔可视程度分期判断左侧下颌第三磨牙的分期进而推断年龄。结果发现,2 期的最小年龄男性和女性分别为 18.23 岁和 18.85 岁,3 期的最小年龄男性和女性分别为 23.99 岁和 22.03 岁。因此,2 期可以用来推断个体年龄年满 18 周岁,3 期可以用来推断个体年龄超过 21 周岁。但是该研究还发现 1 600 张曲面断层片中,仅有 662 张(41.4%)曲面断层片符合纳入标准可以判断下颌第三磨牙牙髓腔可视程度分期,因此该方法并不适合常规使用。

也有学者认为,Olze 法推断个体是否年满 18 周岁准确性欠佳。在 2015 年,Perez-Mongiovi D 等使用 Olze 提出的牙髓腔可视程度分期法研究了 487 张年龄介于 17~30 岁的葡萄牙人的曲面断层片，通过建立年龄与下颌第三磨牙牙髓腔可视程度分期的多元线性回归方程，发现该模型准确判定个体年龄年满21周岁的准确率在男性和女性分别为96.9%和96.2%，准确判定个体年龄不满21周岁的准确率在男性和女性分别为27.0%和19.6%。因此，他们认为该模型判断个体不足21周岁的准确性较低，只有3期可以判定个体年龄年满21周岁。2019年，Akkaya等选择了463名年龄介于16~34岁土耳其人下颌第三磨牙牙髓腔可视程度进行研究，判断该方法能否用于准确推断个体年龄是否年满18周岁和21周岁。结果发现，就判定18周岁来说，男性判断准确率、敏感度和特异度分别为93.0%、89.4%和90.9%，女性判断准确率、敏感度和特异度分别为82.9%、83.1%和66.7%。针对个体是否年满21周岁，男性判断准确率、敏感度和特异度分别为90.6%、85.5%和88.2%，女性判断准确率、敏感度和特异度分别为87.4%、72.8%和92.0%。因此，他们认为该方法判定个体是否年满18周岁和21周岁的准确性差别较大，建议应该结合不同方法共同推断个体年龄以提高准确性。

我国学者郭昱成等在2018年使用Olze法对1 300名年龄介于15~40岁中国北方人群曲面断层片中的第三磨牙牙髓腔可视程度进行研究，发现中国北方男性和女性出现1期的最小年龄分别为19.25岁和20.73岁；出现2期的最小年龄分别为22.33岁和22.41岁；出现3期的最小年龄男性和女性分别为26.45岁和27.66岁。

（八）改良Gustafson法

2019年，我国学者郭昱成等首次基于改良Gustafson法推断中国人群个体年龄是否年满18周岁。依据下颌第一和第二前磨牙的继发性牙本质、牙周膜附着、牙齿磨耗和牙骨质粘连等特征进行分期（图4-12），各特征的具体分期标准见下文。

1. 继发性牙本质变化分期标准

0期：牙髓腔最高点超过牙冠水平。

1期：牙髓腔最高点与牙冠水平一致。

2期：牙髓腔最高点超过釉牙骨质界但未达到牙冠水平。

3期：牙髓腔高度低于釉牙本质界。

2. 牙周膜附着变化分期标准

0期：未见牙周膜附着丧失。

1期：牙周膜附着丧失至牙根冠1/3以内。

2期：牙周膜附着丧失至牙根中1/3以内。

3期：牙周膜附着丧失至牙根根1/3以内。

3. 牙齿磨耗程度分期标准

0期：牙齿未见磨耗，牙尖可见。

1期：开始磨耗阶段，牙尖不可见。

2期：牙齿磨耗至牙本质。

3期：牙齿磨耗至牙髓腔。

4. 牙骨质粘连程度分期标准

0期：未见根尖与牙骨质粘连。

1期：开始出现根尖与牙骨质粘连。

2期：清晰可见根尖与牙骨质粘连，范围超过根尖孔。

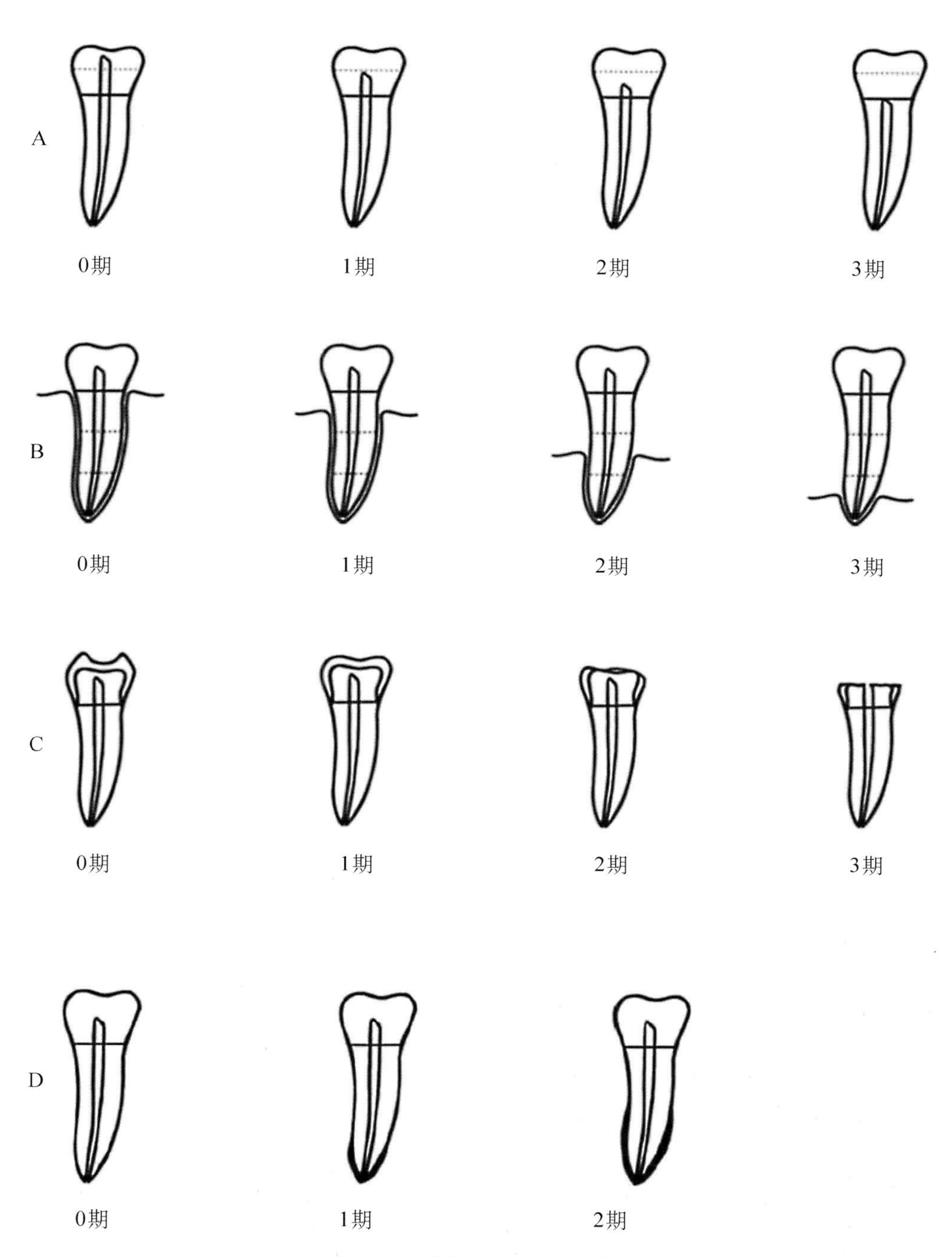

图 4-12　改良 Gustafson 法分期

A. 继发性牙本质变化分期;B. 牙周膜附着变化分期;C. 牙齿磨耗程度分期;D. 牙骨质粘连程度分期

Si XQ, Chu G, Olze A, et al, 2019. Age assessment in the living using modified Gustafson's criteria in a northern Chinese population[J]. International Journal of Legal Medicine, 133(3):921-930

研究发现，基于牙齿磨耗程度，男性和女性下颌前磨牙为 0 期的最小年龄分别为 15.00 岁和 15.09 岁；1 期的最小年龄分别为 16.82～21.21 岁和 15.25～23.90 岁；2 期的最小年龄男性和女性分别为 32.40～37.67 岁和 30.23～39.93 岁；该研究中没有个体牙齿磨耗程度达到 3 期。因此，当下颌第一和第二前磨牙牙髓腔变化至 3 期，或者牙周膜附着变化、牙齿磨耗程度和牙骨质粘连为 2 期时，可以判定个体年龄年满 18 周岁。但是需要注意的是，仅有很低比例的研究样本相应的变化出现在这些阶段，因此通过改良式 Gustafson 法推断个体年龄是否年满 18 周岁并不适用于中国北方人群。

四、成人牙龄推断

成年人因为骨骼和牙齿都已经完成发育，因此年龄推断更具有挑战性。目前，基于牙齿推断成年人年龄的方法主要分为以下几类：①基于牙齿影像对牙齿的形态或者牙齿的增龄性变化进行观测，从而进行年龄判断。常用的方法包括牙周附着的丧失、牙根尖骨质的粘连、牙根的吸收量或牙根透明度等因素。②采用分子生物学方法对牙齿中与年龄相关的化学物质的检测或者形态改变推断年龄。③通过分子生物学手段检测端粒长度和 DNA 甲基化等与年龄相关的变化推断年龄。下面就成人牙龄推断的方法进行具体介绍。

（一）牙齿磨耗

牙齿磨耗的观测在很多年前被认为是成年人年龄推断的主要方法之一。但是，牙齿的磨耗与生理年龄并不是简单的函数关系，且其磨耗程度易受性别、环境因素、食物种类、咀嚼方式及口内其他牙的因素的影响。

Brothwell 建立了牙齿磨耗图表，将牙齿的磨耗程度与生理年龄直接对应，以此进行年龄判断（图 4-13）。

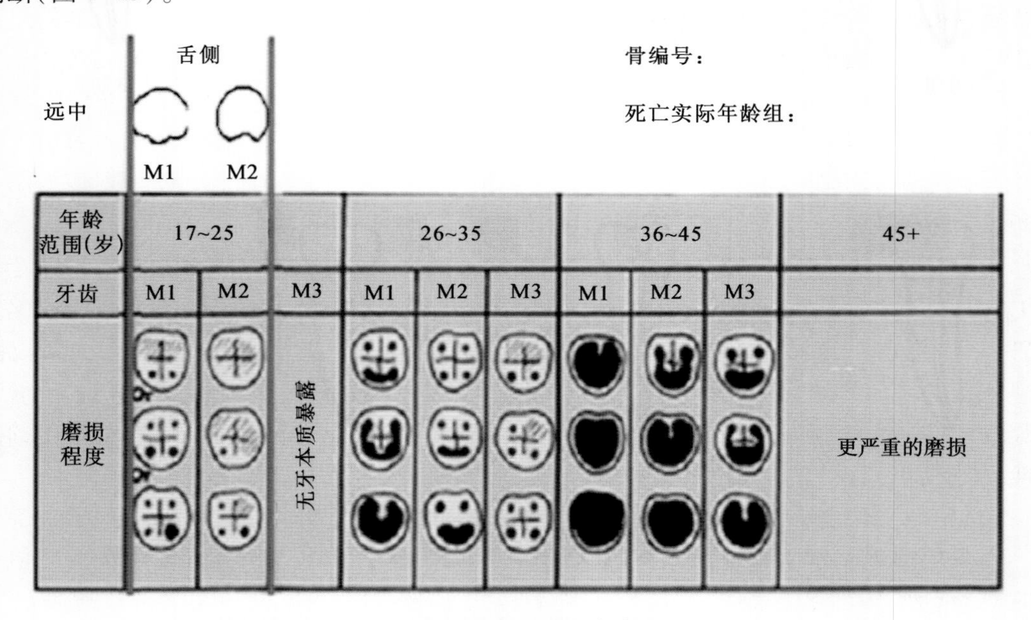

图 4-13　Brothwell 牙齿磨耗图

Alayan I, Aldossary MS, Santini A, 2018. Validation of the efficacy of age assessment by the Brothwell tooth wear chart, using skulls of known age at death[J]. Journal of forensic dental sciences, 10(1): 18-21

在该方法中，检测人员需要手动描绘出第一、二、三磨牙牙齿合面的磨耗程度，而后将描绘图与标准 Brothwell 牙齿磨耗图表进行比对，选择与标准磨耗图情况最接近的图示，该图所示的年龄范围即为推断年龄范围。

此方法只能大概估计个体的生理年龄范围，无法达到较为精确的年龄预测，因此该方法多用来估计死者的大概年龄范围以帮助进行个体识别。同时，关于该方法的文献研究相对较少，Alayan 等于 2018 年以尸骨作为样本，探究了 Brothwell 法用于年龄推断的适用性。结果表明，该方法的组内一致性和组间一致性结果较好，可以用于大体年龄估计。

总之，该方法的优点为操作简单，可快速判断年龄范围，尤其是对于死者的年龄信息判断具有优势。但同时，牙齿的磨耗受环境及个体因素影响较大，因此无法获得精确的年龄判断结果，同时准确性低，误差大。

（二）改良 Gustafson 法

2012 年，Olze 等对 Gustafson 法进行了改良，去除了牙根吸收和根牙本质透明度这两个无法在 X 线片中进行观察的指标，首次在曲面断层片中评价牙齿的增龄性变化进而推断成人年龄。该研究通过选择 1 290 名年龄介于 15～40 岁的德国高加索人曲面断层片进行研究，其中男性和女性分别为 640 人和 650 人。依据下颌第一和第二前磨牙的继发性牙本质、牙周膜附着、牙齿磨耗和牙骨质粘连等特征进行分期（图 4–12）。研究结果发现，男性基于下颌第一和第二前磨牙 4 个增龄性特征建立的年龄推断公式相关系数为 0.48～0.53，年龄推断标准误为 5.3～5.5 岁。而女性基于 4 颗前磨牙建立的年龄推断公式相关系数范围为 0.43～0.48，年龄推断标准误为 5.4～5.7 岁。因此认为，该方法可以用来推断成年人年龄，但是严重依赖于 X 线片的图像质量。

2017 年，Timme 等选择了 2 346 名年龄介于 15～70 岁的德国高加索人曲面断层片，基于下颌第一和第二前磨牙使用改良 Gustafson 法分别建立了 15～40 岁和 15～70 岁人群的年龄推断公式。结果表明，男性基于 15～40 岁和 15～70 岁建立的年龄推断公式相关系数分别为 0.47～0.59 和 0.76～0.80，年龄推断标准误分别为 4.64～5.17 岁和 6.75～7.11 岁。而女性基于 15～40 岁和 15～70 岁建立的年龄推断公式相关系数范围分别为 0.49～0.55 和 0.73～0.79，年龄推断标准误分别为 4.68～5.14 岁和 7.26～8.18 岁。并且他们认为，依据该方法在推断 40 岁以上中老年人的生理年龄时误差较大。

2019 年，国内学者郭昱成等基于改良 Gustafson 法对中国人群进行了研究。该研究选择了 1 300 名年龄介于 15～40 岁中国北方人群的曲面断层片，其中男性 650 名，女性 650 名。该研究同时使用验证样本对 Olze、Timme 和该研究建立的年龄推断公式进行了准确性探究，发现 Olze 建立的年龄推断公式同样可以用于中国人群的年龄推断。但是，改良 Gustafson 法的弊端是部分曲面断层片由于图像质量欠佳，无法给出确切分期，从而影响年龄推断的准确性。

（三）Kvaal 法

1995 年，Kvaal 等学者最早提出了基于牙髓、牙体长度、宽度比值与年龄相关的比值建立的多个年龄推断公式表明，单独以下颌尖牙为测量对象建立的公式相关性最差（$R=0.56$），当结合上颌中切牙、侧切牙、第二前磨牙和下颌的侧切牙、尖牙、第一前磨牙 6 颗不同类型牙齿综合分析时，建立的年龄推断公式相关性最高（$R=0.76$）。2004 年，Paewinsky 等首次将 Kvaal 法应用于曲面断层摄影，他们研究了明斯特大学医院口腔科 168 名高加索人的曲面断层片。结果发现，牙髓与牙体宽度比显示出了最高的相关性（$R=0.913$）。2013 年，Karkhanis 等观察了 279 名澳大利亚人群的曲面断层片，结果显示通过单根牙推断年龄的误差相对较小，其中上颌中切牙误差最小（9.367 岁），其次是上颌侧切牙（9.525 岁），下颌尖牙误差最大（10.903 岁），综合分析这 6 颗不同类型的牙齿测量结果，得出了更小的误差结果（7.963 岁）。然而，也有学者研究发现使用该方法进行年龄推断误差较大。2011 年，Kanchan-Talreja 等学者以 100 个印度个体的牙齿根尖片进行研究时，发现无论采取平行投照还是成角投照方式，所推断的年龄与实际年龄误差都很大。当应用 Kvaal 法建立的公式预测年龄时，平行投照的误差为 18~20 岁，成角投照的误差为 19~21 岁，即使在建立了针对印度人种的年龄预测公式后，仍然有 11~14 岁的年龄误差。2011 年，Erbudak 等将此方法用于土耳其人群，其得出与年龄的相关系数只有 0.035~0.345，且误差达 12~28 岁。2008 年，Landa 等在西班牙人群中的研究中也指出该方法用于年龄推断误差较大。

2019 年，国内学者郭昱成等选择了 360 名年龄介于 20~60 岁的中国北方人群的曲面断层片，研究 Kvaal 法建立的公式推断成人年龄的准确性。该研究依据 Kvaal 提出的方法分别测量了上颌中切牙、侧切牙、第二前磨牙和下颌侧切牙、尖牙、第一前磨牙 6 个长度和宽度数值，并将样本分为包含 270 张曲面断层片的实验组（建立年龄与测量值之间的函数关系）和包含 90 张曲面断层片的验证组（对比 Kvaal 建立的公式和该实验建立的公式年龄推断的准确性）。该研究发现，在上颌中切牙、侧切牙、第二前磨牙和下颌侧切牙、尖牙和第一前磨牙单因素建立的年龄推断方程中，基于下颌尖牙建立的公式与年龄的相关系数最高，推断误差最小。因此 2020 年，郭昱成等又选择了 360 名年龄介于 20~60 岁的中国北方人群的曲面断层片，基于 Kvaal 法分别测量了上颌双侧尖牙和下颌双侧尖牙的长度和宽度数值，并将样本分为包含 270 张曲面断层片的实验组（建立年龄与测量值之间的函数关系）和包含 90 张曲面断层片的验证组（对比基于不同位置尖牙建立的公式年龄推断的准确性）。验证组样本中推断年龄的误差介于−0.758~0.932 岁，标准差介于 11.81~12.88 岁。其中基于左侧上颌尖牙建立的公式准确性最高，并且所有公式的准确性都高于前面研究基于 6 颗不同类型单根牙建立的公式，提示尖牙在 Kvaal 法使用中发挥重要作用。

但值得注意的是，Kvaal 法应用因为仅基于二维平面的牙髓、牙体长度、宽度测量进行年龄推断，并不能真实反映牙本质牙髓复合体的增龄性变化。随着 CBCT 技术在口腔领域的应用，牙齿三维影像的获得逐渐便利。2006 年，比利时学者 Yang 等首次尝试基于牙髓腔体积变化进行年龄推断。该研究从 19 个年龄范围在 23~70 岁的个体中选择了 28 个 CBCT 的牙齿影像，其中包括 15 个中切牙、12 个尖牙和 1 个前磨牙；这些牙齿都是单根牙，并且没有龋坏；结果显示牙髓/牙体容积比与个体年龄有一定的相关性，并且计算出推断年龄的回归方程，其中推断年龄与牙髓腔体积的相关系数为 0.29，年龄推断误差为 8.3 岁。Star 等在 2011 年从 111 个年龄范围在 10~65 岁的比利时患者中选择了 214 个单根牙的 CBCT 的牙齿影像。通过测量其牙髓/牙体容积比发现此方法推断个体年龄与性别无明显关联，而与中切牙的相关性最高，其次是前磨牙和尖牙。国内学者阎春霞等在 2019 年首次基于下颌阻生第三磨牙牙髓腔的增龄性变化进行年龄推断。该研究选择了 414 名年龄介于 20~65 岁的中国北方人群的 CBCT 影像，对其中 311 颗下颌左侧阻生第三磨牙和 303 颗下颌右侧阻生第三磨牙重建后计算牙髓/牙体容积，建立的年龄推断公式推断误差在男性和女性中分别为9.223岁和7.722岁，推断绝对误差在男性和女性中分别为10.76岁和9.58岁。上述研究表明，CBCT为牙齿三维影像的获得提供了新的途径。通过CBCT测量牙髓/牙体容积比可以用来推断个体年龄。

（四）尖牙牙髓腔和牙冠的面积比

鉴于二维平面的线性测量不能准确反映牙本质-牙髓复合体的增龄性变化。2004年，Cameriere等学者提出了一种新的利用继发性牙本质推断年龄的方法，即冠髓面积比（pulp-tooth area ratio，PTR）。该方法利用CT软件测量出髓腔面积与牙齿面积的比值，从而得出函数关系式来推断死亡个体年龄。他首先将此方法应用于尖牙，原因是尖牙在口内存留时间最长，且无须承受较大的咬合力和磨耗，髓腔体积大、便于测量。计算结果显示，其推断年龄的平均误差在3.7岁以内。又因为下颌前磨牙多为单根，其髓腔同尖牙一样易于测量，且不像前牙易受到温度和酸的直接刺激，于是他又将此方法应用于下颌前磨牙。结果显示，单颗下颌前磨牙与生理年龄的相关系数为0.69~0.75，误差为7.35~7.99岁。而如果将4颗下颌前磨牙同时计算，相关系数则高达0.86，误差降低至5.31岁。同时，他们认为此方法应用于上下颌切牙得到的误差较大，而且性别会影响年龄推断的准确性。继Cameriere之后，不同学者开始将其应用于年龄推断。2011年，Delucaluca等使用该方法推断墨西哥人的年龄，结果误差仅为1.9岁，远低于其他形态学方法5岁以上的误差。Zaher等通过研究埃及人群上颌切牙冠髓面积比，发现生理年龄与冠髓面积比之间有明显的统计学关系，他们得出的年龄误差为1.2~5.1岁。然而，也有学者研究发现该方法推断年龄误差较大。2009年，Babshet等在对印度人群中的研究中指出，若将欧洲人的年龄推断公式应用于印度人，所得到的平均绝对误差高达11.01岁，而在欧洲人群中误差只有4.38岁。即使在得出了针对印度人群年龄推断公式后，误差仍在10岁以上。而其2011年在印度人群中的研究结果显示，以单颗牙为研究样本，侧切牙的冠髓面积比显示出最强的相关性（$R=-0.395$），尖牙显示出最弱的相关性（$R=-0.206$），而将侧切牙、尖牙、第一前磨牙的冠髓面积比综合考虑，相关性得到了明显提高（$R=-0.438$），但其年龄推断的误差也高达12.1~13.1岁，远高于欧洲相关研究中2.5~5.0岁的误差。

Cameriere等提出的测量方法将一维平面测量扩展到二维平面上，而且面积测量选取了较多的参点来描绘轮廓，相对于一维测量更加准确。但是，髓腔是一个立体的圆柱状腔隙，其边缘在X线平面上的投影密度不均，观察者之间也很难达到描绘的一致性。其投影还受到牙齿本身扭转、错位的影响，并不是髓腔、牙齿本身形态的正确反映。而且，软组织的重叠影像也给牙齿、髓腔形态的描绘加大了难度，这也是该方法在活体年龄推断准确性远低于标本研究的一个重要原因。

（五）氨基酸外消旋性

人牙釉质中的天冬氨酸随年龄增长呈外消旋化，这种增加在代谢活跃的血红蛋白中却不明显。天冬氨酸在人牙釉质外消旋化反应的速率常数为8.29×10^{-4}每年。这一速率常数表明，在任何具有较长体内寿命的蛋白质中，D-天冬氨酸都会随着年龄的增长而积累（牙釉质中约8%的总天冬氨酸将在60年后成为对映体D-天冬氨酸）。因此，外消旋化可能在影响长寿恒温动物代谢稳定组织的衰老过程中发挥一定作用。牙釉质中的天冬氨酸外消旋也为评估现存哺乳动物的年龄提供了一种年龄判断的方法。

1975 年，Helfman 等学者首次在活体牙釉质中计算了氨基酸外消旋性与个体年龄的关系，结果显示天冬氨酸在所有氨基酸中具有最快的外消旋化反应速度，其与年龄的相关系数 $R=0.921$。在次年的实验中，学者观察到年龄的相关性与牙本质中天冬氨酸外消旋性更高（$R=0.979$）。Ohtani 等学者于 2010 年利用该方法报道了 5 例死亡尸体的年龄推断，其将牙本质中的天冬氨酸外消旋化率作为年龄估算的指标，在所有 5 个案例中估计的年龄的准确性均在 3 年之内。结果表明，计算 *D*-天冬氨酸的外消旋率的方法是一种可靠、实用的年龄推断方法。

一般来说，在获得了牙本质横断面的切片后，只需要收集 5～10 mg（实际 2～3 mg 即足够）的牙本质混合粉末即可用于 *D*-天冬氨酸的测定。但为了确保测定的准确性和可重复性，需要选取被测个体 4 颗以上的牙齿进行测定。下颌切牙或下颌前磨牙是该技术的理想选择，因为这些牙齿的体积相对较小，使收集整个牙本质样本的过程变得容易。

与传统的影像学方法相比，该方法运用了生物技术手段，结果和准确性相对可靠，并且该方法被建议作为国际标准方法用于年龄推断。然而，该方法在国际上尚未广泛推广。其限制性可能包括以下几个方面：①该方法需要数颗已知年龄的固定类型的牙齿；②在分离计算 *D*-天冬氨酸的过程中，很难制造出一款性能优异的立柱分离；③在混合粉末中，很难将牙本质与牙釉质等其他成分完全分开。如果在这些限制性条件上取得进展，我们相信这种方法能得到更加广泛的推广。

（六）牙骨质环

牙骨质是覆盖在牙根表面的一层组织，也是一种矿化组织。牙骨质的形成与牙釉质和牙本质一样，是层层堆积上去的。牙骨质具有不断吸收和新生的特点，在正常情况下，牙骨质是不易吸收的，但随着乳牙的替换、牙根部出现病理改变或增龄性变化，牙骨质吸收发生率和吸收区域的数目均有所增加。牙骨质还有不断新生的特点，随着年龄的增长，萌出牙和埋伏牙牙骨质均明显增厚，尤以根尖区最为明显。在人的一生中都发生着牙骨质的沉积，其总厚度从 10 岁到 75 岁几乎增长了 3 倍。

牙骨质环计数时选取根中 1/3 制备磨片，在相差显微镜下观察能得到较为准确的数值。Stoot 等学者首次提出利用牙骨质环估算猕猴的年龄，在对 18 只 7 个月～5.8 岁猕猴的牙齿进行研究发现，猕猴及其他非灵长类动物均可以利用牙骨质环估算年龄，其前磨牙的牙骨质环加 4 个月即为其实际年龄，尖牙牙骨质环加 8 个月为其实际年龄。Wittwerbackofen 等于 2004 年基于 363 个已知年龄的生活个体，采用盲法研究了牙骨质环推断年龄的准确性，最终评估方法的准确性用 95%置信区间表示，年龄估计误差在 2.5 岁以内。Swetha 等通过计数牙骨质明暗带相间的数目，并将它们添加到被分析的牙齿萌出的平均年龄，以估计个体的生理年龄，结果显示生理年龄和推断年龄之间差异有统计学意义，并且呈正相关，误差为±2 岁。然而，也有一些研究质疑牙骨质环与年龄相关性。

因此，牙骨质环与年龄之间是否有相关性，还需要进一步研究证实。但是，牙骨质环环层结构复杂、计数困难且制片过程可对牙齿造成不可逆性破坏，不适用于活体组织检测。同时，这种评估方式的精确度、方法的可重复性、数据收集的差异性等问题尚需要进一步研究。

（七）端粒长度

端粒 DNA 和端粒结合蛋白的 DNA 序列为简单的 5′-TTAGGG-3′重复序列，该序列在进化上高度保守，在人类长度为 5 ~ 15 kb，不具有编码任何蛋白质的功能，其功能是解决末端复制问题，防止染色体末端融合、丢失，维持染色体的稳定，保证染色体在减数分裂中的顺利分离。端粒长度的变化反映出细胞分裂次数，以此判断年龄变化。

目前，国内外测量端粒的长度的方法主要有 DNA 印迹（Southern blot）、PCR、荧光原位杂交法（fluorescence *in situ* hybridization，FISH）以及在此基础上改进的方法如单端粒长度分析（single telomere length analysis，STELA）、实时定量、PCR、单染色体多通路实时定量 PCR、定量荧光原位杂交（quantitative fluorescence *in situ* hybridization，Q-FISH）和流式荧光原位杂交（flow-FISH）等。其中，DNA 印迹为第一代端粒测量技术，适合 130 个左右的样本量，常常被作为评定新方法优劣的标准。

Takasaki 等通过研究 100 名年龄介于 16~70 岁日本人磨牙牙髓中的 DNA，发现牙髓端粒 DNA 长度随年龄的增加而明显缩短，并且提出这一发现将成为推断年龄的一种可行的新方法。Tsuji 等用非同位素标记探针杂交法，测定了不同年龄外周血和血痕检材中的端粒末端非限制片段的长度，发现该长度随年龄增加而呈现缩短趋势，并根据供体年龄和端粒平均长度的关系建立推断年龄的直线方程，其相关系数为 0.832，标准误为 7.037。国内学者王祖峰和王元英等应用 DNA 印迹技术，对 60 名无关个体的皮肤、71 名无关个体的肌肉端粒 DNA 片段长度进行观测，测定不同年龄人群的端粒 DNA 片段长度值，然后对皮肤、肌肉组织端粒 DNA 片段长度值与年龄的依存关系进行回归分析，建立起基于皮肤和肌肉端粒 DNA 长度的年龄回归方程模型，并绘制出端粒 DNA 片段长度随年龄变化的标准曲线。

端粒长度测量法采用生物学定量技术，从 DNA 角度深入探讨年龄的特性，从而为人们提供了一种以组织细胞为样本，以分子水平检测为手段的年龄评估方法。但同时该方法测定过程复杂，对实验操作性的要求高，且端粒长度同时受社会心理、行为习惯、环境、肿瘤和疾病及其他因素的影响。还有研究表明，短时间暴露于污染的环境中，可以使白细胞端粒长度增加，而长期暴露于污染的环境中，则使白细胞端粒缩短。因此，端粒长度的理论、数据补充及测量方法，都需要进一步研究和完善。

（八）DNA 甲基化

DNA 甲基化是最常见的哺乳动物基因组修饰途径，指在 DNA 甲基转移酶的催化下，DNA 分子中 *S*-腺苷甲硫氨酸的甲基转移至胞嘧啶环的第 5 位碳原子，生成 5-甲基胞嘧啶的过程。

2013 年，Horvath 等学者建立了 353 个与年龄相关的 CpG 位点组成的、年龄预测模型，奠定了 DNA 甲基化进行个体年龄推断的基础。近年来，有关 DNA 甲基化年龄推断的研究不断深入，目前研究方向已经由全基因组甲基化水平测定，逐步发展为针对特定随龄性甲基化 CpG 位点的甲基化程度的测定。后者的操作方式更为简便，检测成本更低，更利于在法医学实践中推广和运用。

进行 DNA 甲基化测定的样本主要为个体的血液、唾液和精斑等。而 DNA 甲基化的检测方法不同于目前应用于法医学中常规 DNA 检测的手段。由于 DNA 甲基化并不改变基因的序列，无法依据序列多态性或长度多态性进行区分。同时，DNA 胞嘧啶修饰的甲基基团很小，检测具有一定难度。目前，DNA 甲基化的检测方法主要有基因芯片法、焦磷酸测序法及依靠甲基化测量平台等。

利用DNA甲基化进行年龄推断在世界范围内应用广泛。同时,通过对同一个体不同组织样本的检验,验证了甲基化程度具有组织特异性。Hunter等在全基因组水平上发现不同人群之间DNA甲基化模式存在较大差异,这也证明了DNA甲基化不仅具有组织特异性,还有群体特异性。目前,甲基化的主要研究对象为欧美人群,针对中国汉族人群年龄推断的研究较少。Yi等研究中国汉族65例血液样本,选择与年龄高度相关的8个基因,采用Sequenom质谱针对每个基因内含有的2个CpG位点的甲基化程度进行检测,初步获得了各位点与年龄的相关系数。上述研究通过筛选年龄相关性位点,已构建了年龄推算模型的方法,成功将DNA甲基化应用于年龄推断,而如何将其应用于国内相关研究和实践,是目前需要解决的主要问题。

第二节 人工智能方法

现如今,牙龄推断方法发展已较为成熟,有多种基于牙齿不同的结构与特点建立的牙齿与年龄之间的相关关系从而实现较为准确的牙龄推断。尽管大量研究表明现有的牙龄推断方法可应用于不同年龄段的人群且推断结果尚可满足法医学及临床医学的应用需求,但仍存在一定的局限性:①生物个体存在差异性、易变性,单纯利用大样本人群的牙齿图像基于数值转化建立的个体牙龄推断方法,其本身准确性即受到限制;②该方法高度依赖成像设备和成像环境,图像噪声大、分辨率低对人工判断有显著限制,影响推断结果的准确性;③牙龄推断方法众多,每一种方法过程烦琐且对专业知识要求严格,需要花费较多的时间和精力才能熟练掌握及应用;④不同阅片人员之间存在主观判断差异,即使是同一阅片人员其判断也会受到时间、情绪状态等多个因素影响,结果的准确性及可重复性欠佳;⑤牙龄推断方法的应用需要耗费大量的时间和人力,推断效率低。

随着计算机机器学习技术的兴起与不断发展,上述方法在应用中存在的局限性可以得到有效地改善,它为实现牙龄推断方法的进一步完善和提高、辅助实现牙龄的高精度智能评估提供了新的契机。深度学习是机器学习领域中一个新的研究方向,是学习样本数据的内在规律和表示层次,使用多层复杂结构或由多重非线性变换构成的多个处理层进行数据处理的方法,它的最终目标是让机器能够像人一样具有分析学习能力,能够识别文字、图像和声音等数据。近年来,深度学习在计算机视觉、语音识别、自然语言处理、音频识别与生物信息学等领域均取得了突破性进展。由于在数据分析上具有很可观的应用前景,深度学习被誉为2013年来的十大技术突破之一。

深度学习可以按照训练过程分为有监督学习和无监督学习两种。有监督学习指通过带标签的数据去训练,误差自顶向下传输,对网络进行微调。基于第一步得到的各层参数进一步优化调整各多层模型的参数,这一步是一个有监督训练过程。无监督学习则是从底层开始,一层一层地往顶层训练,采用无标定数据(有时也可采用标定数据)分层训练各层参数,这一步可以看作是一个无监督训练过程。以往在机器学习用于现实任务时,描述样本的特征通常需要由专业人员来设计。但众所周知,特征的好坏对泛化性能有至关重要的影响,专业人员设计出高效特征也并非易事。近年来,研究人员也逐渐将这几类方法结合起来,对原本是以有监督学习为基础的卷积神经网络结合自编码神经网络进行无监督的预训练,进而利用鉴别信息微调网络参数形成的卷积深度置信网络。

卷积神经网络是应用最广泛的一种深度学习网络模型,通过仿造生物的视知觉机制构建,可以进行监督学习和非监督学习。其概念最早出自 19 世纪科学家提出的“感受野”,是深度前馈网络的一种,也是当前图像分类领域的研究热点。卷积神经网络的关键思想在于多层堆叠、局部连接、权值共享和池化。它将单层的神经网络进行多次堆叠,前一层的输出作为后一层的输入,便构成卷积神经网络;其层与层之间不再是全连接,而是局部连接,这样可以大大简化模型的复杂度,减少参数的数量。卷积神经网络的多层次结构可以分为 3 个组成部分:卷积层、池化层和全连接层。卷积层主要作用是生成图像的特征数据,交由池化层对特征数据进行聚合统计,全连接层将池化后的多组数据特征组合成一组信号数据输出,实现对图像的识别分类等学习任务。

深度学习技术在图像识别领域已有了长足的发展,各种应用层出不穷,如人脸识别、车牌识别、医学图像识别等多个领域。医学图像因其具有种类繁多、分辨率低下、严重依赖成像设备和成像环境等缺点,在一定程度上限制了医生对患者症状做出有效诊断,而深度学习技术可以很好地解决上述问题。现如今,深度学习技术已应用于多个医学影像领域,如计算机辅助诊断、图像分割及图像匹配与融合等。2014 年,Roth 等学者通过对 388 个纵隔淋巴结和 595 个腹腔淋巴结进行训练建立了卷积神经网络,实现临床淋巴结病变的识别,预测准确率达到 83%,并发现通过随机旋转采样可以提高卷积神经网络的分类性能。2016 年,Dou 等学者提出的 3D 卷积神经网络模型对飞利浦医疗系统中的数据集进行训练,实现了对脑微出血图像的自动监测,准确率为 93.16%。2018 年,张泽中等学者将 AlexNet 和 GoogleNet 两种模型结合对胃癌图像进行分类,准确率达到 99.4%。除此之外,深度学习技术还被用于肺结核、乳腺癌、皮肤癌、糖尿病等多个医学疾病的检测与诊断。在法医齿科学方面,目前已有少量研究在深度学习技术与传统牙龄推断方法相结合方面取得一定的突破。

一、基于深度学习间接实现牙龄预测

(一)牙齿自动检测及分类

在法医学鉴定中,牙齿起着重要的作用,有些情况需要将死者的牙齿进行检查并记录牙齿状况,与死者生前的牙齿记录进行对比。然而,大多数口腔科医生在尸体的牙齿信息记录方面缺乏经验,并且有些情况下,尤其是在大规模灾难中,对于牙齿的检查与记录工作十分琐碎繁重。随着深度学习技术的不断发展,一些学者尝试将深度学习技术应用于牙齿的检测和分类当中,选择了不同的深度学习技术建立了自动检测分类的神经网络模型,并获得了较好的准确率。这些研究结果一方面可减轻法医学鉴定工作的负担,同时为后续实现牙龄自动化推断的神经网络模型奠定一定的研究基础。

2015 年,Walter 等学者为减少牙龄推断实践中对电离辐射的依赖性,利用 280 例头部 MRI 影像采用随机森林回归策略建立了一种新的第三磨牙自动化定位模型,为进一步基于 MRI 影像进行牙龄自动化推断奠定基础。这些 MRI 图像由口腔医生手动标注第三磨牙,若第三磨牙缺失,则标注在假定区域。将所有样本分为两组,67% 为训练集,33% 为测试集,利用训练集中的MRI图像进行第三磨牙自动化定位的模型建立，将测试集图像输入自动化定位模型中即可获得第三磨牙的预测位置，通过比较标注区域和预测区域之间的距离评价模型性能。研究结果显示该自动化定位模型的平均定位误差为(3.55±2.62) mm，远低于两个牙齿之间的距离(10 mm)。另外，学者们通过比较不同标注范围与定位准确性之间的关系发现，图像空间累加器表现为标注范围越小，定位准确性越高，而直方图累加器与之相反。

2017年，Miki等学者从日本两种CT成像系统各采集了33例和19例CBCT样本，手工调整窗位和窗宽，从而可以清晰地显示出牙齿的图像。将CT中每一种牙齿(中切牙、侧切牙、尖牙、第一前磨牙、第二前磨牙、第一磨牙、第二磨牙)均手动设置一个最小的包围框进行标记，第三磨牙由于样本量较少未纳入研究。从两种成像系统的样本中各随机选取5例作为测试集，其余为训练集。由于训练集中的牙齿图像数量有限，所以学者们通过图像旋转和强度变换对训练数据进行了扩充，因此数据集可分为不增加数量的训练集A、使用图像旋转的训练集B、使用强度变换的训练集C和同时使用图像旋转和强度变换的训练集D 4种类型，并且采用4种调整图像大小的方法，分别是修剪、挤压、填充和半修剪半填充。Miki等学者们选择卷积神经网络模型AlexNet，采用训练集的样本进行模型及参数的调整，构建了牙齿分类的自动化模型(图4-14)。结果显示，该研究建立的自动化模型对牙齿分类的正确率均在80%以上，且通过图像旋转和强度变换增加样本数量后，神经网络模型的分类性能得到了提升，达到91%；通过对比不同训练集和不同图像大小调整方法的组合结果发现，训练集D与填充方法的组合效果最佳，其分类准确率达94.4%。

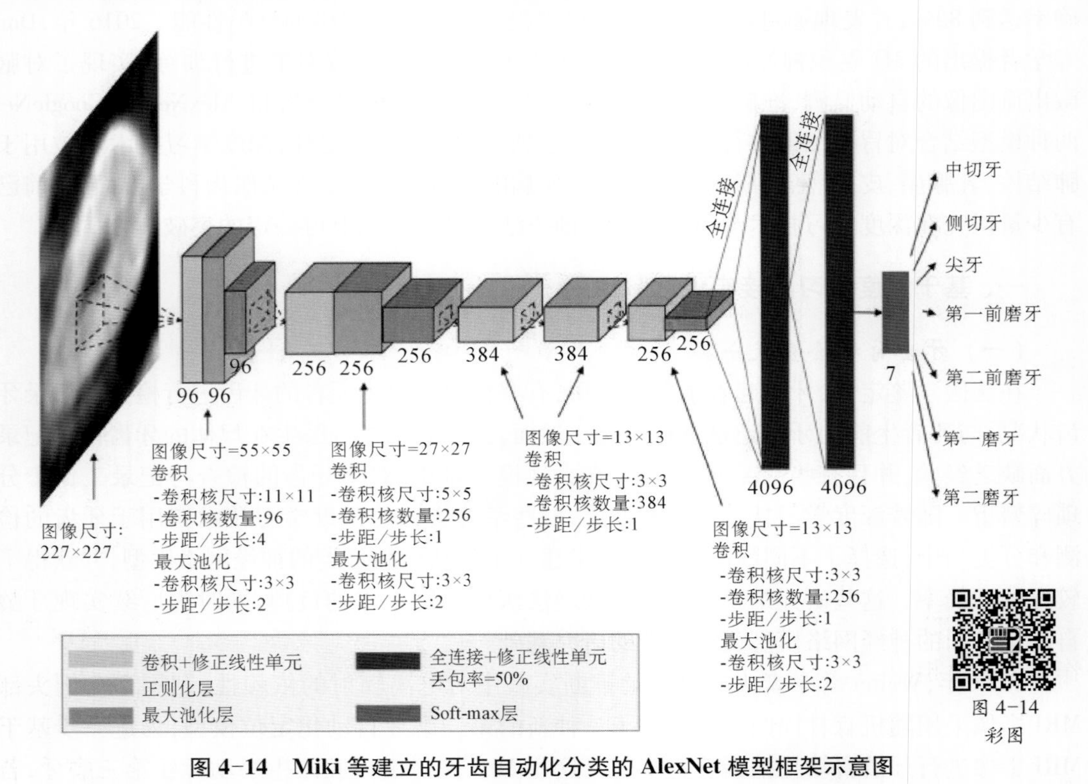

图 4-14 Miki等建立的牙齿自动化分类的AlexNet模型框架示意图

Miki Y, Muramatsu C, Hayashi T, 2017. Classification of teeth in cone-beam CT using deep convolutional neural network[J]. Comput Biol Med, 80:24-29

2018 年,Zhang 等学者则选择了深度学习技术中的标签树建立神经网络模型以提高牙齿检测和分类的鲁棒性,特别是基于卷积神经网络的级联网络结构。标签树可以给每个牙齿分配多个标签,这些标签可以将任务分解为若干个子任务,每个子任务使用一个卷积神经网络处理,将这些单个的卷积神经网络合并即可形成一个级联网络结构,在该研究中,每颗牙齿都有一个标签集,这个标签集是由标签树产生的,每一层都代表了这个标签集的一个组成部分。Zhang 等学者收集了 1 000 张根尖 X 线片,从中随机选取 80%的图像用于训练构建模型,其中任选 700 张图像进行全网络模型的训练,100 张图像作为验证集调整参数;剩余 20%的图像用于测试模型的性能。他们设计了含有 4 层结构的标签树模型,顶层根据样本是否为牙齿分为牙齿和背景两个分支,第二层用于区分牙齿位于上颌还是下颌,第三层用来判断牙齿的位置,即牙齿具体的类型,最后一层用于区分左右(图 4-15)。研究结果显示:该模型的准确率平均为 0.781,通过将该研究结果与其他深度学习网络进行对比,结果显示其他深度学习网络的准确率仅为 0.446~0.765,均低于标签树模型。

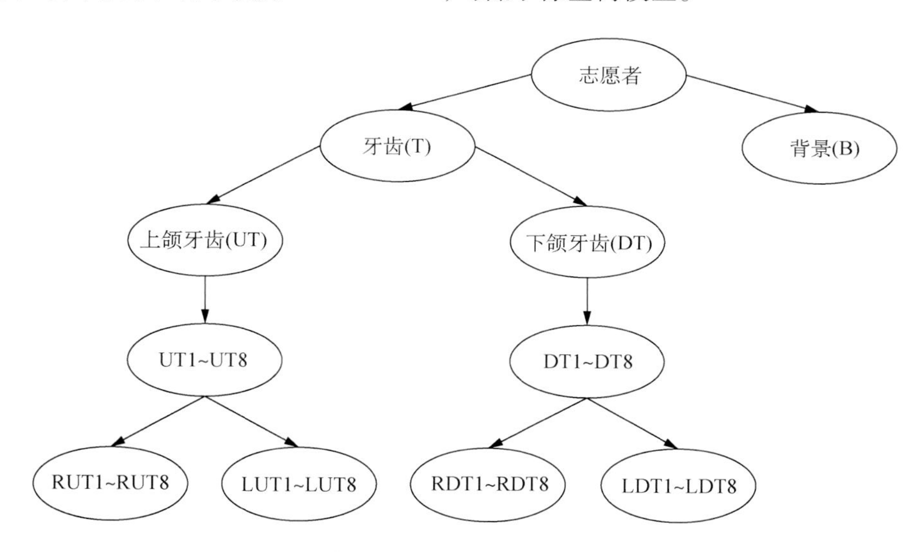

图 4-15 牙齿自动检测和分类的标签树模型示意图

Zhang K, Wu J, Chen H, 2018. An effective teeth recognition method using label tree with cascade network structure[J]. Comput Med Imaging Graph, 68:61-70

UT1~UT8:上颌 8 颗恒牙;DT1~DT8:下颌 8 颗恒牙;RUT1~RUT8:右侧上颌 8 颗恒牙;LUT1~LUT8:左侧上颌 8 颗恒牙;RDT1~RDT8:下颌右侧 8 颗恒牙;LDT1~LDT8:下颌左侧 8 颗恒牙

采用这种标签树技术即可将原始的检测、分类任务进行分解,每个标签均与一个子任务相关,每个子任务对应一个卷积神经网络模型,这样的训练方法比直接训练 33 个类别的牙齿更简单且更易实现。因为分类数量的急剧减少,在每个子任务中可以使用一些策略,为下一个任务消除一些干扰,从而提高分类的准确率。这种网络结构提高了工作效率,减轻了工作人员的负担。

2019 年,Lee 等学者通过应用深度学习的卷积神经网络在口腔曲面断层片中实现了牙齿的自动分割。他们从韩国延世大学牙科医院中收集了 30 位成年患者(20~65 岁)拍摄的曲面断层片作为训练集,另外随机选择 20 张曲面断层片,其中 10 张作为验证集,10 张作为测试集。训练集的样本由具有 5 年工作经验的口腔颌面放射科医生手工进行注释，根据全景片中含有的牙齿数量生成带有牙齿注释的图像，共生成了 846 张图像作为构建卷积神经网络模型的真值。由于样本量较少，该研究选用图像空间转换增强的方法将训练集增加为 1 024 张图像。他们选择了掩膜基于区域的卷积神经网络（mask RCNN）进行牙齿自动分割模型的建立（图 4-16）。mask RCNN 模型是一个基于卷积神经网络的多任务算法模型，主要包括两个阶段的程序。第一个阶段主要进行感兴趣区域的提取；而在第二阶段中，mask RCNN 中包含每个感兴趣区域的二进制掩码，并与分类和边界框预测并行。另外，为了提高牙齿分割的精度，他们使用了一个称为 RoIAlign 的神经网络层，以像素对像素的方式提取牙齿的空间结构。

Lee 等学者采用 F1 分数及并集平均相交 IoU 两项指标进行分割结果的评价。这两项指标均表示真值与预测值之间的像素重叠的程度，其评分范围为 0~1，数值越接近 1 表示分割效果越好。结果显示，该研究建立的牙齿自动分割模型其准确率平均为 0.858，F1 分数为 0.875，IoU 平均为 0.879；其结果优于其他学者的研究结果。另外，该研究结果提示切牙和尖齿的分割性能优于其他类型的牙齿，切牙的平均 IoU 为 0.900，而尖牙的平均 IoU 为 0.889。该研究创建的牙齿自动分割模型效果较既往研究有明显提高，可应用于牙龄自动化推断的第一步和其他涉及类似分割任务的法医学鉴定。

（二）牙齿发育自动识别

目前，基于机器学习技术通过牙齿发育推断年龄的研究相对较少，主要集中在 3 种方法上：Moorrees 法、改良 Demirjian 法和 Cameriere 法。下面详细介绍这 3 种年龄推断方法与机器学习的联合使用。

1. Moorrees 法

2017 年，Stepanovsky 等学者为分析和改进法医学中对儿童和青少年的牙龄推断方法，选取了 976 名 2.7~20.5 岁的捷克儿童和青少年拍摄的全口曲面断层片作为研究对象，基于不同的输入变量、数据分析方法及机器学习模型建立了 22 个牙龄预测模型。他们基于 Moorrees 法将单根牙的发育过程分为 13 个阶段，多根牙的发育阶段划分与单根牙相似，仅在第 7 期和第 8 期之间增加了根分叉区开始矿化发育阶段，共 14 个阶段。单根牙的具体分期标准如下（图 4-4）。

1 期：牙尖开始钙化。

2 期：牙尖钙化融合。

3 期：牙尖完全形成。

4 期：牙冠 1/2 形成。

5 期：牙冠 3/4 形成。

6 期：牙冠完全形成。

7 期：牙根开始形成。

8 期：牙根发育至根长的 1/4。

9 期：牙根发育至根长的 1/2。

10 期：牙根发育至根长的 3/4。

11 期：牙根完全发育，根尖孔未闭合。

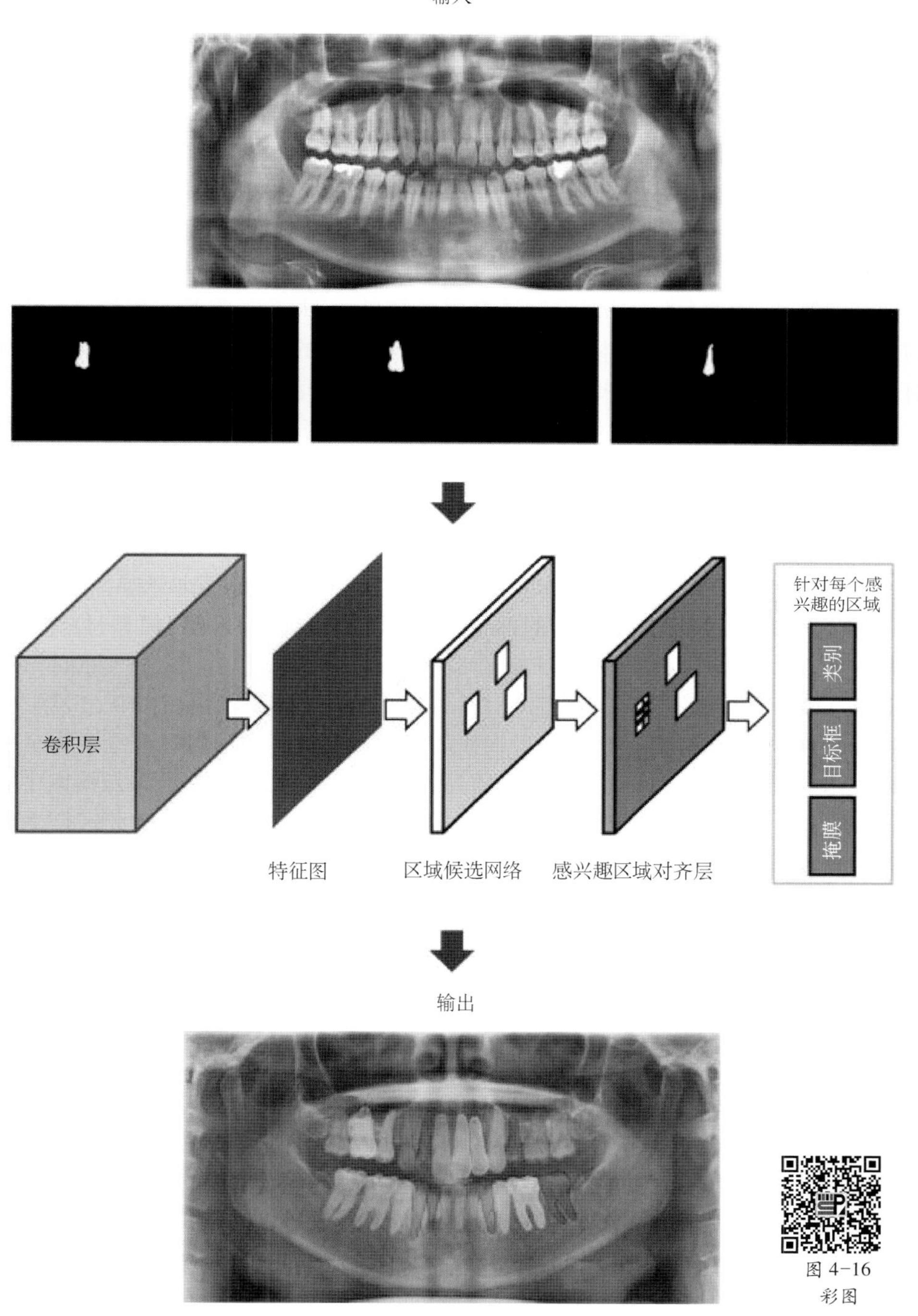

图 4-16 Lee 等建立的牙齿自动分割的 mask RCNN 模型框架

Lee J H, Han S S, Kim Y H, 2020. Application of a fully deep convolutional neural network to the automation of tooth segmentation on panoramic radiographs[J]. Oral Surg Oral Med Oral Pathol Oral Radiol, 129(6): 635-642

12 期:牙根完全发育,根尖孔部分闭合(约 1/2)。

13 期:牙根完全发育,根尖孔闭合。

另外,考虑到牙齿发育阶段是一个有序的范畴变量,它与个体的牙龄之间呈非线性关系,因此在研究中另外建立了平均年龄表格代替发育分期。平均年龄表格是在具有代表性的人群中,通过计算各种牙齿处于相同发育阶段的样本的实际年龄的平均数或中位数建立而成的,表格中每种牙齿的每个分期阶段对应一个平均年龄,简称为"表格式"。该研究中分别采用牙齿发育分期和分期对应的平均年龄(平均数或中位数)建立不同的模型,探究两种数据的差异性。在该研究建立的 22 个牙龄预测模型中,除 $1^{\#}\sim4^{\#}$ 模型外,其余模型均引入了机器学习算法,主要包括支持向量机、多层感知机、径向基函数神经网络、k-最近邻算法、回归树、模型树 M5 及随机森林等。通过对比所有模型的预测结果与实际年龄之间的平均绝对误差和均方根误差发现:表格式多元线性回归模型、表格式模型树 M5、表格式支持向量机在牙龄预测中具有明显的优势;在男性中,基于支持向量机和径向基函数神经网络两种算法建立的模型准确性最好,其平均绝对误差为 0.63 岁,均方根误差为 0.83;在女性中,支持向量机和径向基函数神经网络两种算法模型同样表现出较好的预测性能,但预测效果最佳的是多元线性回归模型,其平均绝对误差为 0.64 岁,均方根误差为 0.84。Stepanovsky 等学者认为,将牙齿发育阶段转化为连续变量(平均年龄)可有效地提高牙龄推断的准确性,消除利用牙齿发育分期进行牙龄推断的部分误差;另外,多元线性回归模型、模型树 M5 及支持向量回归 3 种模型的牙龄预测的准确性最佳。

2. 改良 Demirjian 法

2017 年,De Tobel 等学者研制了一种在曲面断层片中进行左下第三磨牙发育分期的自动化评价技术,并对其性能进行了测试。他们从比利时鲁汶大学医院的患者档案中收集了 400 张全口曲面断层片,每个牙齿发育阶段每个性别各 20 张,根据第三磨牙区域图像清晰度和是否存在颊-舌向倾斜筛选 X 线片。该研究结合 Demirjian、Gleiser 和 Hunt、Kullman 和 Moorrees 4 种方法中对牙齿发育阶段的划分定义,制订了新的分期方法,将牙齿发育过程分为 0~9 共 10 个阶段。400 张曲面断层片由两名观察者按照统一标准对左下第三磨牙的发育分期进行评价,如双方对某一第三磨牙的发育分期的判断存在争议,则由第三名资深牙龄推断专家担任仲裁,确定该第三磨牙的最终发育分期。其中一名观察者有 5 年基于骨骼和牙齿的 X 线片进行年龄推断的经验,另一名观察员是刚刚进入法医学年龄推断领域的学者,资深牙龄推断专家在牙龄和骨龄推断方面有超过 10 年的经验。具体分期标准如下(图 4-17)。

0 期:颌骨中疑似存在牙囊,牙齿组织尚未开始钙化。

1 期:牙囊中可见一个或多个倒锥形的钙化点,但钙化点之间未见融合。

2 期:一个或多个钙化点之间相互融合形成具有规则轮廓的咬合面。

3 期:咬合面处牙釉质发育完整,并向颈部延伸且呈现聚合的趋势,牙本质开始形成,牙髓腔轮廓在牙合边界处呈弧形。

4 期:牙冠完全形成至釉牙骨质界处,髓室呈梯形,髓角突出呈伞形。

5 期:牙根开始形成,但根长仍然小于冠长,根分叉初步形成,呈现钙化点或半月形。

6 期:根分叉处从半月形进一步钙化发育,根轮廓清晰,呈漏斗状。

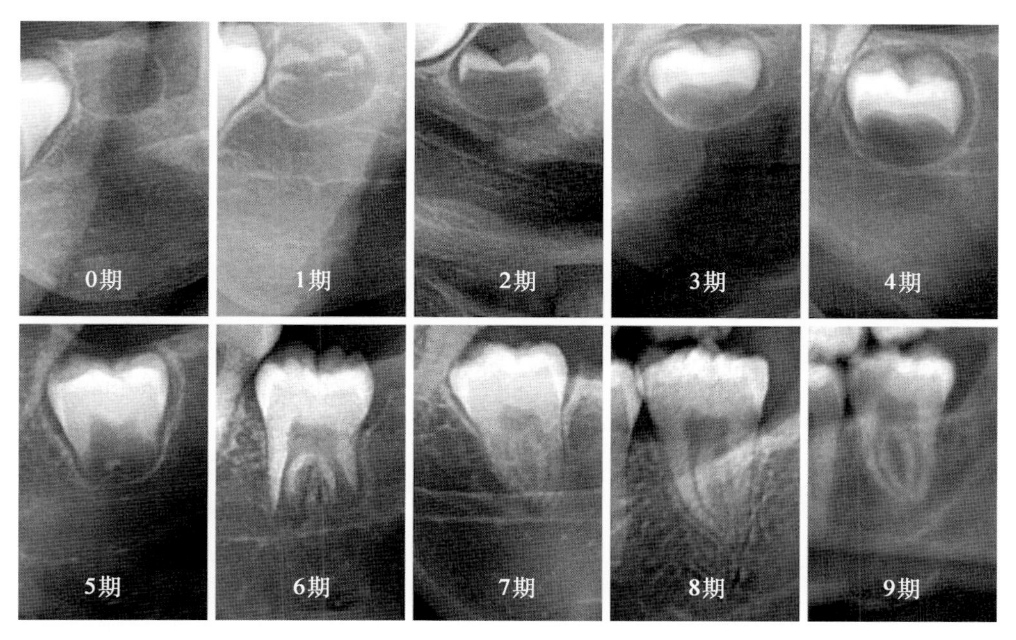

图 4-17 De Tobel 等制定的左下第三磨牙发育阶段图示

DeTobel J, Radesh P, Vandermeulen D, 2017. An automated technique to stage lower third molar development on panoramic radiographs for age estimation: a pilot study[J]. J Forensic Odontostomatol, 11(35):42-54

7 期:根管壁相互平行,根尖孔尚未闭合。

8 期:根管壁在牙根尖处呈会聚状,但尖端仍未闭合。

9 期:根尖孔完全闭合,牙周膜间隙在牙根及牙根尖周围分布均匀。

对曲面断层片中第三磨牙的发育状况进行人为分期后,将 400 张 X 线片应用 Adobe Photoshop CC 2017 对左下第三磨牙周围手动框选特征区域。边界框的长轴与牙齿长轴平行,上边界位于最高的牙尖上方 2 mm,尺寸统一设置为 240 像素×390 像素,如图 4-18 所示。框选完成后将 Photoshop 生成的 psd 文件导入 MATLAB R 2017a 软件中,对边界框中的图像信息进行直方图均衡化以增强图像对比度。在对特征区域进行初步特征提取和约简后,使用 MATLAB R 2017a 的分类学习应用程序对多个线性和非线性多阶段分类器进行了测试,最后选择了其中一种深度卷积神经网络方法 AlexNet 进行转移学习。AlexNet 由 ImageNet 数据库中一个子集训练而成,它通过 100 多万张图像的训练可以实现将图像分成 1 000 个类别。因此,De Tobel 等学者将整体样本分为训练集和测试集,分别占总体样本的 80%和 20%。采用训练集对 AlexNet 网络中的全连接层进行替换以适应对第三磨牙分期 10 个分类的判断,并使用带有动量的随机梯度下降法对权重进行轻微的调整,用测试集对调整后的模型进行牙齿自动分期的结果测试。采用一级 Rank-1(等级-1)识别率对测试结果进行评价,即指在自动的分期评价中,正确阶段(即指与牙龄推断专家分配阶段相一致)被排在第一的次数。

该研究结果提示自动化分期和牙龄推断专业人士分期之间的一致性类似于专业人士之间的一致性。虽然平均仅 51%的分期阶段被正确评价,但平均绝对差值为 0.6 个分期,线性

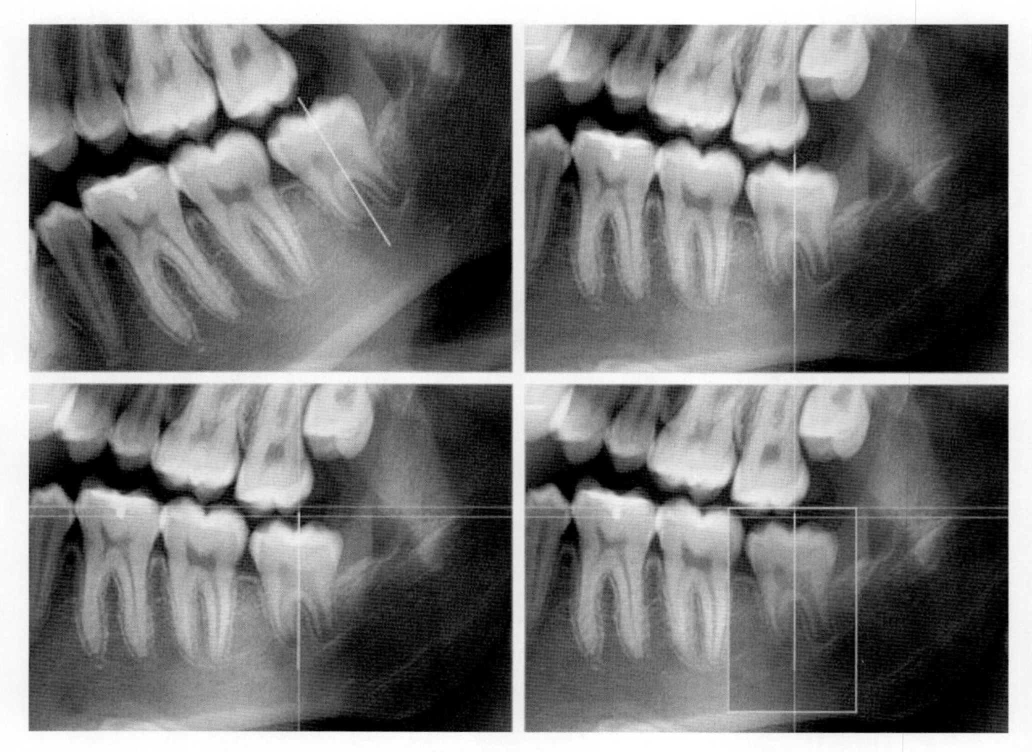

图 4-18 De Tobel 等第三磨牙特征区域的手动框选示例

DeTobel J, Radesh P, Vandermeulen D, 2017. An automated technique to stage lower third molar development on panoramic radiographs for age estimation: a pilot study[J]. J Forensic Odontostomatol, 11(35):42-54

加权 kappa 系数为 0.82,表明大部分被错误分类的阶段仅在相邻阶段。因此,这种新方法很有发展前途,并且为消除由于观察者内部和观察者之间的分歧而产生的年龄推断误差开辟了研究前景。

在上述研究的基础上,2020 年 Merdietio 等学者通过不同的特征区域标记方法和神经网络模型对既往建立的牙龄的自动化预测模型进行新的探索。本次研究中的样本和分期方法与之前的研究相同,但是在 Photoshop 中采取 3 种新的方法对左下第三磨牙区域进行分割,分别为边界框(BB)、粗糙(RS)和全牙齿(FS)分割,分别如图 4-19 中 B、C、D 所示。BB 分割方法即为既往研究中采用的对第三磨牙进行框选标记的方法;RS 分割方法指框选出含有第三磨牙周围约 6 个像素的区域;FS 分割方法则指框选出只包含牙齿结构的区域,这种分割方法包含的结构因牙齿发育状况而异,在牙齿萌出之前分割区域包括牙囊及牙齿硬组织,牙齿萌出后则只包括牙齿硬组织部分。3 种分割方法完成后选择新的神经网络 DenseNet201 通过相同的样本分配比例和图像处理方法进行自动化分期模型的构建。DenseNet201 神经网络模型利用了快捷连接的概念,卷积神经网络的每一层都连接到同一模块的下一层,且上一层产生的特征串联后进入下一层。该神经网络鼓励特征的重复利用,因而与之前的 AlexNet 相比,它的参数数量较少。

研究结果显示,对 3 种分割方法获得的左下第三磨牙的特征区域进行分期评价的测试

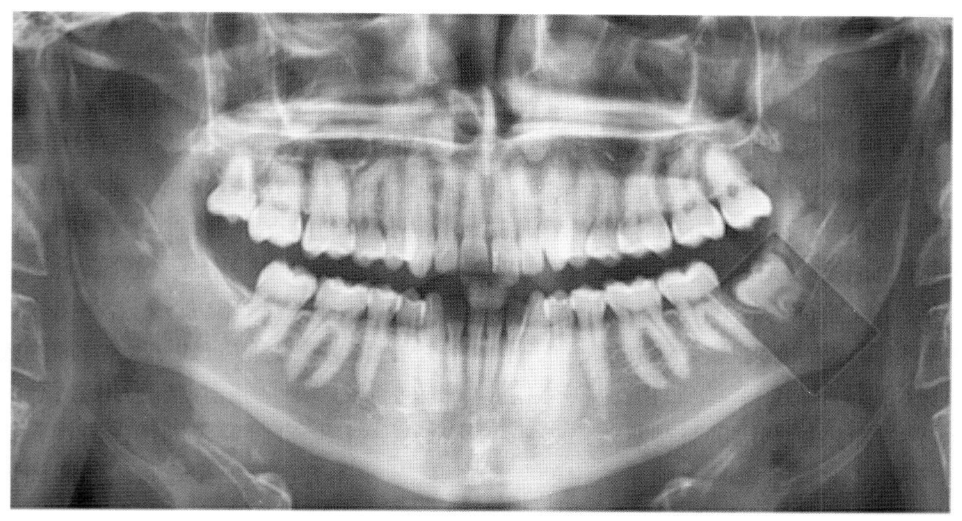

A. 左下第三磨牙结构区域分割方法示意图

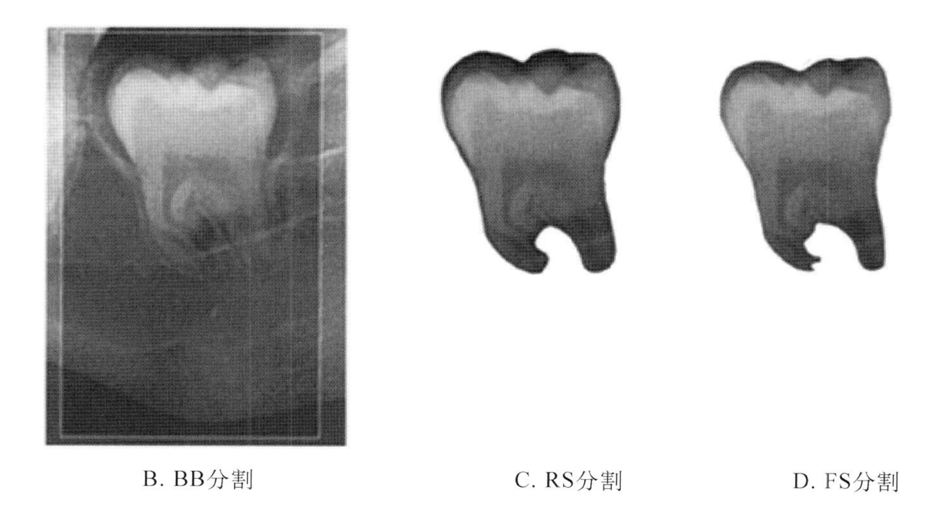

B. BB分割　　C. RS分割　　D. FS分割

图 4-19　Merdietio 等设计的 3 种牙齿结构区域分割方法示意图

Merdietio B R, 2020. Effect of lower third molar segmentations on automated tooth development staging using a convolutional neural network[J]. J Forensic Sci, 65:481-486

结果显示,FS 分割取得的总体效果最佳,其 Rank-1 识别率平均为 0.61,平均绝对差异为 0.53 个分期。与 BB 分割和 RS 分割相比,FS 分割的正确分期的百分比分别增加了 7%和 5%;分期评价的平均绝对差异降低了 0.08 个分期和 0.05 个分期;Cohen's kappa 均升高了 0.02 个分期。这些结果的提升表明周围解剖结构会影响分期准确性,即使仅保留牙齿周围 6 个像素的邻近结构区域,也会对牙齿发育分期的评价效果产生负面影响。当两个分期之间仅依靠图像的微小差异进行区分时,分期的错误会随之增加,尤其是后期牙根发育阶段,本研究发现即使 FS 分割的总体分期性能最佳,但其准确性在发育后期仍处于较低水平,如 7 期、8 期和 9 期三个阶段。另外,通过比较本研究结果与 De Tobel 等学者前一个实验研究结果发现,BB、RS 和 FS 三种分割方式的分期正确率分别提高了 3%、5%和 10%。其中 BB 分割方法与既往研究的差异完全由卷积神经网络模型的不同造成,因此 DenseNet201 在牙齿发育分期的自动化评估中表现出更优越的预测性能。

3. Cameriere 法

2015 年,Cameriere 等学者从意大利博洛尼亚大学人类学博物馆中收集了 70 颗已知年龄的死者的牙齿,研究建立了一种新的图像分析算法进行牙龄评估,该算法可以从牙齿的根尖周 X 线片中自动计算出牙髓和牙体的面积,然后通过 Cameriere 等提出的年龄推断公式计算牙龄。该研究的难点主要在于牙体组织和牙髓组织的分割问题。由于 X 线片中牙齿的像素强度高于背景,因此借助阈值技术可以实现牙体组织的分割,即指将 X 线片的阈值调整至合适的数值,牙体组织与背景便可相互区分。但是这项技术并不适用于牙髓组织的分割,因为牙髓组织的像素与牙体组织差异较小,即使选择局部图像或采用自适应策略也无法区分两种组织。因此,针对牙髓组织的分割问题,该研究采用了形状分析算法。学者们通过使用空间滤波器简化了牙齿横截面的灰度函数,随后通过形状分析算法对每个横截面进行分析及整合,最终实现牙髓组织的分割。完成牙体组织和牙髓组织的分割后,接着进行根尖区域的检测,通过对比根尖区域牙髓的灰度水平和根中部牙髓的灰度水平判断根尖是否闭合。最后计算牙髓面积与牙齿面积的比值代入牙龄推断公式获得推断结果。研究结果显示:牙龄推断结果的误差中位数为 0,四分位间距为 5 年;应用于 70 岁以上的老年人年龄推断高估约 2.8 岁,其平均绝对误差为 3.05 岁,四分位差为 3.75 岁。该研究采用的算法有两个显著的特点:首先当使用相同的牙齿进行牙龄推断时,应用该算法总能获得与人工方法相同的结果;其次应用算法自动分割牙齿图像比手动测量花费的时间更少,因而提高了牙龄推断的效率。

2019 年,Farhadian 等学者在伊朗哈马丹人群中探索基于 Cameriere 法结合深度学习的神经网络技术进行牙龄自动化评估的可能性,并将神经网络牙龄预测的性能与线性回归模型进行了比较。他们收集了年龄介于 14~60 岁的 300 名患者拍摄的 CBCT,其中男性 158 名,女性 142 名。以 CBCT 中尖牙作为研究对象,所有尖牙使用 Cranex 3D 系统重建,并选择精确通过尖牙中心的截面确定牙体周围 20 个点和牙髓周围 10 个点,将这些点连接以计算牙髓表面积和牙体表面积,并通过截面进行牙体长度、牙髓长度、颊舌向牙体宽度以及牙髓宽度的测量。测量后将所有样本分为训练集和测试集,分别占总样本的 90%和 10%。利用训练集分别建立多元线性回归方程和神经网络模型,用测试集评价两种模型的牙龄推断效果。该研究以牙髓/牙体表面积比值作为自变量,以年龄为因变量建立了多元线性回归方程;另外,根据隐藏神经元的数量开发构建了具有 1~10 个隐藏层的不同结构的神经网络,其模式图如 4-20 所示,其中隐藏层使用了具有 S 形激活函数的前馈多层感知器网络,相当于非线性多元回归方法。

研究结果发现,基于神经网络模型进行牙龄推断,其平均绝对误差为 4.12 岁,均方根误差为 4.40 岁;而应用多元线性回归方程进行牙龄推断,其平均绝对误差为 8.17 岁,均方根误差为 10.26 岁,两种模型的比较结果表明神经网络模型优于多元线性回归方程。该研究将样本分为<20 岁、20~30 岁、30~40 岁、40~50 岁和>50 岁 5 个年龄组,结果显示两种模型均在 40~50 岁组牙龄推断结果最佳,神经网络模型在>50 岁组表现最差,而多元线性回归方程在<20 岁组表现最差。另外,神经网络模型推断牙龄在前 3 个年龄段均低估实际年龄,而

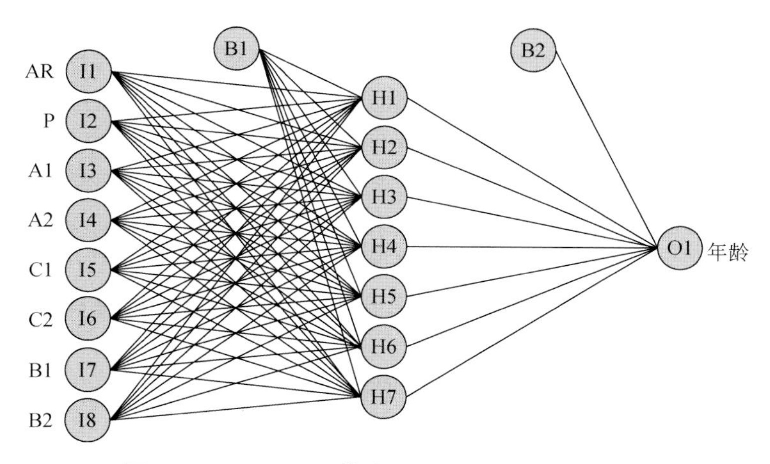

图 4-20 Farhadian 等建立的前馈网络模型模式图

Farhadian M, Salemi F, Saati S, 2019. Dental age estimation using the pulp-to-tooth ratio in canines by neural networks[J]. Imaging Sci Dent, 49:19-26

AR:牙髓-牙齿面积比;P:牙髓-牙齿长度比;A1:牙髓-牙齿釉牙骨质界水平颊舌向宽度比;A2:牙髓-牙齿釉牙骨质界水平近远中向宽度比;C1:牙髓-牙齿在根中水平颊舌向宽度比;C2:牙髓-牙齿根中水平近远中向宽度比;B1:牙髓-牙齿在 A、C 之间中点水平颊舌向宽度比;B2:牙髓-牙齿在 A、C 之间中点水平近远中向宽度比;I1~I8:输入层 1~8;H1~H7:隐层 1~7;O1:输出层 1

后两个年龄段高估实际年龄,多元线性回归方程的结果与之类似。这表明神经网络具有比模拟输入变量和输出变量之间更复杂的非线性关系,相比于多元线性回归方程更能拟合牙髓/牙髓面积比与年龄之间的相关性,从而提高牙龄推断的准确性。

二、基于深度学习直接实现牙龄预测

目前,已建立的牙龄推断方法都是基于观察者的主观经验判断,因此存在不同观察者之间(组间)及观察者自身(组内)的一致性差异,这是造成牙龄推断结果与实际年龄之间的误差的原因之一。前一部分研究建立的神经网络模型均为监督学习,这种模型虽可实现自动化的牙齿检测、分类及牙齿发育的预测,但无法消除观察者的主观判断带来的误差。而无监督学习的神经网络模型可以很好地解决这一问题。

Stern 等学者发现在法医学实践中,使用多种方法联合进行年龄推断仍然存在局限性,如对电离辐射的依赖性、对年龄相关信息量化的主观性以及缺乏融合多个解剖位置进行年龄推断的依据。针对以上问题,他们在 2019 年基于手腕骨、锁骨和第三磨牙的 MRI 影像建立了年龄推断的神经网络模型(图 4-21)。该卷积神经网络不仅实现了年龄的自动化预测,并且可应用鉴别个体年龄是否年满 18 周岁。他们从奥地利格拉茨的法医影像研究所收集了年龄在 13~25 岁的 322 位志愿者的腕骨、锁骨和第三磨牙 MRI 影像,其中 134 名志愿者为未成年人。对手腕骨、锁骨和第三磨牙的 MRI 影像进行适当裁剪后,采用早期、中期、晚期 3 种融合方式建立了卷积神经网络模型从而进行年龄自动化推断。早期融合模型指将 3 种结构的图像输入神经网络之前即进行融合,中期融合模型指在 3 种结构的图像输入卷积神经网络后,在提取特征后进行融合,晚期融合模型指在卷积神经网络运行的输出端进行

3 种结构的融合。同时分别利用腕骨、锁骨和第三磨牙建立各自的独立模型进行年龄自动化预测，探索融合模型与独立模型之间的模型性能。研究采用了交叉验证的方法，结果显示早期融合模型推断年龄的平均绝对误差为(1.18±0.95)岁，中期融合模型推断年龄的平均绝对误差为(1.02±0.76)岁，晚期融合模型推断年龄的平均绝对误差为(1.01±0.74)岁。独立使用第三磨牙的 MRI 图像进行年龄推断，其平均绝对误差为(1.42±1.14)岁。该结果表明晚期融合模型具有良好的年龄回归性能，是迄今基于多部位的 MRI 影像进行年龄自动评估的最佳方法。另外，通过比较融合模型和独立模型发现，融合腕骨、锁骨和第三磨牙 3 个解剖部位建立的年龄自动化评估模型其准确性较独立使用牙齿影像建立的模型年龄推断准确性更高。

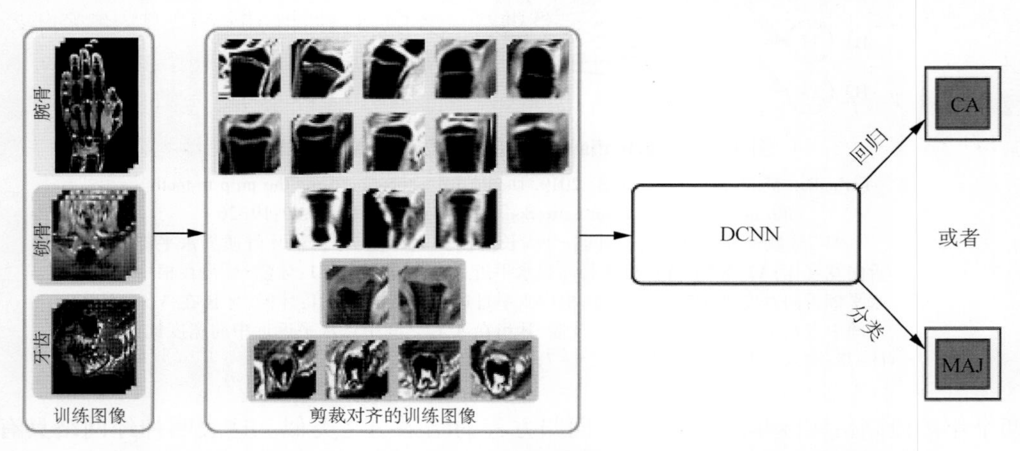

图 4-21 Stern 等建立的多结构牙龄自动化推断的神经网络模型示意图

Stern D, Payer C, Giuliani N, 2019. Automatic age estimation and majority age classification from multi-factorial MRI data[J]. IEEE J Biomed Health Inform, 23:1392-1403

DCNN:deep convolutional neural network，深度卷积神经网络；CA:chronological age，生理年龄；MAJ:majority age classification，一般年龄分类

此外，Stern 等还利用上述建立的卷积神经网络模型研究其判断个体是否年满 18 周岁的准确性。未成年志愿者的 MRI 图像输入值设为 1，成年志愿者的 MRI 图像输入值设为 0，同样将 3 种结构的图像输入卷积神经网络进行分类学习，获得输出值 0 或 1，即区分为成年人和未成年人的结果。结果显示，该卷积神经网络模型基于腕骨、锁骨和第三磨牙的 MRI 影像进行年龄分类的正确率为 90.68%，只使用第三磨牙 MRI 图像进行分类的正确率为 85.09%。该研究结果表明，深度学习技术不仅可以直接推断个体年龄，还可以用来判断个体年龄是否年满 18 周岁。

2020 年，Vila-Blanco 等选择了 2 289 张年龄介于 4.5~89.2 岁的西班牙白种人曲面断层片，其中有 1 752 张图像存在正畸治疗、义齿、种植体、牙体牙髓病变、牙齿缺失、牙齿图像扭曲或模糊以及外部装饰品，剩余 537 张 X 线片则被认为是相对完美的影像，该研究将上述两种类型的影像均纳入研究。总体样本被分为 8 个部分，其中 7 个部分用于构建神经网络模型(其中 80%作为训练集，20%作为验证集)，剩余一个部分用于测试模型性能。为探索更为准确的牙龄自动化预测模型，该研究建立了两个不同的全自动化的卷积神经网络模型，既不需要对牙齿进行分期或测量，又不需要图像预处理及特征标注。第一个 DANet 模型含有一个连续的卷积神经网络路径进行牙龄推断;第二个 DASNet 模型在 DANet 模型的基础上增加了第二个卷积神经网络路径进行性别预测,并利用性别特征提高牙龄推断的准确性。在对两个神经网络模型的性能进行测试时,不仅使用了原始样本,还根据样本的实际年龄分别划分出<15 岁、<20 岁、<25 岁、<30 岁和<40 岁共 5 个数据集,通过这 5 个数据集的测试结果探究神经网络模型的性能与样本年龄构成之间的关系。结果发现,DASNet 模型在各个方面均优于 DANet 模型,其中在总体样本中,DANet 模型年龄推断误差的中位数为 0.44 岁,绝对误差中位数为 1.66 岁,而 DASNet 模型年龄推断误差中位数为 0.12 岁,绝对误差中位数为 1.48 岁。而将 DASNet 模型应用于缩减的数据集中发现,年龄推断绝对误差中位数会随着受试者年龄的降低而减小,在 15 岁以下的受试者中,两种神经网络模型的年龄推断绝对误差中位数均为 0.64 岁。另外,通过将该研究结果与既往人工牙龄推断方法对比发现该神经网络模型表现出更低的推断误差。因此相比于 DANet 模型,纳入性别变量的 DASNet 模型可以实现更为准确的牙龄自动化检测,尤其是在牙齿发育早期的受试者中表现更佳。

与经典的统计方法(如成熟度表格转换或多元线性回归方程)相比,神经网络的优势就在于它能够模拟输入变量和输出变量之间更复杂的非线性关系,并且可以避免人为判断的主观误差。目前,机器学习技术应用于牙龄推断领域主要体现在两个方面:一是实现了牙齿的自动定位、分割和分类,为进一步牙龄自动化推断奠定基础;二是建立牙龄自动推断的神经网络模型,包括基于不同牙龄推断方法添加标签进行有监督的深度学习模型和基于不同类型牙齿图像进行的无监督的深度学习模型,为该领域的深入研究提供了思路和方向。

近年来,深度学习在图像检测、图像识别和图像分类等领域已经取得了很好的结果,大量基于深度学习的图像分类水平已达到甚至超越了人类水平。但深度学习技术在医学应用中仍存在一定的问题有待研究者去解决:①理论模型不完善,基于深度学习的图像识别技术在国内发展时间相对较短,国内对于模型的构建还不完善,需要更多的理论研究。在之后的研究中,可以通过各种模型的组合,取长补短来构建合适的网络模型。②模型参数优化问题,基于深度神经网络的图像识别技术需要大量训练样本获取及调整参数、提取图片特征,因此占用了大量的计算机的存储,延长了运行时间。研究者应该改进模型结构,在保证图片识别的准确率的前提下减少模型的运行时间,优化模型参数。③训练数据优化问题,深度学习网络模型依赖大量的训练集进行特征提取,训练数据集的分布不均衡甚至缺乏,均会极大地限制深度学习技术的应用。在以后的研究方向中应该考虑如何解决训练数据问题。④非监督学习的探索完善,有监督的神经网络学习算法,需要对训练数据的特征进行大量的人工标注,花费较大的精力。之后的研究应该加强非监督学习算法的构建,解决数据标注问题。

第三节 法医学牙龄鉴定

一、概述

法医学牙龄鉴定主要包括活体牙龄推断和尸体牙龄推断两方面内容,分别属于法医临床学和法医病理学范畴。

二、活体牙龄推断

活体牙龄推断主要是使用影像学技术，如根尖片、曲面断层片、CBCT 和 MRI 等影像评估牙齿发育过程，从而进行年龄推断。活体的年龄推断的意义主要在于在个体承担民事责任或刑事责任的量刑判决方面，14.0 周岁、16.0 周岁和 18.0 周岁是具有重要法律意义的年龄界限；用于不同国家的移民身份认定、儿童收养程序等；在竞技体育运动中帮助确定运动员的准确年龄以保证竞技运动的公平性。在法医实践中，活体年龄推断主要包括儿童和青少年牙龄推断和成人早期牙龄推断两方面内容。

（一）儿童和青少年牙龄推断

在儿童和青少年时期，多数牙齿还处于不同程度的发育阶段，因此基于牙齿发育进行年龄推断的准确性较高。目前，国际上认可度高、年龄推断准确、使用较为广泛的牙龄推断方法主要有 Demirjian 法、Willems 法、Nolla 法和 Cameriere 法等。

1. Demirjian 法

Demirjian 法是加拿大口腔医师 Demirjian 等在 1973 年通过研究 2 928 张年龄介于 2~20 岁法裔加拿大儿童、青少年的全口曲面全景片，将牙冠和牙根的矿化发育情况人为分为 8 个阶段，再通过标准表、转化表将牙齿成熟度指数转化为牙龄。在使用时仅需要测量左侧下颌 7 颗恒牙即可判断牙龄。

Demirjian 对牙齿的发育分期具体描述见本章第一节。

总体来看，应用 Demirjian 法推断的牙龄普遍存在高估现象。多数学者建议应该依据不同人种建立特定人群的牙齿发育时间图谱或者依据 Demirjian 对牙齿的发育分期，赋值转化后建立多元线性回归方程，提高年龄推断的准确性。

2. Willems 法

Willems 等学者于 2001 年对 Demirjian 法进行了改良。与传统 Demirjian 法判断分期对照赋值表推断年龄不同，Willems 直接将 7 颗牙的发育分期对应成实际年龄，最终 7 颗牙齿年龄相加的总和即为最终年龄。多数 Demirjian 法和 Willems 法进行年龄推断的对比研究结论表明 Willems 法相对 Demirjian 法，提供了更准确的年龄估计结果。但 Mohammed 等在印度南部人群的研究结果显示，传统 Demirjian 法的年龄推断结果较 Willems 法高。国内学者 Yang 等在中国南方人群的研究中显示，Demirjian 法的准确性高于 Willems 法。其计算出 Demirjian 法对男女性的年龄估计均低估 0.03 岁；而 Willems 法的年龄推断在男性中低估 0.44 岁，在女性中则低估 0.54 岁。而 Ye 等在基于中国上海人群的研究却发现，Willems 法在男性和女性的年龄推断误差分别为 0.36 岁和 0.02 岁，而 Demirjian 法在男女性中的推算年龄与实际年龄的误差可以达到 1.68 岁和 1.28 岁。总之，Willems 法简化了 Demirjian 法的实际应用，但二者的准确性问题，尚存在争议。

3. Nolla 法

1960 年，Nolla 提出了牙齿发育分期的新方法。Nolla 将牙冠和牙根的矿化发育过程人为地分为 10 个阶段，用来描述牙齿的发育分期。Nolla 对于牙齿发育分期的分类描述相对简单（图 4-3）。

Nolla 法为了更加准确地评估每颗恒牙的发育分期，引用了非整数的分期记录方法。例如，若牙根发育矿化至 1/3～2/3，此时这颗牙的发育分期记录为 7.5 期。若发育矿化不到两个标准发育分期的一半，则发育分期加 0.2 期。例如，牙根发育矿化略多于 1/3，此时这颗牙的发育分期记录为 7.2 期。若发育矿化略不及某个标准发育分期，则引入发育分期 0.7 期。又如，牙冠发育矿化多于 2/3 而又未完成，此时这颗牙的发育分期记录为 4.7 期。在确定了每颗牙的发育分期后，可以计算上颌同侧 7 颗牙齿、下颌同侧 7 颗牙齿或上下颌同侧 14 颗牙齿发育分期总和。通过查阅不同性别所对应的分期总和值，即可判断出该个体的估计生理年龄，其判断年龄的范围为 3～17 岁。同时，Nolla 法还引入了第三磨牙的发育分期，即同时计算上颌同侧 8 颗牙齿、下颌同侧 8 颗牙齿或上下颌同侧 16 颗牙齿发育分期总和来判断范围 7～17 岁的个体年龄。Nolla 法年龄推断在国际上也得到了广泛的应用，但目前国内尚无基于 Nolla 法年龄推断的相关研究。

4. Cameriere 法

2006 年，Cameriere 通过测量 455 名 5～15 岁意大利儿童的曲面断层片中左侧下颌中切牙到第二磨牙根尖孔距离和牙齿高度，建立了年龄推断的多元线性回归方程。具体测量方法见第四章第一节相关内容。

该测量方法分别低估了男性和女性年龄 0.06 岁和 0.01 岁，推断年龄和实际年龄绝对误差的平均值男性和女性分别为 0.67 岁和 0.60 岁，男性和女性均未见统计学差异。与欧洲年龄推断公式相比，中国公式能有效地提高中国北方儿童年龄推断的准确性。

（二）成人早期牙龄推断

除了对年龄进行直接推断外，某些年龄节点如 14.0 周岁、16.0 周岁、18.0 周岁等在法律上具有重要意义。例如，在我国，18.0 周岁是司法审判中判断个体是否成年的重要年龄节点，在民事、刑事案件中具有重要的法律意义，同时也是移民问题中确保儿童权益、保证救助公平、公正的指标之一。而第三磨牙是唯一在 18.0 周岁左右仍然可能发育的牙齿，因此是成人早期牙龄推断的主要依据。目前，国际上常用的基于第三磨牙进行成人早期牙龄推断的方法主要有改良 Demirjian 法、Cameriere 法、第三磨牙牙周膜的可视程度、第三磨牙牙髓腔可视程度等。

1. 改良 Demirjian 法

Demirjian 等在 1973 年提出的根据牙齿矿化程度推断年龄的方法并没有包含第三磨牙，然而有很多学者通过 Demirjian 法当中磨牙发育的分类方法来评估第三磨牙，从而用于判定年龄。第三磨牙发育分期具体分类标准如下。

（1）单个牙尖出现钙化，但钙化点并不融合。

（2）钙化点融合成一个或者多个牙尖，这些牙尖勾勒出𬌗面轮廓。

（3）𬌗面的牙釉质完全形成，牙本质开始沉积，未见髓角。

（4）牙冠釉质完全形成并延伸至釉质牙骨质界，髓腔呈梯形，针状的牙根开始形成。

（5）根分叉开始形成，呈钙化点或者半月形，牙根仍比牙冠短。

（6）单根牙髓腔壁近似等腰三角形，根尖部呈漏斗状，牙根比牙冠长或者与之相等；磨牙牙根分叉处的钙化从半月形发展到有明确的根的外形，呈漏斗状，牙根的长度比牙冠长或者相等。

(7) 根管壁相互平行,根尖孔未闭合。

(8) 根管的根尖孔完全闭合(包括远中牙根);牙根和根尖周围的牙周膜宽度均匀一致。

国内外多数研究表明,个体牙齿发育完成(H 期)时间可以不足 18 周岁,因此牙根发育完成不能确定个体已经年满 18 周岁,需要寻找新的指标联合判定个体年龄。

2. Cameriere 法

Cameriere 等在 2008 年提出可以通过计算第三磨牙 I_{3M} 推断个体年龄是否年满 18 周岁。具体测量项目为根尖孔内表面间距(A)除以牙齿长度(L);若第三磨牙有双根,则 I_{3M} 为两根尖孔内表面间距之和(A_1+A_2)除以牙齿长度(L)(图 4-8)。如果根尖孔闭合完全,则 $I_{3M}=0$。Cameriere 将 0.08 定义为判断是否成年的切割值。$I_{3M}<0.08$ 认为是成年人,$I_{3M}\geq 0.08$ 则认为是未成年人。

该方法被相继用于不同人群,包括阿拉伯人、利比亚人、印度人、土耳其人、意大利人、巴西人、澳大利亚人和南非人等不同种族人群,但结果并不完全一致。我国学者郭昱成等研究对比了不同第三磨牙成熟度(0.04、0.06、0.08、0.10、0.12 和 0.14)在判断个体年龄是否年满 18 周岁时的准确率、敏感度和特异度。发现 $I_{3M}=0.10$ 作为分割值在中国北方人群中表现更好,男性的敏感度和特异度分别为 92.9%和 94.0%,女性的敏感度和特异度分别为 80.9%和 97.3%,总体判断准确率为 91.7%,男性和女性判断准确率分别为 93.8%和 89.5%。

三、尸体牙龄推断

尸体牙龄推断主要为寻找尸源身份辅助进行个体识别,其意义主要在于为各种无名尸、碎尸等复杂案件的尸源寻找提供线索,为案件侦破提供重要信息;在发生大规模灾难事故后,可结合其他体表特征对受害者进行个体识别,确定死者身份;对胎儿、婴幼儿及新生儿的年龄推断,可为杀婴、非法堕胎、犯罪流产等案件提供审判依据;对尸体残骸年龄推断,可解决个人和团体的有关法律和社会的分歧问题。尸体的牙龄推断主要为有创检查且多涉及分子生物学手段。

1. 氨基酸外消旋性

人牙釉质中的天冬氨酸随年龄增长呈外消旋化。该方法的优点是,D-天冬氨酸外消旋化的过程在个体死亡的同时基本终止,这是因为体温的迅速下降使其停止外消旋过程,因此个体的死亡时间得以很好地保留下来。而且,利用该方法推断死亡时间,一般适用于死亡时至死亡后 10 年甚至死亡更长时间的尸体。该方法具体操作流程为选择因牙周而被拔除的而无牙本质龋病的牙作为测试样本。牙本质通过低速相机获得唇舌向切断面(切牙和尖牙)或颊舌向切断面(前磨牙和磨牙),纵断面的厚度约为 1 mm。然后用超声波依次冲洗切片,再依次放入 0.2 mol 盐酸、蒸馏水(3 次)、乙醇和乙醚液体中各 5 min。之后将牙本质切片磨成粉末,与玛瑙砂浆混合,取 5~10 mg 混合后粉末进行测定。之后,对 D-天冬氨酸的提取以及在特定条件下的色谱图中获取峰值图谱。最后根据结果转化计算 D-天冬氨酸的外消旋率。部分报道称该方法年龄推断误差可以低至 3 岁以内。但是该方法存在分离计算 D-天冬氨酸的过程中,很难制造出一款性能优异的立柱分离;在混合粉末中,很难将牙本质与牙釉质等其他成分完全分开等问题,限制了该方法的推广使用。

2. Gustafson 法

1950 年,Gustafson 提出可以依据离体牙继发性牙本质、牙周膜附着、牙齿磨耗、牙根吸收、牙骨质粘连和根牙本质透明度等 6 个指标联合推断尸体的年龄。各特征的具体分期标准如下。

(1) 继发性牙本质变化分期标准

0 期:无继发性牙本质。

1 期:继发性牙本质在牙髓腔上部开始形成。

2 期:继发性牙本质填充至牙髓腔一半。

3 期:继发性牙本质几乎充满整个牙髓腔。

(2) 牙周膜附着变化分期标准

0 期:未见牙周膜附着丧失。

1 期:牙周膜附着开始丧失。

2 期:牙周膜附着丧失至牙根中 1/3 以内。

3 期:牙周膜附着丧失超过牙根 2/3。

(3) 牙齿磨耗程度分期标准

0 期:牙齿未见磨耗。

1 期:开始磨耗阶段,磨耗限于牙釉质。

2 期:牙齿磨耗至牙本质。

3 期:牙齿磨耗至牙髓腔。

(4) 牙根吸收程度分期标准

0 期:未见牙根吸收。

1 期:可见点状牙根吸收。

2 期:牙根吸收进一步加大。

3 期:牙根吸收至牙骨质和牙本质部分。

(5) 牙骨质粘连程度分期标准

0 期:未见根尖与牙骨质粘连。

1 期:开始出现根尖与牙骨质粘连。

2 期:清晰可见根尖与牙骨质粘连。

3 期:根尖与牙骨质粘连严重。

(6) 根牙本质透明度分期标准

1 期:牙本质透明度在根尖部可见。

2 期:牙本质透明度在根尖 1/3 处可见。

3 期:牙本质透明度超过根尖 2/3 处。

依据该分期建立的公式年龄推断误差为±3.63 岁。2012 年,Olze 等对 Gustafson 法进行了改良,去除了牙根吸收和根牙本质透明度这两个无法在 X 线片中进行观察的指标,首次在曲面断层片中评价牙齿的增龄性变化进而推断成人年龄。2019 年,国内学者郭昱成等基于改良 Gustafson 法对中国人群进行了研究,发现男性基于 Gustafson 法进行年龄推断标准误为 4.31~4.63 岁。而女性基于 Gustafson 法进行年龄推断标准误为 4.29~4.75 岁。

3. Kvaal 法

1995 年,Kvaal 等学者最早提出了基于 X 线片中的牙髓、牙体长度、宽度比值推断年龄,并以挪威 100 名患者的根尖片为研究对象。他们提出的测量方法为从釉牙骨质界平面 A、釉牙骨质界至根尖的中点平面 C 以及 A、C 中点平面 B 三个平面分别测量牙髓与牙根长度比、牙髓与牙体长度比、牙体与牙根长度比和牙髓与牙体宽度比,并通过这些比值计算出与年龄的函数关系。结果表明,除了牙体与牙根长度比之外,其余比值均与年龄相关,并且其中牙髓与牙根长度比和牙髓与牙体长度比与年龄的相关性较高。

2018 年,Asami 等利用 Micro-CT 技术对 61 颗上颌第一前磨牙和 50 颗上颌第二前磨牙离体牙进行扫描后,分别计算了牙釉质/牙冠体积、牙本质/牙冠体积、牙髓腔/牙冠体积和牙髓腔/牙冠(去除牙釉质)体积,并分别建立了年龄推断的多元线性回归方程。该公式在包含 10 个样本的验证集中检验后发现年龄推断误差介于 −8~+3 岁。2019 年,国内学者郭昱成等依据 Kvaal 法也建立了年龄推断的多元线性回归方程。结果发现,基于中国人群建立的公式年龄推断误差介于 11.4~12.9 岁,其中基于上颌和下颌 6 颗不同类型的牙齿建立的年龄推断公式准确性最高,推断误差为 11.4 岁。而 Kvaal 建立的年龄推断公式和基于中国人群建立的年龄推断公式的推断误差分别为(8.6±11.8)岁和(3.4±11.9)岁,因此建议 Kvaal 法在应用于不同人群时建立基于当地人群的年龄推断公式能够提高年龄推断的准确性。

4. 牙骨质环

牙骨质是覆盖在牙根表面的一层组织,其也是一种矿化组织。牙骨质的形成也和牙釉质与牙本质一样,是层层堆积上去的。因此,在牙齿的纵磨片上,可清楚地见到牙骨质的板层线,它和牙釉质内的生长线一样,形成牙骨质环(TCA)。牙骨质环计数时选取离体牙根中 1/3 制备磨片,在相差显微镜下观察能得到较为准确的数值。在实际应用中为了保证该方法的可靠性,牙骨质环推断年龄必须基于同一人的多个牙齿,如果可能的话,需要在法医案件中通过不同的技术来支持。目前,牙骨质环推断年龄的有效性尚存在争议,还需要进一步研究和探讨。

5. 分子生物学方法

牙髓腔中的牙髓组织因为有牙釉质、牙本质和牙骨质等硬组织的保护在人死后可以保留较长的时间,这位提取牙髓组织中的 DNA,使用分子生物学手段进行年龄推断提供了可能。目前,基于分子生物学方法进行年龄推断的研究主要集中在端粒和 DNA 甲基化两方面。

端粒是真核细胞内线性染色体末端的特殊结构,由端粒 DNA 和端粒结合蛋白构成,该序列在进化上高度保守。由于 DNA 末端复制是不完全复制,端粒长度随着每一次细胞分裂而变短,因此端粒长度一定程度上反映出细胞的分裂次数,这是利用端粒长度判断年龄的理论基础。Tsuji 等依据端粒末端非限制片段的长度建立了年龄推断的直线方程,其相关系数为 0.832,推断误差标准误为 7.037 岁。国内学者刘超等应用地高辛标记特异探针的 DNA 印迹技术,依据健康人外周血样本的端粒 DNA 限制性酶切片段长度建立了年龄推断公式,在 123 例样本中的预测准确率达到 64.23%,也证明应用端粒 DNA 长度来推断个体年龄具有一定可行性。

而 DNA 甲基化在保持基因组遗传物质稳定性、调控基因的表达等方面起重要作用,与肿瘤、遗传病、自身免疫性疾病及衰老的发生密切相关。Berdyshev 等学者在 1967 年首次发现基因组的甲基化水平随年龄增加而降低。Bocklandt 等学者通过分析人唾液中的 CpG 位点的甲基化程度,构建年龄推断的回归方程用于预测唾液样本年龄,年龄推断误差为 5 岁。Horvath 等通过研究甲基化程度与年龄的相关性及组织特异性,最终筛选出在不同组织中 353 个 CpG 位点的甲基化程度与年龄有相关性,并利用这组位点成功构建了不同组织类型通用的年龄推算公式,年龄推断误差为 3.6 岁。Hannum 等筛选出了 71 个与年龄高度相关的 CpG 位点,构建出的年龄推断模型推断误差约为 4 岁,准确性高达 96%。

此外,运用分子生物学技术进行年龄推断的方法还包括线粒体中 4 977 bp 缺失、T 细胞受体删除环、糖基化产物和 mRNA 等。在未来,分子生物学技术推断年龄将在法医学实践中得到广泛应用。

主要参考文献

储光,韩梦琪,陈腾,等,2019.基于下颌第二、第三磨牙发育建立中国北方人群 18 周岁评估模型[J].法医学杂志,35(3):289-294.

孟航,马开军,董利民,等,2019.基于 DNA 甲基化推断年龄的研究进展[J].法医学杂志,35(5):537-544.

魏秋菊,李冰,2019.牙骨质环推断年龄的研究进展[J].口腔医学研究,35(3):215-217.

杨啸枫,杨曙明,汤晓艳,等,2008.应用端粒长度推断个体年龄的研究进展[J].中国畜牧兽医,35(9):41-44.

张泽中,高敬阳,吕纲,等,2018.基于深度学习的胃癌病理图像分类方法[J].计算机科学,45(S2):263-268.

Asif M K, Nambiar P, Ibrahim N, et al., 2019. Three dimensional image analysis of developing mandibular third molars apices for age estimation: a study using CBCT data enhanced with Mimics & 3-Matics software[J]. Leg Med, 39: 9-14.

Bassed R B, Briggs C, Drummer O H, et al., 2011. Age estimation and the developing third molar tooth: an analysis of an Australian population using computed tomography[J]. Forensic Sci, 56(5): 1185-1191.

Cameriere R, 2006. Age estimation in children by measurement of open apices in teeth[J]. Int J Legal Med, 120(1): 49-52.

Cameriere R, Ferrante L, De Angelis D, et al., 2008. The comparison between measurement of open apices of third molars and Demirjian stages to test chronological age of over 18 year olds in living subjects[J]. Int J Legal Med, 122(6): 493-497.

Cameriere R, Lucaa D, Egidib N, et al., 2015. Automatic age estimation in adults by analysis of canine pulp/tooth ratio: preliminary results[J]. J Forensic Radiology Imaging, 3(1): 61-66.

Chatterjee S, 2011. Comparative analysis of sclerotic dentinal changes in attrited and carious teeth around pulp chamber for age determination[J]. Forensic Leg Med, 18(4): 177-179.

Chu G, Wang Y H, Li M J, et al., 2018. Third molar maturity index (I3M) for assessing age of majority in northern Chinese population[J]. Int J Legal Med, 132(6): 1759-1768.

De Tobel J, Hilewig E, Verstraete K, et al., 2017. Forensic age estimation based on magnetic resonance imaging of third molars: converting 2D staging into 3D staging[J]. Ann Hum Biol, 44(2): 121-129.

De Tobel J, Radesh P, Vandermeulen D, et al., 2017. An automated technique to stage lower third molar development on panoramic radiographs for age estimation: a pilot study[J]. J Forensic Odontostomatol, 11(35): 42-54.

Farhadian M, Salemi F, Saati S, et al., 2019. Dental age estimation using the pulp-to-tooth ratio in canines by neural networks[J]. Imaging Sci Dent, 49(1): 19-26.

Griffin R C, Moody H, Penkman K E H, et al., 2008. The application of amino acid racemization in the acid soluble fraction of enamel to the estimation of the age of human teeth[J]. Forensic Sci Int, 175(1): 11-16.

Guo Y C, Chu G, Olze A, et al., 2018. Application of age assessment based on the radiographic visibility of the root pulp of lower third molars in a northern Chinese population[J]. Int J Legal Med, 132(3): 825-829.

Guo Y C, Li M J, Olze A, et al., 2018. Studies on the radiographic visibility of the periodontal ligament in lower third molars: can the Olze method be used in the Chinese population? [J]. Int J Legal Med, 132(2): 617-622.

Guo Y C, Lin X W, Zhang W T, et al., 2015. Chronology of third molar mineralization in a northern Chinese population[J]. Rechtsmedizin, 25(1): 34-39.

Guo Y C, Olze A, Ottow C, et al., 2015. Dental age estimation in living individuals using 3. 0 T MRI of lower third molars[J]. Int J Legal Med, 129(6): 1265-1270.

Guo Y C, Wang Y H, Olze A, et al., 2020. Dental age estimation based on the radiographic visibility of the periodontal ligament in the lower third molars: application of a new stage classification[J]. Int J Legal Med, 134(1): 369-374.

Guo Y C, Yan C X, Lin X W, et al., 2014. Age estimation in northern Chinese children by measurement of open apices in tooth roots[J]. Int J Legal Med, 129(1): 179-186.

Guo Y C, Yan C X, Lin X W, et al., 2014. The influence of impaction to the third molar mineralization in northwestern Chinese population[J]. Int J Legal Med, 128(4): 659-665.

Hamilton M L, Remmen H V, Drake J A, et al., 2001. Does oxidatine damage to DNA increase with age[J]. Proc Natl Acade Sci USA, 98(18): 10469-10474.

Hannum G, Guinney J, Zhao L, et al., 2013. Genome-wide methylation profiles reveal quantitative views of human aging rates[J]. Mol Cell, 49(2): 359-367.

Kasetty S, Rammanohar M, Raju R T, et al., 2010. Dental cementum in age estimation: a polarized light and stereomicroscopic study[J]. J Forensic Sci, 55(3): 779-783.

Kasper K A, Austin D, Kvanli A H, et al., 2009. Reliability of third molar development for age estimation in a texas hispanic population: a comparison study[J]. J Forensic Sci, 54(3): 651-657.

Lee J H, Han S S, Kim Y H, et al., 2020. Application of a fully deep convolutional neural network to the automation of tooth segmentation on panoramic radiographs[J]. Oral Surg Oral Med Oral Pathol Oral Radiol, 129(6): 635-642.

Li M J, Chu G, Han M Q, et al., 2019. Application of the Kvaal method for age estimation using digital panoramic radiography of Chinese individuals[J]. Forensic Sci Int, 301: 76-81.

Maber M, Liversidge H M, Hector M P, et al., 2006. Accuracy of age estimation of radiographic methods using developing teeth[J]. Forensic Sci Int, 159(S1): S68-S73.

Merdietio B R, 2020. Effect of lower third molar segmentations on automated tooth development staging using a convolutional neural network[J]. J Forensic Sci, 65(2): 481-486.

Mesotten K, Gunst K, Carbonez A, et al., 2002. Dental age estimation and third molars: a preliminary study[J].

Forensic Sci Int, 129(2): 110-115.

Miki Y, Muramatsu C, Hayashi T, et al., 2017. Classification of teeth in cone-beam CT using deep convolutional neural network[J]. Comput Biol Med, 80: 24-29.

Nedunchezhian K, Aswath N, Srinivasan V, et al., 2018. Age estimation using radicular dentine transparency: a new innovative approach[J]. J Forensic Dent Sci, 10(1): 22-26.

Olze A, Bilang D, Sehmidt S, et al., 2005. Validation of common classification systems for assessing the mineralization of third molars[J]. Int J Legal Med, 119(1): 22-26.

Olze A, Solheim T, Schulz R, et al., 2010. Assessment of the radiographic visibility of the periodontal ligament in the lower third molars for the purpose of forensic age estimation in living individuals[J]. Int J Legal Med, 124(5): 445-448.

Olze A, Solheim T, Schulz R, et al., 2010. Evaluation of the radiographic visibility of the root pulp in the lower third molars for the purpose of forensic age estimation in living individuals[J]. Int J Legal Med, 123(3): 183-186.

Orhan K, Ozer L, Orhan A I, et al., 2007. Radiographic evaluation of third molar development in relation to chronological age among Turkish children and youth[J]. Forensic Sci Int, 165(1): 46-51.

Peter K, Gisela G, 2001. Ageat-death diagnosis and determination of life history parameters by incremental lines in human dental cementum as an identification aid[J]. Forensic Sci Int, 118(1): 75-82.

Qi D, Hao Ch, 2016. Automatic detection of cerebral microbleeds from MR images via 3D convolutional neural network[J]. IEEE Trans Med Imaging, 35(5): 1182-1195.

Roberti C, Luigi F, Mariano C, et al., 2006. Age estimation in children by measurement of open apices in teeth [J]. Int J Legal Med, 120(1): 49-52.

Santiago B M, Almeida L, Cavalcanti Y W, et al., 2018. Accuracy of the third molar maturity index in assessing the legal age of 18 years: a systematic review and meta-analysis[J]. Int J Legal Med, 132(4): 1167-1184.

Si X Q, Chu G, Olze A, et al., 2019. Age assessment in the living using modified Gustafson's criteria in a northern Chinese population[J]. Int J Legal Med, 133(3): 921-930.

Srettabunjong S, Satitsri S, Thongnoppakhun W, et al., 2014. The study on telomere length for age estimation in a Thai population[J]. Am J Forensic Med Pathol, 35(2): 148-153.

Stepanovsky M, Ibrova A, Buk Z, et al., 2017. Novel age estimation model based on development of permanent teeth compared with classical approach and other modern data mining methods[J]. Forensic Sci Int, 279: 72-82.

Stern D, Payer C, Giuliani N, et al., 2019. Automatic age estimation and majority age classification from multi-factorial MRI data[J]. IEEE J Biomed Health Inform, 23(4): 1392-1403.

Timme M, Timme W H, Olze A, et al., 2017. Dental age estimation in the living after completion of third molar mineralization: new data for Gustafson's criteria[J]. Int J Legal Med, 131(2): 569-577.

Tomova T, Akiko T, Noriaki I, et al., 2003. Age estimation in dental pulp DNA based on human telomere shortening[J]. Int J Legal Med, 17(3): 232-234.

Tsuji A, Ishiko A, Takasaki T, et al., 2002. Estimating age of humans based on telomere shortening[J]. Forensic Sci Int, 126(3): 197-199.

Vila-Blanco N, Carreira M J, Varas-Quintana P, et al., 2020. Deep neural networks for chronological age estimation from OPG images[J]. IEEE Trans Med Imaging. 39(7):2374-2384.

Wainberg M, Merico D, Delong A, et al., 2018. Deep learning in biomedicine[J]. Biotechnol, 36(9):

829-838.

Willems G, Olmen A V, Spiessens B, et al., 2001. Dental age estimation in Belgian children: demirjian's technique revisited[J]. Forensic Sci, 46(4): 893-895.

Wittwer-Backofen U, Gampe J, Vaupel J W, et al., 2004. Tooth cementum annulation for age estimation: results from a large known-age validation study[J]. Am J Phys Anthropol, 123(11): 119-129.

Yang F R, Jacobes G, Willems, et al., 2006. Dental age estimation through volume matching of teeth imaged by cone-beam CT[J]. Forensic Sci Int, 159(1): S78-S83.

Zhang K, Wu J, Chen H, et al., 2018. An effective teeth recognition method using label tree with cascade network structure[J]. Comput Med Imaging Graph, 68: 61-70.

Zhang Z Y, Yan C X, Min Q M, et al., 2019. Age estimation using pulp/enamel volume ratio of impacted mandibular third molars measured on CBCT images in a northern Chinese population[J]. Int J Legal Med, 133(6): 1925-1933.

第五章

分子生物学年龄

目前，基于短串联重复序列（short tandem repeat，STR）遗传标记的理论和方法已经成为法医物证鉴定的主流技术。通过对犯罪现场生物检材和嫌疑人样本进行比对，不仅可以证实罪行，还可以排除嫌疑。在失踪人口案件或灾害遇难者身份确定中，通过DNA图谱比对，可以明确其身份。然而，在大量案件中，因为缺乏嫌疑目标，侦查人员无法通过DNA比对从现场的生物检材中获得足够的信息，虽然可以开展大规模人群排查，但是效率低下、费用高昂、耗时耗力，无异于“大海捞针”。能否从犯罪生物检材中发掘出有价值的信息，已经成为法医物证学亟待解决的问题之一。犯罪现场遗留的各类生物检材蕴含着丰富的信息，其中对生物检材来源者的个体时相特征刻画是当前法医学迫切需要解决的科学问题，这对于决定案件性质、判断侦查方向、缩小侦查范围具有非常重要的意义。个体时相特征刻画包括对个体年龄及尸体死亡时间等一切与时间相关信息的推断。以个体年龄推断为例，传统方法主要依据骨骼或牙齿等组织形态学特征随着年龄变化的规律来推断个体年龄。一方面，这一方法完成依托于骨骼或者牙齿这些特定检材，从而限制了其适用范围。此外，牙齿结构与磨耗度还受到饮食习惯、卫生条件等生活习惯和环境等诸多因素的影响，这无疑增加了其推断年龄的误差。另一方面，犯罪现场遗留的生物检材多为体液斑、脱落细胞及组织碎片等。因此，立足于法医学常见检材的个体年龄推断方法将更具有实际应用意义。

第一节　随年龄变化分子的特征与分类

从出生开始，随着年龄增长，个体将经历从发育到衰老这一系列的变化过程。个体年龄推测离不开对发育到衰老这一生命历程的深度解析。衰老是生物随着时间推移所发生的一种必然的自发过程和复杂的自然现象，表现为组织器官结构的退行性变化和功能衰退，以及个体适应性和抵抗力减退。伴随衰老的表型变化是法医学依据骨骼或牙齿等组织形态学特征推断个体年龄的理论基础。那么衰老起源于生命的哪一阶段？与传统意义上认为衰老起源于个体成年之后的观点不同的是，衰老可以看作是从受精卵开始一直进行到老年的个体发育史。也就是说，衰老是发育的延续，是个体生长发育的最后阶段。

真正意义上有关衰老机制的研究始于1837年Klass分离出的第一株长寿线虫。后续研究发现，在生命进程中不断积累的细胞损伤是衰老，乃至癌症产生的主要原因。这也就是说,细胞损伤的积累可导致机体产生不同的表型变化:如果细胞损伤让细胞生物学功能降低则有可能引起衰老;如果细胞损伤意外为某些细胞提供异常的生长优势则有可能引起癌症。基于这一理论框架,在衰老领域分流出不同的研究方向。例如,寻找造成衰老损伤的生理来源、试图重新建立稳定的代偿反应、区分不同类型损伤和代偿反应之间的相互联系以及评估外部干预延缓衰老的可能性。其中一个很重要的研究方向就是识别衰老的生物学标记。2013 年,Lopez-Otin 等对衰老标记进行了里程碑式的提炼,一共总结了九大类衰老的候选标记,包括基因组不稳定、端粒消耗、表观遗传改变、蛋白质平衡失调、营养感知失调、线粒体功能障碍、细胞衰老、干细胞衰竭以及细胞间通信的改变。衰老标记的筛选基于 3 个标准:①在正常衰老过程中有所改变;②增加其效应可以加速衰老;③降低其效应可以延缓正常老化过程从而增加个体健康寿命。正因为如此,这些标记通常被认为有助于衰老过程,并同时决定衰老表型。

然而,在衰老诸多的变化特征中,有一些具有很强的随机性,如基因组不稳定性。随着年龄所发生的 DNA 损伤尽管长期以来一直被认为与衰老关系密切,但是对于不同个体而言其损伤发生的位置并没有很强的规律可循,这大大降低了它作为个体年龄推断标记的可能。与之相反的是,一些分子层面随年龄变化特征由于具有显著的年龄相关性,更具个体年龄推断方面的应用价值。

一、表观遗传变化

表观遗传学是与遗传学相对立的概念,是指基于非基因序列改变所致基因表达水平的变化,包括 DNA 甲基化 、组蛋白修饰及染色体重塑等。表观遗传修饰在个体发育衰老的过程中发挥着重要作用,其对个体组织和细胞的影响陪伴其终生。

(一) DNA 甲基化

DNA 甲基化(DNA methylation)是通过 DNA 甲基转移酶将甲基基团添加到胞嘧啶环的 C-5 位置,对 DNA 进行共价表观遗传修饰。DNA 甲基化将导致 DNA 构象变化,从而影响蛋白质与 DNA 的相互作用,其甲基化程度与基因表达水平呈负相关。甲基化和去甲基化过程不仅对转录调控很重要,在发育和细胞分化过程中也起着至关重要的作用,是造成个体表型差异的重要原因之一。

1973 年,Vanyushin 等在大鼠中的研究第一次报道了 DNA 甲基化整体水平随着衰老而变化。这些研究重点探讨了与年龄相关的 DNA 甲基化的整体变化。在同卵双生子之间开展的流行病研究也证实了表观遗传修饰在年长的同卵双生子之间更容易出现差异。由此提出了一种“表观遗传漂移”的假说以解释这种现象,这一假说认为 DNA 甲基化的保守性随着细胞分裂而逐渐降低。后续一些低通量的实验分析表明,不同物种中多个 CpG 位点甲基化修饰程度与衰老过程显著相关。例如,一些抑癌基因和靶基因的甲基化程度随着年龄增长而增强。最近 20 年,随着芯片技术和高通量测序技术的飞速发展,大量研究检测了全基因组范围内 DNA 甲基化的随龄变化特征,这些研究发现表观遗传改变是很多物种不同组织和细胞衰老过程中普遍发生的现象。值得关注的是,年龄相关的 DNA 甲基化变化也发生在生殖细胞中,并可能被传递给下一代。此外,通过对早衰患者及早衰小鼠的研究发现,其 DNA 甲基化和组蛋白修饰发生了重塑并与正常衰老个体极为相似。尽管没有直接证据表明可以通过改变DNA甲基化模式来增加个体的寿命，这些表观遗传的改变被认为有可能随着个体发育和衰老而积累并影响干细胞行使正常功能，从而导致干细胞的衰竭。

（二）组蛋白修饰

组蛋白修饰（histone modification）是指组蛋白在相关酶作用下发生甲基化、乙酰化、磷酸化、腺苷酸化、泛素化、ADP核糖基化等修饰的过程。整体而言，组蛋白H4K16乙酰化、H4K20三甲基化及H3K4三甲基化水平被发现随着年龄的增长而增强，而H3K9甲基化和H3K27三甲基化水平被发现随着年龄的增长而降低。

组蛋白修饰跟年龄关系的一个有力证据还来源于在无脊椎模式动物中开展的长寿研究。这些研究发现H3K4和H3K27甲基化复合物组分的丢失可以延长线虫和果蝇的寿命。抑制H3K27去甲基化酶的活性也可以延长线虫的寿命，这被认为有可能通过胰岛素信号转导通路（insulin signalling pathway，ISP通路）介导。ISP通路是已知的调控生物体发育和衰老最重要的信号通路，在不同的物种中具有高度的保守性。ISP通路通过激酶之间的级联反应最终导致重要转录因子FOXO/DAF-16的磷酸化。磷酸化的FOXO/DAF-16不能进核，从而阻止了抵抗热激、压力耐受和DNA损伤修复等抗衰老基因转录的启动。

事实上，除了这些与组蛋白修饰有关的生物学通路外，一些与组蛋白修饰相关的基因家族也被发现对个体年龄起调控作用。其中一个重要的代表就是sirtuin基因家族，作为一种依赖NAD的组蛋白去乙酰化酶，它被大量的研究证实是一个潜在的抗衰老因子。在无脊椎动物中，参与个体年龄调控的基因名为*Sir2*。1999年，有研究人员首次证明过度表达*Sir2*基因可以延长酿酒酵母的复制寿命。相同的现象随后也在线虫和果蝇中被观察到。在哺乳动物中，sirtuin基因家族有7个成员。其中与无脊椎动物*Sir*2基因序列相似度最高的是*SIRT1*基因。虽然没有证据显示过表达*SIRT1*基因可以延长脊椎动物的寿命，但是过表达*SIRT1*基因可以明显改善衰老过程中的生物学功能退化，也就是说*SIRT1*基因在脊椎动物中与健康衰老息息相关。sirtuin基因家族另一个成员*SIRT6*基因，可以通过组蛋白H3K9去乙酰化来调节基因组稳定性以及NF-kB信号传导来影响个体寿命。敲除*SIRT6*基因的突变小鼠显示老化速度加快，而过表达*SIRT6*基因的雄性转基因小鼠寿命则明显增长。除此之外，过表达*SIRT3*基因可以提高衰老造血干细胞的再生能力。由此可见，在sirtuin基因家族的7个成员中，至少有3个与个体年龄密切相关。

最近10年间，高通量测序技术与染色质免疫共沉淀技术结合衍生出一个新的技术，被称为染色质免疫沉淀测序（chromatin immunoprecipitation sequencing，ChIP-seq）。ChIP-seq可用于全基因组范围内检测与组蛋白修饰、转录因子等互作的DNA区段。依托ChIP-seq技术在灵长类大脑中开展的研究发现组蛋白H3K4me2的修饰状态在恒河猴不同年龄阶段的大脑前额叶皮质中表现出差异性。那么，同属于灵长类动物的人类中有多少DNA区域的组蛋白修饰与年龄相关？这一问题的探讨将有助于法医物证学领域评估其作为年龄推断工具的可能性。

二、基因表达变化

发现DNA双螺旋结构的科学家之一的Francis Crick在1958年提出了著名的遗传中心法则（genetic central dogma），这一法则指出遗传信息从DNA传递给RNA，再从RNA传递给蛋白质,即完成遗传信息的转录和翻译的过程。衰老的一个共同点就是伴随生命进程积累的遗传损伤。遗传损伤带来的基因组不稳定性虽然不适合用于法医学个体年龄推断,但是却极有可能对下游基因表达活性产生影响。对人以及模拟生物脑发育和衰老的研究表明,对衰老相关的功能调控,实际上是发育阶段调控的延续或逆转。这些调控因子在早中期发育过程中对功能器官形成起着积极的作用,进入衰老阶段后由于缺乏发育阶段的强纯化选择作用,这些调控因子的作用将逐渐失控,导致在基因表达水平以及剪接上出现有害变化。这些分子变化又反过来引起器官的功能损伤,并最终导致器官的衰老和疾病。从这个角度看,衰老并非简单地由随机 DNA 损伤积累所造成,而更有可能是由转录的紊乱或不受调控的原因所导致的结果;通过遗传等手段对这些调控过程进行干预,不仅可以减缓衰老速度,甚至有可能使某一器官乃至个体层面呈现年轻化。

(一) 信使 RNA

目前,通过在转录组水平上开展的研究证实了人体多个组织中都存在大量随着年龄增长而表达上调或下调的编码蛋白的基因,其对应转录产物被称为信使 RNA(messenger RNA,mRNA)。从 2004 年开始,人脑转录组学的研究发现许多基因的表达水平随着年龄的动态变化在人脑衰老过程中很可能扮演着重要角色,并初步揭示了一些调控因子(miRNA 和转录因子)对基因表达水平的这种动态变化具有调控作用。这一调控作用起始于发育阶段并持续于整个衰老过程,两者之间的紧密联系表明了对人脑从发育到衰老全过程进行系统性研究的至关重要性。2010 年,美国启动了 GTEx(Genotype-Tissue Expression)计划,用于系统研究基因变异与基因表达活性的关系。在这一项目支持下,来自 700 多个个体覆盖 50 多种组织的转录组被测量。2019 年,Turan 等重新分析了 GTEx 项目中的数据发现,在脑部不同区域、肌肉、肝脏、肾脏等大部分组织中都存在大量基因,其表达变化随着个体年龄而改变。

对于个体而言,血液是法医物证学研究领域的一个重要研究对象,这是因为它可以在不同年龄人群中被便捷地提取。同时,血液也是法医物证学实践中的一个重要检材,因为它很容易被遗留在犯罪现场。血液与人类衰老密切相关,其中一个重要原因是血液中的各种白细胞是人体免疫系统的重要组成部分。随着年龄增长,人体免疫系统的功能也随之变化,对老年个体的影响包括增加感染、癌症及自身免疫疾病的风险。2007 年,Goring 等报道了一项从 15~94 岁多年龄段淋巴细胞中基因表达谱的研究。2008 年,Hong 等对这项研究中的数据进行再次分析表明,随年龄增长,翻译相关基因的表达被下调。上述研究尽管没有揭示衰老或者长寿的机制,但是都报道了随年龄增长,能量代谢相关基因的表达会发生下调这一共同特性。

(二) 非编码 RNA

除了编码蛋白质的 mRNA,还有一类 RNA 是不编码蛋白质的,也就是非编码 RNA(non-coding RNA,ncRNA)。随着人类基因组“DNA 元件百科全书”计划(即 the encyclopedia of DNA elements plan,ENCODE 计划)的完成,人们意识到非编码 RNA 在调控基因表达、稳定基因组结构中发挥了重要作用,其表达具有高度保守性、时空性和组织特异性。非编码 RNA 按照大小又可分为两类:短非编码 RNA(<200 个核苷酸)及长非编码 RNA(>200 个核苷酸)(long noncoding RNA, lncRNA)。

对于 lncRNA 而言，目前通过 ENCODE 计划在人类基因组已经注释了上万个 lncRNA 基因。在细胞内，lncRNA 可以定位于细胞核和细胞质，并被证实参与多种与基因表达调控相关功能，如结合转录因子、介导染色质重塑及阻断附近基因转录等方面。近期有研究显示，lncRNA 在多种灵长类动物脑部呈现出了不同的时空表达模式，这种高度分化的表达模式提示其与脑发育的重要关系，同时也提示了基于 lncRNA 进行个体年龄推断的可能性。

除了上述线性非编码 RNA 之外，一类新型内源性非编码 RNA 分子如环状 RNA（circular RNA，circRNA）目前也广受关注。人类不同类型细胞中均含有大量的 circRNA。大部分 circRNA 表达丰度超过相应线性 mRNA 表达丰度，部分甚至比 mRNA 高出 10 倍以上。对 circRNA 功能的研究发现，它是一类重要的调节分子，其表达具有发育阶段和组织细胞特异性，在个体发育、衰老发生等过程中发挥重要调节作用。通过对 circRNA 在发育衰老中作用的深入研究发现，circRNA 在从模式生物果蝇到灵长类动物恒河猴中都存在着明显的随龄变化特征。

三、蛋白质浓度变化

衰老及其衰老相关的疾病与受损的蛋白质稳态有关。机体所有的细胞都会利用一系列质量控制机制来保持它们内部的蛋白质组的稳定性和功能性。蛋白质稳态指的是在特定时间点细胞内蛋白质组中的特定蛋白质合成、折叠与去折叠、修饰与降解等过程达到的一种平衡状态。这些系统以协调的方式起作用，以恢复错折叠多肽的结构或完全去除和降解它们，从而防止受损成分的积累，并确保细胞内蛋白质的持续更新。因此，许多研究表明，蛋白老化随着个体衰老而改变。此外，未折叠、错折叠或聚集蛋白的表达被发现与年龄有关的病症的发展有关，如阿尔茨海默病、帕金森病和白内障。在维持蛋白质稳态系统中还有一类协助其功能的蛋白，被称为分子伴侣，它是一类协助细胞内分子组装和协助蛋白质折叠的蛋白质，包括热休克蛋白 Hsp60 和 Hsp70 两个家族。应激诱导下细胞特异性伴侣的合成在衰老过程中也会显著受损。在一些模式生物中的研究证实，伴侣蛋白的下调表达可能会对一些生物的寿命产生影响。过度表达分子伴侣的转基因线虫和果蝇寿命变长。在热休克家族分子伴侣中发生突变的小鼠表现出加速老化表型。

除了蛋白质稳态及相关蛋白在衰老过程中会发生受损外，蛋白质糖基化及蛋白质本身浓度也会受到衰老的影响，从而呈现年龄相关变化特征。

四、端粒长度变化

随着年龄的增长而积累的 DNA 损伤是随机的，也就是说它可能发生在基因组的任意位置。然而，染色体上的一些特定区域，如端粒，尤其容易受到年龄的影响。端粒是存在于真核细胞线状染色体末端的一小段 DNA-蛋白质复合体，它与端粒结合蛋白一起构成了特殊的“帽子”结构，作用是保持染色体的完整性和控制细胞分裂周期。端粒随着年龄缩短的现象在多种哺乳动物衰老过程中被发现。参与 DNA 复制的聚合酶（replicative DNA polymerase，DNAP）缺乏复制线性 DNA 分子末端的能力，后者对应于一种专门的 DNA 聚合酶，称为端粒酶。然而，大多数哺乳动物体细胞中端粒酶活性被抑制，这就导致染色体末端受端粒保护的序列随着年龄增长极容易丢失。这种端粒衰竭的现象可以解释为什么一些体外培养细胞的增殖能力是有限的。这一细胞复制的局限性由于最早被 Hayflick 于 1961 年报道,因此也被称为 Hayflick 极限(Hayflick limit)。从结构上讲,端粒被一个端粒蛋白复合体所包围。这一蛋白复合体的主要功能是防止 DNA 修复蛋白与端粒结合,从而防止端粒被当作断裂的 DNA 片段而被修复从而造成染色体融合。由此可见,由于 DNA 修复对端粒的局限性而产生的端粒受损将在生命进程中持久保存下来并不断积累。

端粒酶缺陷或者端粒蛋白复合体缺陷被发现与很多疾病有关。人端粒酶缺陷可能会引起不同组织的再生能力障碍,一些发育早期疾病,如肺纤维化和再生障碍性贫血被发现与此相关。端粒蛋白复合体缺陷有可能导致染色体融合,被发现与先天性角化不良等疾病有关。通过对不同端粒蛋白复合体缺陷模型的分析发现,即使在保持端粒长度的条件下,其对机体的影响至少有两方面,一个是会降低组织再生能力,另一个是会加速衰老。

端粒缩短与衰老的因果关系通过对一些动物模型的研究得到证实。端粒缩短或延长的小鼠的寿命分别缩短或延长。此外,激活端粒酶被发现可以逆转衰老。特别是在端粒酶缺乏的小鼠中,重新激活端粒酶可以让小鼠的过早衰老被逆转。通过病毒作为载体在正常野生型小鼠中系统转导端粒酶后,可以观察到其衰老的速度被延缓。在人体中,通过大规模 Meta 分析也发现端粒过短与死亡率密切相关,特别是在个体发育早期。

第二节　分子生物学年龄推断

2004 年,美国老龄研究联盟(the American Federation for Aging Research,AFAR)制订了预测个体衰老的标准:①它必须能预测衰老的速度,换句话说,它能准确地预测寿命。②它必须可监测衰老的整体变化过程,而不受疾病的影响。③它必须能够反复测试而不对人体产生伤害,如血液检查或成像技术。④它必须在实验室动物体内进行过实验,实验结果在人类得到验证。到目前为止,可用于个体年龄预测生物学标记的相关研究被广泛开展。尽管这种标志物的存在受到质疑,因为许多慢性疾病的影响与正常的衰老是分不开的。生物衰老的速率可能在不同组织中变化,因此假设一个对个体可测量的总体速率是不可行的。大致而言,这类标记可以分为分子生物标记(基于 DNA、RNA 等)或表型生物标记(如血压、握力、血脂等的临床测量)。年龄推断标记与衰老标记之间密不可分。衰老标记对应的是在衰老过程中不同类型的改变。这些随着衰老的变化特征是否可用于个体年龄推断取决于一个很重要的因素,那就是这些改变是否随着年龄呈现出有规律或者持续性的变化。一般而言,有两种伴随衰老的变化特征可用于个体年龄推断。第一种是个体特定年龄呈现出的普遍特征。例如,牙齿萌发和脱落时间就具有明显的年龄特征。人类一般在半岁左右萌发第一颗乳牙以及大部分在 16~25 岁萌出最后一颗恒牙(第三磨牙)。第二种是与特定年龄阶段呈现持续性规律变化的标记。这一类标记可以用于推测不同的生物学年龄,因而具有更重要的法医应用价值。2017 年,Jylhava 等总结了 6 种可用于预测年龄的生物学标记,这些标记要么可以用于预测个体的生物学年龄,要么至少可以区分个体的年龄阶段。

一、表观遗传时钟

从20世纪60年代开始,大量研究表明个体年龄对全基因组DNA甲基化水平有着深刻的影响。人类基因组中上千万个CpG二核苷酸的甲基化状态被发现随年龄的变化而变化。根据这些随着个体年龄变化的DNA甲基化位点,一些学者探讨了利用DNA甲基化预测个体年龄的可能性,这也被称为表观遗传"年龄估计器"。表观遗传"年龄估计器"是利用数学算法对一组CpG(又称"时钟CpG")进行计算用于估计如细胞、组织或器官的年龄(单位为年)。这个估计的年龄又称表观遗传年龄,或者更确切地说是DNA甲基化年龄(DNA methylation age,DNAMAGE),它不仅反映了个体的生理年龄,也反映了DNA来源细胞、组织或器官的生物年龄。DNA甲基化年龄也被称为表观遗传时钟(epigenetic clock)。在过去的几年中,利用多个年龄相关的CpG位点的甲基化状态,已经开发了不同的表观遗传时钟。

(一) Hannum表观遗传钟

由Hannum等于2013年构建的表观遗传时钟是利用来自全血样本的两个队列(样本量n=482和174)的Illumina 450K DNA甲基化图谱构建的,这一时钟被称作Hannum表观遗传钟(Hannum epigenetic clock)。使用弹性网络回归模型(elastic network regression model),71个CpG位点的甲基化被用于以高度精确的方式预测DNA甲基化年龄。Hannum等发现,DNA甲基化年龄与真实年龄的相关性为96%,均方根误差为3.9年。在验证队列中,相关性为91%,均方根误差为4.9年。Hannum表观遗传钟是基于全血数据训练而建立的,它对年龄的估计可能会受到血细胞计数的影响。进一步研究显示,通过轻微的调整,其预测能力在其他组织中也有借鉴价值。有趣的是,Hannum表观遗传钟也被发现具有生物学意义。通过Hannum表观遗传钟估算男性的老龄化率高于女性。此外,与正常组织相比,肿瘤的甲基化年龄更高。这说明Hannum表观遗传钟与个体性别及健康状态也有很大的关系。

(二) Horvath表观遗传钟

2013年,Horvath等使用一个更大的集合了Illumina 27 K DNA甲基化和Illumina 450K DNA甲基化数据集,这一数据集覆盖了来自51个不同的组织和细胞类型的7 844个非癌症样本。这一基于多组织数据的年龄预测器,被称作Horvath表观遗传钟(Horvath epigenetic clock)。Horvath表观遗传钟对年龄的预测基于353个年龄相关的CpG探针,其中193个CpG位点与年龄呈正相关,另外160个CpG位点与年龄呈负相关。Horvath表观遗传钟同样显示出对年龄的精准预测能力。利用所有可以采集的细胞和组织数据进行测算时,Horvath表观遗传钟预测的年龄跟个体真实年龄的相关性高达0.96,Horvath表观遗传钟预测的DNA甲基化年龄与真实年龄之间的中位绝对差较低,为3.6年。

值得注意的是,尽管Horvath表观遗传钟是针对所有可收集的细胞和组织训练而来,它在用于少数单一组织预测时显示出了较高的错误率,如乳腺组织、子宫内膜、真皮成纤维细胞、骨骼肌和心脏。在后续研究中也发现,通过乳腺组织中预测的表观遗传年龄比通过同一供体的血样预测的年龄要高。乳腺组织年龄预测的高误差很有可能与组织的激素效应有关。骨骼肌组织中开展的研究也显示骨骼中与年龄相关的变化与其他组织中的年龄相关CpG位点表现出较小的重叠。

Horvath 表观遗传钟对应的 353 个年龄相关 CpG 位点中,与年龄正相关的位点富集在 PCG 蛋白复合体靶基因和处于蓄势待发的启动子中(这些启动子可能被转化为活性或非活性的状态),而与年龄负相关 CpG 富含于 CpG 岛上下游、弱启动子和强增强子区域。令人惊讶的是,Horvath 表观遗传钟所对应的 CpG 位点与其表达水平与年龄相关的基因没有重叠。这些时钟 CpG 位点的甲基化是否与年龄相关的基因表达相关,或是否能够诱导与年龄相关的表达变化还需要进一步研究。此外,含有与年龄相关的 CpG 位点的基因富集细胞凋亡和存活、细胞生长和增殖、有机体和组织发育以及癌生物功能的启动子区域。这些时钟 CpG 位点的年龄相关甲基化变化非常小,甲基化 β 值的平均差异为 0.032。在 Horvath 表观遗传钟和 Hannum 表观遗传钟之间共有 6 个 CpG 位点。与 Hannum 表观遗传钟不同的是,由于使用不同的组织来构建这一表观遗传钟,该表观遗传钟不太可能受到不同细胞类型异质性的影响。

(三) Weidner 表观遗传钟

2014 年,Weidner 等使用了 3 个 CpG 位点开发了一个用于生物学年龄推断的模型,这一模型被称为 Weidner 表观遗传钟。这一研究由 575 个血液中 Illumina 27K DNA 甲基化数据集计算而来。这一数据集中共发现了 102 个与年龄相关的 CpG 位点,其中 3 个用于创建基于亚硫酸氢盐焦磷酸测序技术的 Weidner 表观遗传钟。Weidner 表观遗传钟预测的 DNA 甲基化年龄与真实年龄之间的中位绝对差为 4.5 年。这 3 个 CpG 位点分别位于 *ITGA2B*、*ASPA* 和 *PDE4C* 基因中。Weidner 表观遗传钟优点在于它依托于亚硫酸氢盐焦磷酸测序技术,检测成本低,不需要生物信息学及特定的微阵列平台,具有一定的独立性和较强的可移植性。因此,在法医学研究中更具有实际应用价值。

同样的,正如在 Horvath 表观遗传钟中所观察到的,利用 Weidner 表观遗传钟在胚胎干细胞和 iPS 细胞中计算出的表观遗传年龄为零。DNA 甲基化年龄在男性和肥胖人群中偏高。值得注意的是,当利用 Illumina 450K DNA 甲基化芯片数据进行计算时,Weidner 表观遗传钟的预测结果不太精确,这可能是因为它是基于焦磷酸测序数据进行训练的。此外,即使是在使用芯片数据对 Weidner 表观遗传钟进行校准后,在 Horvath 表观遗传钟和 Hannum 表观遗传钟中所观察到的一致的死亡率并没有在 Weidner 表观遗传钟中被发现。这表明,Weidner 表观遗传钟对于预测死亡率和疾病风险可能效率不足,尽管它可以通过几个甚至单个 CpG 标记估计生物年龄。

(四) 表观遗传钟的生物学意义

虽然表观遗传钟所涉及的 CpG 位点位于基因组的特定位置,这些 CpG 位点的生物学作用尚未被挖掘。既然这些位点的甲基化将限制所在位置基因的表达,那么这些位点甲基化的意义何在? 年龄特异性甲基化模式与肿瘤细胞中的甲基化谱显示出显著的相似性。例如,高甲基化年龄相关的 CpG 位点主要位于二价启动子位点和 *Polycomb-group* 靶基因上。同样的模式也见于多种癌症中,这暗示着年龄相关 DNA 甲基化在衰老和癌症之间的联系。事实上,一些研究表明,年龄相关的甲基化位点与癌症相关的高甲基化位点之间有很大的重叠。此外,与癌症相似,在血样衰老过程中鉴定出很多的低甲基化区域,这些区域与癌症之间有很好的重叠性。除了癌症之外,在一些体型肥胖个体中的甲基化差异位点与年龄相关的甲基化差异位点重叠。这些研究表明,年龄相关的甲基化模式除了可以预测个体年龄之外,还有可能可以用来评估健康和疾病的风险。

除此之外,表观遗传钟还可用于评估个体衰老的速率。通过测量DNA甲基化年龄与真实年龄之间的差异,可以估计个体年龄的加速度。随着个体年龄的线性增长,生物DNA甲基化年龄也会随时间而变化。如果DNA甲基化年龄高于真实年龄意味着一个人在生理状态上比他(她)们的真实年龄更大,反之则意味着一个人在生理状态上更年轻。2016年,Chen等开发了一种不依赖个体真实年龄的用于评估年龄加速度的方法。通过使用Weidner表观遗传钟预测的年龄和真实年龄之间建立的线性回归模型的残差来计算广谱的年龄加速度。针对血液样本,通过Weidner表观遗传钟调整细胞血液计数来计算内在表观年龄加速度(intrinsic epigenetic age acceleration,IEAA),这一加速度与血细胞计数无关,可以更好地反映血细胞中的表观遗传效应。与之相反,Hannum表观遗传钟仅使用来自全血的数据进行训练而来,与使用多组织训练的Horvath表观遗传钟相比受到血细胞计数的影响更大。通过Hannum表观遗传钟计算的表观年龄加速度被称为外在表观遗传年龄加速度(extrinsic epigenetic age acceleration,EEAA)。EEAA测量的是衰老过程中血细胞计数变化和内源性DNA甲基化的影响。随着年龄的增长,初始的$CD8^+$ T细胞的数量减少,而衰老的$CD8^+$T细胞增多。从这个角度看,EEAA还测量了免疫衰老的贡献度。通过对双胞胎的分析,DNA甲基化年龄加速被发现是高度遗传的,两者之间的相关性随着年龄递减,这表明非遗传因素的影响随着年龄增长而增加。在成年个体中,通过Horvath表观遗传钟和Hannum表观遗传钟推算的年龄加速的遗传力均为40%左右。通过对志愿者的长时间跟踪研究,DNA甲基化年龄加速度在整个成年期是相对稳定的,这表明年龄估算的差异主要是个体成年之前。与之对应的是,针对从新生儿到青少年的一项研究发现从出生到7岁和17岁的年龄加速度的变化增加,同时表观遗传年龄的相关性随着年龄增长而增加,这进一步证实了DNA甲基化年龄已经在发育早期被设定。这些结果也与观察到的甲基化修饰在幼龄个体中比成人中变化更不相一致。

从这些研究中可以看出,个体的DNA甲基化修饰不仅可以用于预测个体生物学年龄,还可以推算个体衰老速度,评估疾病和健康状态。鉴于DNA甲基化修饰在个体发育阶段的不稳定性,在表观遗传时钟推算个体生物学年龄的法医学实践中,在成年个体中的应用更有价值。

二、端粒长度年龄预测

端粒长度随着个体年龄增加而逐渐缩短,因而一直被看作衰老的一个有效生物学标记。例如,在粒细胞中端粒被发现以每年39 bp的速度丢失。基于这一丢失速率,Weidner表观遗传钟的开发团队利用流式荧光原位杂交法测定了104个志愿者血液中的端粒长度。通过端粒丢失速率预估的生物年龄偏差较大(平均绝对误差18.2岁;均方根误差23.1岁)。此外,利用端粒长度推测个体年龄可能会受到性别的影响。2014年,Gardner等通过对36 230名志愿者端粒长度与性别的研究发现,女性平均端粒长度比男性长,同样的研究结果在2015年Lapham等的一项Meta分析中得到证实。这一观察现象也可能与女性平均寿命更长有关。

正如表观遗传钟一样,端粒与死亡率之间存在着或多或少的联系。多项研究显示了短端粒与高死亡率之间的关联。端粒长度还对癌症和心血管死亡率预测似乎同样有效。然而,2016 年,Zhu 等的 Meta 分析显示端粒长度和总体癌症风险无关,这表明端粒可能对不同的癌症起着不同的作用。短端粒被发现与胃肠道和头颈部癌密切相关。此外,2014 年,HaycCK 等的一项整合大数据的 Meta 分析发现,短端粒与冠心病之间有紧密的联系。事实上,相关研究证实短端粒不仅与这些疾病相关,更有可能是这些疾病的致病因素。除此之外,端粒与认知功能也密不可分。与之对应的是,阿尔茨海默病患者具有跟对照组相比更短的端粒。上述这些研究指明,端粒长度不仅是年龄的指示标志,还与性别和多种疾病状态等因素密切相关。后期对端粒长度测量方法的优化以及对其他干扰因素的校正将有利于提高端粒对年龄预测的效能。

三、转录本年龄预估器

迄今,已经开发出两套基于血液的基因表达谱预测个体年龄的系统。第一套转录本年龄预估器是 2013 年由 Holly 等开发的。这一转录本年龄预估器对年龄的推断基于 5 个转录物的表达水平。这 5 个转录物来源于他们前期针对意大利基安蒂区域人群(简称 InCHIANTI 计划)分析发现的可以区分 65 岁以内个体(年轻组)和 75 岁以上个体(年长组)的基于 6 个基因转录物的模型,包括 LRRN3、CD27、GRAP、CCR6、VAMP5 和 CD248。这些研究还证明年轻组与年长组相比,IL-6 和尿素氮较低,而肌肉强度和血清白蛋白较高。第二套转录本年龄预估器来源于 2015 年 Peters 等对 7 074 个来自 6 个独立群体的转录组分析。这一套转录本年龄预估器主要基于 1 497 个表达水平随着年龄发生变化的基因。该模型通过在不同欧洲祖先人群中进行训练,并对性别、细胞计数、吸烟等因素进行了校正。在来源于 7 个独立队列的 7 909 个血液样本中进行验证后发现两个数据集之间的结果高度一致(R=0.972)。在验证队列中,根据基因表达水平预估的年龄跟真实年龄之间的相关性介于 0.348~0.744,两者之间的平均绝对差异在 4.84~11.21 岁(平均 7.8 年)。通过多组织之间的比较分析发现,在小脑及大脑额叶皮质、不同血细胞亚型和来自其他祖先的血液样本中,这 1 497 个转录物的表达变化只有部分重叠,这也与基因表达谱往往具有组织特异性这一特征相一致。正是基因表达谱的时空表达特异性限制了转录本年龄预估器的可移植性。除此之外,Peters 等还发现转录本还受总胆固醇、空腹血糖水平、身体质量指数及吸烟状态等因素影响,这进一步影响了转录本年龄预估器对于年龄评估的准确性。

四、蛋白质年龄预估器

在过去的 20 年中,一些通过在人血清或血浆中的研究陆续报道了蛋白质糖基化对衰老的影响。2014 年,Kristic 等综合了 4 组数据研究了 IgG 糖基化在衰老中的作用。他们利用其中一组数据建立了一个基于 3 个 IgG 糖基化位点的年龄预测模型,包括 FA2B、FA2G2 和 FA2BG2。这一推测模型又被称为多糖年龄(GlycanAge),它在其他 3 组数据中具有很好的重复性。值得注意的是,即使对年龄和性别进行校正后,GlycanAge 还是受纤维蛋白原、糖化血红蛋白、身体质量指数、甘油三酯和尿酸等健康变量的影响。

同样,在人血浆和脑脊液中的研究证实除了蛋白质糖基化之外,蛋白质本身的含量也与个体年龄密切相关。2015 年，Menni 等通过人血浆中与年龄相关的 4 个蛋白质（PTN、CHLDL1、MMP12 和 IGFP6）开发了另一套蛋白质年龄预估系统。这一蛋白质年龄预估器依托于英国一项历时 30 年涉及上万个双胞胎的大规模研究计划（简称 TwinsUK 计划）。在这个模型所包含的 4 个蛋白质中，CHLDL1 的含量被发现会受到低出生体重、Framingham 风险评分和心血管代谢危险因素的影响。

五、代谢物年龄预估器

代谢组尽管不如转录组和蛋白组研究得那么广泛，截至目前，还是有一些研究报道了一些代谢物的含量随着年龄发生了显著变化。2011 年，Fu 等通过气相色谱-质谱法在 3 种不同灵长类（其中包括人类）小脑和大脑前额叶皮质中鉴定出上百个个代谢物，其中超过 88% 的代谢物含量随着年龄而显著变化。2012 年，Yu 等利用一种串联式质谱技术流动注射（flow injection tandem mass spectrometry，FIA-MS）在血清中鉴定出 131 种代谢物，其中 11 个被发现与个体年龄相关。即使在去除身体质量指数等因素影响后，这 11 个代谢物与年龄的关系在两组独立的数据中都能得到验证。次年，同一研究团队利用 Metabolon 平台对 TwinsUK 计划中的代谢组数据进行分析后发现了 22 个独立的年龄相关的代谢物，主要包含脂类和氨基酸。2016 年，Hertel 等通过质子核磁共振技术（H1 proton nuclear magnetic resonance，H1NMR）技术在人类尿样中测定了 59 种代谢物。依据这 59 个代谢物建立了一套代谢物年龄预估器，又称为 Metabolic Age Score。在其他两组独立数据中这一套代谢物年龄预估器也表现出良好的生物学年龄预测功能。

六、复合生物标志物年龄预测器

一些致力于将多种年龄预测因子组合用于推断个体年龄的研究也相继开展。2013 年，Levine 通过将 10 个与年龄相关的生物学标记整合为一个复合生物标志物年龄预测器（composite biomarker age predictors），包括 C-反应蛋白、血清肌酐、糖化血红蛋白、收缩压、血清白蛋白、总胆固醇、巨细胞病毒光密度值、血清碱性磷酸酶、用力呼气量及血清尿素氮。这一模型通过对一项历时 18 年的队列人群全国健康和营养检查调查（National Health and Nutrition Examination Survey Ⅲ，简称 NHANESⅢ计划）数据训练而来。通过比例风险回归模型（proportional hazards model，简称 Cox 模型）分析发现，这一复合生物标志物年龄预测器还可以用于推测死亡率。2016 年，Belsky 等将这个复合生物标志物年龄预测器中包含的 10 项生物学指标与表观遗传钟中所对应的 DNA 甲基化位点及端粒长度整合成另一套更为复杂的复合生物标志物年龄预测器。尽管这一复杂的年龄预测器与 Horvath 表观遗传钟和 Hannum 表观遗传钟所预估的 DNA 甲基化年龄之间相关性较弱（$R=0.08$ 和 $R=0.15$），这一复杂的年龄预测器却被显示可以更好地指示如智商和身体功能状态等健康指标。2017 年，Sebastiani 等通过结合血常规检测指数及脂质等标志物构建了基于 19 个年龄相关的生物标记的复合生物标志物年龄预测器。通过凝聚式聚类法将所研究的 4 000 多个个体分成了 26 个不同亚群。即使排除了不同亚群之间的年龄和性别干扰之后，亚群之间在认知能力、健康状态和衰老速率等身体功能指标方面还是被发现存在明显差别。

七、分子年龄预测因子的比较

不同分子层面的年龄预估器所预测出来的年龄往往具有较低的相关性。表观遗传钟所对应的DNA甲基化年龄和端粒长度之间相关性很低甚至不显著。DNA甲基化年龄和端粒长度尽管都跟年龄和死亡率相关,但是它们对这两者的预测却是独立的。另外,对不同细胞类型进行矫正后的Horvath表观遗传钟与常见疾病危险因素没有明显的相关性,如吸烟、糖尿病、高血压和高密度脂蛋白、低密度脂蛋白、胰岛素、葡萄糖、甘油三酯、C-反应蛋白和肌酐等。作者还研究了它们的转录组预测因子与Horvath和Hannum表观遗传钟在两个群体中的相关性。转录物年龄预估器所预测的转录年龄和表观遗传钟所预测的DNA甲基化年龄之间有较低的相关性,其相关系数介于0.10~0.33。除了共同可以预测相似的腰围与臀围的比值外,它们所检测的衰老相关表型没有出现过多的重叠,这说明转录年龄和DNA甲基化年龄很有可能描述了生物衰老的不同方面。

对不同层面分子生物学年龄预估器的比较显示,表观遗传钟是相对较为精确的年龄推断方法。与转录物年龄、端粒长度及利用T细胞特异性DNA重排预估的年龄相比,DNA甲基化年龄与真实年龄之间相关性最高,这种优势在血样中显得格外明显。Weidner表观遗传钟开发团队也证实3个CpG标记构建的表观遗传钟比用端粒长度预测更准确。同样的,转录本年龄预估器所预估的转录年龄也比Horvath表观遗传钟预估的DNA甲基化年龄更偏离真实年龄。有趣的是,与年龄相关的基因中并不包含更多的与年龄相关的CpG位点,这充分说明不同分子层面的年龄预估器所依托的生物衰老的分子变化之间没有明显的关联性。

第三节　法医分子生物学年龄预测

法医分子生物学年龄估计是法医表型分析的一个分支,旨在通过检材DNA或者其他分子推测检材来源者的分子生物学年龄。一系列随龄分子变化特征以及据此开发的分子生物学年龄预估器是法医学年龄推断的理论基础。

一、T细胞受体删除环年龄预测法

血液中T细胞受体删除环(signal-joint T-cell receptor excision circles,sjTREC)分子拷贝数随着个体年龄增长会逐渐减少。sjTREC DNA定量的检测方法是较早被引入法医学领域用于年龄推测的一种方法。基于sjTREC分子拷贝数减少的方法确实具备一定年龄推断能力。2010年,Zubakov等利用实时定量PCR技术推算出血液中利用sjTREC的数量推断年龄的标准误为8.9岁。然而,这种方法不能应用于不包括T细胞的其他体液或者检材的年龄预测,只能使用个体的血液样本进行测试。因此,sjTREC检测方法因其对检材类型的极大依赖性大大限制了其使用范围。

二、DNA 甲基化年龄预测法

表观遗传学领域的研究显示了在各种类型的组织和细胞中与年龄相关的 DNA 甲基化变化。一些研究已经报道了 DNA 甲基化年龄预测模型可以应用于多种不同类型的组织，具有相当大的预测准确度。迄今，DNA 甲基化被认为是法医学领域最有希望的年龄预测生物标志物。除了衰老领域开发的经典 Horvath 表观遗传钟、Hannum 表观遗传钟及 Weidner 表观遗传钟外，法医学领域重点探讨了可适用于不同常见检材的 DNA 甲基化年龄推断模型。

2011 年，Bocklandt 等基于 Illumina 27K DNA 甲基化芯片从唾液中的 *EDARADD*、*TOM1L1* 和 *NPTX2* 基因启动子中鉴定出 3 个年龄相关的 CpG 位点，并建立了一个预测误差为 5.2 岁的回归模型。同年，Koch 等基于 Illumina 27K DNA 甲基化芯片数据提出了一个与 *NPTX2*、*TRIM58*、*GRIA2*、*KCNQ1DN* 和 *BIRC4BP* 五个基因相关 CpG 组成的年龄预测模型，可适用于多个组织的年龄预测，但其预测年龄与实际年龄误差较大(平均绝对误差为 11 年)。2012 年，Garagnani 等使用 Illumina 450K DNA 甲基化芯片分析发现在 *EOLVL2*、*FHL2* 和 *PENK* 三个基因的 CpG 位点上显示出与年龄高度关联，并推测出 *ELOVL2* 基因是血液中最有希望的年龄预测标志物。2015 年，Zbiec-Piekarska 等利用了 *EOLVL2* 基因中的两个 CpG 位点建立了血液的年龄预测模型，其预测误差为 6.85 年，平均绝对误差为 5.03 岁。随后，同一研究团队还开发了一个由 *EOVL2*、*C1OF132*、*TIM59*、*KLF14 和 FHL2* 五个基因 CpG 组成的年龄预测模型，这一模型在血液中具有更高的年龄预测准确性(平均绝对误差为 3.9 岁)。2016 年，Park 等通过对 760 个以上血液样本的焦磷酸测序分析建立了由 3 个基因 *ELOVL2*、*ZNF423 和 CCDC102B* 的 CpG 位点组成的血液年龄预测模型，该模型具有很高的年龄预测精度(平均绝对误差为 3.4 岁)。值得注意的是，Park 等的研究还报道了 *KLF14 和 FHL2* 基因 DNA 甲基化与年龄显著相关，尽管由于这两个基因焦磷酸测序引物设计失败而没有被包含在上述年龄预测模型中。

2015 年，Lee 等利用 Illumina 450K DNA 甲基化芯片鉴定出与年龄相关的精液 CpG 位点，精液是法医领域常见的一种体液。这一精液年龄预测模型由 3 个 CpG 位点(分别是 *TTC7B* 基因中的 cg06304190、*NOX4* 基因中的 cg06979108 和 cg12837463)组成，其对年龄推断的平均绝对误差为 5 岁。精液中 *TTC7B* 基因的区域 DNA 甲基化与年龄的关系在其他研究中也被报道，这一基因的甲基化被认为是精液中最有前途的年龄预测标记之一。

2015 年，Bekaert 等建立了一个基于 *ASPA*、*PDE4C*、*ELOVL2* 和 *EDARADD* 等 4 个基因 DNA 甲基化位点的年龄推断模型。这一模型不仅适用于血液组织，还适用于牙齿的年龄推断，其在牙齿中推断年龄的平均绝对误差为 4.9 岁。2016 年，Giuliani 等对由 *EOLVL2*、*FHL2* 和 *PENK* 三个基因甲基化位点组成的年龄推测模型的使用范围进行了重新评估，发现它也是预测牙龄的有力工具，根据牙齿 DNA 提取部位不同，其平均绝对误差为 1.2~7.1 岁。

三、展望

最新研究表明，DNA 甲基化标记可以为法医学分析提供很多证据信息。DNA 甲基化谱不仅可以提供未知样本的组织来源信息，还可以推测未知样本来源者的年龄信息，甚至推测其吸烟和饮酒习惯等生活方式。值得注意的是，尽管 DNA 甲基化在法医学年龄预测领域具有重要的地位，但是基于衰老领域的基础研究，一些伴随衰老产生的重要分子变化特征的法医学应用价值还值得我们进一步研究与探讨。

主要参考文献

Almen M S, Nilsson E K, Jacobsson J A, et al., 2014. Genome-wide analysis reveals DNA methylation markers that vary with both age and obesity[J]. Gene, 548(1): 61-67.

Armanios M, Alder J K, Parry E M, et al., 2009. Short telomeres are sufficient to cause the degenerative defects associated with aging[J]. Am J Hum Genet, 85(6): 823-832.

Armanios M, Blackburn E H, 2012. The telomere syndromes[J]. Nat Rev Gene, 13(10): 693-704.

Atsem S, Reichenbach J, Potabattula R, et al., 2016. Paternal age effects on sperm FOXK1 and KCNA7 methylation and transmission into the next generation[J]. Hum Mol Gene, 25(22): 4996-5005.

Bachmayr-Heyda A, Reiner A T, Auer K, et al., 2015. Correlation of circular RNA abundance with proliferation—exemplified with colorectal and ovarian cancer, idiopathic lung fibrosis, and normal human tissues[J]. Sci Rep, 5: 8057.

Bao Y, Liu X, Han C, et al., 2014. Identification of IFN-gamma-producing innate B cells[J]. Cell Res, 24(2): 161-176.

Bell J T, Tsai P C, Yang T P, et al., 2012. Epigenome-wide scans identify differentially methylated regions for age and age-related phenotypes in a healthy ageing population[J]. PLoS Genet, 8(4): e1002629.

Belsky D W, Moffitt T E, Cohen A A, et al., 2018. Eleven telomere, epigenetic clock, and biomarker-composite quantifications of biological aging: do they measure the same thing? [J]. Am J Epidemiol, 187(6): 1220-1230.

Bernardes de Jesus B, Vera E, Schneeberger K, et al., 2012. Telomerase gene therapy in adult and old mice delays aging and increases longevity without increasing cancer[J]. EMBO Mol Med, 4(8): 691-704.

Blackburn E H, Greider C W, Szostak J W, 2006. Telomeres and telomerase: the path from maize, tetrahymena and yeast to human cancer and aging[J]. Nat Med, 12(10): 1133-1138.

Blasco M A, 2007. Telomere length, stem cells and aging[J]. Nat Chem Biol, 3(10): 640-649.

Bocklandt S, Lin W, Sehl M E, et al., 2011. Epigenetic predictor of age[J]. PLoS One, 6: e14821.

Boonekamp J J, Simons M J, Hemerik L, et al., 2013. Telomere length behaves as biomarker of somatic redundancy rather than biological age[J]. Aging Cell, 12(3): 330-332.

Breitling L P, Saum K U, Perna L, et al., 2016. Frailty is associated with the epigenetic clock but not with telomere length in a German cohort[J]. Clin Epigenetics, 8: 21.

Brown K, Xie S, Qiu X, et al., 2013. SIRT3 reverses aging-associated degeneration[J]. Cell Rep, 3(2): 319-327.

Butler R N, Sprott R, Warner H, et al., 2004. Biomarkers of aging: from primitive organisms to humans[J]. J Gerontol A Biol Sci Med Sci, 59(6): B560-B567.

Calderwood S K, Murshid A, Prince T, 2009. The shock of aging: molecular chaperones and the heat shock response in longevity and aging—a mini-review[J]. Gerontology, 55(5): 550-558.

Castillo-Fernandez J E, Spector T D, Bell J T, 2014. Epigenetics of discordant monozygotic twins: implications for disease[J]. Genome Med, 6(7): 60.

Chen B H, Marioni R E, Colicino E, et al., 2016. DNA methylation-based measures of biological age: meta-analysis predicting time to death[J]. Aging (Albany NY), 8(9): 1844-1865.

Consortium E P, Birney E, Stamatoyannopoulos J A, et al., 2007. Identification and analysis of functional elements in 1% of the human genome by the ENCODE pilot project[J]. Nature, 447(7146): 799-816.

de Magalhaes J P, Costa J, 2009. A database of vertebrate longevity records and their relation to other life-history traits[J]. J Evol Biol, 22(8): 1770-1774.

Deelen J, Beekman M, Codd V, et al., 2014. Leukocyte telomere length associates with prospective mortality independent of immune-related parameters and known genetic markers[J]. Int J Epidemiol, 43(3): 878-886.

Djebali S, Davis C A, Merkel A, et al., 2012. Landscape of transcription in human cells[J]. Nature, 489(7414): 101-108.

Engelfriet P M, Jansen E H, Picavet H S, et al., 2013. Biochemical markers of aging for longitudinal studies in humans[J]. Epidemiol Rev, 35(2): 132-151.

Forero D A, Gonzalez-Giraldo Y, Lopez-Quintero C, et al., 2016. Telomere length in Parkinson's disease: a meta-analysis[J]. Exp Gerontol, 75: 53-55.

Fraga M F, Esteller M, 2007. Epigenetics and aging: the targets and the marks[J]. Trends Genet, 23(8): 413-418.

Frederiksen H, Gaist D, Petersen H C, et al., 2002. Hand grip strength: a phenotype suitable for identifying genetic variants affecting mid- and late-life physical functioning[J]. Genet Epidemiol, 23(2): 110-122.

Fu X, Giavalisco P, Liu X, et al., 2011. Rapid metabolic evolution in human prefrontal cortex[J]. Proc Natl Acad Sci U S A, 108(15): 6181-6186.

Fumagalli M, Rossiello F, Clerici M, et al., 2012. Telomeric DNA damage is irreparable and causes persistent DNA-damage-response activation[J]. Nat Cell Biol, 14(4): 355-365.

Garagnani P, Bacalini M G, Pirazzini C, et al., 2012. Methylation of ELOVL2 gene as a new epigenetic marker of age[J]. Aging Cell, 11(6): 1132-1134.

Gardner M, Bann D, Wiley L, et al. 2014. Gender and telomere length: systematic review and meta-analysis[J]. Exp Gerontol, 51: 15-27.

Gems D, Partridge L, 2013. Genetics of longevity in model organisms: debates and paradigm shifts[J]. Annu Rev Physiol, 75: 621-644.

Goring H H, Curran J E, Johnson M P, et al., 2007. Discovery of expression QTLs using large-scale transcriptional profiling in human lymphocytes[J]. Nat Genet, 39(10): 1208-1216.

Greenwood T A, Beeri M S, Schmeidler J, et al., 2011. Heritability of cognitive functions in families of successful cognitive aging probands from the Central Valley of Costa Rica[J]. J Alzheimers Dis, 27(4): 897-907.

Greer E L, Maures T J, Hauswirth A G, et al., 2010. Members of the H3K4 trimethylation complex regulate lifespan in a germline-dependent manner in C[J]. Nature, 466(7304): 383-387.

Guarente L, 2011. Sirtuins, aging, and metabolism[J]. Cold Spring Harb Symp Quant Biol, 76: 81-90.

Han S, Brunet A, 2012. Histone methylation makes its mark on longevity[J]. Trends Cell Biol, 22(2): 42-49.

Han Y, Han D, Yan Z, et al., 2012. Stress-associated H3K4 methylation accumulates during postnatal development and aging of rhesus macaque brain[J]. Aging Cell, 11(6): 1055-1064.

Hannum G, Guinney J, Zhao L, et al., 2013. Genome-wide methylation profiles reveal quantitative views of human aging rates[J]. Mol Cell, 49(2): 359-367.

Harries L W, Hernandez D, Henley W, et al., 2011. Human aging is characterized by focused changes in gene expression and deregulation of alternative splicing[J]. Aging Cell, 10(5): 868-878.

Hartl F U, Bracher A, Hayer-Hartl M, 2011. Molecular chaperones in protein folding and proteostasis[J]. Nature, 475(7356): 324-332.

Haycock P C, Heydon E E, Kaptoge S, et al., 2014. Leucocyte telomere length and risk of cardiovascular disease: systematic review and meta-analysis[J]. BMJ, 349: g4227.

He Z, Bammann H, Han D, et al., 2014. Conserved expression of lincRNA during human and macaque prefrontal cortex development and maturation[J]. RNA, 20(7): 1103-1111.

Hernandez D G, Nalls M A, Gibbs J R, et al., 2011. Distinct DNA methylation changes highly correlated with chronological age in the human brain[J]. Hum Mol Genet, 20(6): 1164-1172.

Herranz D, Munoz-Martin M, Canamero M, et al., 2010. Sirt1 improves healthy ageing and protects from metabolic syndrome-associated cancer[J]. Nat Commun, 1: 3.

Hertel J, Friedrich N, Wittfeld K, et al., 2016. Measuring biological age via metabonomics: the metabolic age score[J]. J Proteome Res, 15(2): 400-410.

Holly A C, Melzer D, Pilling L C, et al., 2013. Towards a gene expression biomarker set for human biological age [J]. Aging Cell, 12(2): 324-326.

Hong M G, Myers A J, Magnusson P K, et al., 2008. Transcriptome-wide assessment of human brain and lymphocyte senescence[J]. PLoS One, 3(8): e3024.

Horvath S, 2013. DNA methylation age of human tissues and cell types[J]. Genome Biol, 14(10): R115.

Horvath S, Gurven M, Levine M E, et al., 2016. An epigenetic clock analysis of race/ethnicity, sex, and coronary heart disease[J]. Genome Biol, 17(1): 171.

Ignjatovic V, Lai C, Summerhayes R, et al., 2011. Age-related differences in plasma proteins: how plasma proteins change from neonates to adults[J]. PLoS One, 6(2): e17213.

Issa J P, 2014. Aging and epigenetic drift: a vicious cycle[J]. J Clin Invest, 124(1): 24-29.

Jaskelioff M, Muller F L, Paik J H, et al., 2011. Telomerase reactivation reverses tissue degeneration in aged telomerase-deficient mice[J]. Nature, 469(7328): 102-106.

Jeck W R, Sorrentino J A, Wang K, et al., 2013. Circular RNAs are abundant, conserved, and associated with ALU repeats[J]. RNA, 19(2): 141-157.

Jenkins T G, Aston K I, Pflueger C, et al., 2014. Age-associated sperm DNA methylation alterations: possible implications in offspring disease susceptibility[J]. PLoS Genet, 10(7): e1004458.

Jin C, Li J, Green C D, et al., 2011. Histone demethylase UTX-1 regulates C. elegans life span by targeting the insulin/IGF-1 signaling pathway[J]. Cell Metab, 14(2): 161-172.

Jylhava J, Pedersen N L, Hagg S, 2017. Biological age predictors[J]. EBioMedicine, 21: 29-36.

Kananen L, Marttila S, Nevalainen T, et al., 2016. The trajectory of the blood DNA methylome ageing rate is largely set before adulthood: evidence from two longitudinal studies[J]. Age (Dordr), 38(3): 65.

Kanfi Y, Naiman S, Amir G, et al., 2012. The sirtuin SIRT6 regulates lifespan in male mice[J]. Nature, 483 (7388): 218-221.

Kapranov P, Cheng J, Dike S, et al., 2007. RNA maps reveal new RNA classes and a possible function for pervasive transcription[J]. Science, 316(5830): 1484-1488.

Kirkwood T B, 2005. Understanding the odd science of aging[J]. Cell, 120(4): 437-447.

Koch C M, Wagner W, 2011. Epigenetic-aging-signature to determine age in different tissues[J]. Aging (Albany NY), 3(10): 1018-1027.

Koga H, Kaushik S, Cuervo A M, 2011. Protein homeostasis and aging: the importance of exquisite quality control[J]. Ageing Res Rev, 10(2): 205-215.

Kristic J, Vuckovic F, Menni C, et al., 2014. Glycans are a novel biomarker of chronological and biological ages [J]. J Gerontol A Biol Sci Med Sci, 69(7): 779-789.

Lapham K, Kvale M N, Lin J, et al., 2015. Automated assay of telomere length measurement and informatics for 100,000 subjects in the genetic epidemiology research on adult health and aging (GERA) cohort[J]. Genetics, 200(4): 1061-1072.

Lara J, Cooper R, Nissan J, et al., 2015. A proposed panel of biomarkers of healthy ageing[J]. BMC Med, 13: 222.

Lee H Y, Jung S E, Oh Y N, et al., 2015. Epigenetic age signatures in the forensically relevant body fluid of semen: a preliminary study[J]. Forensic Sci Int Genet, 19: 28-34.

Levine M E, 2013. Modeling the rate of senescence: can estimated biological age predict mortality more accurately than chronological age? [J]. J Gerontol A Biol Sci Med Sci, 68(6): 667-674.

Lipovich L, Tarca A L, Cai J, et al., 2014. Developmental changes in the transcriptome of human cerebral cortex tissue: long noncoding RNA transcripts[J]. Cereb Cortex, 24(6): 1451-1459.

Lopez-Otin C, Blasco M A, Partridge L, et al., 2013. The hallmarks of aging[J]. Cell, 153(6): 1194-1217.

Lyons M J, York T P, Franz C E, et al., 2009. Genes determine stability and the environment determines change in cognitive ability during 35 years of adulthood[J]. Psychol Sci, 20(9): 1146-1152.

Maegawa S, Hinkal G, Kim H S, et al., 2010. Widespread and tissue specific age-related DNA methylation changes in mice[J]. Genome Res, 20(3): 332-340.

Marioni R E, Harris S E, Shah S, et al., 2018. The epigenetic clock and telomere length are independently associated with chronological age and mortality[J]. Int J Epidemiol, 45(2): 424-432.

Marioni R E, Shah S, McRae A F, et al., 2015. DNA methylation age of blood predicts all-cause mortality in later life[J]. Genome Biol, 16(1): 25.

Menni C, Kastenmuller G, Petersen A K, et al., 2013. Metabolomic markers reveal novel pathways of ageing and early development in human populations[J]. Int J Epidemiol, 42(4): 1111-1119.

Menni C, Kiddle S J, Mangino M, et al., 2015. Circulating proteomic signatures of chronological age[J]. J Gerontol A Biol Sci Med Sci, 70(7): 809-816.

Min J N, Whaley R A, Sharpless N E, et al., 2008. CHIP deficiency decreases longevity, with accelerated aging phenotypes accompanied by altered protein quality control[J]. Mol Cell Biol, 28(12): 4018-4025.

Morrow G, Samson M, Michaud S, et al., 2009. Overexpression of the small mitochondrial Hsp22 extends Drosophila life span and increases resistance to oxidative stress[J]. FASEB J, 18(3): 598-599.

Mostoslavsky R, Chua K F, Lombard D B, et al., 2006. Genomic instability and aging-like phenotype in the absence of mammalian SIRT6[J]. Cell, 124(2): 315-329.

Needham B L, Rehkopf D, Adler N, et al., 2015. Leukocyte telomere length and mortality in the National Health and Nutrition Examination Survey, 1999-2002[J]. Epidemiology, 26(4): 528-535.

Nicolai S, Rossi A, Daniele N D, et al., 2015. DNA repair and aging: the impact of the p53 family[J]. Aging (Albany NY), 7(12): 1050-1065.

Noreen F, Roosli M, Gaj P, et al., 2014. Modulation of age- and cancer-associated DNA methylation change in the healthy colon by aspirin and lifestyle[J]. J Natl Cancer Inst, 106(7): dju161.

Osorio F G, Varela I, Lara E, et al., 2010. Nuclear envelope alterations generate an aging-like epigenetic pattern in mice deficient in Zmpste24 metalloprotease[J]. Aging Cell, 9(6): 947-957.

Palm W, de Lange T, 2008. How shelterin protects mammalian telomeres[J]. Annu Rev Genet, 42: 301-334.

Park J L, Kim J H, Seo E, et al., 2016. Identification and evaluation of age-correlated DNA methylation markers for forensic use[J]. Forensic Sci Int Genet, 23: 64-70.

Peters M J, Joehanes R, Pilling L C, et al., 2015. The transcriptional landscape of age in human peripheral blood [J]. Nat Commun, 6: 8570.

Pollina E A, Brunet A, 2011. Epigenetic regulation of aging stem cells[J]. Oncogene, 30(28): 3105-3126.

Ponting C P, Oliver P L, Reik W, 2009. Evolution and functions of long noncoding RNAs[J]. Cell, 136(4): 629-641.

Potabattula R, Dittrich M, Bock J, et al., 2018. Allele-specific methylation of imprinted genes in fetal cord blood is influenced by cis-acting genetic variants and parental factors[J]. Epigenomics, 10(10): 1315-1326.

Powers E T, Morimoto R I, Dillin A, et al., 2009. Biological and chemical approaches to diseases of proteostasis deficiency[J]. Annu Rev Biochem, 78: 959-991.

Pucic M, Knezevic A, Vidic J, et al. 2011. High throughput isolation and glycosylation analysis of IgG-variability and heritability of the IgG glycome in three isolated human populations[J]. Mol Cell Proteomics, 10(10): M111. 010090.

Rogina B, Helfand S L, 2004. Sir2 mediates longevity in the fly through a pathway related to calorie restriction [J]. Proc Natl Acad Sci USA, 101(45): 15998-16003.

Rybak-Wolf A, Stottmeister C, Glazar P, et al., 2015. Circular RNAs in the mammalian brain are highly abundant, conserved, and dynamically expressed[J]. Mol Cell, 58(5): 870-885.

Salameh Y, Bejaoui Y, El Hajj N, 2020. DNA methylation biomarkers in aging and age-related diseases[J]. Front Genet, 11: 171.

Salzman J, Gawad C, Wang P L, et al., 2012. Circular RNAs are the predominant transcript isoform from hundreds of human genes in diverse cell types[J]. PLoS One, 7(2): e30733.

Savage S A, Giri N, Baerlocher G M, et al., 2008. TINF2, a component of the shelterin telomere protection complex, is mutated in dyskeratosis congenita[J]. Am J Hum Genet, 82(2): 501-509.

Scheller Madrid A, Rode L, Nordestgaard B G, et al., 2016. Observational and genetic studies in 290 022 individuals[J]. Clin Chem, 62(8): 1140-1149.

Sebastiani P, Thyagarajan B, Sun F, et al., 2017. Biomarker signatures of aging [J]. Aging Cell, 16 (2): 329-338.

Sehl M E, Henry J E, Storniolo A M, et al., 2017. DNA methylation age is elevated in breast tissue of healthy women[J]. Breast Cancer Res Treat, 164(1): 209-219.

Shang X, Li G, Liu H, et al., 2016. Comprehensive circular RNA profiling reveals that hsa_circ_0005075, a new circular RNA biomarker, is involved in hepatocellular crcinoma development[J]. Medicine (Baltimore), 95 (22): e3811.

Shay J W, 2016. Role of telomeres and telomerase in aging and cancer[J]. Cancer Discov, 6(6): 584-593.

Shumaker D K, Dechat T, Kohlmaier A, et al., 2006. Mutant nuclear lamin a leads to progressive alterations of epigenetic control in premature aging[J]. Proc Natl Acad Sci USA, 103: 8703-8708.

Siebold A P, Banerjee R, Tie F, et al., 2010. Polycomb repressive complex 2 and trithorax modulate drosophila longevity and stress resistance[J]. Proc Natl Acad Sci USA, 107(1): 169-174.

Simpkin A J, Hemani G, Suderman M, et al., 2016. Prenatal and early life influences on epigenetic age in children: a study of mother-offspring pairs from two cohort studies[J]. Hum Mol Genet, 25(1): 191-201.

Somel M, Franz H, Yan Z, et al., 2009. Transcriptional neoteny in the human brain[J]. Proc Natl Acad Sci USA, 106(14): 5743-5748.

Somel M, Guo S, Fu N, et al., 2010. MicroRNA, mRNA, and protein expression link development and aging in human and macaque brain[J]. Genome Res, 20(9): 1207-1218.

Teschendorff A E, Menon U, Gentry-Maharaj A, et al.,2010. Age-dependent DNA methylation of genes that are suppressed in stem cells is a hallmark of cancer[J]. Genome Res, 20(4): 440-446.

Tissenbaum H A, Guarente L, 2001. Increased dosage of a sir-2 gene extends lifespan in Caenorhabditis elegans [J]. Nature, 410(6825): 227-230.

Tomas-Loba A, Flores I, Fernandez-Marcos P J, et al., 2008. Telomerase reverse transcriptase delays aging in cancer-resistant mice[J]. Cell, 135(4): 609-622.

Turan Z G, Parvizi P, Donertas H M, et al., 2019. Molecular footprint of Medawar's mutation accumulation process in mammalian aging[J]. Aging Cell, 18(4): e12965.

Veno M T, Hansen T B, Veno S T, et al., 2015. Spatio-temporal regulation of circular RNA expression during porcine embryonic brain development[J]. Genome Biol, 16: 245.

Vijg J, Campisi J, 2008. Puzzles, promises and a cure for ageing[J]. Nature, 454(7208): 1065-1071.

Walker G A, Lithgow G J, 2003. Lifespan extension in C. elegans by a molecular chaperone dependent upon insulin-like signals[J]. Aging Cell, 2(2): 131-139.

Wang Y H, Yu X H, Luo S S, et al., 2015. Comprehensive circular RNA profiling reveals that circular RNA100783 is involved in chronic CD28-associated CD8(+)T cell ageing[J]. Immun Ageing, 12(1): 17.

Weidner C I, Lin Q, Koch C M, et al., 2014. Aging of blood can be tracked by DNA methylation changes at just three CpG sites[J]. Genome Biol, 15(2): R24.

West J, Beck S, Wang X, et al., 2013. An integrative network algorithm identifies age-associated differential methylation interactome hotspots targeting stem-cell differentiation pathways[J]. Sci Rep, 3: 1630.

Yu Z, Zhai G, Singmann P, et al., 2012. Human serum metabolic profiles are age dependent[J]. Aging Cell, 11 (6): 960-967.

Yuan T, Jiao Y, de Jong S, et al., 2015. An integrative multi-scale analysis of the dynamic DNA methylation landscape in aging[J]. PLoS Genet, 11(2): e1004996.

Zahn J M, Kim S K, 2007. Systems biology of aging in four species[J]. Curr Opin Biotechnol, 18(4): 355-359.

Zbiec-Piekarska R, Spolnicka M, Kupiec T, et al., 2015. Development of a forensically useful age prediction method based on DNA methylation analysis[J]. Forensic Sci Int Genet, 17: 173-179.

Zbiec-Piekarska R, Spolnicka M, Kupiec T, et al., 2015. Examination of DNA methylation status of the ELOVL2 marker may be useful for human age prediction in forensic science[J]. Forensic Sci Int Genet, 14: 161-167.

Zhang J, Goodlett D R, Peskind E R, et al., 2005. Quantitative proteomic analysis of age-related changes in human cerebrospinal fluid[J]. Neurobiol Aging, 26(2): 207-227.

Zhu X, Han W, Xue W, et al., 2016. The association between telomere length and cancer risk in population studies[J]. Sci Rep, 6: 22243.

Zubakov D, Liu F, Kokmeijer I, et al., 2016. Human age estimation from blood using mRNA, DNA methylation, DNA rearrangement, and telomere length[J]. Forensic Sci Int Genet, 24: 33-43.

Zubakov D, Liu F, van Zelm M C, et al., 2010. Estimating human age from T-cell DNA rearrangements[J]. Curr Biol, 20(22): R970-R971.

Zykovich A, Hubbard A, Flynn J M, et al., 2014. Genome-wide DNA methylation changes with age in disease-free human skeletal muscle[J]. Aging Cell, 13(2): 360-366.

第六章

其他技术方法与骨龄评估

第一节　外部软组织推断年龄

一、软组织推断年龄基础

年龄是了解一个人真实身份的最重要标准之一。如果可以确定一个人的年龄,那么就非常有可能知道他们的真实身份。在中西方的世界里,需要对年龄进行推断的情况最经常出现在无户籍者、难民和偷渡者身上,他们可能无法提供证明自己身份的有关记录或其提供的有关记录的有效性存在质疑。在很多发展中国家或者在发生自然灾害之后,有关身份的记录效率不高。此外,记录可能存在丢失或者被破坏的情况。而且,据有关机构统计,在全球范围内,仍有许多女性的分娩发生在家中,之后将孩子交于当地高辈分的老人命名。这样的话,就没有关于孩子出生时间和地点的任何书面记录。在这种情况下,对于年龄推断的要求就增加了。此外,由于一些民事纠纷或者刑事诉讼的出现,对于年龄推断的要求就更多。每当有年龄评估的正式要求,法医从业者的专业知识就是必不可少的。

传统上,一些法医人类学家一直认为年龄只可以使用个人的牙齿和骨骼进行推断。这一点有些过于简单化了。不可否认,牙齿和骨骼对于个体的年龄推断是十分重要的,但是对儿童和青少年来讲,它们不是可以被用来进行年龄推断的唯一参数。包括身高、体重、头围、胸围等在内的各种人体参数的测量值对儿童的年龄评估可能也很重要,尤其是对于2~3岁的儿童而言。然后,青少年在青春期生长骤增期间,青春期的变化可以用作牙齿和骨骼推断年龄的有效辅助以精确确定年龄。本章考虑了年龄的软组织标记。但是,需要法医人类学家始终铭记的是,这些参数并不永远都是正确的,它们不应该也不可以替换更准确、更可靠的牙齿和骨骼的检查。也就是说,软组织标记可以作为增强和辅助支持年龄评估的手段,它们是其他更准确方法的补充。

人类的成长并不均匀,它在不同的年龄段以爆发的形式发生。并且在每个年龄段,影响生长爆发的因素都不尽不同。在子宫内,胎儿的生长过程完全依赖子宫内的环境。新生儿时期,生长依赖于围产期因素。之后,早期新生儿期,环境因素在儿童生长的调节中扮演了一个更加突出的作用。第一次快速生长期(the first growth spurt)发生在生命的最初几年,大约可以一直发育至7岁。第二个快速生长期(the second growth spurt)发生在青春期。青春期时的快速增长是人体所有骨骼和肌肉尺寸的增长。然而,其中人体的头、手和脚会比身体的其他部位更早地达到成年人的状态。随着身高和体重的增长,在青春期也有着相应的生理变化。在这两个时期之间有一个稳定的增长状态,这就意味着这期间的年龄是可以预测的。在这两次快速生长期,人体中的多个层面都会发生变化,这种变化可以被描绘下来并且用于推断年龄。

二、儿童年龄推断

成长图(growth chart)全世界范围内的卫生服务提供者用来监测儿童成长的简单工具。但是,了解儿童的成长状况并不是这些图表的唯一用途,它们也可用于确定个体的年龄,尽管这不是它们的主要功能。虽然儿童的体重是卫生服务提供者最经常被使用的参数,但是对于法医人类学家而言,体重是成长图中最少被使用的参数。因为儿童的体重是以天为单位进行变化的。甚至在一天之内,儿童的体重有可能会发生明显变化。所以当收集体重这一数据时,该结果将是时间依赖性的,如进餐后体重会增加。因此,其他如高度(或当儿童小于2岁时的横卧时长度)、头围、腹围、运动发展等可能是更易于进行儿童年龄推断的参数。这些参数不会表现出像儿童体重那样大的波动,并且只会在儿童患有慢性营养不良或某种其他严重疾病(如头围脑积水)的情况下才会发生重大变化。在这两种情况下(营养不良或疾病),包括牙齿或骨骼在内的发育更准确的参数也可能会受到影响。在没有任何病理或营养影响的情况下,与正常生长图的较大偏差可能表明年龄推断不正确。1921年,Woodbury进行了最早的一项通过记录身高与体重之间关系对儿童进行大规模人体测量评估的案例。尽管此项目的原始目的是评估不超过6岁儿童的人体测量参数,但这些发现可以被法医人类学家用于评估儿童的年龄。从那以后,许多研究者就进行了类似的研究,并介绍了不同年龄和种族的身高和体重的差异。

成长图可以评估儿童的正常发育。它们主要用于临床儿科的实践之中,是以图表来识别儿童在生长发育中出现的异常或延迟等任何问题。对于正常发育的儿童,可以根据儿童的已知年龄或据称年龄绘制参数测量值,包括儿童的体重、身高、头围等。图6-1~图6-6是示例。必须指出的是,每个参数都需要有单独的男孩和女孩的成长图表,以表明男孩和女孩的增长率不同。此处描绘的成长图摘自美国疾病控制与预防中心(Centers for Disease Control and Prevention,CDC)。这些是基于对美国儿童的成长参数绘制的成长图,我国的法医人类学家需要根据我国的人口特征来绘制适合我国的特征性图表。所以,此处的成长图可能并不适用于我国的儿童成长特征,因此强烈推荐从我国当地居民中获得尽可能多的数据,建立我国自己的儿童成长图表。当前的CDC图表显示了各种参数的第3、5、10、25、50、75、90、95和97百分位数。这些图表可以进行简化,如只使用更加容易被解释的第3、50和97百分位数。关于这些图和百分位,建议我国的相关部门进行研究后确立同意标准。

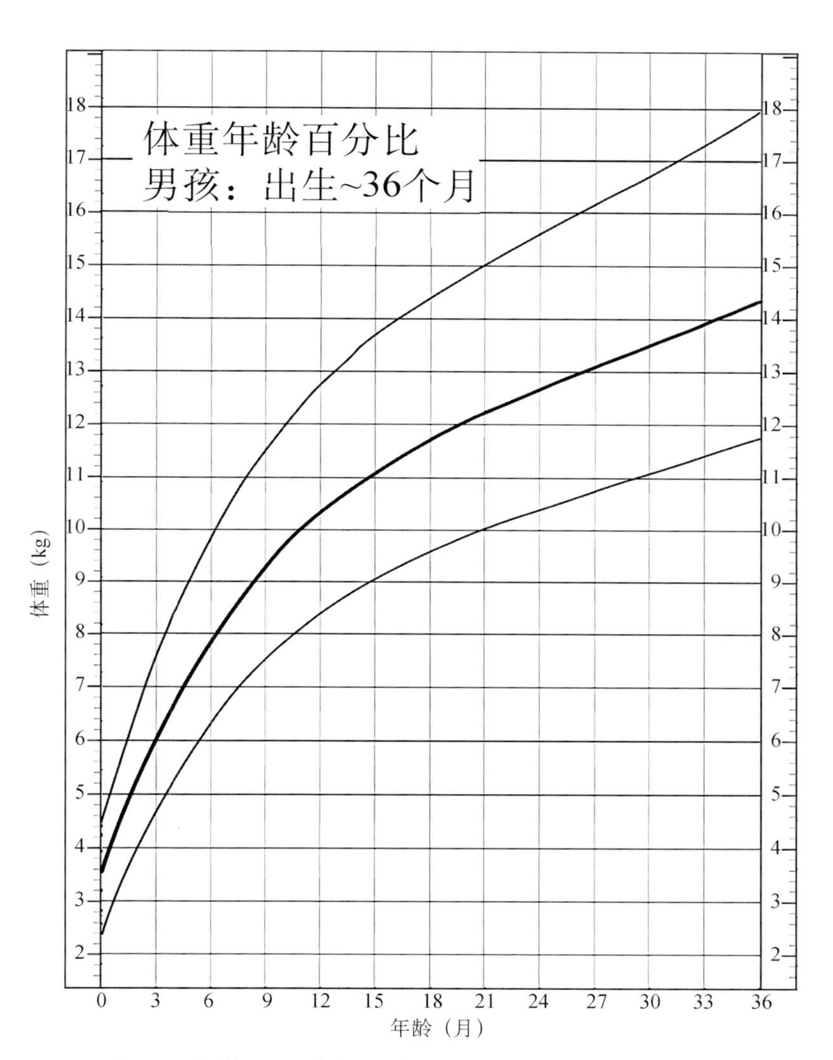

图 6-1　男性 CDC 成长图(出生~36 个月年龄体重百分比)

Developed by the National Center for Health Statistics in collaboration with the National Center for Chronic Disease Prevention and Health Promotion (2000).

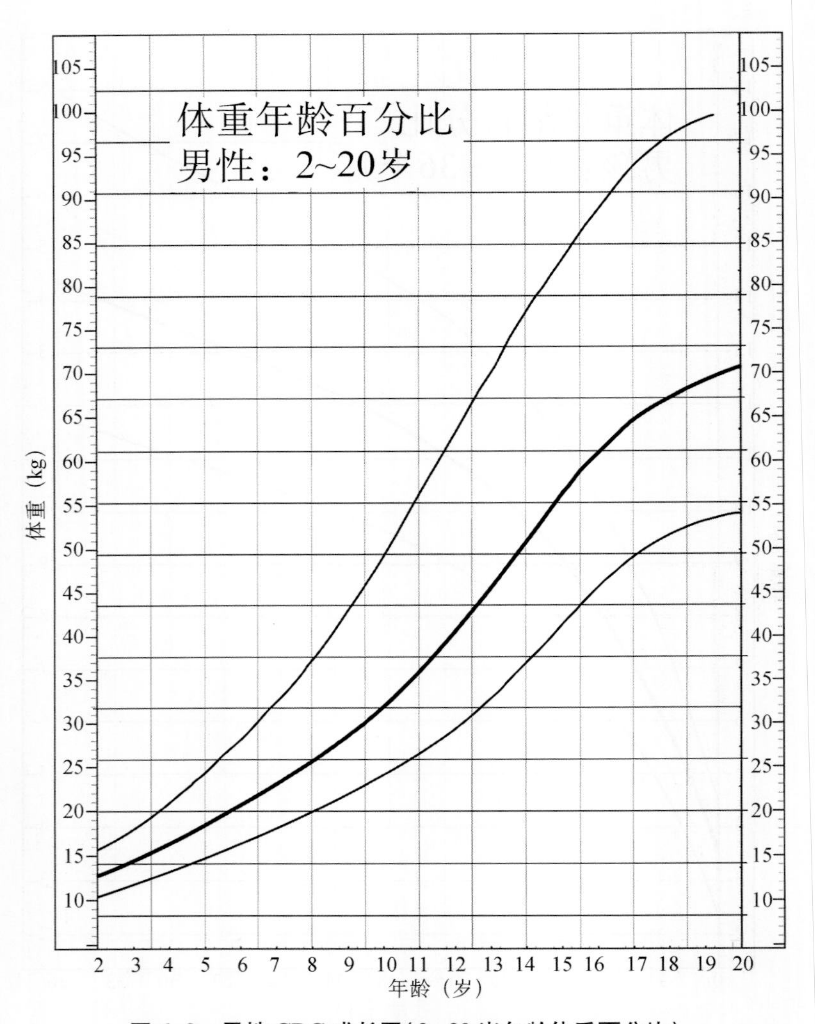

图 6-2　男性 CDC 成长图(2~20 岁年龄体重百分比)

Developed by the National Center for Health Statistics in collaboration with the National Center for Chronic Disease Prevention and Health Promotion (2000).

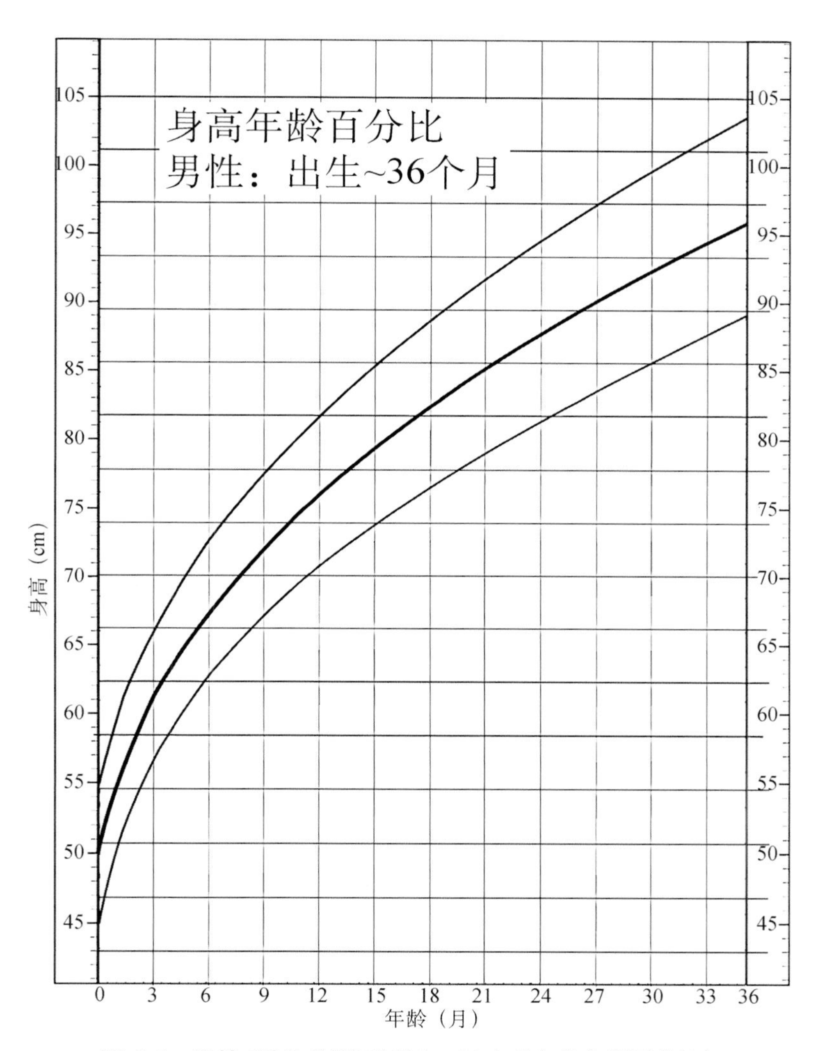

图 6-3　男性 CDC 成长图(出生~36 个月年龄体长百分比)

Developed by the National Center for Health Statistics in collaboration with the National Center for Chronic Disease Prevention and Health Promotion (2000).

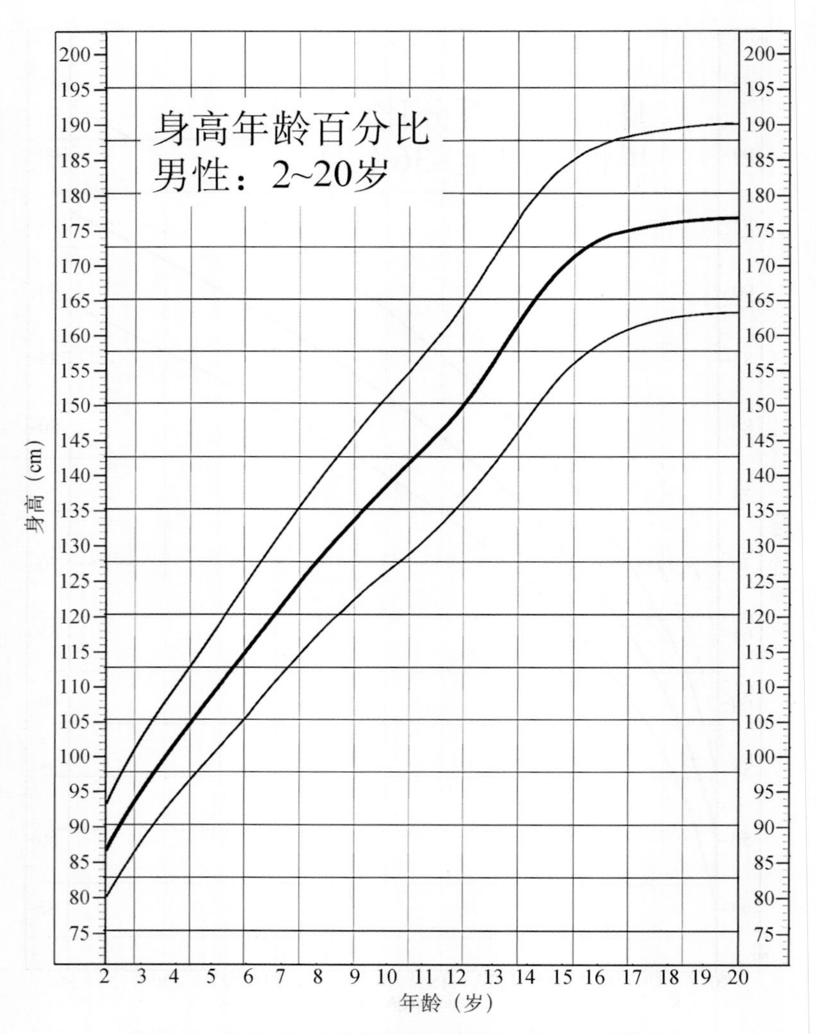

图 6-4 男性 CDC 成长图(2~20 岁年龄身高百分比)

Developed by the National Center for Health Statistics in collaboration with the National Center for Chronic Disease Prevention and Health Promotion (2000).

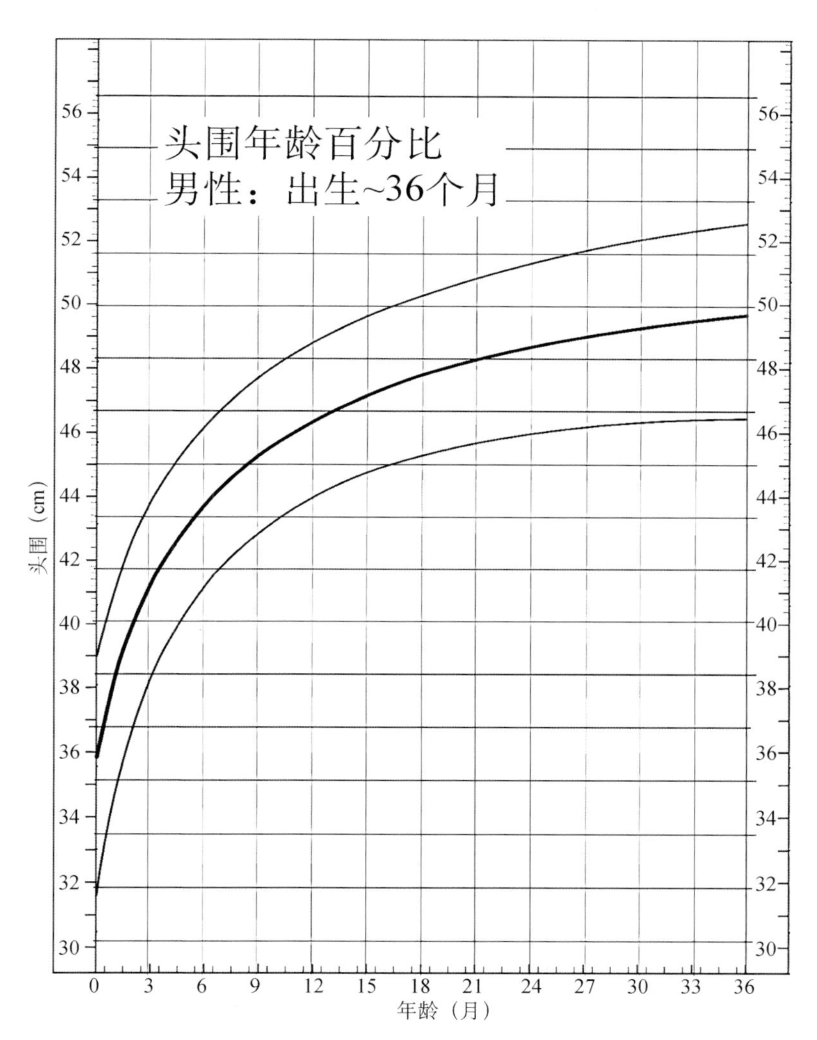

图 6-5　男性 CDC 成长图(出生~36 个月年龄头围百分比)

Developed by the National Center for Health Statistics in collaboration with the National Center for Chronic Disease Prevention and Health Promotion (2000).

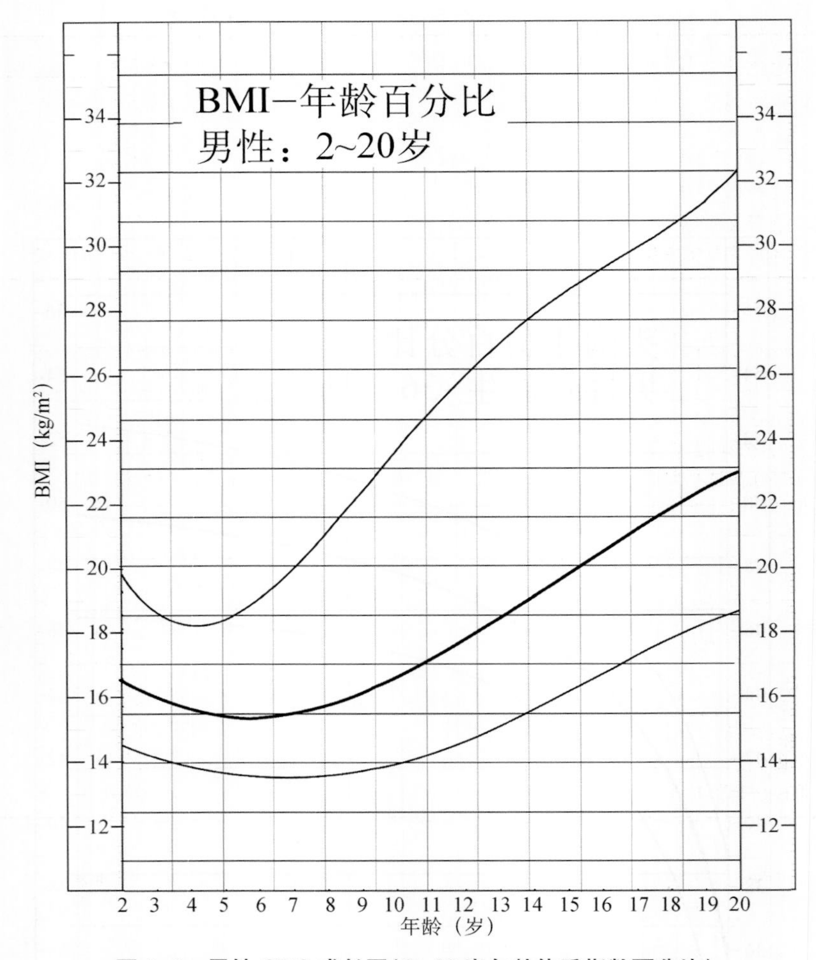

图 6-6 男性 CDC 成长图(2~20 岁年龄体重指数百分比)

Developed by the National Center for Health Statistics in collaboration with the National Center for Chronic Disease Prevention and Health Promotion (2000).

如果儿童的成长和成熟能够以一个相对正常且自然的方式进行,那么发育里程碑(developmental milestones)是公认的一个特定年龄的儿童所预期能够达到的阶段。通过记录儿童的生长发育,判断哪些"里程碑"已经到达,哪些"里程碑"尚未到达,可以对儿童的年龄做出合理可靠的估计。单独使用这些特征性"里程碑"可能会对准确推测儿童的年龄有很大影响,但是将这些表现综合起来并与成长图表结合使用,这些指标在指示儿童的年龄范围方面就会变得相对来说比较可靠。下面详细介绍的"里程碑"是 Rudolph 提取并总结的。

1. 头部控制

在各个体位检查儿童的头部控制,包括俯卧位、腹部悬吊位和坐位。表 6-1~表 6-3 可见新生儿不同体位时头部活动情况及其预期月龄。

表 6-1　预期月龄新生儿俯卧位时头部活动情况

新生儿俯卧位时头部活动情况	预期月龄
头转向一侧	1 个月
可瞬间抬头	1 个月
抬头 45°	2 个月
抬头 90°	3~4 个月
可以前臂支撑身体	3~5 个月
可以伸直手臂支撑身体	5~6 个月

表 6-2　预期月龄新生儿腹部悬吊位时头部活动情况

新生儿腹部悬吊位时头部活动情况	预期月龄
头完全垂下	新生
头暂时保持在身体平面内	1.5 个月
头保持在身体平面内	2 个月
头保持在身体上方的平面中	3 个月

表 6-3　预期月龄新生儿坐位时身体及头部活动情况

新生儿坐位时身体及头部活动情况	预期月龄
身体完全后倾，背部均匀倒圆	新生
身体轻微后倾	3 个月
身体不后倾，背部挺直	5 个月
从仰卧位被拉起时头抬离平面	6 个月
从仰卧位自然抬头	7 个月

2. 翻身

翻身是指儿童在没有任何外部帮助的情况下，从俯卧位向仰卧位转动或从仰卧位向俯卧位转动的能力。在 4~5 个月的年龄时，儿童首先出现从仰卧位到俯卧位的独立滚动，而大约 1 个月后，儿童可进行从俯卧位到仰卧位的独立转动。

3. 坐

儿童开始坐可发生在各个阶段，但是这取决于儿童脊柱次生生理弯曲的发展阶段。众所周知，新生儿的脊柱通常以弯曲和圆形的方式保持。随着孩子的成长，颈椎和腰椎弯曲逐渐发展。这些脊柱生理弯曲的发展才能使得儿童维持直立姿势。表 6-4 可见新生儿坐位时背部和前臂活动情况及其预期月龄。

表 6-4　预期月龄新生儿坐位时背部和前臂活动情况

新生儿坐位时背部和前臂活动情况	预期月龄
背部均匀倒圆，不能无支撑地坐着	新生
背部挺直，可有支撑坐着	5~6 个月
背部挺直，可用双臂向前支撑坐着	6~7 个月
可无支撑坐着	7 个月

4. 粗大运动

粗大运动涉及站立、步行和跑步等活动。这些运动与前面所述的运动一样，出现在特定的年龄，是评估儿童发育阶段的重要指标，因此也可以通过评估儿童的运动情况来对儿童进行年龄评估。由于这些都是大概的运动，它们不需要任何专业知识就可以理解。因此，即使是外行人也可以使用它们来确定儿童的可能年龄，但是年龄范围可以因个体差异而有所不同。表 6-5 可见婴幼儿粗略运动情况及其预期年龄。

表 6-5　预期年龄婴幼儿粗略运动情况

婴幼儿粗略运动情况	预期年龄
可轻微负重	3 个月
可中等负重	6 个月
可自行起身站立	9 个月
可双手扶家具行走	11 个月
可单手扶家具行走	12 个月
可在无扶持的情况下行走	13 个月
可很好地行走	15 个月
可跑	2 岁
可上下楼梯，两步一台阶	2 岁
可上下楼梯，下楼梯时一步一台阶；上楼梯时两步一台阶	3 岁
可上下楼梯，一步一台阶	4 岁
可双脚起跳	2.5 岁
可单脚起跳	4 岁
可蹦蹦跳跳	5~6 岁
可单脚站立平衡 2~3 s	3 岁
可单脚站立平衡 6~10 s	4 岁

5. 精细运动

精细运动涉及儿童双手五指的精细活动。表 6-6 可以婴幼儿精细运动情况及其预期年龄。

表 6-6　预期年龄婴幼儿精细运动情况

婴幼儿精细运动情况	预期年龄
双手握拳	1 个月
双手张开	3 个月
双手可合十	4 个月
双手可自行紧握	5 个月
双手可相互转移物品	6 个月
可尺侧抓握立方体	5~6 个月
可用鱼际肌抓握立方体	6~8 个月
可用手与下肢配合抓握立方体	8~10 个月
可用指尖和拇指末端抓住立方体	10~12 个月
可用示指指向小物体，其余手指并置，可主动伸直手臂释放物体	10 个月
玩蛋糕	9~10 个月
喜欢将物体从盒子放入取出	10~11 个月
可数物体个数	10~13 个月
可将 2 个立方体叠起	13~15 个月

（续表）

婴幼儿精细运动情况	预期年龄
可将 4 个立方体叠起	18 个月
可将 6~7 个立方体叠起	2 岁
可将 10 个立方体叠起	3 岁
善用杯子和勺子	3~4 岁

6. 社交和认知

这一类别下儿童的发育里程碑是儿童的社会行为。表 6-7 可以婴幼儿社会行为及其预期年龄。

表 6-7 预期年龄婴幼儿社会行为

婴幼儿社会行为	预期年龄
社交性微笑	1~2 个月
对着镜子微笑	5 个月
寻找掉落玩具	6 个月
分离焦虑和陌生者意识	6~12 个月
互动游戏如捉迷藏	9~12 个月
可挥手再见	10 个月
可向别人滚球	1 岁
可用杯子勺子自己吃饭	15~18 个月
可开始独立	1.5~2 岁
发散性思维和象征性游戏	1.5~5 岁
平行游戏	1~2 岁
自我打扮,后背纽扣除外	2~3 个月
合作游戏	3~4 岁
可区分幻想和现实	5 岁
可系鞋带	5 岁

7. 言语和语言

言语和语言是儿童成长的重要方面。表 6-8 可见婴幼儿言语和语言情况及其预期年龄。

表 6-8 预期年龄婴幼儿言语和语言情况

婴幼儿言语和语言情况	预期年龄
可咕咕叫	2~4 个月
可发出唇辅音(ba,ma,ga)	5~8 个月
模仿他人的声音	9~12 个月
可发出第一个音(mama,baba)	9~12 个月
可理解一步指令	15 个月
可梦呓(表达性的,难以理解的语言)	15 个月~2 岁
可记住十至五十个词汇	13~18 个月
可记住五十至七十五个词汇	1.5~2 岁

（续表）

婴幼儿言语和语言情况	预期年龄
可说出两个词语组成的短句	1.5~2 岁
可说出三个词语组成的短句	2~3 岁
可记住二百五十个词汇	3 岁
可说出四个词语组成的短句	3~4 岁
可说出四个词语组成的短句	4~5 岁

三、青春期少年年龄推断

Tanner 已详细描述了青春期变化的发展阶段。这些阶段经受了时间的考验，自首次发布以来就没有经受争议或发生重大变化。青春期特征的发展取决于遗传和环境因素，其中遗传学起主要作用。在各种第二性征中，尽管 Tanner 认为阴毛发育是最重要的标准，但有其他研究者发现乳房发育是最重要的特征之一。尽管如此，Tanner 描述的青春期发展阶段已被研究者们广泛接受，作为检查和描述青春期发生的软组织变化的实际手段。本文遵循以 Tanner 的分期系统为标准来描述青春期发育期间的所有变化。对于大多数特征，第 2 阶段是首先开始显示与青春期有关的特征变化的阶段。因此，当使用青春期变化作为年龄估计的指标时，第 2 阶段被认为是青春期的初始出现阶段。

在详细讨论青春期特定改变之前，需要检查青春期发生的变化模式。不是所有变化都发生在同一时间，而是以一个相对的时间序列发生变化。而且这种相对时间序列在男性和女性中是不同的。在男性中，首先发生的变化（或者说青春期的第一变化）是睾丸和阴囊的生长，随后是阴毛和腋毛的生长。青春期的变声会持续一段时间，因此被认为不是可以用于年龄推断的良好标志。在女性中，乳腺芽的出现是青春期发育的第一标志，随后是阴毛和腋毛的生长。虽然有时阴毛的发育可以在乳腺芽出现之时或者之前出现。月经初潮是女性性发育的最后阶段，是一个可被记录的单一事件。身高的发育速度是青春期发生的另一个重要事件。然而，身高的评估需要在一段时间内对人进行连续检查测量，而却对于身高的测量通常是单个时间点记录，因此身高用于年龄推断的作用是有限的。

（一）阴毛发育

1. 男性阴毛发育

在埃及，达到 Tanner 阴毛发育第 2 阶段的男性青少年的平均年龄为 11.86 岁。在美国，达到 Tanner 阴毛发育第 3 阶段的平均年龄为 12.61 岁，范围为 12.34~12.86 岁。在另一项研究中，美国非西班牙裔白种人男孩达到 Tanner 阴毛发育第 2 阶段的中位数年龄为 11.98 岁，非西班牙裔黑种人男性青少年为 11.16 岁；而达到 Tanner 阴毛发育第 2 阶段墨西哥裔美国男性青少年的中位数年龄为 12.30 岁。在一项对青春期男性发育情况的研究中，De Simone 发现阴毛发育的中位数年龄为 11.47 岁，范围为 11.26~11.67 岁。哈萨克斯坦城镇男性青少年和俄罗斯城镇男性青少年达到 Tanner 阴毛发育第 2 阶段的中位年龄分别为 12.48 岁和 11.87 岁，哈萨克斯坦农村男性青少年和俄罗斯农村男性青少年则分别为 13.27 岁和 13.47 岁。在英国，达到 Tanner 阴毛发育第 2 阶段男性青少年的平均年龄为 13.44 岁。

2. 女性阴毛发育

在埃及,达到Tanner阴毛发育第2阶段的女性青少年的平均年龄为10.46岁。在美国,达到Tanner阴毛发育第3阶段的女性青少年的平均年龄为11.57岁,范围为11.30~11.92岁。范围可扩大到不同族裔群体。据Sun报告,美国非西班牙裔白种人女性青少年Tanner阴毛发育第2阶段的中位数年龄为10.57岁;非西班牙裔黑种人女性青少年则为9.43岁;而达到Tanner阴毛发育第2阶段美国墨西哥裔女性青少年的中位数年龄为10.39岁。根据Facchini的研究,哈萨克斯坦城镇女性青少年和俄罗斯城镇女性青少年达到Tanner阴毛发育第2阶段的中位年龄分别为11.60岁和11.45岁,哈萨克斯坦农村女性青少年和俄罗斯农村女性青少年则分别为12.41岁和11.90岁。在伊朗,达到Tanner阴毛发育第2阶段的女性青少年的中位数年龄为10.49岁,范围为8.86~12.17岁。在立陶宛,阴毛发育至Tanner阴毛发育第2阶段的女性青少年平均年龄为11.2岁。在英国,达到Tanner阴毛发育阶段第2阶段的女性青少年的平均年龄为11.69岁。

(二)腋毛发育

在埃及,达到Tanner腋毛发育第2阶段的男性青少年的平均年龄为13.55岁,而达到Tanner腋毛发育第3阶段的男性青少年的平均年龄为15.25岁;女性青少年的相应年龄则分别为11.65岁和14.19岁。在立陶宛,达到Tanner腋毛发育第2阶段的女性青少年的平均年龄为12.7岁。通常认为,在男性中,首先在阴部出现明显的毛发,然后是腋窝,最终在面部开始生长。在男性中,纤细的柔软阴毛在14岁左右开始出现,到15岁时腋毛变得比较明显,在16~18岁在下巴和上唇侧出现胡须。在几年之内,毛发的颜色就会变暗,这些毛发也会变得更加粗糙。大腿内侧和阴囊上的毛发可能会在18岁之后出现。有关腋毛发现的摘要,请参见表6-9。

表6-9　Tanner腋毛发育阶段及发育形态(1962)

发育阶段	腋毛发育形态
第1阶段(A1)	没有腋毛
第2阶段(A2)	腋毛稀少且为浅色
第3阶段(A3)	腋毛较黑且卷曲,与成人相似

(三)生殖器发育

在埃及,达到Tanner生殖器发育第2阶段的男性青少年的平均年龄为10.56岁。在意大利,达到Tanner男性生殖器发育第2阶段的男性青少年的中位数年龄为11.17岁,范围为10.69~11.57岁。哈萨克斯坦城镇男性青少年和俄罗斯城镇男性青少年达到Tanner男性生殖器发育第2阶段的中位年龄分别为9.67岁和9.52岁,相应的农村男性青少年则分别为10.51岁和11.44岁。据Sun报告,美国非西班牙裔白种人男性青少年外部生殖器达到Tanner男性生殖器发育第2阶段的中位数年龄为10.03岁;非西班牙裔黑种人男性青少年为9.20岁;而达到Tanner男性生殖器发育第2阶段的美国墨西哥裔男性青少年的中位数年龄为10.29岁。在英国,达到Tanner男性生殖器发育第2阶段的男性青少年的平均年龄为11.64岁。有关男性生殖器生长发育的发现,请参见表6-10和图6-7。

表 6-10　Tanner 男性生殖器发育阶段及其发育情况(1962)

发育阶段	生殖器发育情况
第 1 阶段(G1)	青春期前;阴部上的绒毛没有前腹壁上的绒毛更发达,即没有阴毛
第 2 阶段(G2)	阴毛为长而浅色的、稀疏的绒毛,直或仅略微卷曲,在女性中主要沿阴唇出现
第 3 阶段(G3)	阴毛更暗,更粗糙和更卷曲,阴毛稀疏地分布在阴部的交界处
第 4 阶段(G4)	阴毛与成年人的形状一样,但其覆盖的面积比大多数成年人小得多,大腿内侧没有阴毛分布
第 5 阶段(G5)	阴毛与成年人的形状和面积一样,在男性和女性中都像成年人一样分布,散布到大腿内侧

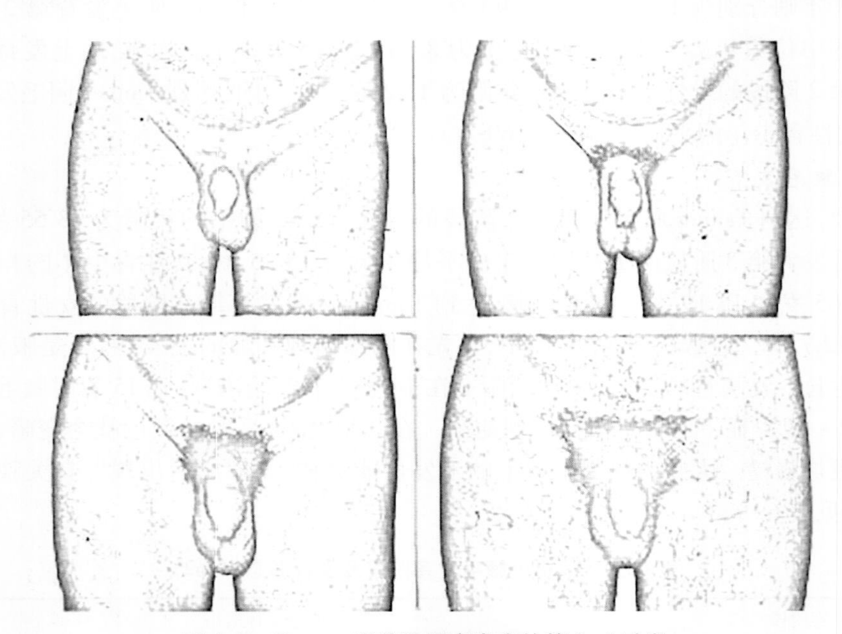

图 6-7　Tanner 阴茎和阴囊发育的第 2~5 阶段

睾丸体积是可以用于确定个体性成熟度的另一个参数。可以使用睾丸测量计或直接使用直尺测量睾丸的长度和宽度并简单记录。此外,目前超声也可用于测量睾丸体积。Rivkees 等已经证明使用睾丸测量计或直接测量获得的睾丸体积的结果既不准确也不可重复。相反,超声测量可以提供更加准确和可重复的结果。因此,对于睾丸的定性评估,建议使用睾丸测量计或直尺直接测量;对于睾丸的定量评估,建议使用超声。其他研究也报告了类似的结果。但是,在一项比较这 3 种方法优劣性的研究中,发现这 3 种方法没有比其他 2 种方法更具有优势。因此,基于直尺测量的简易性、可用性及低成本,建议使用简单标尺作为测量睾丸体积的工具。此外,在一项使用图形方法的研究中,研究者在一张纸上画了体积为 2~25 mL 的 6 个椭圆形,然后将睾丸与绘制的轮廓进行视觉比较。这项研究表明,这种方法与使用的任何先前方法相比,结果没有显著差异。Kuijper 等测量了 6 岁以下男孩的睾丸体积,发现睾丸体积在新生儿头 5 个月内从 0.27 cm^3 增加到 0.44 cm^3,然后在 9 个月大时减小到 0.31 cm^3,然后保持直到 6 岁。Daniel 等研究了美国黑种人和白种人人群睾丸体积的差异,但并未发现任何显著差异。所以他们得出结论:①两个民族之间的睾丸体积没有显著差异。②睾丸体积与生殖器成熟度和阴毛发育之间的关系比与年龄、身高、体重或其他任何检查参数的关系更为密切。③睾丸体积几乎以线性方式从 4.76 cm^3 增加到 30.25 cm^3。然而,该研究的研究者们无法确定任何描述青少年正常睾丸体积的回归方程。这可以是未来众多研究项目之一。Tanner 报道,在任何青春期迹象之前,睾丸体积约为 4 mL,到青春期中期,睾丸体积将增加至约 12 mL。

(四) 首次勃起和射精的年龄

首次勃起和射精的年龄是预示男孩性成熟的两个生理变化。尽管勃起和射精是相关的,但这两个在功能上是不同的过程,涉及的是不同的神经肌肉连接。人们普遍认为,勃起和射精两者同时发生并在青春期左右开始出现。但是,由于青春期是一个跨越数年的过程,而不是一个事件,因此这种观念无法经受科学推理的考验。阴茎勃起最初通常发生在夜间。据报道,有 3.7%的 11 岁的男孩第一次发生阴茎勃起,16%的 16 岁的男孩第一次发生阴茎勃起。有报告表明,青春期男性第一次有意识射精的年龄约为 13 岁,范围为 12.5~15.5 岁。阴茎勃起和遗精是整个青春期男性成熟的常见征象。遗精是在睾丸内产生活精子的阶段。关于这个成熟阶段的时间点,几乎没有信息,但是年龄范围为 13~14 岁。人们可以将男性的遗精等同于女性的初潮。

(五) 乳房发育

在埃及,达到 Tanner 女性乳房发育第 2 阶段的女性青少年的平均年龄为 10.71 岁。在美国,达到 Tanner 女性乳房发育第 2 阶段的女性青少年平均年龄为 10.18 岁,范围为 9.93~10.41 岁。范围可扩大到不同族裔群体。在美国的另一项研究中,据 Sun 报告,美国非西班牙裔白种人女性青少年达到 Tanner 女性乳房发育第 2 阶段的中位数年龄为 10.38 岁;非西班牙裔黑种人女性青少年为 9.48 岁;而达到 Tanner 女性乳房发育第 2 阶段墨西哥裔美国人女性青少年的中位数年龄为 9.80 岁。根据 Facchini 的研究,哈萨克斯坦城镇女性青少年和俄罗斯城镇女性青少年达到 Tanner 女性乳房发育第 2 阶段的中位数年龄分别为 10.54 岁和 10.48 岁,相应的农村女性青少年分别 11.50 岁和 11.53 岁。在伊朗,达到 Tanner 女性乳房发育第 2 阶段的女性青少年的中位数年龄为 9.74 岁,范围为 8.23~11.94 岁。在立陶宛女性青少年中,乳房发育至 Tanner 女性乳房发育第 2 阶段的女性平均年龄为 10.2 岁。在英国,达到 Tanner 女性乳房发育第 2 阶段的女性青少年的平均年龄为 11.15 岁。有关这些发现的摘要,请参见表 6-11 和图 6-8。

表 6-11　Tanner 女性乳房发育阶段及相应发育状态(1962 年)

发育阶段	女性乳房发育状态
第 1 阶段(B1)	青春期前;仅乳头升高
第 2 阶段(B2)	乳芽阶段;乳房和乳头隆起为小丘,乳晕直径增大
第 3 阶段(B3)	乳房和乳晕进一步增大,轮廓不分离
第 4 阶段(B4)	乳晕和乳头突出,形成乳房上方的第二丘
第 5 阶段(B5)	成熟阶段;由于乳晕向乳房的整体轮廓凹陷,仅乳头突出

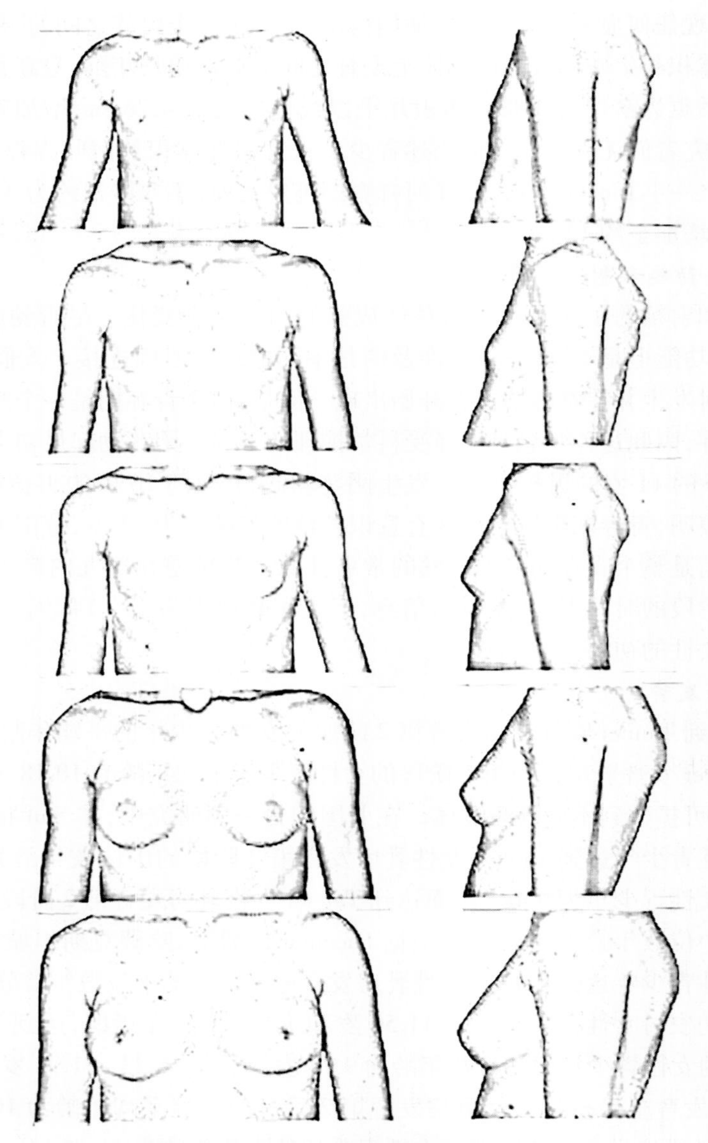

图 6-8　Tanner 女性乳房发育第 1~5 阶段

（六）初潮年龄

月经初潮是女性青春期最后一次的生殖变化。通常认为，它的发生代表着女性青少年的发育已经发展到一个阶段，在此阶段，她在生物学上已足够成熟以至于可以生育孩子了。也就是说，月经初潮清楚地表明了女性的性生殖成熟。有许多因素影响着月经初潮年龄。直接原因是促性腺激素释放激素的分泌频率增加。但是，促性腺激素释放激素的增加也取决于各种因素，包括脂肪分布、女性的营养状况、身高和髂部宽度。月经初潮是一个特别重要的发育特征，使得人口统计学家可以检查包括人口健康状况和长期趋势等特征。女性的月经初潮是一个令人难忘的事件，其准确的回忆在推测个人年龄方面可能非常重要。

在埃及，女性青少年的平均初潮年龄为12.44岁。在美国，女性青少年的平均初潮年龄为12.57岁，范围为12.39~12.77岁。根据Facchini的研究，哈萨克斯坦城镇女性青少年和俄罗斯城镇女性青少年的平均初潮年龄为12.89岁和13.16岁，相应的农村女性青少年分别13.28岁和13.43岁。在伊朗，女性青少年的平均初潮中位数年龄为12.68岁，范围为11.27~15.96岁。在英国，女性青少年的平均初潮年龄为13.47岁。如果要使用初潮年龄作为推断青少年年龄的组成部分的话，对于这一生物学事件的长期记录是至关重要的。

（七）眼睛和面部软组织

眼睛和面部软组织也可以用于年龄估计，这些因素可能不能准确地作为年龄指标，但是它们可以通过和更可靠的方法结合来扩大评估结果，从而改善结果。Schmeling在很大程度上将其受到刑事调查的青少年的年龄相关的生物标志物限制在骨架上，可能会得出有争议的结果。研究人员认为，在年轻人中，生活年龄和生物学年龄之间的任何差异都可以忽略不计。在通过生物标志物估计年龄时，将年龄与各种成分之间的相关性保持在最低限度对确保结果很重要。生物标志物在不同年龄的变化率可能不同，眼睛提供了参考，因为眼睛的某些特性大致呈线性变化，并能够进行非侵入性评估。眼睛有3个属性可以用于评估年龄，即眼泪、角膜和晶状体的荧光及眼球适应性。对于眼泪、角膜和晶状体的荧光的评估可以是完全客观的，而对于眼球适应性的评估则需要被检查者的合作。适应性的测量可以与视轴的收敛性相结合。眼泪和眼球适应性可随年龄增长而增加。尽管对于眼睛的检查必须借助专业设备及检查者的业务水平，但这些测试有助于快速评估，以将其纳入其他年龄估算中。像大多数生物标志物一样，校准研究的差异通常很大，更重要的是，在可行的情况下尽可能广泛地扩展了年龄推断的方法。Stephan对眼部软组织标志物已经进行了一些详细的研究，但可惜的是，其并不是从法医学角度对结果进行相应的分析。在一项针对意大利人的此类研究中，研究者使用电磁数字化仪对531位男性和357位女性的4~73岁健康受试者眼睛和面部软组织界标的三维坐标进行测量。结果表明，在儿童期、青春期和成年期所研究的大多数参数，即眼距宽度、鼻间宽度、眼眶高度、眼裂长度、眼裂倾斜度、眼眶外表面积等，均与年龄有关。在衰老期间，眼眶区域软组织增加，眼眶逐渐下移。该研究收集的数据可作为定量描述正常生长，发育和衰老期间人类眼眶形态的数据库。但是，这些参数会随着年龄的增长而逐渐变化的特点是可变的，不应孤立地用作年龄指标。最近，Mathews发表了一种使用3D面部原型估计年龄并预测生长方式的方法。他们建立了一个框架用于根据3D照片估算年龄以及儿童和青少年的生长方式，样本来自澳大利亚、欧洲或北美种族的422名男性青少年和442名女性青少年。24名男性青少年和26名女性青少年参加了纵向验证研究。他们将合成的生长图像与相同案例的实际纵向图像进行了比较，正确地预测了75%头围长度以及85%面部长度，误差在3 mm之内。所用的方法对于年龄估计的准确性大大优于现有方法（平均绝对误差=1.19年）。他们的方法最适合对学龄期儿童到青春期儿童进行年龄预测。作者还提出将来通过对皮肤颜色建模并考虑其他影响脸部形状的因素（如身体质量指数）来改进工作。

第二节　基于化学方法的年龄预测

一、摘要

死亡年龄估算的化学方法基于老化过程中的化学修饰。老化过程中的化学修饰包括广泛的过程，但是所有这些过程都会导致蛋白质构型发生变化。蛋白质构型发生变化的规律可以作为推断年龄的基础。外消旋化作用将 *L*-天冬氨酸的天然形式转化为镜面形式的 *D*-天冬氨酸；铅积累似乎更依赖环境；胶原交联是指胶原基质的稳定化；牙齿的化学成分与其随时间的变化有关；晚期糖基化终末产物是指还原糖和蛋白质上氨基之间的反应，导致蛋白质褐变，发荧光和交联。在所有这些修饰中，天冬氨酸外消旋化不但是研究最多的一种，而且是最精确、最准确的技术。当前研究者们试图改进该技术，并探索使用具有相同准确度和精确度的其他化学方法的可能性。

二、天冬氨酸外消旋化

由于酶的立体化学特异性，酶仅可以利用 *L*-对映异构体，所以在生命系统中通常会发现 *L*-氨基酸。外消旋化是一个自然过程，它将 *L*-氨基酸转化为其镜面形式 *D*-氨基酸，形成含有 *L*-氨基酸和 *D*-氨基酸的外消旋混合物。该反应发生在任何代谢稳定的蛋白质中，而这种反应在哺乳动物的一生中都不可能逆转。在这种反应的作用下，蛋白质的构象将发生变化，从而导致其生物学活性或化学性质发生变化。这些变化可能与衰老过程相关的变化有关。

尽管所有的氨基酸都会发生外消旋作用，从 *L*-氨基酸转变为 *D*-氨基酸，众所周知，天冬氨酸的外消旋速度相对较快，这一特性使其适合法医研究。1975 年，Helfman 和 Bada 分析了活人牙釉质中的天冬氨酸消旋作用，发现天冬氨酸的消旋化（*D/L*）比率随着年龄的增长而增加，这是第一项证明该技术在法医学上的适用性的研究。他们通过使用气相色谱和氨基酸分析仪分离非对映异构二肽这两种技术证实了他们的研究结果。他们在牙釉质中发现了这种相关性，但由于该蛋白的快速更新，在人类血红蛋白中并未发现这种相关性。自 1975 年研究以来，该技术被法医学家们应用于包含代谢稳定蛋白的各种组织中。例如，蛋白更新率较低的高度迟发性营养不良的组织、牙本质、牙骨质、人晶状体、人巩膜、脑白质、椎间盘、弹性蛋白、骨骼、皮肤、会厌和肋软骨。这些研究发现，天冬氨酸外消旋化作用与年龄之间存在正相关关系。选择进行分析的组织取决于环境。尽管有研究指出，颅骨中的骨钙素似乎是估算年龄的最佳目标，但大多数研究指出，牙本质是成人估算年龄最准确的方法。牙本质方法的标准估计误差为±（1.5~4）年，相关系数为 0.97~0.99 。而且，这在不同的群体中也得到证实，实际上，Helfman 和 Bada 指出牙本质更可靠，因为牙本质的比例比牙釉质更大，并且污染和磨损等变质现象更少。另外，用于处理和分析人牙本质中蛋白质外消旋作用的方法很简单，并且不需要很多时间，气相色谱法是检测对映异构体的首选方法。

但是，这种方法还有一些缺点需要克服。首先是这种方法的使用受限于牙齿的类型，生命最初几年牙本质合成的时间因人而异。另外，当比较同一颗牙齿的唇和舌部时，研究者观察到不同的值。Sakuma 等的最新研究比较了使用全牙和牙本质样品的准确性，发现使用全牙时消旋率更高，但是相关系数较低，标准偏差较高。因此，有研究者建议对中央纵截面的整个牙本质进行分析并进行标准化取样。

使用天冬氨酸外消旋化另一个重要的缺点是必须使用健康正常的牙齿，因为有研究已经证实了龋齿对天冬氨酸外消旋化估算年龄的影响。另外，作为一级化学反应，外消旋作用受温度影响，因此该技术不适合暴露于较高温度下的尸体。在某些“粉红色牙齿”情况下，污染蛋白质也可能影响外消旋作用。

该方法最严重的缺点之一是需要与要评估的样本具有相同类型的几个对照齿。Ohtani 试图使用标准样品及 *D*-天冬氨酸和 *L*-天冬氨酸的人工混合物来解决此问题，这些人工混合物是根据门牙的消旋比制备的。他们证明了这些人工标准对于该方法的适用性是有用的。

尽管存在上述缺点，但与传统的年龄推断方法相比，该方法极为一致。这些准确的估算值有可能用于死亡时间较长的尸体中。

目前，天冬氨酸外消旋化用于法医案件的适用性受到限制，因为只有很少的机构具备进行这些分析的专业知识。目前，在日本的各种刑事案件中，日本的法医学家借助天冬氨酸的外消旋作用鉴定出未知的尸体。在杜塞尔多夫的法医学研究所法医学家也是用这种方法对北莱茵-威斯特法伦州的尸体进行鉴定。

三、铅累积

铅是环境中最重要的污染物之一，其在血液中的浓度反映了人体对于环境的暴露程度。在牙齿中，铅的浓度反映了人体与环境早期接触的积累。牙本质是铅沉积的主要部位，提供了在拔牙之前人体早期暴露的证据。在许多国家，尽管这些研究的年龄范围很窄，但儿童的牙齿已被用作铅污染的指标。在成年人中，这个范围非常大，超过 50 年。如果年龄影响铅的积累，则暴露时间与铅积累之间的关系在各个年龄组之间可能会有所不同。

考虑健康因素，在考虑到年龄和性别的情况下，科学家们已经进行了分析铅含量的研究。这些研究可潜在应用于法医学年龄推断。有些研究者发现，铅水平与年龄有关，但有些科学家并没有发现它们之间的任何相关性。另外，关于儿童的研究也没有达成一致，一些作者发现乳牙中铅的浓度随年龄线性增加，而另一些研究者仅发现一种类型的牙齿中铅的增加与年龄的增长呈负相关，其他研究者则没有发现任何相关性。在成年牙齿中，一些作者发现铅累积量与年龄有关。其他作者分析了儿童和成人的恒牙，发现铅累积与年龄之间呈正相关。分析牙齿中铅累积的首选技术是原子吸收分光光度法。

在这些研究中，只有一项出于法医目的分析了铅累积。作者发现，在非职业暴露的科威特人群中，年龄与牙本质铅水平之间存在显著相关性，男性与女性相比，男性的牙本质铅水平更高。使用回归公式估算的年龄与实际年龄之间的差异为(1.3 + 4.8)年。因为铅累积和年龄的研究稀少，需要进一步研究以确保该技术在法医年龄估计中的适用性。

四、胶原蛋白交联

软骨、骨骼、牙本质和其他骨骼结缔组织的胶原蛋白基质通过胶原蛋白分子之间的共价交联得以稳定。共价交联是通过在赖氨酰氧化酶的蛋白质单体上产生的醛残基的分子间反应形成的。有两种交联途径，一种基于前体赖氨酸醛，另一种基于前体羟基赖氨酸醛。Bailey 和 Shimokomaki 证实在大鼠、牛和人的皮肤、肌腱、关节软骨和骨骼中，随着年龄的增长，可还原的交联减少。同时，他们发现两种未知化合物的含量有所增加。他们证明，醛衍生的交联随着年龄变化而变化，并且在年轻组织中观察到的这些可还原键可能是中间交联。羟赖氨酸醛途径中的主要成熟产物是吡啶啉。Moriguchi 和 Fujimoto 分析了大鼠和人肋软骨和跟腱中的这种途径。他们发现，吡啶啉类化合物的含量会随着年龄的增长而增加，直到生物体达到生理成熟（人类大约 20 岁）。大约在 30 岁后，吡啶啉的含量开始下降，这表明其已转化为其他化合物。后来，在年龄从 1 个月到 80 岁的人类受试者的骨骼和软骨胶原蛋白样品中，测量了可还原的硼氢化物和成熟的羟基吡啶交联氨基酸的浓度，发现从出生到约 25 岁，总体可还原交联的蛋白含量降低。但是，从出生到 25 岁，成熟交联的含量呈上升趋势。此后，两种交联剂的含量趋于平稳，对于可还原化合物而言，下降趋势仍然明显。其他研究者分析了牙本质中的胶原蛋白。Walters 和 Eyre 发现，随着可还原交联蛋白含量的下降，牛和人牙本质中的羟基吡啶残基会随着年龄的增长而增加。但是，在成年的整个生命过程中，牙齿仍然存在大量可还原的交联键。用于分析交联的技术是色谱法和荧光检测。目前仅有一项是以法医学目的而进行的交联研究。Martin-de las Heras 等分析了来自 15~73 岁患者的永久性磨牙中不可还原交联蛋白的另一种成分——脱氧吡啶啉。他们进行了不同程度的牙本质蛋白提取，并通过酶免疫法定量了脱氧吡啶啉水平。尽管他们发现脱氧吡啶啉比率随年龄增长而增加，但这项技术的错误率很高（平均绝对误差为 14.9 年），置信区间为 65%。

五、牙齿的化学成分

随着年龄的增长，牙齿变得更弱，更容易拆裂。随着个体的衰老，非龋齿的透明牙本质从牙根的根部开始形成，有时会延伸到牙冠。牙齿的透明性是由牙本质小管周围的物质（牙周牙本质）矿化和牙本质小管逐渐减少所致。Kosa 等开发扫描电子显微镜研究为了分析与年龄相关的牙本质的精细结构。根据这些研究，尽管不是很明显，但牙本质小管会随着年龄的增长而变薄。与衰老相关的还有牙小管间区域的扩大和牙小管周基质的聚集。所有这些变化都伴随着化学成分的变化。1989 年，Kosa 等通过电子探针显微分析研究了骨骼的组成，发现老年人中钙磷的比例明显降低。在牙本质中，他们发现牙小管周围（高矿物质化）牙本质中钙磷的比例随年龄的增长而降低。而且，磷的重量与年龄更紧密相关，但与钙的含量无关。拉曼光谱法是研究牙齿化学成分的有用工具。Tramini 等使用拉曼光谱法分析牙齿的牙本质部分。在每颗牙齿上定义了 4 个不同的牙质区域：冠状牙本质、牙本质牙骨质交界、根部牙本质和根尖牙本质。最后，确定了拉伸带，生成了多元分析模型。预测因子与年龄之间的偏相关系数主要是一个高值，平均误差为 5 岁。此外，作者发现，男性和女性之间略有差异。尽管有些结果不甚理想，但是模型中的某些预测变量似乎仍随年龄呈非线性发展。拉曼光谱与紫外线共振结合拉曼光谱已被 Ager 等使用来分析年龄引起的皮质骨变化，发现酰胺Ⅰ带发生改变。通过将类似的技术应用在人类牙齿上，他们还发现脱水和脱矿的牙本质中的酰胺Ⅰ带吸收峰高增加，经研究者分析，这是由于拉伸和原纤维内运动导致胶原纤维之间相互作用增加的结果。

六、晚期糖基化终末产物

美拉德反应是还原糖和蛋白质氨基之间的一系列复杂反应，可导致牙齿褐变、荧光和蛋白质交联。美拉德反应的后期形成的晚期糖基化终末产物会在长寿组织蛋白中积累，并可能导致衰老并发症的发展。人体衰老与富含细胞外基质和长寿蛋白的组织变硬有关，如骨骼肌、肌腱、关节、骨骼、心脏、动脉、肺、皮肤和晶状体。乙二醛、甲基乙二醛和脱氧葡萄糖酮属于一系列二羰基化合物，被确定为美拉德反应的中间体。乙二醛和甲基乙二醛与蛋白质中的赖氨酸和精氨酸残基反应以生成特征明确的化合物，如 *N*-(羧烷基)赖氨酸、*N*-(羧甲基)赖氨酸和 *N*-1-(1-羰氧基)乙基赖氨酸、咪唑酮和脱氢咪唑酮。与衰老相关的大多数研究都是出于衰老的目的而开展的。研究者发现了个体一生中永久性和长寿蛋白质中晚期糖基化终末产物的积累，主要集中在牙本质、晶状体、关节软骨和皮肤胶原蛋白中的戊糖、*N*-(羧甲基)赖氨酸和 *N*-1-(1-羰氧基)乙基赖氨酸。Sato 等进行的一项研究描述了使用抗晚期糖基化终末产物抗体来免疫组化，海马锥体神经元中晚期糖基化终末产物随年龄的增加而增加。尽管他们在年轻个体中未发现晚期糖基化终末产物信号，但该信号会随着年龄的增长而增加，在老年人中积累更多。作者建议，在发现火灾死亡病例中使用此技术可能具有法医学意义，因为他们发现这种技术与年龄有关。Pilin 等证明了由于晚期糖基化终末产物的积累，椎间盘、跟腱和肋软骨中与年龄相关的颜色变化。但是，不同组织的颜色变化和相关系数是不同的，在肋软骨中比在椎间盘中更明显，但是在跟腱中的颜色变化可能与年龄几乎没有关系。另外，使用此种方法进行的年龄推断仅在 45 岁以下才是可靠的，在这个范围之外，该方法的准确性较差。在老化的牙齿组织上研究了由老化引起的颜色变化以及利用这种效应进行年龄估计。一些作者证明，牙齿会随着年龄的增长而变黄。Martin-de las Heras 等使用分光光度法测量牙齿颜色变化，并试图将这些变化与年龄相关联。尽管他们发现了相关性，但平均误差为 13.7 年。他们还发现了牙齿颜色的不同受限于验尸间隔。因此，该技术不适用于具有延长验尸间隔的样本。在最近的研究中，Greis 等分析了牙本质中晚期糖基化终末产物在法医年龄估计中的适用性。他们使用高效液相色谱测定戊糖苷的含量，发现年龄与戊糖苷的含量呈高度相关，但是误差为±9.4 岁。此外，不幸的是，在糖尿病患者中晚期糖基化终末产物会发生累积，因此该技术无法应用于糖尿病患者的牙齿。这个研究表明缺乏火灾死亡案例的适用性，尽管他们提出了将该技术与天冬氨酸外消旋化结合使用的可能性。

在这里介绍的化学技术中，天冬氨酸外消旋似乎是确定法医年龄的最佳方法。尽管优选的组织是牙本质，但这个方法仍然可以高精度地用于不同的组织。此外，气相色谱技术可用于法医实验室，尽管目前只有两个实验室将此技术应用于法医案件。天冬氨酸外消旋化可以成功用于推断年龄，但它也不能免除缺点。它不能用于暴露于高温的物体中，因为反应会受到温度的影响。此外，还需要几个对照牙齿。但是，科学家们可以在法医实验室中连续使用人工混合物克服这些缺点。大多数铅累积研究是出于健康目的而进行的，这些研究铅与年龄相关性的结果并不一致。唯一在法医背景下开展的研究发现，年龄与牙本质铅水平之间存在显著相关性。但是，这仅适用于科威特人口，因为由于工业活动和环境条件的不同，铅水平在地理区域之间会发生变化。因此，需要使用特定于人群的参考资料来开发使用该技术估算死亡年龄的公式。尽管对于胶原蛋白进行的研究是为了更好地理解衰老现象而开展的，但是研究者发现在不同的研究和组织中，当年龄增加时，相关的可还原的胶原蛋白交联减少。唯一以法医为重点的研究确实发现了牙本质与年龄的相关性，但是年龄估计的误差很大。此外该技术很费时。使用不同方法的牙齿化学成分变化与年龄之间的关系依旧不太明晰。最新的研究指出，拉曼光谱法或许是一种可选择的技术。但是，它需要深厚的化学知识才能正确地将牙齿成分的结果与年龄联系起来。在与衰老和年龄有关的疾病中，晚期糖基化终末产物被广泛研究。法医学研究表明，在一些组织中，如海马锥体神经元，晚期糖基化终末产物与年龄之间存在相关性。其他研究则基于晚期糖基化终末产物引起的颜色变化。然而，这些研究说明不同组织之间晚期糖基化终末产物与年龄之间的相关性具有差异。在牙本质中发现了基于颜色的晚期糖基化终末产物与年龄之间的相关性，但错误率很高。最近的一项研究分析了牙本质中戊糖苷的含量，发现其与年龄高度相关，尽管估计年龄与实际年龄之间的误差很高。此外，尽管这项研究指出了将这种技术与天冬氨酸消旋化结合使用来进行年龄推断的可能性，但该技术不适用于患有糖尿病或火灾死亡病例的牙齿。

第三节　同位素检测

一、放射性碳定年法基本介绍

1949 年，Libby 等向科学界介绍了放射性碳年代测定法（即放射性定年法），其作为确定含碳遗迹的一种方法。自然界中的放射性^{14}C都是由宇宙射线制作出来的。来自宇宙中的高能中子穿过地球的大气层，与地球大气中的氮原子相撞，氮原子中的一个质子由此脱离，被高能中子取而代之。由此，一种带放射性的碳同位素就此产生，也就是所谓的^{14}C。放射性碳定年法认为，大气中^{14}C同位素被植物通过光合作用吸收，然后沿着食物链上行，进入所有生物的细胞中。因此，活着的植物与动物体内的^{14}C与^{12}C比率与大气层中的相同。但是，^{14}C会衰变为^{14}N，有记录的半衰期为 5 730 年。从一个生物体死去后不再摄入碳原子开始，它细胞中的^{14}C会不断减少。放射性碳定年法通过测量^{12}C和^{14}C的比值，评估了这种下降程度，并且可以在测量误差的范围内对含碳的材料的物质进行绝对年代测定。放射性碳定年法已被科学家们用于对考古学界中成千上万个样品进行年代测定。此外，还有研究团队使用放射性碳定年法鉴别艺术品的真伪。放射性碳定年法也已被证明可用于法医样品的分析。

传统放射性碳分析的结果解释因测量的技术挑战、样品的保存、过去大气中放射性碳的少量波动及食物链的多样性而变得复杂。研究表明，土壤在碳循环中起着重要的作用。海洋生物和陆生动物的测定需要考虑海洋储层效应的独特的放射性碳动态；还有一个相关的淡水库效应需要考虑。通过将放射性碳值与其他绝对定年方法（如橡树和松树样品的树轮年代学研究）进行比较，科学家开发出考虑到过去的放射性碳水平变化的校准技术。放射性碳定年法可以直接应用于人的骨骼和牙齿的样品。

当放射性碳实验室报告结果时，传统上是指 1950 年之前的几年。结果标准化到 1950 年，可以促进结果的可比性以及避免混淆。以 1950 年作为参考日期的另一个原因是，在 1950 年之后核爆炸试验使得全球相对恒定的放射性碳环境水平大大提高。在热核武器问世之前，自然界中的放射性 ^{14}C 的含量保持稳定。核爆炸产生放射性碳的大气水平在 1954~1963 年急剧增加，尔后大气中的放射性碳通过食物链也被纳入所有陆地生物。1963 年《部分核禁试条约》之后，苏联、美国和英国于 1963 年停止了这种测试。法国和中国在 1980 年终止了大气测试。大气中 ^{14}C 的水平因此在 1963 年达到峰值，随后下降了。以 1963 年为界，放射性碳大气水平的上升和下降被称为核弹曲线。科学家们通过使用树木年轮，在高海拔站点处对流层的水平测量及将其食物链的吸收来确定整个现代时期的大气中放射性碳的值。

测量放射性碳有 3 种主要方法。第一种是气体正比技术法。气体正比计数是一种计算给定样品发射的 β 粒子的传统放射性定年技术。β 粒子是放射性碳衰变的产物。在此方法中，碳样品首先转换成二氧化碳气体，然后在气体正比计数器上进行测量。第二种放射性碳定年技术是液体闪烁计数。此方法中，样品被处理为液体形式，并在样品中添加了闪烁体。当闪烁体与一个 β 粒子相互作用时会产生闪光。装有样品的小瓶在两个光电倍增管之间通过，两个设备都记录下闪光时就产生一个计数。从历史上看，放射性碳定年法的发展依赖于加速质谱技术的发展。第三种是加速质谱法，是一种现代化的放射性碳定年法，被认为是衡量样品的放射性碳含量更为有效的方法。该方法不计算 β 粒子，直接测量给定样品中 ^{14}C 和 ^{12}C 的量，并计算 ^{14}C 和 ^{12}C 的相对比例，因此更为精确可靠，是目前最为流行的测量方法。加速质谱分析所需的样本量为 n。需要非火化骨头的量为 2~10 g，火化骨头的量为 4~40 g，一颗牙齿或 20~50 mg 的头发。实验室提供的结果为现代碳百分比。虽然商业和私人实验室均具备进行分析的能力，但是针对实验室结果的解释是法医学家的责任。有关样品制备和分析的详细信息，请参见 Ubelaker 和 Parra 的相关文献。

二、死亡时间推断

如果人体遗骸中的 ^{14}C 水平高于 1950 年环境水平，则可以估计该人在 1955 年之后死亡。放射性碳定年法已被用于评估法医相关性的案例。2001 年，Ubelaker 利用该技术估算了一个人的白骨化遗骸的年龄。提示该人死亡的骨胶原中 ^{14}C 浓度发生在炸弹爆发前（1670~1955 年，概率为 95%）。Ubelaker 和 Houck 于 2002 年再次使用该技术评估了宾夕法尼亚州发现的一个颅骨的年龄。放射性碳分析确定该头骨起源于 20 世纪 50 年代之前，因此不是最近的。Fournier 和 Ross 在 2013 年也使用了该技术来评估了 3 个独立案件的法医相关性，在这些案件中，保存完好的骨骼遗骸几乎没有关于死亡时间的背景信息。放射性碳分析的结果确定了所有案例都来自 20 世纪 50 年代之前，表明它们与法医无关。

当使用放射性碳定年法分析死亡年份时,具有频繁更新率的组织是^{14}C的最佳来源。现在科学家们已经对组织特异性放射性碳值和周转率进行了大量研究。很多研究人员已经记录了人体组织和实验动物的形成和更新(重塑)的广泛差异。Thompson 和 Ballou 发现,在实验大鼠中,肝脏、肺、胃和肠组织中的代谢更新最快,而胶原蛋白的变化最小。周转率的这种变化对使用放射性碳分析评估出生和死亡日期问题提出了挑战。在具有快速周转率的组织中,大气中的^{14}C相对较快地被食物链吸收,因此,大气与组织之间的放射性碳量之间的滞后时间很短。相反,在具有较低周转率或根本没有周转的组织中,滞后时间较长。Broecker 等发现大气放射性碳值与人类血液的放射性碳值之间只有 1 年的滞后时间。Nydal 等证实了血液和头发之间具有良好的一致性。1998 年,Wild 等报告说,与骨骼胶原蛋白值相比,人体脂质和头发的周转速度最快,与大气中的放射性碳含量密切相关。Babraj 等发现,髂骨翼区域的人骨胶原合成与肌肉蛋白中记录的周转率相似。Manolagas 和 Jilka 报告说,每年约有 25%的成骨小梁骨被替换,相反只有 3%皮质骨被置换。Leggett 也呼吁人们注意,与皮质骨相比,小梁骨周转率更快。软组织(如头发、指甲和脂肪)的周转率通常比骨头或牙齿短得多,因此,软组织可以用来准确估算出死亡年份。

在 2009 年,Hodgins 对尸体周围的苍蝇进行分析,以获取与死亡日期接近的大气水平相关的放射性碳值。这种方法认为蝇类幼虫以人体尸体的软组织为食,因此捕获了这些组织的放射性碳值。苍蝇变态后,留下的蛹具有抗腐性,并经常与白骨化的人类遗骸一起被回收。2013 年,Stocking 等研究了 5 个 1973~1986 年的已知死亡日期个体上的蝇蛹,尔后发表了一篇有关蝇蛹的放射性碳分析的研究结果。如前所述,蝇蛹仅以尸体的软组织为食,因此捕获了这些组织的放射性碳值。因为蛹壳的几丁质难以损坏,即使在尸体的软组织分解后依旧可以保存在尸体周围。所以,当尸体的软组织已经分解殆尽时,它们可以间接提供尸体软组织的放射性碳值。在这些来自智利的死亡个体中,蝇蛹的放射性碳值基本上等于尸体死亡当年大气中放射性碳值。

三、出生年龄推断

作为一种非生物标志物,放射性碳的水平已被证明是评估出生年份的绝佳选择。通过放射性碳定年法估算出生年份时,牙齿是进行分析的首选组织。对于法医人类学家和牙齿学家而言,牙齿被视为重要的信息来源,因为它们通常能够在正常分解和人工破坏手段(如火或化学处理)中保存下来。牙釉质形成后缺乏重塑和已知的标准形成率,因此它们可用于估算出生年份。虽然已经证明牙齿形成时间存在人群和个体之间的差异,具体来说就是性别和祖先都会影响牙齿形成的时间以及不同牙齿之间差异的程度。但是,这些差异很小(通常仅在 6~12 个月),因此尚未显示出对核弹曲线的结果产生负面影响。

Spalding 在 2005 年将放射性碳定年法引入法医人类学,利用该技术确定被检者的出生年份。尽管 Ubelaker 曾使用该技术确定死亡时间(如上所述),但 Spalding 率先将这种技术引入了已知的法医相关案例。作者认识到,牙釉质是在有据可查的年龄形成的,并且牙釉质含有 0.4%的碳。该研究比较了 22 人 33 颗牙齿的牙釉质中^{14}C的浓度。^{14}C分析推断出出生年,误差在 1.6 年内,对于估算成人年龄时是一个较好的结果。但是,对于 1943 年之前出生的人以及进行核试验之前的人进行测试,此方法只能确定这些人出生于 1955 年之前,并不能确定具体的年龄。

在另一种解决放射性碳值在核弹曲线的上升或下降部分正确放置的问题的方法中，Cook 等对单颗牙齿的牙釉质和牙本质胶原进行了放射性碳分析，该种方法认为，与釉质相比，胶原蛋白值将呈现更接近死亡日期的大气值。Wang 等之后使用了类似的方法，但是侧重于分析单个牙齿的牙冠、牙颈和牙根。2010 年，Buchholz 和 Spalding 提出了有关此方法的更多详细信息。在他们对牙齿进行放射性碳分析以评估死亡日期的摘要中，Harris 等指出了认真评估牙齿形成时间以及对牙齿的选择对于进行分析的重要性。他们建议，第三磨牙适用于 1943 年以后出生的人。在 2010 年，Alkass 等指出如何利用牙齿来评估出生和死亡日期。他们讨论了如何通过牙釉质的放射性碳分析以及对牙齿形成时间的评估估计出生日期，此外他们还是牙齿的天冬氨酸分析估计死亡年龄和死亡日期。2011 年，Kondo-Nakamura 等还指出了如何使用单颗牙齿的牙冠面和牙颈区域的放射性碳值估算出生日期 。Bhardwaj 研究结果表明，尽管脑内的非神经元细胞会重塑和周转，但人类大脑新皮质中的神经元不是在成年期以可检测的水平生成的，而是在围生期生成的，意味着脑神经元可以保留形成时的放射性碳值，所以对脑神经元的放射性碳分析可以评估一个人的出生日期。

四、个体年龄推断

个体年龄的推断涉及出生时间推断和死亡时间推断两个方面。2006 年，Ubelaker 和 Buchholz 发表的一篇文献综述系统指出了组织形成和重塑如何使核弹曲线数据的解释变得复杂。同样在 2006 年，Ubelaker 等讨论了如何使用来自个体骨骼内不同组织的放射性碳数据来确定放射性碳值是与核弹曲线的初始上升部分还是其 1963 年后的下降部分有关。在这项研究中，报道了来自两个年龄分别为 33 岁和 70 岁的成年人的牙釉质，骨干皮质骨和小梁骨（胸椎体）的值。椎骨小梁骨的重塑速度比皮质骨快，因此在死亡之日其放射性碳值更接近大气值。当然，牙釉质不会重塑，如前所述，因此牙冠形成时的放射性碳值与出生当时大气水平一致。这 3 个组织的值在核弹曲线上的相对位置就可以确定核弹曲线相应部分，因此可以评估死亡年龄。这项研究不仅揭示了死亡年龄的重要性，还揭示了不同组织评估死亡日期的价值。年轻人的放射性碳骨小梁值在死亡日期前 5 年与核弹曲线的最高点相重合。然而，针对死亡日期推断这一科学问题，老年人（患有严重骨质疏松症）的骨小梁值具有更大的滞后时间。2011 年，Ubelaker 和 Parra 对秘鲁已知出生和死亡日期的个体进行了放射性碳分析。按照 Ubelaker 等介绍的程序，对死亡年龄在 16～56 岁的 4 个人的牙釉质、股骨皮质骨和椎骨小梁骨进行了放射性碳分析。考虑到牙齿形成的时间和南半球的核弹曲线值，研究者获取的牙釉质数据与已知的出生日期密切相关。而椎骨小梁骨的放射性碳值比皮质骨的放射性碳值更接近死亡时期的大气放射性碳值。迄今，规模最大的研究是 2009 年由 Hodgins 进行的。Hodgins 评估了来自美国田纳西大学法医人类学中心的 36 名捐赠者的组织，这些捐赠者均死于 2006 年。作者共分析了 9 种组织类型：牙釉质、骨骼磷灰石、骨胶原、骨脂质、皮肤胶原、皮肤脂质、头发、指甲和血液。供体的年龄为 31～93 岁，只有不到一半的样本是在 1960 年以后出生的。在测试的牙齿中发现，15 颗含有与核弹曲线峰值相关的 ^{14}C 水平升高。其中，对出生年份的估计是正确的，对于 1961～1980 年出生的人，误差为 0.4 年;对于 1955~1960 年出生的人,误差为 4.4 年。在核试验的初期,骨骼材料的放射性碳含量变化很大,原因是骨骼的周转速度很慢。该研究发现,骨骼脂质的^{14}C 水平比骨骼胶原蛋白或骨磷灰石更接近现代值,因此如果骨骼材料可用的话,骨骼脂质为死后估计的首选。在分析的软组织中,发现血液、头发和指甲的^{14}C 水平最接近现代大气,滞后时间为 0~3 年,因此其为评估死亡时间的首选组织,由此,一个人的死亡年龄就推断出来了。

五、总结

如果研究者主要目标是对未鉴定遗骸的常规性鉴定,那么应考虑对最能反映出与死亡日期相当大气值的可用组织进行放射性碳分析。在身体所有的组织中,血液、头发和指甲是最优的选择,其次是身体的软组织。如果遗骸已经白骨化,那么将无法获得上述这些可用材料,此时科学家们则应将尸体上残存的蝇蛹视为替代品,因为它们可以捕获软组织的放射性碳值。在没有蝇蛹存在的情况下,诸如椎体等红骨髓区域的小梁骨等身体的硬组织将是最好选择。在已经进行了现代放射性碳分析之后,法医学家对于结果的分析就显得更为重要了。科学家们首先要确定该值位于核弹曲线的早期上升部分还是 1963 年后的下降部分。进行准确的推断需要特定法证案件的背景和一些相关细节。例如,如果正在检查的白骨化遗骸在 1963 年被回收,研究人员可以假定升高的放射性碳值与核弹曲线 1963 年之前的上升部分有关。如果可以确定被检查者在 1963 年后死亡,那么分析同一个人另一个组织重塑速度较差的样本就显得更为重要了。例如,如果来自红色骨髓区域的小梁骨提供了一个初始数据,那么应对理智选择的来自长骨骨干的皮质骨进行第二次分析。在某些法医背景下,法医学问题可能在于确定回收的遗骸是否属于某个特定失踪者或者确定尸体的特定死亡日期。在这些法医学问题中,应该测量出不同组织的放射性碳值。然后,根据这些值形成假设,最后通过特定组织的放射性碳分析验证提出的假设是否成立。对于死亡年龄的研究需要科学家仔细考虑放射性碳采样和分析。但是,如果有问题的遗骸来自胎儿或是婴儿,那么可选择的组织就会大大增加,因为形成时间的变化有限且重塑不会造成很严重的影响。但是在处理这些非常年轻的遗骸时,仍然有必要分析两个代表性的形成时间稍有不同的组织。

如果法医问题是分析个体的出生日期,那么法医学家则应该考虑分析牙釉质,但是对于牙齿的选择是很重要的。第三磨牙是人体最后形成的牙齿,因此,它们最有可能呈现现代放射性碳值。估计出生时间的另一种软组织方法是对人眼晶状体进行放射性碳分析。像牙釉质一样,眼晶状体的蛋白质不会重塑。因此,这些蛋白质的放射性碳值与其形成日期有关。而且这些物质大多数是在出生前后形成的,因此它们反映了生命在那个阶段的放射性碳值。如果在人类遗体中,晶状体依旧存在,那么就可以直接通过对放射性碳分析估算出生时间。

总之,放射性碳分析具有巨大的潜力,可以解决与遗体有关的个人的出生时间和死亡时间有关的问题。这种方法的应用要求人们意识到所涉及的许多问题和程序的复杂性,并要仔细选择要检查的样品。商业放射性碳实验室将提供放射性碳分析的结果,但是,分析解释是法医的责任。这种解释要求彻底了解组织形成和重塑(或缺乏重塑)的动力学及年龄和其他因素的影响。

第四节　骨 密 度 检 测

一、骨密度基本介绍

骨密度是衡量骨质量的一个重要标准，是指单位体积（体积密度）或者是单位面积（面积密度）内骨质矿物盐（主要为钙盐）的含量，单位为 g/cm^3 或 g/cm^2。临床研究表明，骨密度能够在70%的程度上反映骨强度，并且个体骨密度值偏低同时伴有其他危险因素时，会进一步增加发生骨折的风险。骨矿盐获取的速度类似于骨的线性生长，婴儿期增速较快，儿童期增速变缓慢，主要是在青春期获取骨的生长曲线。40%～50%的峰值骨量是在青少年时期获得的，这一时期是获得理想骨骼健康状态的关键时期。青少年时期的骨量堆积不足被认为是个体成年后发生骨折和骨质疏松的高危因素。因此，个体中早期的骨密度值可以作为预测成年后骨骼质量状况的最佳指标之一。测量骨密度有诸多方法：①单光子吸收测定法；②双能 X 线吸收法；③定量 CT；④超声波测定法。双能 X 线骨密度测量技术的临床应用尤其广泛，其测量原理是利用照射集束的 X 线光束在骨组织的吸收率来计算骨密度。因为其射线衰减程度和该部位的骨矿物质含量相关，此方法可用于跟骨和前臂的测定。具有测试时间短，精度高，测量仪器体积小、重量轻的特点。双能 X 线吸收法现在是骨密度测定法中应用最广泛的方法，这是药物试验中评估骨质疏松症治疗干预效果的“金标准”。

二、骨密度推断青少年骨龄

骨龄是儿童与青少年骨骼发育成熟度的一种评价方法，以年（岁）为度量单位来表示骨发育成熟水平。有研究表明，骨龄和生活年龄之间高度正相关，因此骨龄能够准确地说明人的生物学年龄。所以，与身高、体重及身体质量指数等指标相比，骨龄可更加准确地反映个体的生长发育水平。临床上，通过骨龄测定手段可确定儿童的生物学年龄，也可以预测其成年后的身高。骨龄的评价方法较多，主要有计数法、图谱法、评分法，另外还有综合 3 种方法的一些其他评价方法。其中，评分法是目前公认的能够最精确评价骨龄的方法，在世界上 TW 系统作为评分方法的一种得到广泛认可，特别是计算机辅助系统的发展，使得评定骨龄的数据分析更加便捷。我国普遍采用的骨龄分析法主要包括李果珍百分法、CHN 法及 TW-C 骨龄评分法。《中国人手腕骨发育标准-中华 05》骨龄标准为了与国际普遍使用的骨龄评价方法相一致，参考 TW3 方法标准，分别制订了 RUS（桡骨、尺骨、掌指骨）和腕骨的基本骨龄评价方法与标准。同时，标准首次提出中国儿童 RUS 骨龄与腕骨骨龄之间的差值参考标准。为满足运动医学和法医学领域需更精细评价骨龄的需求，根据手腕部骨发育的固有特点，相关人员提出了能够有机连接的 RUS-CHN 法、RUS-CHN 图谱计分法和骺线骨龄法骨龄标准。此类研究成果为后期骨龄指标在我国多领域的广泛应用创造了科学基础。但是，针对骨密度与手腕骨龄是否存在一定关系，目前国内外有关的文献报道较少。1997 年，我国孙洪涛学者第一个将骨密度用于推断年龄，该研究对 255 名 13～18 岁男性青少年前臂上

1/3 点的骨密度进行测量，经统计学分析发现，随着青少年年龄的增长，骨密度逐渐增高，年龄每相差 2 岁，骨密度的差别就具有显著意义。2004 年，Pludowski 等研究发现，双能 X 线吸收法骨密度检测与 X 线检测的骨龄评测结果有很高的一致性，证明了基于双能 X 线吸收法骨密度检测评估骨龄的可行性。次年，Pludowski 进一步评估了基于双能 X 线吸收法的手部扫描的骨龄评估在健康和患病儿童骨骼状况诊断中的实用性。徐海青等在探究骨龄与骨密度关系时发现，6～14 岁儿童手腕部骨龄与骨密度、年龄均呈正相关。同时，得到肥胖儿童的骨龄大于同一性别年龄组的体重正常儿童骨龄的结论。这提示儿童骨骼发育的成熟与肥胖有一定的关联。2012 年，Heppe 通过对荷兰鹿特丹伊拉斯姆斯大学儿科门诊就诊的 98 名儿童进行了双能 X 线和左手 X 线，将通过双能 X 线扫描进行的骨龄评估与通过 X 线进行的骨龄评估进行了比较，发现通过双能 X 线扫描进行骨龄评估的结果与通过 X 线获得的结果相似。认为双能 X 线吸收法似乎是评估儿科医院人群骨龄的另一种方法。2016 年，Hoyer-Kuhn 对 38 名儿童进行测量，比较了双能 X 线扫描和常规的 X 线在儿童脊柱形态测量和骨龄测定中的应用，同样发现使用双能 X 线和 X 线评估骨龄具有极好的一致性（ICC＝0.97），认为可以使用双能 X 线吸收法测量代替传统的 X 线片。一项针对 1 557 例 7～16 岁成都儿童骨密度与骨龄的变化特点进行的研究，说明骨龄与骨密度的积累同步，即骨骼成熟度越高，其骨密度值积累越多。虽然骨龄的研究应用较早，但关于探讨骨龄与骨密度关系研究与探索仍然较少，使用骨密度对骨龄进行推断并没有明确的标准公式可以使用。

三、骨密度推断死亡年龄

第一篇真正将骨密度用于传统法医学的是在 1999 年出版的 *Forensic Taphonomy: The Postmortem Fate of Human Remains* 一书。书中测量了来自通用测试工具（Universal Testting Kids，UTK）骨骼数据库中的 41 例骨骼的肱骨、尺骨、桡骨、股骨、髌骨、胫骨和腓骨的骨密度，并分析了骨密度和骨骼在外界环境中保存时间的关系，希望为之后的研究提供科学标准的骨骼骨密度数据的。之后，在 2005 年，Wheatley 使用骨密度成功对性别和体重做出了推断，性别推断的准确率达到了 92%。

虽然将骨密度用于传统法医学已经有了成功先例，但是将骨密度与年龄相关联，使得骨密度作为成人骨骼遗骸死亡时死亡的预测指标的研究还是比较少。2011 年，Castillo 研究了股骨颈、股骨转子、股骨近端及 Ward's 三角的骨密度，分析了这些测量值与年龄和性别之间的关系。该研究使用双能 X 线吸收法定量测量了 70 名个体（38 名男性和 32 名女性）的相应区域的骨密度。研究表明，这些骨密度测量值和人体参数之间有着显著的相关性。作者同时提出了一个回归方程，通过 Ward's 三角区域的骨密度测量值推测个体的生理年龄，结果相对可靠。紧接着 2013 年，Curate 对 Castillo 提出的方法进行了回顾性研究，验证根据 Ward's 三角区域的骨密度评估死亡年龄的准确率、精度和平均误差。作者选择了葡萄牙的两个骨骼数据集，使用 Castillo 提出的回归方程估算死亡时间，进而与记录的死亡年龄进行比对。两个股骨数据集的准确率（平均绝对误差）分别为 10.5 年和 11.6 年，精度分别为 13.0 年和 14.5 年，平均误差值为 8.4 年和 9.5 年。作者分析该方法倾向于高估年轻个体的年龄同时低估年老个体的年龄。尽管如此，作者仍然认为该方法的性能似乎比其他经过广泛测试的年龄估计技术相当,甚至更好,当在任何给定情况下无法进行更准确的测试时,该方法不失为是一种合适的选择。2018 年,Navega 等报道了一种不同的统计方法,该方法使用从双能 X 线扫描获得的骨密度值来估算死亡年龄;该样本包括来自葡萄牙科英布拉鉴定骨骼收藏中心的 100 名成年女性股骨。股骨近端的骨密度值通过改进的人工神经网络方法用于预测死亡年龄,由此产生了称为双能 X 线年龄测定(DXAGE)的在线 Web 应用程序。据报道,已知年龄与估计年龄之间的平均差异为 9.2~13.5 岁。同样,2018 年,Paschall 和 Ross 使用来自 32 个颅骨碎片及 41 个成年颅骨和相应个体的股骨对现代北美人群进行了双能 X 线扫描,并使用 t 检验、局部加权回归(Loess 回归)和方差分析(ANOVA 分析)数据。结果表明,个体年龄和颅骨骨密度之间无显著相关性,但个体年龄与股骨颈骨密度存在着显著相关性。作者还推导了根据股骨颈骨密度估算年龄的回归方程,但其均方根标准误为 13 年。2019 年,Botha 对骨密度进行了一项研究,以使用骨密度来推断南非人群年龄的可用性,以及评估股骨近端骨密度值的人群间差异和性别差异。作者获取 123 名黑种人和白种人的股骨的双能 X 线片,采用独立 t 检验和相关/回归分析来进行数据分析。线性分析表明,骨密度值和南非白种人的年龄之间存在着很大的相关性,但是骨密度值和南非黑种人之间年龄之间却没有相关性。相应的标准误差为 13~17 年。

将骨密度测定用于法医学有许多优势,可以满足法医学中某些所谓的缺陷。第一,它利用了广泛的临床文献。第二,它提供了对个人进行纵向分析的可能性。第三,它提供了所谓的"骨骼几何"定量分析。例如,尽管它仅可以解释一定比例的机械性能变化,如弹性模量或抗压强度,但是骨密度被认为是骨小梁强度的唯一最佳预测指标。第四,可以将其与更传统的卡尺测量(在计算机图像上)结合使用。第五,它提供了通常很难从骨骼数据库中获取的变量数据,如体重。第六,它为现代化或建立尸体数据库或活体骨骼数据库提供了机会,而不仅仅是使用传统的骨骼数据库。

第五节 超声检测

一、超声波基本介绍

声波(sound wave)是声音的传播形式,属于一种机械波,人耳能听到的声波的频率一般在 20~20 000 Hz。超声波(ultrasonic)属于高频率波,声波频率大于 20 000 Hz,超过人耳听觉感受范围。超声波的方向性好、反射能力强、易于获得较集中的声能、在水中传播距离远,可用于测距、测速、清洗、焊接、碎石、杀菌消毒等。在医学、军事、工业、农业上有很多的应用。在医学上,超声波的应用称为超声波检查。医学超声波检查的工作原理与声呐有一定的相似性,即将超声波发射到人体内,当它在体内遇到界面时会发生反射及折射,并且在人体组织中可能被吸收而衰减。人体各种组织的形态与结构是不相同的,因此其反射与折射以及吸收超声波的程度也就不同,医生们通过仪器所反映出的波形、曲线和影像特征再结合解剖学知识、正常与病理的改变,便可诊断所检查的器官是否正常。

二、超声检测推断骨龄

20 世纪 90 年代，Castriota 通过利用超声来测量儿童股骨头关节软骨的厚度，显示股骨头关节软骨厚度与骨龄、生活年龄有很强的相关性，提出在评估少年儿童骨骼发育方面超声测量是一种很有意义的方法。随着技术的发展，通过测量穿过手腕的超声声速来计算骨龄的超声骨龄测量仪也已经推出。例如，以色列一家公司发明的 Sunlight BonAge TM 超声波骨龄仪。超声检测技术的基本原理是利用某种待测的非声量（如密度、浓度、强度、弹性、硬度、黏度、温度、流量、液面、厚度、缺陷等）与某些描述媒质声学特性的超声量（如声速、衰减、声阻抗等）之间存在直接或间接关系，通过超声量的技术测量出那些待测的非声量，以探索超声量与非声量的关系和规律性。超声骨龄技术属于定量超声检测方法，定量骨龄检测的超声频率约在 750 kHz，主要检测骺软骨生长板内的矿物质含量（骨密度），还能检测骨内微细结构的变化，如声速、距离、厚度、压力和波形等指标参数，最主要的功能单位有声速值。声速值是声波在介质中单位时间内传播的距离，声速值的大小与距离呈正相关，即距离越长，声速值越大。研究发现，在同一个介质（骺软骨生长板）中，声速是固定稳定的，但超声波在介质中传播时，随着传播距离增加而由强变弱，产生声衰减；在同一介质（骺软骨生长板）中，超声能量的吸收主要与超声频率和传播距离有关。超声仪器利用超声波在不同介质（桡骨远端骺软骨）中传导速度不同的特点，超声换能器从骺软骨的一侧向另一侧发射超声波，根据接收到的超声波通过骺软骨组织和其他软组织的衰减幅度，分别测算出声速值和超声振幅衰减及距离。因此，不同的组织其声速值大小不同的。Sunlight BonAge TM 超声波骨龄仪内置探头的传感器通过连续发射超声波至桡、尺骨远端骺软骨生长板来测量沿不同路径传播的时间，从而判定超声波在桡、尺骨远端的传导速度。当超声波通过骨骼媒质传播时，信号的速度、散射与衰减会受到骨骼的密度、弹性与连接紧密性等因素的影响。骨密度越高，骨骼的弹性模量越大，骨骼微观结构连接紧密性越好，则信号传播速度越快，声速值也就越大。所以，目前许多研究者与研究文献都认为，声速值是最适合测量骨骼强度的技术，因为骨骼的综合特性——微观结构、弹性、皮质厚度、骨密度都会影响到测量结果，产生与之相关联的声速值。

此后，以色列、土耳其、德国、日本、美国等国学者开展了一些超声骨龄的临床医学研究。2005 年，德国的 Mentzel 等对 65 位自愿受试者进行了 Sunlight BonAge。TM 仪器检测，结果表明，使用超声检测推测骨龄与使用 G-P 图谱骨骼评定法推断骨龄的 Pearson 相关系数为 0.82，说明两种方法具有很高相似性。同时，超声骨龄和真实生理年龄的误差与 G-P 图谱法与生理年龄的误差几乎相等，为 1.4 年。此外，使用整个左手推断年龄的误差为（1.0±0.8）岁，使用远端耻骨推断年龄的误差为（0.8±0.7）岁。该研究说明了超声波能够对骨龄进行准确评估。2003 年，土耳其 Bilgili 等使用超声检查评估骨龄与传统的 G-P 图谱骨骼评定法进行比较研究，在 97 名受试者中，71.1%男性患者两种方法检测的骨龄值相同，有 84.4%患者的差值在 6 个月之内；65.5%的女性患者两种方法检测的骨龄相同，有88.5%患者的差值在 6 个月之内。这说明该方法与骨龄高度相关，可以作为骨龄推断的一种替代性方法。2005 年，日本的 Shimura 使用 Sunlight BonAge TM 超声波骨龄仪测量了骨龄，并报道了与射线照片的比较结果。受试者为 37 名儿童，在门诊检查期间使用 Sunlight BonAge TM 超声波骨龄仪对骨龄进行了测量。此外，一位经验丰富的医师使用日本标准 TW2-RUS 法通过左手拍摄的 X 线片推测骨龄。结果表明，Sunlight BonAge TM 超声波骨龄仪和 TW2-RUS 法的结果的估计值相关性很好（$R=0.89$），也就是说，通过 Sunlight BonAge TM 超声波骨龄仪和 RUS 法获得的数据之间具有良好的相关性。基于 Sunlight BonAge TM 超声波骨龄仪可用于评估 5~15 岁儿童的骨龄。最新的一项研究使用超声检测骨龄技术评估基于定量超声技术与基于 X 线方法的可重复性与一致性，该研究使用定量超声设备对 150 名儿童的手腕进行超声扫描和 X 线扫描，结果该定量超声技术显示出高重复性，声速值的相对标准偏差为 0.73%，距离衰减因子 ATN 的相对标准偏差为 3.5%。所有方法转换方程（包括性别、声速值和 ATN）的 R 为 0.80（$P<0.001$）。若骨龄评估无明显误差则说明通过该技术进行骨龄评估与通过 X 线进行骨龄评估是具有可比性的。

但是，也有研究者对超声检测骨龄的可靠性产生了怀疑，2009 年，美国科学家 Khan 开展了一项研究来评估通过超声检查推测骨龄的可靠性。研究者对 100 个儿童进行了腕关节超声检查，让两名放射科医生使用美国的 G-P 图谱法及 TW3 法推断骨龄，并将其和使用超声推断的骨龄进行了比较。结果显示，使用 G-P 法推断出的骨龄数据中有着最强的相关性（$R=0.967$）；而超声骨龄结果与其真实年龄进行比较时，相关性很差（R 为 0.746~0.826）。将骨龄相关性分为正常、延迟或增强时，射线和超声骨龄方法之间的相关性最高的是正常组（R 为 0.809~0.861），而延迟组的相关性（R 为 0.771~0.871）和增强组相关性较弱（R 为 0.622~0.811）。美国倾向于过度重视延缓发育的儿童，而忽视发育过快的儿童。所以作者认为，超声骨龄方法尚不能被认为是 X 线骨龄推断的有效替代方法。

2004 年，沈勋章等分别采用 X 线片和超声骨龄仪检不到的方法对上海 1 751 名小学生进行中国模式的 2 次研究。课题研究小组获得了大量研究结果。研究发现，超声骨龄评定方法与中国人骨发育标准评价方法具有很高的相关性，但其也存在精确性与重复性欠缺的不足，需要对仪器和方法等进行进一步完善。同时结果表明，CHN 法骨龄值与最大声速值呈现高度相关，相关系数男、女生分别为 0.89、0.88（$P<0.01$）。以 CHN 骨龄为因变量，以最大声速值、距离为自变量，建立二元同归方程评价模型的相关系数，男、女生分别为 0.85、0.80（$P<0.01$）；男、女生回归方程的精度分别为 1.46 岁和 1.61 岁。这些结果表明，以超声骨龄仪测试过程中产生的最大声速值作为技术平台建立 Chinese BonAge TM 模型存在可能性。孙晓顺等 2012 年选取 106 例荆州市 3~13 岁儿童为研究对象，在同 1 天内用 X 线骨龄片、超声骨龄 2 种方法测定（2 种方法各检测 2 次），比较 2 种方法评估骨龄及其可靠性有无差异。骨龄片、超声 2 种方法评估骨龄的不确定度有统计学差异（$P<0.05$），2 种方法评估骨龄在总体上无统计学差异（$P>0.05$）。结果表明，超声骨龄测定克服了传统人工骨龄读片的人为误差，提高了骨龄评估结果的可靠性，提高了骨龄评估速度，同时安全性更高，值得临床推广。

总之，超声骨龄方法的明显优势是超声波设备可以自行判读，判读过程中客观性高，受人为的主观性影响较小，同时缺少电离辐射和并且设备价格不高，易于获取。因此，这种基于超声检查的技术可能是评估骨龄的常规方法的一种可能替代方法。但是，由于其技术较新，准确性和精确性还需要进一步深入研究。

主要参考文献

刘洁,2013.重庆市 2017 名中小学学生生长发育水平及营养状况的调查研究[D].重庆：第三军医大学.

沈勋章,蔡广,徐成喜,等,2008.儿童青少年超声骨龄最大声速值与 X 线骨龄的相关性[J].中国学校卫生,29(10)：882-883.

孙晓顺,罗伟,云鹏,2013.两种骨龄评估方法的比较性研究[J].长江大学学报(自然科学版),10(6)：39-40.

徐海青,周爱琴,刘兴莲,2008.骨龄与骨密度关系的初步探讨[J].中国妇幼保健,23(8)：1091-1093.

周志见,2019.对成都市 1557 例 7~16 岁儿童青少年骨密度与骨龄的变化特点分析[D].成都：成都体育学院.

Ager J W, Nalla R K, Balooch G, et al., 2006. On the increasing fragility of human teeth with age: a deep-UV resonance Raman study[J]. J Bone Miner Res, 21(12): 1879-1887.

Ager J W, Nalla R K, Breeden K L, et al., 2005. Deep-ultraviolet Raman spectroscopy study of the effect of aging on human cortical bone[J]. J Biomed Opt, 10(3): 034012.

Alkass K, Buchholz B A, Ohtani S, et al., 2010. Age estimation in forensic sciences: application of combined aspartic acid racemization and radiocarbon analysis[J]. Molecular Cellular Proteomics, 9(5): 1022-1030.

Al-Qattan S I, Elfawal M A, 2010. Significance of teeth lead accumulation in age estimation[J]. J Forensic Leg Med, 17(6): 325-328.

Babraj J A, Smith K, Cuthbertson D J R, et al., 2005. Human bone collagen synthesis is a rapid, nutritionally modulated process[J]. Journal of Bone and Mineral Research, 20(6): 930-937.

Baynes, 2001. The role of AGEs in aging: causation or correlation[J]. Exp Gerontol, 36(9): 1527-1537.

Bhardwaj R D, Curtis M A, Spalding K L, et al., 2006. Neocortical neurogenesis in humans is restricted to development[J]. Proceedings of the National Academy of Sciences, 103(33): 12564.

Bilgili Y, Hizel S, Kara S A, et al., 2003. Accuracy of skeletal age assessment in children from birth to 6 years of age with the ultrasonographic version of the greulich-pyle atlas[J]. Journal of Ultrasound in Medicine, 22(7): 683-690.

Bordom J H, Billot L, Gueguen R, et al., 2008. New growth charts for Libyan preschool children. East Mediterr Health J, 14(6): 1400-1414.

Botha D, Lynnerup N, Steyn M, 2019. Age estimation using bone mineral density in South Africans[J]. Forensic Science International, 297: 307-314.

Buchholz B A, Spalding K L, 2010. Year of birth determination using radiocarbon dating of dental enamel[J]. Surface and Interface Analysis, 42(5): 398-401.

Castillo R F, López Ruiz M D, 2011. Assessment of age and sex by means of DXA bone densitometry: application in forensic anthropology[J]. Forensic Science International, 209(1): 53-58.

Cook, Dunbar, Black, et al., 2006. A preliminary assessment of age at death determination using the nuclear weapons testing 14C activity of dentine and enamel[J]. Radiocarbon, 2006, 48(3): 305-313.

Curate F, Albuquerque A, Cunha E M, 2013. Age at death estimation using bone densitometry: testing the Fernάndez Castillo and López Ruiz method in two documented skeletal samples from Portugal[J]. Forensic Science International, 226(1): 296. e1-296. e6.

De Simone M, Danubio M E, Amicone E, et al., 2004. Age of onset of pubertal characteristics in boys aged 6-14 years of the Province of L'Aquila (Abruzzo, Italy)[J]. Annals of Human Biology, 31(4): 488-493.

Diamond David A, Paltiel Harriet J, Di Z, et al., 2000. Comparative assessment of pediatric testicular volume: orchidometer versus ultrasound[J]. Journal of Urology, 164(3 Part 2): 1111-1114.

Dobberstein R C, Tung S M, Ritz-Timme S, 2010. Aspartic acid racemisation in purified elastin from arteries as basis for age estimation[J]. Int J Legal Med, 124(4): 269-275.

Facchini F, Fiori G, Bedogni G, et al., 2008. Puberty in modernizing Kazakhstan: a comparison of rural and urban children[J]. Annals of Human Biology, 35(1): 50-64.

Fournier N A, Ross A H, 2013. Radiocarbon dating: implications for establishing a forensic Context[J]. Forensic Science Policy & Management, 2013, 4(3-4): 96-104.

Ghaly I, Hussein F H, Abdelghaffir S, et al., 2008. Optimal age of sexual maturation in Egyptian children[J]. East Mediterr Health J, 14(6): 1391-1399.

Goodsite M P D, Rom W, Heinemeier J, et al., 2001. High-resolution AMS 14C dating of post-bomb peat archives of atmospheric pollutants[J]. Radiocarbon, 43(2): 495-515.

Goslar T, van Der Knaap W, Hicks S, et al., 2005. Radiocarbon dating of modern peat profiles: pre- and post-bomb 14C variations in the construction of age-depth models[J]. Radiocarbon, 47(1): 115-134.

Griffin R C, Moody H, Penkman K E H, et al., 2008. The application of amino acid racemization in the acid soluble fraction of enamel to the estimation of the age of human teeth[J]. Forensic Sci Int, 175(1): 11-16.

Harris E, Mincer H, Anderson K, et al., 2010. Forensic dentistry[M]. Press Boca Raton: CRC, 263-291.

Heppe D H M, Taal H R, Ernst G D S, et al., 2012. Bone age assessment by dual-energy X-ray absorptiometry in children: an alternative for X-ray? [J]. The British Journal of Radiology, 85(1010): 114-120.

Hoffman W H, Barbeau P, Litaker M S, et al., 2005. Tanner staging of secondary sexual characteristics and body composition, blood pressure, and insulin in black Girls[J]. Obesity Research, 13(12): 2195-2201.

Karabiber H, Durmaz Y, Yakinci C, et al., 2001. Head circumference measurement of urban children aged between 6 and 12 in Malatya, Turkey[J]. Brain and Development, 23(8): 801-804.

Khan K M, Miller B S, Hoggard E, et al., 2009. Application of ultrasound for bone age estimation in clinical practice[J]. The Journal of Pediatrics, 154(2): 243-247.

Kim J Y, Oh I H, Lee E Y, et al., 2008. Anthropometric changes in children and adolescents from 1965 to 2005 in Korea[J]. American Journal of Physical Anthropology, 136(2): 230-236.

Klumb K, Matzenauer C, Reckert A, et al., 2016. Age estimation based on aspartic acid racemization in human sclera[J]. Int J Legal Med, 130(1): 207-211.

Kondo-Nakamura M, Fukui K, Matsu'Ura S, et al., 2011. Single tooth tells us the date of birth[J]. International Journal of Legal Medicine, 125(6): 873-877.

Kuijper E A M, Van Kooten J, Verbeke J I M L, et al., 2008. Ultrasonographically measured testicular volumes in 0-to 6-year-old boys[J]. Human Reproduction, 23(4): 792-796.

Kósa F, Farkas I, Wittman G, 1989. Microprobe study of bones in the determination of individual age[J]. Morphol Igazsagugyi Orv Sz, 29(3): 227-232.

Leggett R W, 2004. A biokinetic model for carbon dioide and bicarbonate[J]. Radiation Protection Dosimetry, 108(3): 203-213.

Levin L, Hesshaimer V, 2000. Radiocarbon-a unique tracer of global carbon cycle dynamics[J]. Radiocarbon, 42(1): 69-80.

Lynnerup N, Kjeldsen H, Heegaard S, et al., 2008. Radiocarbon dating of the human eye lens crystallines reveal proteins without carbon turnover throughout life[J]. PLoS One, 3(1): e1529.

Matthews H, Penington A, Clement J, et al., 2018. Estimating age and synthesising growth in children and adolescents using 3D facial prototypes[J]. Forensic Science International, 286: 61-69.

Matzenauer C, Reckert A, Ritz-Timme S, 2014. Estimation of age at death based on aspartic acid racemization in elastic cartilage of the epiglottis[J]. Int J Legal Med, 128(6): 995-1000.

Mentzel H J, Vilser C, Eulenstein M, et al., 2005. Assessment of skeletal age at the wrist in children with a new ultrasound device[J]. Pediatric Radiology, 35(4): 429-433.

Miura J, Nishikawa K, Kubo M, et al., 2014. Accumulation of advanced glycation end-products in human dentine [J]. Arch Oral Biol, 59(2): 119-124.

Monnier V M, Mustata G T, Biemel K L, et al., 2005. Cross-linking of the extracellular matrix by the maillard reaction in aging and diabetes: an update on "a puzzle nearing resolution"[J]. Ann N Y Acad Sci, 1043(1): 533-544.

Navega D, Coelho J D, Cunha E, et al., 2018. DXAGE: a new method for age at death estimation based on femoral bone mineral density and artificial neural networks[J]. Journal of Forensic Sciences, 63(2): 497-503.

Ohtani S, Abe, Yamamoto I, Amamoto T, 2005. An application of D- and L-aspartic acid mixtures as standard specimens for the chronological age estimation[J]. Journal of forensic sciences, 50(6): 1298-302.

Ohtani S, Matsushima Y, Kobayashi Y, et al., 2002. Age estimation by measuring the racemization of aspartic acid from total amino acid content of several types of bone and rib cartilage: a preliminary account[J]. J Forensic Sci, 47(1): 32-36.

Ohtani S, Yamamoto T, 2010. Age estimation by amino acid racemization in human teeth[J]. J Forensic Sci, 55 (6): 1630-1633.

Olivieri F, Semproli S, Pettener D, et al., 2008. Growth and malnutrition of rural Zimbabwean children (6-17 years of age)[J]. American Journal of Physical Anthropology, 136(2): 214-222.

Paschall A, Ross A H, 2018. Biological sex variation in bone mineral density in the cranium and femur[J]. Science & Justice, 58(4): 287-291.

Płudowski P, Lebiedowski M, Lorenc R S, 2004. Evaluation of the possibility to assess bone age on the basis of DXA derived hand scans—preliminary results[J]. Osteoporosis International, 15(4): 317-322.

Płudowski P, Lebiedowski M, Lorenc R S, 2005. Evaluation of practical use of bone age assessments based on DXA-derived hand scans in diagnosis of skeletal status in healthy and diseased children[J]. Journal of Clinical Densitometry, 8(1): 48-56.

Rachmiel M, Naugolni L, Mazor-Aronovitch K, et al., 2017. Bone age assessments by quantitative ultrasound (SonicBone) and hand X-ray based methods are comparable[J]. The Israel Medical Association journal, 19 (9): 533-538.

Razzaghy-Azar M, Moghimi A, Sadigh N, et al., 2006. Age of puberty in Iranian girls living in Tehran[J]. Annals of Human Biology, 33(5-6): 628-633.

Ritz-Timme S, Cattaneo C, Collins M J, et al., 2000. Age estimation: the state of the art in relation to the specific demands of forensic practise[J]. Int J Legal Med, 113(3): 129-136.

Ritz-Timme S, Rochholz G, Schütz H W, et al., 2000. Quality assurance in age estimation based on aspartic acid racemisation[J]. International Journal of Legal Medicine, 114(1): 83-86.

Rosenfield R L, Lipton R B, Drum M, 2009. Thelarche, pubarche, and menarche attainment in children with normal and elevated body mass index[J]. Pediatrics, 123(1): 84-88.

Sakamoto H, Saito K, Oohta M, et al., 2007. Testicular volume measurement: comparison of ultrasonography, orchidometry, and water displacement[J]. Urology, 69(1): 152-157.

Sakuma A, Ohtani S, Saitoh H, et al., 2012. Comparative analysis of aspartic acid racemization methods using whole-tooth and dentin samples[J]. Forensic Sci Int, 223(1-3): 198-201.

Sakuma A, Saitoh H, Ishii N, et al., 2015. The effects of racemization rate for age estimation of pink teeth[J]. J Forensic Sci, 60(2): 450-452.

Sato Y, Kondo T, Ohshima T, 2001. Estimation of age of human cadavers by immunohistochemical assessment of advanced glycation end products in the hippocampus[J]. Histopathology, 38(3): 217-220.

Schlesinger W, Andrews J, 2000. Soil respiration and the global carbon cycle [J]. Biogeochemistry, 48 (1): 7-20.

Schmeling A, Olze A, Reisinger W, et al., 2001. Age estimation of living people undergoing criminal proceedings [J]. The Lancet, 358(9276): 89-90.

Sforza C, Grandi G, Catti F, et al., 2009. Age- and sex-related changes in the soft tissues of the orbital region [J]. Forensic Science International, 185(1): 115. e1-115. e8.

Sirin N, Matzenauer C, Reckert A, et al., 2018. Age estimation based on aspartic acid racemization in dentine: what about caries-affected teeth? [J]. Int J Legal Med, 132(2): 623-628.

Spalding K L, Buchholz B A, Bergman L E, et al., 2005. Age written in teeth by nuclear tests[J]. Nature, 437 (7057): 333-334.

Stephan C N, 2002. Position of superciliare in relation to the lateral iris: testing a suggested facial approximation guideline[J]. Forensic Science International, 130(1): 29-33.

Sun S S, Schubert C M, Chumlea W C, et al., 2002. National estimates of the timing of sexual maturation and racial differences among US children[J]. Pediatrics, 110(5): 911-919.

Taylor R E, 2000. Fifty years of radiocarbon dating[J]. American Scientist, 88(1): 60-67.

Tiplamaz S, Gören M Z, Yurtsever N T, 2018. Estimation of chronological age from postmortem tissues based on amino acid racemization[J]. J Forensic Sci, 63(5): 1533-1538.

Tramini P, Bonnet B, Sabatier R, et al., 2001. A method of age estimation using Raman microspectrometry imaging of the human dentin[J]. Forensic Sci Int, 118(1): 1-9.

Ubelaker D H, 2001. Artificial radiocarbon as an indicator of recent origin of organic remains in forensic cases[J]. Journal of Forensic Sciences, 46(6): 1285-1287.

Ubelaker D H, Buchholz B A, 2005. Complexities in the use of bomb-curve radiocarbon to determine time since death of human skeletal remains[J]. Forensic Science ommunications, 8(10): 118-126.

Ubelaker D H, Buchholz B A, Stewart J E B, 2006. Analysis of artificial radiocarbon in different skeletal and dental tissue types to evaluate date of death[J]. Journal of Forensic Sciences, 51(3): 484-488.

Ubelaker D H, Parra R C, 2011. Radiocarbon analysis of dental enamel and bone to evaluate date of birth and death: perspective from the southern hemisphere[J]. Forensic Science International, 208(1-3): 103-107.

van Den Berg S M, Setiawan A, Bartels M, et al., 2006. Individual differences in puberty onset in girls: bayesian estimation of heritabilities and genetic correlations[J]. Behavior Genetics, 36(2): 261-270.

Wang N, Shen C D, Ding P, et al., 2010. Improved application of bomb carbon in teeth for forensic investigation [J]. Radiocarbon, 52(2): 706-716.

Weale R, 2001. Age, eyes, and crime[J]. The Lancet, 358(9293): 1644-1645.

Wheatley B P, 2005. An evaluation of sex and body weight determination from the proximal femur using DXA technology and its potential for forensic anthropology[J]. Forensic Science International, 147(2): 141-145.

Woodbury R M, 2005. Statures and weights of children under six years of age[J]. American Journal of Physical Anthropology, 5(1): 5-16.

Yekkala R, Meers C, van Schepdael A, et al., 2006. Racemization of aspartic acid from human dentin in the estimation of chronological age[J]. Forensic Sci Int, 159(suppl 1): S89-S94.

Žukauskaitė S, Lašienė D, Lašas L, et al., 2005. Onset of breast and pubic hair development in 1231 preadolescent Lithuanian schoolgirls[J]. Archives of Disease in Childhood, 90(9): 932-936.

第七章

法医临床学(含法医人类学)鉴定标准化研究

在刑事、民事案件的审判及行政事项的处理中,年龄是一个重要的决定因素。刑事案件中,“责任”年龄决定了不同年龄青少年犯罪者受到的惩罚不同。在婚姻、投票权、驾照发放等行政事项中,年龄是一个必须考虑的要素。民事诉讼中,年龄也同样影响到案件审判。法医学活体年龄鉴定为刑事、民事案件的审判及行政事项的处理提供科学依据。

法医学活体年龄鉴定方法主要包括骨龄推断和牙龄推断。国际上,骨龄推断属于法医人类学的研究范畴,多用于人体遗骸的检测和分析,推断死亡年龄;牙龄推断同时用于活体年龄和死亡年龄推断。在我国,法医学活体年龄鉴定则属于法医临床学的鉴定门类。2016年,新修订的《司法鉴定程序通则》第二十三条规定,司法鉴定人进行鉴定,应当按照国家标准、行业标准和技术规范、该领域多数专家认可的技术方法的顺序遵守和采用标准。本章基于标准化的视角,从法医临床学鉴定标准化入手,探讨法医学活体年龄鉴定标准化技术发展、进程并展望未来发展方向。

第一节　法医临床学鉴定标准化

我国的法医临床学以服务于法律和司法为宗旨、以临床医学理论技术为手段,为诉讼活动提供活体损伤的相关鉴定证据。经过四十多年的发展,法医临床学鉴定案件委托量逐年攀升,在司法鉴定中占据重要地位。据统计,目前司法行政部门注册登记的20个司法鉴定类别中,法医临床类鉴定案件量占同期案件总数的55.3%,年案件量逾100万件。鉴定委托事项包含损伤程度鉴定、伤残等级鉴定、骨龄鉴定、听觉功能鉴定、视觉功能鉴定、男性性功能评定、嗅觉功能评定、前庭平衡功能评定、三期评定、医疗损害鉴定、后续诊疗评定等十多项鉴定项目,覆盖活体损伤检查的绝大部分领域。

一、法医临床学标准化发展历程

我国法医临床学鉴定首个标准是司鉴院于1984年启动研制的《人体重伤鉴定标准》,该标准于1990年3月29日由司法部、最高人民法院、最高人民检察院、公安部联合颁布实施。同年,《人体轻伤鉴定标准(试行)》发布。1992 年,公安部归口管理的刑事技术标准化技术委员会(刑标委:GA179)成立,负责刑事技术领域的标准制修订任务。1996 年,全国刑事技术标准委员会发布《人体轻微伤的鉴定》行业标准。2010 年开始,司法部组织业内具有技术优势和行业影响力的机构和专家,先后研制、颁布了 138 项司法鉴定行业标准和技术规范,并在行业内推广使用,其中包含了多个法医临床学鉴定的技术规范。2019 年 10 月 1 日,由司鉴院和公安部物证鉴定中心联合起草的公共安全行业标准《法庭科学　汉族青少年骨龄鉴定技术规程》(GA/T 1583—2019)发布实施,这是我国第一部法医学骨龄鉴定标准。目前,现有法医临床学鉴定的标准和技术规范 20 余项,包括五部委文件、国家标准、行业标准和地方标准等,构建了法医临床学鉴定标准的基本框架。

2020 年 5 月,为严格监管、规范执业,司法部发布了《法医类司法鉴定执业分类规定》(司规 2020[3]号),执业分类将法医临床鉴定分为人体损伤程度鉴定、人体残疾等级鉴定、赔偿相关鉴定、人体功能评定、性侵犯与性别鉴定等 9 个分领域(鉴定项目)。对照执业分类中确定的鉴定项目,现有标准基本能满足鉴定实践需求,但在诈伤诈病鉴定领域尚有标准空白,亟需开展研究和标准制修订工作。法医临床学规范性技术文件详见表 7-1。

表 7-1　法医临床学规范性技术文件目录

专业领域	分领域及项目	子项目	在用标准
法医临床	0201 人体损伤程度鉴定		1. 两院三部发布自 2014 年 1 月 1 日起施行《人体损伤程度鉴定标准》 2. SF/T 0111—2021《法医临床检验规范》 3. SF/T 0112—2021《法医临床影像学检验实施规范》 4. SF/Z JD0103005—2014《周围神经损伤鉴定实施规范》 5. SF/T 0096—2021《肢体运动功能评定》
	0202 人体残疾等级鉴定		1. 两院三部发布自 2017 年 1 月 1 日起施行《人体损伤致残程度分级》 2. GB/T 16180—2014《劳动能力鉴定 职工工伤与职业病致残等级》 3. JR/T 0083—2013《人身保险伤残评定标准及代码》 4. SF/T 0111—2021《法医临床检验规范》 5. SF/T 0112—2021《法医临床影像学检验实施规范》 6. SF/Z JD0103005—2014《周围神经损伤鉴定实施规范》 7. GA/T 1661—2019《法医学 关节活动度检验规范》 8. SF/Z JD0103007—2014《外伤性癫痫鉴定实施规范》 9. SF/T 0096—2021《肢体运动功能评定》
	0203 赔偿相关鉴定		1. GB/T 31147—2014《人身损害护理依赖程度评定》 2. GA/T 1088—2013《道路交通事故受伤人员治疗终结时间》 3. GA/T 1193—2014《人身损害误工期、护理期、营养期评定规范》 4. SF/Z JD0103008—2015《人身损害后续诊疗项目评定指南》 5. DB31/T 875—2015《人身损害受伤人员休息期、营养期、护理期评定准则》(上海市地方标准)
	0204 人体功能评定	020401 视觉功能	1. GA/T 1582—2019《法庭科学　视觉功能障碍鉴定技术规范》 2. SF/Z JD0103004—2016《视觉功能障碍法医学鉴定规范》 3. SF/Z JD0103010—2018《法医临床学视觉电生理检查规范》
		020402 听觉功能	1. GA/T 914—2010《听力障碍的法医学评定》 2. SF/Z JD0103001—2010《听力障碍法医学鉴定规范》
		020403 男性性功能与生育功能	1. GB/T 37237—2018《男性性功能障碍法医学鉴定》 2. GA/T 1188—2014《男性性功能障碍法医学鉴定》 3. SF/Z JD0103002—2010《男子性功能障碍法医学鉴定规范》 4. SF/Z JD0103011——2018《男性生育功能障碍法医学鉴定》

（续表）

专业领域	分领域及项目	子项目	在用标准
法医临床	0204 人体功能评定	020404 嗅觉功能	SF/Z JD0103012——2018《嗅觉障碍的法医学评定》
		020405 前庭平衡功能	SF/Z JD0103009—2018《人体前庭、平衡功能检查评定规范》
	0205 性侵犯与性别鉴定		GA/T 1194—2014《性侵害案件法医临床检查指南》
	0206 诈伤、诈病、造作伤鉴定		
	0207 医疗损害鉴定		SF/T 0097—2021《医疗损害司法鉴定指南》
	0208 骨龄鉴定		GA/T 1583—2019《法庭科学　汉族青少年骨龄鉴定技术规程》
	0209 与人体损伤相关的其他法医临床鉴定		SF/T 0095—2021《人身损害与疾病因果关系判定指南》

二、法医临床学标准化实践运用

（一）法医临床鉴定标准化工作实践

法医临床鉴定中需要依赖统一的技术标准，法医临床学鉴定标准大致可分为以下几类：

1. 判断类标准

实践中运用最为广泛的是两院三部联合发布实施的《人体损伤程度鉴定标准》《人体损伤致残程度分级》和《法庭科学　汉族青少年骨龄鉴定技术规程》（GA/T 1583—2019）等国家、行业标准和技术规范。以《人体损伤致残程度分级》为例，采用的是十等级分法，其中十级残疾最低，一级残疾最高，每个等级的伤残率相差10%，残疾等级条款的确定是专家公议的结果。

2. 技术评定类标准

多集中于人体功能障碍的评定技术，包括听觉功能、视觉功能、男性性功能、前庭平衡功能、肢体功能、嗅觉功能等。

3. 诊疗类标准

诊疗类标准包括后续诊疗评定、三期评定、护理依赖程度评定等。其中，功能评定标准和诊疗标准均围绕判断标准，研究和解决涉及法律的人体损伤等医学问题。

在既往法医临床的标准化工作实践中，由于缺乏顶层设计，标准化对象的合理性存在较大的问题。以我国法医临床鉴定的残疾评定标准为例，《人身损害误工期、护理期、营养期评定规范》（GA/T 1193—2014）、《人体损伤致残程度分级》和《人身保险伤残评定标准及代码》（JR/T 0083—2013）均在一定程度上存在“同伤不同残”“同伤不同价”的情形，标准缺乏必要的循证医学数据支撑，条款间残疾等级不平衡、矛盾突出，部分条款内容为专家赋值结果，科学性和协调性存在争议；此外，标准分类尚未与国际疾病分类（International Classification of Diseases，ICD）等国际标准实现有效对接和接轨。因此，近年来在法医临床鉴定标准化工作的一个发展趋势是注重对于国际标准的吸收和转化并强调标准体系的构建。

4. 国际标准的吸收和转化

法医临床学鉴定具有典型的中国特色，国外法庭科学领域标准化组织（美国材料与实验协会等）没有发布类似标准，也无相关标准可以直接借鉴和转化采用。WHO有残疾分类的相关标准，因此《人体损伤程度鉴定标准》、《残疾人残疾分类和分级》、《人身损害误工期、护理期、营养期评定规范》（GA/T 1193—2014）等标准吸纳了大量WHO关于ICO、国际功能、残疾和健康分类（International Classification of Functioning、Disability and Healh，ICF）对于残疾分类的理念和思维，使得标准的制定和编写接近国际潮流。

我国的残疾评定标准大量引入了美国医学会（American Medical Association，AMA）《永久性残损评定指南》（*Guides to the Evaluation of Permanent Impairment*，GEPI）的相关内容，尤其是肢体功能评定的方法，因此使得标准先进而实用。这些内容体现在《人体损伤程度鉴定标准》、《听力障碍的法医学评定》（GA/T 914—2010）、《视觉功能障碍法医鉴定指南》（SF/Z JD0103004—2011）、《男性性功能障碍法医学鉴定》（GB/T 37237—2018）、《性侵害案件法医临床学检查指南》（GA/T 1194—2014）、《周围神经损伤鉴定实施规范》（SF/Z JD0103005—2014）等标准和技术规范中。

当前的法医临床学鉴定的规范性文件在制定时也收纳了多年来法医学鉴定实践经验，如鉴定时机的处理原则、伤病关系的处理等，这些原则基本与WHO发布的ICD-10中关于死因的分析原则在理念上一脉相承。《人身损害误工期、护理期、营养期评定规范》（GA/T 1193—2014）、《道路交通事故受伤人员救治项目评定规范》（GA/T 769—2008）将ICD-10编码引入标准中，做到了与国际标准基本对接。

5. 标准体系表的构建

标准体系表的研制是“十三五”期间司法鉴定标准化工作的重点。编制法医临床鉴定专业标准体系表是为了满足法医临床鉴定实践需求，以保障鉴定规范和结果可靠为目标，研究法医临床鉴定过程涉及的全部技术、管理要素，将所需标准进行科学合理地分类、组合，构建层次清晰、结构合理、协调有序、符合科学原则和国际规则的专业标准体系，为研制法医临床鉴定标准和标准化建设提供依据和指导。体系表在层次上划分为基础标准、技术标准和管理标准3个层面，为具有内在联系的标准所组成的科学有机整体。

（1）基础标准：是专业普遍使用及制定其他标准的基础，具有的广泛的指导意义。主要包括法医临床专业标准体系，法医临床专业的名词及术语、缩写及代码标准。

（2）技术标准：是专业标准体系的主体内容。按照科学合理、简明适用的原则，将专业技术标准分为法医临床通用鉴定标准，包括《人体损伤程度鉴定标准》、《人体损伤致残程度分级》、《医疗损害司法鉴定指南》（SF/T 0097—2021）、《人身损害误工期、护理期、营养期评定规范》（GA/T 1193—2014）、《人身损害护理依赖程度评定》（GB/T 31147—2014）等，以及《法庭科学　汉族青少年骨龄鉴定技术规程》（GA/T 1583—2019）、人体功能评定标准、法医临床检验规范、《法医临床影像学检验实施规范》（SF/T 0112—2021）、法医临床致伤方式推断方法、法医临床损伤形成时间推断方法以及人体检测技术标准。其中，除法医临床检验规范及法医临床损伤形成时间推断方法外，其他类别的法医临床专业技术标准又根据各自的鉴定内容和鉴定项目细化为相应子标准。另外，对于司法鉴定以外的标准，在鉴定实践中也时有需求，如《人身保险伤残评定标准》、《劳动能力鉴定职工工伤和职业病致残等级》（GB/T 16180—2014）也纳入体系表内。各技术标准纳入体系表主要是基于以下考量：

1）人体功能评价：一直是法医临床鉴定的重点、难点问题之一，需要通过定性、定量结果综合分析判断，如听觉功能评定、周围神经功能评定、视觉功能评定、平衡功能评定、男性性功能评定、人体嗅觉功能评定已经形成行业规范或者标准。人体肢体功能评定及排尿排便功能评定、语音功能、吞咽功能、消化吸收功能、呼吸功能及心功能的评价等尚待研制，有望形成完整、科学的人体功能评价标准体系。而且，此部分标准随着科学技术和司法鉴定实践的发展应进一步强化和扩充。

2）法医学活体年龄鉴定：在诉讼中具有重要的证据价值。实践中，评定技术主要包括骨龄及牙龄的推断。尤其是骨龄的推断，已经被业内认为是当前推断我国青少年生活年龄的重要依据之一。

3）法医临床影像学检验：是目前法医学检验的常规辅助技术手段，目前法医临床鉴定的每一个鉴定项目中几乎都有涉及。

4）法医临床致伤方式推断方法：是基于颅脑、肢体骨骼、脊柱及胸廓、内脏等不同部位损伤的特性，形成一套相对科学、客观的致伤方式推断体系，适用于委托鉴定中案情不明的分析要求。鉴于当前我国尚缺少关于人体各类损伤后致伤方式推断的标准，在鉴定中尚存在一定的风险，这也是法医临床专业标准体系表涵盖此类标准研究的目的所在。

5）人体检测技术标准：主要从肢体长度测量、足弓测量、五官面积测量、关节活动度测量以及人体体表瘢痕面积测量、人体体表超声测量和检查等方法入手，形成一套准确、客观的人体检测技术标准。

（3）管理标准：为在行业通用要求下具有法医临床鉴定专业特点的管理规范。专业管理标准依据影响鉴定质量的人、机、料、法、环及结果报告等要素制订。主要包括：

1）法医临床实验室建设规范：根据法医临床不同专业的实验室规定，构建实验室的区域设置、设施配置和规范管理要求等内容。

2）法医临床信息化管理规范：随着大数据、人工智能等信息科学技术日新月异地发展，今后法医临床的鉴定程序、体格检查、法医阅片、鉴定报告生成及鉴定资源共享等内容，将逐步走向信息化监管过程。

3）法医临床仪器设备管理规范：规定法医临床鉴定专业的仪器设备基本配置要求、检定、校准及期间核查要求等。

4）法医临床鉴定资料管理规范：规定法医临床鉴定检验材料的种类、数量及接收、标识、传递、保存、处置等管理要求。

5）法医临床服务规范：规定法医临床鉴定人的基本用语、基本举止等外在服务要素，同时对于鉴定能力也将做必要的限制。

6）法医临床质量控制规范：规定内外部质量控制的方法、频次及日常质量控制措施等。

7）法医临床文书规范管理规范：规定法医临床鉴定文书的要素、形式及鉴定结果的表述模式。

8）法医临床环境与安全管理规范。

在制定法医临床鉴定专业标准体系表时，研制团队充分考虑到现行有效的鉴定标准、规范和指南等，同时结合法医临床鉴定实际需求，对部分管理标准、基础标准、技术标准进行了必要的扩充，以使法医临床鉴定专业标准体系表架构合理、信息全面、内容翔实。2018 年 5 月 8 日，《法医临床鉴定专业标准体系框架图》获得国家版权局的版权登记证书（登记号：国作登字—2018-K-00579653），见图 7-1。

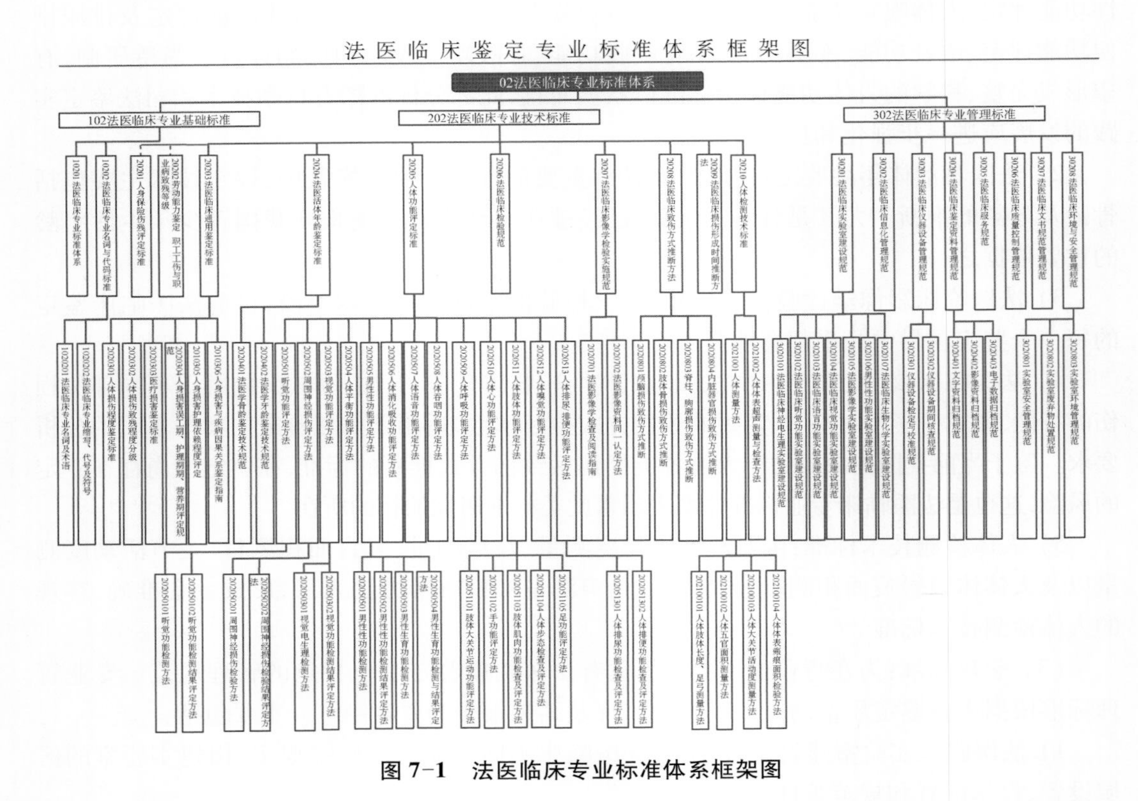

图 7-1　法医临床专业标准体系框架图

标准体系的研制工作并非一蹴而就，现有的标准体系表也只反映现阶段或者未来一定时期内的标准实践。随着科技进步、研究拓展和实践运行，持续修正、完善专业标准体系是标准化工作永恒的任务。

三、法医临床学标准实施评价

完整的标准化生命周期包括标准的研究、制订、发布、实施、复审和评价。通过对标准的实施进行跟踪、信息收集、统计和反馈并建立标准实施信息分析是形成标准化闭环管理、维持标准新陈代谢、保持标准生命力的重要措施。

司法鉴定领域标准的实施评价可以通过认可活动来反映，“标准”是认证认可活动依据的准则，也是认可活动中考察鉴定机构的重要参照。为确保鉴定活动中方法的可比性和一致性，按照既定的方法操作不会产生其他结果，现场评审、监督评审、内部审核等一系列活动中均需要观察并评价鉴定机构是否能准确选择并正确实施标准。

（一）认可中心数据分析

据统计，截至 2020 年 12 月 31 日现行有效、通过认可的法医临床学鉴定机构共有 182

家（其中55家机构同时通过国家级资质认定），其中公安系统34家、检察系统24家、司法系统122家、其他2家。按照司法鉴定认可领域分类（CNAS-AL13：2015），目前法医临床鉴定认可领域涵盖损伤程度鉴定、伤残程度鉴定、听觉功能鉴定、视觉功能鉴定和男性性功能鉴定5个方面，在5个鉴定项目中开展认可活动的法医临床鉴定机构数量见图7-2。

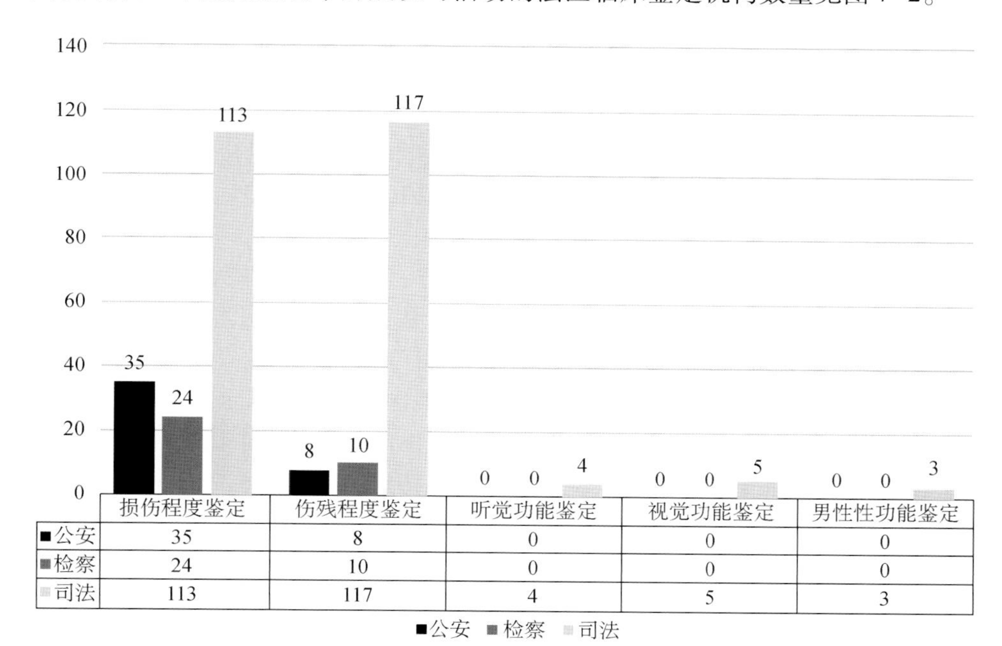

	损伤程度鉴定	伤残程度鉴定	听觉功能鉴定	视觉功能鉴定	男性性功能鉴定
■公安	35	8	0	0	0
■检察	24	10	0	0	0
司法	113	117	4	5	3

图7-2 通过认可的法医临床机构数

司鉴院对5类法医临床鉴定项目中常用的鉴定标准进行统计分析，在公安、检察和司法行政系统鉴定机构中使用情况见图7-3。

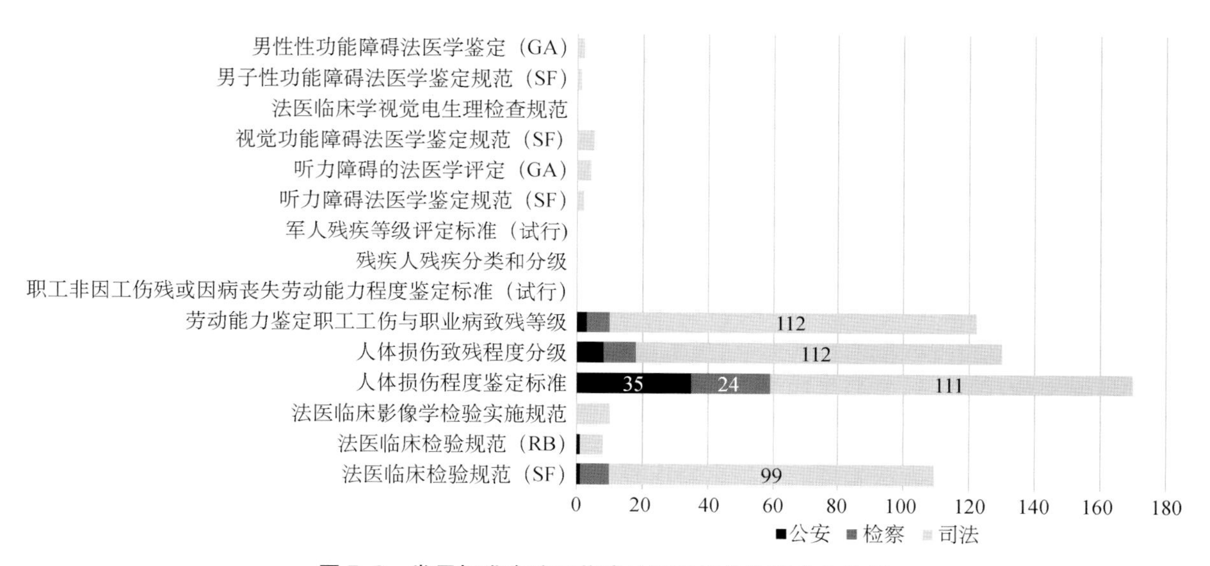

图7-3 常用标准在法医临床认可机构的使用分布数量

（二）法医临床学标准实施评价

综合上述法医临床学机构认可数据，可以发现法医临床实验室认可的覆盖率有限，各省市发展并不平衡。全国目前开展法医临床鉴定业务的司法鉴定机构超 1 974 家，但通过认可的机构仅有 182 家，不足 10%。这与目前司法鉴定行业的“严格管理”“严格监管”不相匹配，与司法鉴定追求公平正义的价值目标不相适应。

2018 年 8 月 22 日，司法部、国家市场监督管理总局联合发布《司法部　市场监管总局关于规范和推进司法鉴定认证认可工作的通知》（司发通〔2018〕89 号文）。通知要求：

（1）“已经司法行政机关审核登记的司法鉴定机构，业务范围包括法医物证、法医毒物、微量物证，其设立单位相应的检测实验室应当于 2019 年 12 月 31 日前通过资质认定或者实验室认可”。

（2）“法人或者其他组织申请从事司法鉴定业务，或者已经审核登记的司法鉴定机构申请增加鉴定业务范围，所申请的鉴定业务范围包括法医物证、法医毒物、微量物证其相应的检测实验室应当首先通过资质认定或者实验室认可”。

目前，有些省份开展省级资质认定、有些省份开展国家级资质认定或认可。各省市在操作执行层面的理解不同、做法不同、要求也各不相同，由此导致各省市认可活动发展不平衡。从认可数据分析，法医临床学标准的实施体现了以下特点：

1. 法医临床鉴定标准的使用高度集中

如图 7-2 所示，目前认可的 5 类法医临床鉴定业务中，损伤程度鉴定和伤残程度鉴定是法医临床鉴定最基本的也是最主要的业务，牢固占据主体地位。视觉、听觉和男性性功能评定只在司法行政系统开展。与之相符，目前法医临床标准使用频率最高的，最为重要的也是两院三部联合发布的《人体损伤程度鉴定标准》和《人体损伤致残程度分级》。通用性标准如《法医临床检验规范》（SF/T 0111—2021）和《劳动能力鉴定 职工工伤与职业病致残等级》（GB/T 16180—2014）的使用频率紧随其后。而专业性强的视觉、听觉和男性性功能鉴定标准只在少数综合性鉴定机构内使用。

2. 部分标准存在重叠和交叉现象

如图 7-3 所示，男性性功能鉴定和听觉功能鉴定同时存在推荐性国家标准司法部技术规范和刑事科学技术标准，法医临床检验规范中认可标准和技术规范并重。通过对标准和规范技术内容的逐一研读、对比和分析发现：听觉功能和男性性功能鉴定的标准和规范内容基本一致，由不同的归口管理部门在不同的时期发布；两个法医临床检验规范的内容和定位则不尽相同：一个定位于鉴定实践标准，一个定位于认可标准。

按照《司法鉴定程序通则》第二十三条的规定：“司法鉴定人进行鉴定，应当依以下顺序遵守和采用该专业领域的技术标准、技术规范和技术方法：（一）国家标准；（二）行业标准和技术规范；（三）该专业领域多数专家认可的技术方法。”对于同一层级的行业标准和技术规范出现重叠和交叉时，鉴定人应准确选用适宜的标准并用于鉴定实践，这也是质量管理体系考察鉴定机构方法管理的一项重要内容。

3. 各机构标准适用不一致

如图 7-3 所示，男性性功能鉴定和听觉功能鉴定在实践中各行其是，各机构有的适用 GB 标准，有的适用 GA 标准，还有的适用 SF 规范。尽管如上所述，标准间的技术条款内容基本一致、没有矛盾和冲突现象，但是对于委托人和当事人而言，同样的标准化对象采用不同的技术方法进行评定和判断时，即使最终的鉴定意见相同，但对于不具备专业知识，并强烈依赖鉴定的法官、律师和当事人而言，极有可能增加其内心的困惑和疑问，更有甚者反复纠结于标准问题，造成司法资源的浪费；当鉴定意见不一致时，更易将因鉴定人或机构的水平差异等产生的问题归结为标准不一致的问题，成为投诉和"闹鉴""缠鉴"的源头，损害司法的权威和公信力。究其本质，"适用不统一"归因于统一的司法鉴定管理体制尚未形成，标准的出口不统一。

标准作为认可活动的要素，与认可活动密切结合，可以发挥系统的最大功效并形成倍增效应，实现新时期司法鉴定的跨越式发展。

第二节　法医学活体年龄鉴定标准化概述

一、法医学活体年龄鉴定及标准化综述

2020 年 5 月，司法部发布的《法医类司法鉴定执业分类规定》（司规[2020]3 号）中将法医学骨龄鉴定（0208）作为单独的鉴定执业类别。法医临床学鉴定标准体系框架中，在法医临床专业标准中预留了法医学骨龄鉴定规范和法医学牙龄鉴定规范的专有位置，但从中国合格评定认可中心的认可数据分析，自 2019 年 1 月起，活体年龄鉴定才被纳入认可体系的范围。由此，体现了法医学活体年龄鉴定及其标准化在我国法医临床学中的独特地位。

（一）法医活体年龄鉴定与标准化的意义

法医活体年龄鉴定的重要性源于刑事、民事案件的审判及行政事项的处理中年龄的法律意义。12 周岁、14 周岁、16 周岁和 18 周岁的未成年人所需承担的民事和刑事责任能力不尽相同。在美国，判断偷渡者是否年满 18 岁时，牙龄推断是最常用的方法之一。在我国刑事案件中，"责任"年龄决定了不同年龄青少年犯罪者受到的惩罚不同。在婚姻、投票权、驾照发放等行政事项中，年龄是一个必须考虑的要素。民事诉讼中，年龄也同样影响到案件审判。

法医学活体年龄鉴定方法主要包括骨龄推断和牙龄推断。两者在法医学实践中的应用历史悠久。国际法医学领域，牙齿最早用于未知人类遗骸案件中的个体识别，随后牙龄推断运用于刑事、民事诉讼和行政事项中。骨龄推断则是通过测定骨骼的大小、形态、结构、相互关系的变化反映体格发育程度，并对其进行统计处理，以年龄的形式、以岁为单位进行表达。简单说，骨龄鉴定就是通过测定骨骼发育程度来判断个体的生物学年龄。骨龄推断和牙龄推断两种方法的优劣在于活体骨龄推断的优势是能够反映全身的生物成熟度，牙龄推断的优势是研究样本的年龄跨度更大。因此，骨龄推断是目前我国运用最为广泛的评价生物学年龄的方法，也是狭义上的活体年龄鉴定方法。

在我国，骨龄鉴定能够作为证据使用的依据最早见于最高人民检察院 2000 年 2 月 21 日《关于"骨龄鉴定"能否作为确定刑事责任年龄证据使用的批复》。该批复指出："犯罪嫌

疑人不讲真实姓名、住址、年龄不明的,可以委托进行骨龄鉴定或其他科学鉴定,经审查,鉴定结论能够准确确定犯罪嫌疑人实施犯罪行为时的年龄的,可以作为判断犯罪嫌疑人年龄的证据使用。如果鉴定结论不能准确确定犯罪嫌疑人实施犯罪行为时的年龄,而且鉴定结论又表明犯罪嫌疑人年龄在刑法规定的应负刑事责任年龄上下的,应当依法慎重处理。”最高人民法院、最高人民检察院、公安部、国家安全部、司法部《关于办理死刑案件审查判断证据若干问题的规定》第四十条规定:“审查被告人实施犯罪时是否已满十八周岁,一般应当以户籍证明为依据;对户籍证明有异议,并有经查证属实的出生证明文件、无利害关系人的证言等证据证明被告不满十八周岁的,应认定被告人不满十八周岁;没有户籍证明以及出生证明文件的,应当根据人口普查登记、无利害关系人的证言等证据综合进行判断,必要时,可以进行骨龄鉴定,并将结果作为判断被告人年龄的参考。” 可见,骨龄鉴定意见可以作为证据使用,但在使用时需要结合多方面社会因素综合判断,以尽可能提供准确的年龄推断依据。目前,法医学骨龄鉴定主要是通过 DR 摄片的方式,通过观察和比较不同部位的继发骨化中心及骨骺发育分级结果,对照特定年龄所对应的骨发育分级标准表,来解决汉族青少年骨龄鉴定问题。

(二) 法医活体年龄鉴定与标准化的关系

同一问题的解决,有多种多样的技术路径和方法,但总有某种方法路径更高效、更符合秩序、更能保证质量,这种方法就可确立为标准。有了标准,就可以引导使用者规范行为、统一行动,解决方法多元化、过程多样化、结果复杂化的状态混乱的问题。法医活体年龄鉴定技术与标准化的关系反映的是技术和标准化的发展关系。

1. 科学技术是标准化发展的基础

标准必须建立在科学、技术和检验的综合成果基础之上,始终反映最新技术状况。这是标准科学性、先进性的坚实基础。制定标准的过程,就是将科学技术的成果和实践中积累的先进经验相互结合、相互吸收,并纳入标准。这一过程需要经过分析、比较、选择,再加以综合,是一个总结和凝练的优化过程。

标准化过程是一个不断制定标准又不断修订的过程,这个过程本身就足以表明它是积累科学技术成果和实践经验的一种形式。一个新标准的产生是积累的开始,标准的修订是对其进行深化和提高,是新经验取代旧经验的过程。

2. 标准化是科技创新的平台

标准化和科技创新对立统一,标准化是技术积累的平台、是提高创新效率的平台也是创新普及和推广的平台。

科技创新求新、求变,是突破和质变,也是对以往的扬弃和否定,大多数的科技创新成果凝结着几代人的成就。因此,没有积累也就没有质变和创新。标准的实施过程就是普及化过程,在此过程中又会有新经验和技术的再创新,随着标准的修订,这些经验和创新成果又被纳入标准,成为技术的再积累。标准的“制定—实施—修订”的过程,就是技术的“创新—普及—再创新”的过程。因此,标准化是技术积累的平台,是创新活动的立足点和坚实基础。

创新成果的普及和推广是创新活动的最后一环,也是关键一环。通过技术创新取得的成果只有广泛应用才能收到应有的效益,达到创新的真正目的。标准化是成果创新推广的有效方式不仅是因为标准的科学性、权威性被广泛认可，更是因为标准自身的关联特性。关联性在多数情况下体现为标准集合体或标准体系。科技创新与标准化互相扩散所产生的影响，是揭示标准化与创新之间的一把钥匙，也是标准体系形成机制的切入点。

由此可见，法医学活体年龄鉴定标准是活体年龄鉴定技术的优化确立，是开展法医活体年龄鉴定所依赖的判定性标准和技术方法的有机统一。

二、法医学活体年龄鉴定标准的发展

法医学活体年龄推断领域无论是在国际上还是在国内，无论在牙龄推断还是在骨龄推断领域，标准都不多。国内外法医学活体年龄鉴定相关标准文件目录见表 7-2 。

表 7-2 法医学活体年龄鉴定相关标准文件目录

编号	标准名称	发布部门
ADA 1088—2017	基于牙科分析比较的人类识别	美国法庭科学全体科学领域委员会
ANSI/ADA 1058—2010	法医牙科学数据集	美国法庭科学全体科学领域委员会
/	青少年法庭年龄推测的程序指南	欧洲法医年龄推断研究小组
TY/T 3001—2006	中国青少年儿童手腕骨成熟度及评价方法	中华人民共和国国家体育总局
GA/T 1583—2019	法庭科学 汉族青少年骨龄鉴定技术规程	中华人民共和国公安部

在牙龄推断这一领域，世界各地的科研人员开展了大量的相关研究。牙龄在性别和人口亚群之间存在公认的差异，并且在大多数情况下存在 12～18 个月的误差范围。且一旦达到 18 岁左右，牙齿及骨骼的发育接近成熟，由牙齿推断年龄的准确性明显下降。

美国法庭科学全体科学领域委员会（The Organization of Scientific Area Committees for Forensic Science，OSAC）在美国国家标准及技术研究院（National Institute of Standards and Technology，NIST）的领导下通过严格的技术和质量审查，制定、发布司法鉴定相关标准，以确保司法鉴定分析结果的有效性、可靠性、可重复性和科学性。目前，OSAC 已注册并可公开获取的标准文件共有 16 类 53 项，其中牙科学是其中专门的一个类别。2019 年，OSAC 注册表新增了《法医牙科学数据集》（*Forensic Dental Data Set*）（ANSI/ADA 1058—2010）。ANSI/ADA 1058—2010 标准的内容包括如何获得并处理法医牙科数据进行比较牙科分析鉴定。OSAC 专门针对牙龄鉴定的标准、指南和最佳实践仍在制定中。

欧洲法医年龄推断研究小组（Study Group on Forensic Age Diagnostics，SGFAD）成立于 2000 年，由欧洲讲德语国家（德国、奥地利、挪威、瑞士）的法医师、放射学专家、牙科医生和人类学家组成。该小组曾对欧洲的法医学会、人类学家和从事法医工作的牙科医生进行问卷调查，并在 2006 年提出了青少年法庭年龄推测的程序指南。该指南强调用于法律目的的年龄推断一般包含下述检查：①身体检查，包括身高、体重、体格类型和第二性征的检查，是否有影响发育的疾病等；②左腕关节的 X 线检查；③牙科检查和全景体层片摄影；④腕骨已完成发育时，可采用锁骨胸骨端 X 线片或 CT 检查。由此可见，欧洲法医年龄推断研究小组基于法律目的进行年龄推断的方法比较审慎，使用综合判断的方式，即综合多种方法全面分析、互相印证，以尽可能准确地进行年龄分析。到目前为止，该指南也是国际上唯一一个年龄推断的指南性文件。

在我国,较早提出骨发育及评价的是中华人民共和国国家体育总局归口管理的《中国青少年儿童手腕骨成熟度及评价方法》(TY/T 3001—2006)(代替了原行业标准《中国人手腕骨发育标准(CHN 法)》(TY/T 001—92)),该标准使用的方法是左手腕骨发育标准评测骨龄,用于推断青少年儿童的生物年龄以确定运动员的参赛资格。手腕部骨骼能够代表全身骨骼的发育状况,而且拍摄 X 线片时所受到的损害最小,由此成为骨骼评价所应用的主要解剖学部位。就司法鉴定领域而言,法医学活体骨龄鉴定的主要目的是为刑事侦查、法庭审判、定罪量刑提供科学依据。我国先后在不同时期也制定了不同关节部位的骨龄评价方法与标准,包括骨龄百分位计数法、标准图谱法、计分法、六大关节法和计算机骨龄评分系统等。

2019 年,中华人民共和国公安部发布了《法庭科学　汉族青少年骨龄鉴定技术规程》(GA/T 1583—2019)标准,该标准采用未成年人躯体七大关节 24 个骨骺组成的标准图谱方法对青少年骨发育分级进行了描述,并提供了骨发育分级标准及图谱,是目前国内唯一的法医学骨龄鉴定标准。同牙龄一样,骨龄在不同人群之间存在公认的差异,因此本标准仅能解决汉族青少年骨龄鉴定问题。对于我国其他少数民族以及成年人而言,并不能直接援引本标准进行鉴定。众所周知,我国是一个多民族国家,地域辽阔,个体骨骼发育难免存在一定的差异性。因此,为满足不同地区、民族、年龄法医学骨龄鉴定的需求,我国法医学骨龄鉴定标准的制定任重道远。

第三节　法医学骨龄鉴定标准化发展及展望

一、法医学骨龄鉴定标准化问题及对策

法医学骨龄鉴定属于法医临床学的鉴定门类,但其标准化问题更多地源于法医学活体年龄鉴定技术本身,与现有的法医临床学鉴定标准和方法使用中存在标准条款的理解差异、标准和方法不够健全及检验方法存在差异等问题并不相同。

活体骨龄评估的理论基础与核心依据是基于人体各大关节骨骼发育过程中呈现连续性与阶段性的增龄性变化。通过骨骺大小、形态以及骨骺闭合程度等发育规律来推断个体的生物学年龄。

目前,法律年龄是实践中最迫切需要鉴定的年龄,但这个年龄段的青少年仍处于生长发育阶段。首先,X 射线放射学对于人体的生长发育有一定的影响,将其运用于青少年并不是最佳方法选择,因此,在使用中要保持审慎稳妥的原则;其次,基于骨龄与实体发育程度的密切相关性,骨龄将作为青少年年龄推断的主要依据,但其作为法庭证据使用有相对严格的准确性和精确性要求,需要不断完善骨龄鉴定技术,推动技术的标准化和规范化要求;再次,作为需要人为判断的方法,骨龄鉴定方法的科学有效性有待进一步确认。而且,不管年龄推断方法、技术和标准如何改进优化,人体生长发育过程中始终不可避免地受到各种难以精确测量的先天和后天性因素的影响,理论上希望利用医学手段准确地推断个体实际生活年龄是

无法实现的。因此，必须基于多种技术手段、多种机制，共同促进年龄推断的科学性、客观性和公正性。

（一）开展骨龄推断标准数据库研究和建设

青少年法庭年龄推断所进行的生长发育评价需要依据标准。运用不同的标准，最终的评价结果会有不同，主要是基于制定标准依据的样本差异及评价方法的不同。

随着社会进步和经济发展，我国青少年的营养水平较以往均有不同程度的提高。近几十年来，中国青少年生长发育的趋势加速，而传统的百分计数法、顾氏图谱法和 CHN 法骨龄标准制定年代较久远，使用原有的骨龄评价方法与标准，有可能高估被鉴定者的年龄。张绍岩等对随机抽取的 950 名 12~18 岁正常城市青少年儿童，分别应用 20 世纪 80 年代制定的 CHN 法标准和 21 世纪制定的 RUS-CHN 法标准评价骨龄，发现有明显的骨骼发育加速的长期趋势，表现为 CHN 法标准将高估被评价者的年龄（高估 0.5~1 岁）。

现有的法医学骨龄研究的样本库和数据库的系统性和时序性还不足，有必要科学地开展骨龄推断标准数据库的研究和建设。按照不同种族、地区和人群生长发育特点，分析个体发育规律，坚持定期（如每隔 30 年左右）进行相关人群的骨龄发育标准的评测研究并持续更新数据库，为骨龄的科学评价夯实基础，保持年龄推断的科学性、准确性。

（二）借助大数据、深度学习等技术，开辟骨龄推断新思路

骨骼 X 线图像显示黑灰白不同的阶度变化，具有黑白对比、层次差异的图像特征，有良好的图像识别的前期基础。近年来，国内外众多学者都尝试通过各种方法来建立一个可实现自动化或半自动化的骨龄评估系统。早在 20 世纪 80 年代，计算机就已被用于参与读片计算，但是仅限于可简化评定的数据分析过程。2014 年，司鉴院王亚辉团队首次运用支持向量机方法，将收集到的青少年左侧腕关节 X 线正位片作为训练样本，实现了对尺、桡骨远端骨骺发育分级进行自动化评估的目标，很大程度上提高了骨骺发育分级读片的效率。

但是，考虑到支持向量机等浅层学习是通过人工经验来获取样本特征，而且其对复杂函数的表达能力有限，不能很好地挖掘样本内部深层次的信息，因而使用带有多个特征处理隐含层结构的深度学习技术，利用深度学习在图像识别中的优势，可以为构建法医学骨龄自动化评估系统提供基础性数据，为骨龄鉴定过程更为简便、快捷，鉴定意见更为客观、准确提供辅助技术支撑。

（三）编制基于骨龄摄片的技术规程并开展骨龄评价的可靠性检验

无论是 20 世纪的计数法、百分位计数法、G-P 图谱法、CHN 法、计分法，还是 21 世纪的 TW3 法、计测法、中国青少年儿童手腕骨成熟度和评价方法以及多元回归法，或者是有些学者曾致力于通过超声、骨密度法、骨皮质厚度及髓腔直径变化等进行的骨龄评估，这些方法均是基于人工操作来完成骨骺形态的识别和骨发育程度的评估，需要通过人工方法进行阅片、分析、骨龄推断等。然而，不同摄片方法、不同阅片者的水平及能力不尽相同，读片的一致性会受到质疑。而且，阅片结果的可靠性通常决定了骨龄推断的准确性。因此，可考虑编制基于骨龄摄片的技术规程以规范摄片流程，从摄片部位、摆放部位等多角度提供规范化流程和操作，为后续的阅片和读片提供一致性基础。

（四）开展骨龄评价方法的可靠性验证

推断青少年年龄的精确性不仅与方法本身有关，不同经验的使用者使用该方法对评价

的精确性也有很大的影响。因此,在流程一致、方法一致的基础上,还需要定期对方法开展可靠性检验。能力验证是国际通行的可靠性验证方式,可借助司法鉴定行业每年定期举行的能力验证活动,从不同参加机构的表现评价并分析方法的可靠性。

不同评价者之间的可靠性检验有助于保持评价结果的一致性,对于活体年龄推断质量有重要的保障作用,也是形成骨龄科学评价的重要环节。

(五)完善法医学骨龄鉴定意见证据解释

青少年生长发育具有相当大的个体差异。因此,客观上讲,采用任何方法推断出的年龄与实际年龄相比,应处于一定的范围或者一定概率下的置信区间之中。同时,受限于鉴定人的读片、摄片的过程,年龄推断结果产生一定的主观性。因此,司法鉴定人一方面要根据被鉴定人不同的生长发育指征,相互印证,缩小年龄范围的证据;另一方面,国际司法鉴定标准化组织 ISO/TC272 正在开展结果解释部分的标准研制,引入似然率的结果解释方法。司法鉴定意见书作为法律文书不仅要体现科学性和技术性要求,也要满足法庭审判刑事侦查的要求。完善骨龄推断结果的证据解释对法庭科学工作者提出了新的技术要求,需要在今后的鉴定工作中进一步予以完善。

二、展望

2020 年 5 月 28 日,中华人民共和国第十三届全国人民代表大会第三次会议审议通过《中华人民共和国民法典》,该法典第十九条规定:“八周岁以上的未成年人为限制民事行为能力人,实施民事法律行为由其法定代理人代理或者经其法定代理人同意、追认;但是,可以独立实施纯获利益的民事法律行为或者与其年龄、智力相适应的民事法律行为。”第二十条规定:“不满八周岁的未成年人为无民事行为能力人,由其法定代理人代理实施民事法律行为。”不难看出,民事行为能力的年龄节点已下调至八周岁。

2020 年 12 月 26 日,中华人民共和国第十三届全国人民代表大会常务委员会第二十四次会议通过了《中华人民共和国刑法修正案(十一)》,第十七条规定:“已满十六周岁的人犯罪,应当负刑事责任。已满十四周岁不满十六周岁的人,犯故意杀人、故意伤害致人重伤或者死亡、强奸、抢劫、贩卖毒品、放火、爆炸、投放危险物质罪的,应当负刑事责任。已满十二周岁不满十四周岁的人,犯故意杀人、故意伤害罪,致人死亡或者以特别残忍手段致人重伤造成严重残疾,情节恶劣,经最高人民检察院核准追诉的,应当负刑事责任。对依照前三款规定追究刑事责任的不满十八周岁的人,应当从轻或者减轻处罚。因不满十六周岁不予刑事处罚的,责令他的家长或者监护人加以管教;在必要的时候,依法进行专门矫治教育。”由此可见,我国未成年人犯罪承担刑事责任年龄时间节点已下调至十二周岁。

2019 年 10 月 1 日施行的《法庭科学　汉族青少年骨龄鉴定技术规程》(GA/T 1583—2019)主要是解决 11~20 岁汉族青少年骨龄鉴定问题,尚不能有效解决我国八周岁、十周岁等未成年人骨龄鉴定问题。基于此,未来骨龄的研究方向一方面是致力于人工智能技术联合影像组学技术研究并解决现行有效的法律所规定的“八周岁、十周岁”小年龄组未成年人法医学骨龄鉴定问题;另一方面是致力于解决我国其他少数民族(如维吾尔族、藏族)青少年法医学骨龄鉴定问题。随着大数据、人工智能在医学领域的广泛运用,特别是人工智能及影像组学技术在图像识别与数据挖掘中的独特优势,未来也将更深入地运用于骨龄鉴定领域。

在国家标准化体制改革及健全统一司法鉴定管理体制的大背景下，标准化的作用日益凸显。2005 年，联合国贸易发展组织和世界贸易组织在《出口战略创新》报告中首次提出了"国家质量基础设施"（NQI）的概念，将计量、标准化、合格评定并称为国家质量基础的三大支柱。标准化和认证认可成为支撑国家高质量发展的基石。法医学骨龄鉴定领域的所有科技进步，最终也必将反映到骨龄鉴定标准中，促进法医学骨龄鉴定标准化的蓬勃发展。

主要参考文献

党凌云，郑振玉，宋丽娟，2015. 2014 年度全国司法鉴定情况统计分析［J］.中国司法鉴定，4(81)：116-119.

何晓丹，李成涛，沈敏，等，2019.比较法视野下我国司法鉴定标准化制度的完善研究［J］.标准科学，(4)：12-18.

何晓丹，沈敏，2018.司法鉴定标准化管理的路径探讨［J］.中国司法鉴定，(1)：31-36.

何晓丹，吴何坚，2020.再论司法鉴定标准体系的建设［J］.中国司法鉴定，(1)：87-92.

胡婷鸿，万雷，刘太昂，等，2017.深度学习在图像识别及骨龄评估中的优势及应用前景［J］.法医学杂志，33(6)：629-639.

赖小平，于晓军，刘源，等，2011.青少年活体年龄鉴定操作规范的探讨［J］.中国司法鉴定，(6)：48-50.

李春田，2011.标准化概述［M］.6 版.北京：中国人民大学出版社，40-42.

麦绿波，2019.标准学——标准的科学理论［M］.北京：科学出版社.

田雪梅，张继宗，闵建雄，等，2001.青少年骨关节 X 线片的骨龄研究［J］.刑事技术，2(2)：6-11.

王鹏，朱广友，王亚辉，等，2008.中国男性青少年骨龄鉴定方法［J］.法医学杂志，24(4)：252-258.

王旭，2016.我国法医临床学鉴定标准现状与展望［J］.中国法医学杂志，31(5)：433-436.

王亚辉，朱广友，王鹏，等，2008.中国汉族女性青少年法医学活体骨龄推断数学模型的建立［J］.法医学杂志，24(2)：110-113.

王彦斌，唐丹舟，高俊薇，等，2019.基于认可视角的法医临床鉴定标准实施评价和对策［J］.法医学杂志，35(4)：467-471.

希拉.贾萨诺夫，温珂，2011.当科学顾问成为政策制定者［M］.陈光，译.上海：上海交通大学出版社.

夏文涛，方建新，2021.法医临床学鉴定技术运作管理和风险管控关键点［J］.中国司法鉴定，117(4)：86-92.

肖建华，2018.关于发挥认可作用，服务市场监管的几点思考［J］.市场监管现代化，(11)：21-24，32.

杨天潼，王旭，2012.《国际功能、残疾和健康分类》评述及其法医临床学应用价值［J］.证据科学，20(5)：565-577.

叶义言，2005.中国儿童骨龄评分法［M］.北京：人民卫生出版社.

张绍言，2019.中国人手腕部骨龄标准-中华 05 及其应用［M］.北京：科学出版社.

张绍言，刘丽娟，吴真列，等，2006.中国人手腕骨发育标准-中华 05I.TW3RUSTW3-C 腕骨和 RUS-CHN 方法［J］.中国运动医学杂志，25(5)：509-516.

Bickenbach J，Cieza A，Rauch A，et al.，2013. ICF 核心分类组合临床实践手册［M］.邱作英，励建安，吴弦光，译.北京：人民军医出版社.

Cocchiarella L，Gunnar A，2002. Guides to the evaluation of permanent impairment［M］. 5th ed. New York：

American Medical Association.

Daniel A M, 2019. The future of Forensic Science[M]. New York: John Wiley&Sons.

Garamendi P M, Landa M I, BallesterosJ, et al., 2005. Reliability of the methods applied to assess age minority in living subjects around 18 years old a survey on a Moroccan origin population[J]. Forensic Science International, 154(1): 3-12.

Xiaodan He, Chengtao Li, 2021. Development of forensic standards in china: a review[J]. Forensic Science Research.